Deutsch Aktuell 3

Fifth Edition

Teacher's Edition

Roland H. Specht
Shawn C. Jarvis
Isolde Mueller
Wolfgang S. Kraft

CONSULTANTS

Cindy Burgess
Triad High School
St. Jacob, Illinois

Hans J. König
The Blake Schools
Hopkins, Minnesota

Sharon Gerstacker
S. P. Waltrip High School
Houston, Texas

Gunda Vaughan
East High School
Rockford, Illinois

EMC/Paradigm Publishing, Saint Paul, Minnesota

Editorial Assistance
Glenndell Larry
Sharon O'Donnell

Cover and Text Designer
Jennifer Wreisner

Illustrator
Hetty Mitchell

Production Specialist
Matthias Frasch

Cover Photographer
Michael Kämpf

CONTENTS

ISBN 0-8219-2606-3

Published by EMC/Paradigm Publishing
875 Montreal Way
St. Paul, Minnesota 55102
800-328-1452
www.emcp.com
E-mail: educate@emcp.com

Printed in the United States of America
1 2 3 4 5 6 7 8 9 10 XXX 08 07 06 05 04 03

About the Authors

Roland H. Specht, a native of Dortmund in Germany, is Dean of the College of Fine Arts and Humanities at St. Cloud State University in Minnesota. A full professor of German, he has authored several German textbooks and directed 12 study abroad programs in Ingolstadt, Germany, for U.S. and international students. He is interested in borderless education and administers his college of 170 faculty with a focus on global themes and international communications. As President of Rotary International in St. Cloud, he promoted exchange opportunities for Russian and German entrepreneurs to study U.S. companies. He has taught at St. Cloud State University for the past 20 years while visiting German-speaking countries several times each year. This book reflects many of the themes he uses to describe life in Germany today.

Shawn C. Jarvis is chairperson of the Department of Foreign Languages at St. Cloud State University and a full professor of German. She has directed several study abroad programs in Germany and is a certified ACTFL proficiency tester. She was instrumental in establishing the first international dormitory at St. Cloud State University that has become home to 100 international students studying in the United States. She frequently visits high schools to introduce young students to the German language and culture and provides for international scholarships and job opportunities for German majors attending the study abroad program in Ingolstadt.

Isolde Mueller, a native of Austria, received her Ph.D. from the University of Minnesota and is currently an associate professor at St. Cloud State University. She has a broad knowledge of a variety of teaching methodologies and second-language acquisition theories, as well as a strong background in proficiency-oriented assessment through her work at the Center for Advanced Research on Language Acquisition. Together with several high school German teachers, Mueller currently teaches in the Sophomore to Senior Program, through which high school students can take college-level courses. Her research focuses on identity issues in late eighteenth-century texts.

Wolfgang S. Kraft, a native of Germany, is Director of World Languages at EMC/Paradigm Publishing. He has taught German at the high school and college level. Kraft has also participated as a Native Informant and instructor at NDEA Foreign Language Institutes, served on various foreign language panels, and conducted many workshops in the United States as well as abroad. Besides being the author of the first two levels of *Deutsch Aktuell*, Kraft has authored several other German programs. To keep the textbook series fresh and exciting, Kraft travels extensively throughout German-speaking countries, gathering current facts and information about the language and culture.

KAPITEL	FUNCTIONS	TOPICS

1 Im Herzen Europas	talk about countries and continents
	inquire about personal backgrounds
	discuss vacation experiences
	describe a train station and train facilities
		A world geography
		    continents
		    global locations
		B train travel
		    inside/outside of train
		    train station facilities

2 Gestern und heute	identify city sights describe a trip inquire about details talk about downtown traffic describe a vehicle gather information	A city sights B city intersection
3 Familie und Nachbarn	talk about additional family members express various moods describe neighbors identify and talk about bicycle parts get repairs made	A family tree B bicycle parts
4 Spaß muss sein	talk about various games describe a musical event identify parts of a car inquire about details discuss street performances by artists	A board game B dashboard and other parts of car
5 Österreich	ask for advice and information express politeness express preferences describe travel experiences talk about a hiking trip	A *Du und Sie* B hiking

DIALOG	ALLERLEI	SPRACHE
A Woher kommen Sie? B Kais Reise nach Ingolstadt	A Wir leben im Herzen Europas	A coordinating and subordinating conjunctions B expressions for times of day
A Sehenswürdigkeiten in Hamburg B Wir kommen nicht weiter! Ich kaufe ein Motorrad	A Eine Reise nach Papenburg	A verbs used as nouns present perfect and narrative past B time expressions with the dative
A Die Oma kommt B Martins Fahrradprobleme	A Umfrage zum Thema: Nachbarn	A *als, wenn, wann* B relative pronouns present subjunctive II: polite requests and wishes compound nouns
A Komm, spielen wir! B Am Montag geht's in die Fahrschule!	A Rockfestival Südpfalz	A imperative B verb- preposition combinations relative pronouns after prepositions if/then clauses, present tense
A In einem Buchgeschäft B Viel Spaß im Schwarzwald!	A Wie höflich sind die Leute?	A comparative and superlative comparison of adjectives and adverbs B if/then clauses, past tense *da*-compounds

KAPITEL	LÄNDER, KANTONE UND PROVINZEN	VON EINEM ORT ZUM ANDERN
1 Im Herzen Europas	A Der Chiemsee in Bayern	B Die Bahn Kais Reise nach Ingolstadt
2 Gestern und heute	A An der Nordsee	B Das Motorrad
3 Familie und Nachbarn	A Die Schweiz und Zürich	B Das Fahrrad
4 Spaß muss sein	A Tirol	B Die Mitfahrzentrale Ruths Mitfahrgelegenheit
5 Österreich	A Wien, Budapest und Prag	B Wandern Auskunft

MENSCHEN UND MÄCHTE	AKTUELLES	EXTRA! EXTRA!
B Karl der Große	B Die Spielzeugeisenbahn	B Emil und die Detektive (Erich Kästner)
B Heinrich I.	B Essen in Deutschland: gestern und heute	B Winterkartoffeln (Jo Hanns Rösler)
B Die letzte deutsche Kaiserin	B Mountainbiking	B Lenchens Geheimnis (Michael Ende)
B Der Kaiser macht ein Fest	B Straßenkünstler	B Der Stift (Heinrich Spoerl)
B Ein Dichter im Mittelalter: Walther von der Vogelweide	B Alles Walzer!	B Gedichte (Christian Morgenstern) Klein Irmchen Die beiden Esel Der Frühling kommt bald Herr Löffel und Frau Gabel

KAPITEL	FUNCTIONS	TOPICS
6 Spuren der Geschichte	introduce yourself and talk about others reminisce describe talents and abilities apply for a job talk about various professions	A class reunion B job search, application and interview
7 Generationen	describe family dynamics describe current situations become familiar with commuting in a city request appropriate tickets for various means of transportation	A young and old B transportation system and various types of tickets
8 Gesundes Leben	talk about health and nutrition describe a project give advice on how to avoid stress discuss protective gear for various sports describe a process	A health and nutrition B sports gear
9 Die Nachbarn in Europa	1. describe landscapes 2. make predicitions 3. talk about airport arrival and departure details 4. describe personal items 5. discuss currencies	A climate and weather B arrival and departure at airport
10 Beziehungen	discuss an election and an campaign describe social issues express opinions about relationships discuss contemporary technologies compare cultural trends over time	A socially and politically involved B interpersonal matters

DIALOG

A Was ist aus ihnen
  geworden?
B Ein Jobinterview
  Willi bewirbt sich um eine
  Stelle

A Die Oma erzählt
B Eine Fahrkarte, bitte!

A Mit Ketschup in die Schule
B Frank Kramer erzählt

A Die Klassenfahrt
B Beim Gepäckdienst

A Wahl des Schulsprechers
B Meine Freunde im Internet

ALLERLEI

A Unsere Klasse

A Probleme zwischen den
  Generationen

A Stress vermeiden vor dem
  Abitur

A Junge Leute in der EU

A Soziale Aktionen

SPRACHE

A modals: present
  perfect, double
  infinitives
B modals: narrative past,
  present and past
  subjunctive
  wann, ob

A *wo*-compounds
  passive voice, present
  tense
B modals with the
  passive, present tense
  infinitive clauses with
  zu and *um...zu*

A passive voice, narrative
  past
  passive voice with
  modals, narrative past
B relative pronouns *was*
  and *wo*
  genitive

A uses of *werden*
  word order of
  adverbials
B passive voice with the
  subject *es*
  -ung nouns from verbs

A past perfect
B past perfect with
  modals
  subordinate clauses
  with question words
  past participles as
  adjectives

KAPITEL	LÄNDER, KANTONE UND PROVINZEN	VON EINEM ORT ZUM ANDERN
6 Spuren der Geschichte	A Die Hansestädte Hamburg und Bremen	B Segeln wie vor 100 Jahren
7 Generationen	A Nordrhein-Westfalen	B Die Straßenbahn
8 Gesundes Leben	A Der Harz	B Inline Skating
9 Die Nachbarn in Europa	A Straßburg	B Fliegen
10 Beziehungen	A Die UNESCO Welterbestätten in Deutschland	B Das Internet

MENSCHEN UND MÄCHTE	AKTUELLES	EXTRA! EXTRA!
B Die Hanse	B Aus alt mach neu!	B Der Erlkönig (Johann Wolfgang von Goethe)
B Gutenberg und der Buchdruck	B An der Pommesbude	B Flucht ins fremde Paradies (Angelika Mechtel)
B Paracelsus und die moderne Medizin	B Rollstuhlbasketball	B An den Rollstuhl gefesselt — Leben aus einer anderen Perspektive
B Johannes Kepler und die Bewegung der Planeten	B Die einheitliche Währung mit vielen Gesichtern	B Fair Play mit der Natur
B Fortschritt?	B Studienprogramme	B Das Märchen vom kleinen Herrn Moritz, der eine Glatze kriegte (Wolf Biermann)

INTRODUCTION

The fifth edition of *Deutsch Aktuell* continues the tradition of a successful textbook series that has become the flagship of German language instruction for the past 25 years. This new edition has been developed in response to needs expressed by teachers throughout the country who are looking for the latest in a well-balanced approach with emphasis on communication and a logical introduction of language structure. Based on detailed surveys and meetings involving hundreds of experienced German educators, *Deutsch Aktuell* offers an innovative approach to meeting the needs of students in the twenty-first century.

The *Deutsch Aktuell 3* program, composed of the textbook and its fully integrated set of additional components, offers instructors and students the most complete materials possible to teach and learn German at a more advanced level. The accompanying ancillaries may be used as enrichment, additional practice or reinforcement. The tailor-made materials, which fit individual students' needs and learning styles, include this teacher's edition, workbook, testing/assessment program, audio CD program, video program, Internet activities, News Ticker and i-Catcher. One of the greatest challenges that teachers face today is teaching students with varying abilities, backgrounds, interests and learning styles. The extensive instructional program of *Deutsch Aktuell* recognizes, anticipates and provides for these differences.

The strength of the new edition of *Deutsch Aktuell 3* becomes apparent in the new chapter layout and design. Each chapter now is divided into two sections: *Lektion A* and *Lektion B.* By dividing the chapter into two separate lessons, students will feel more of an accomplishment in completing shorter segments.

This new edition of *Deutsch Aktuell 3*, with its innovative content and components, will take students into the next century. The abundance of full-color photos and illustrations make the content come alive for students. In order to help students develop their active vocabulary for daily activities, the illustrated page at the beginning of each *Lektion A* and *Lektion B* is accompanied by vocabulary building activities. Besides the realistic dialogs and conversations and the numerous situational and communicative activities found in each chapter, sections such as *Rollenspiel* and *Endspiel* provide additional language practice and application in a proficiency-based format. The section *Länder, Kantone und Provinzen* will take your students on a tour through various areas of Germany, Switzerland and Austria and acquaint them with these countries' people and cultures. *Von einem Ort zum andern* introduces students to aspects of everyday life (taking the train, using the bus and so on). The section *Menschen und Mächte* acquaints students with important developments in German cultural history to help them understand the German context. Finally, the sections *Allerlei* and *Aktuelles* will expand students' understanding of the cultural subtleties that are a part of German life.

The purpose of the front section of this teacher's edition is to provide a complete overview of *Deutsch Aktuell 3* in the form of a Scope and Sequence Chart, describe the philosophy and goals of the program, outline its components and main features, suggest a lesson plan for one of the chapters (for both 50-minute and 90-minute classes in a block scheduling system), and give additional teaching suggestions and reference material.

This teacher's edition contains an annotated version of the student textbook. Marginal notes, printed in another color, include the answers to all activities. You will also find in the margins icons which refer you to the various ancillaries coordinated with the chapter content such as audio CDs, workbook activities, Internet activities and end-of-chapter tests. Furthermore, additional teacher's notes, referred to throughout this teacher's edition by an icon in the margins, are found in this front section.

NATIONAL STANDARDS

When the Goals 2000: Educate America Act provided funding for improving education in 1994, a K-12 Student Standards Task Force was formed to establish content standards in foreign language education. The National Standards in Foreign Language Education Project brought together a wide array of educators, organizations and interested individuals to discuss and establish a new national framework of standards for foreign language education in the United States. The resulting document, titled *Standards for Foreign Language Learning for the 21st Century*, provides a bold vision and a powerful framework for understanding language learning. These standards will help shape instruction and assessment for years to come.

The National Standards identify and describe 11 content standards that correspond to the organizing principle of five interconnected Cs: **Communication, Cultures, Connections, Comparisons** and **Communities**. The new *Deutsch Aktuell* series, as already evidenced in the previous edition, continues to address these standards throughout. The following summarizes the goals of the five Cs of foreign language education:

COMMUNICATION

Communicate in Languages Other Than English

Standard 1.1: Students engage in conversation, provide and obtain information, express feelings and emotions and exchange opinions.

Standard 1.2: Students understand and interpret written and spoken language on a variety of topics.

Standard 1.3: Students present information, concepts and ideas to an audience of listeners or readers on a variety of topics.

CULTURES

Gain Knowledge and Understanding of Other Cultures

Standard 2.1: Students demonstrate an understanding of the relationship between practices and perspectives of the culture studied.

Standard 2.2: Students demonstrate an understanding of the relationship between the products and perspectives of the culture studied.

CONNECTIONS

Connect with Other Disciplines and Acquire Information

Standard 3.1: Students reinforce and further their knowledge of other disciplines through the foreign language.

Standard 3.2: Students acquire information and recognize the distinctive viewpoints that are available only through the foreign language and its cultures.

COMPARISONS

Develop Insight into the Nature of Language and Culture

Standard 4.1: Students demonstrate understanding of the nature of language through comparisons of the language studied and their own.

Standard 4.2: Students demonstrate understanding of the concept of culture through comparisons of the cultures and their own.

COMMUNITIES

Participate in Multilingual Communities at Home and Around the World

Standard 5.1: Students use the language both within and beyond the school setting.

Standard 5.2: Students show evidence of becoming life-long learners by using the language for personal enjoyment and enrichment.

ABOUT THIS TEACHER'S EDITION

The front section of this Teacher's Edition contains:
- a scope and sequence chart that gives a complete overview of each chapter in *Deutsch Aktuell*
- National Standards
- a description of philosophy and goals
- an outline of the components
- using the internet
- a model for both regular class periods and block scheduling
- teacher's notes with helpful hints, suggestions and reference items
- Reform of Spelling Rules

This teacher's edition contains an annotated version of the student textbook. Marginal notes, printed in another color, include the answers to all activities as well as icons related to the ancillary material used in conjunction with the material.

PHILOSOPHY AND GOALS

Extensive research has shown that a teacher needs to use a variety of student-centered activities and approaches to maximize learner outcomes and minimize the teacher's involvement to ensure that students and not the teacher are at the center of the learning process. Consequently, a variety of techniques have been implemented for optimal achievement of language proficiency that cater to all learning abilities.

The following material describes the various techniques and learning strategies that have been incorporated in the *Deutsch Aktuell* textbook series throughout to maximize learner outcomes and to offer numerous opportunities in creating authentic experiences.

Cooperative Learning and Group Activities

As the teacher-centered classroom has shifted to a more effective student-centered environment, cooperative learning has become an important part of student participation. In cooperative learning students work together to share their knowledge, increase their skill level and attempt to meet the goals that they themselves have set. Cooperative learning happens when both the students and the teacher are actively engaged in the teaching and learning situation that incorporates these five elements: positive interdependence, individual accountability, face-to-face interaction, interpersonal and small-group skills and group processing.

Groups should contain a maximum of four students with varied abilities. The teacher should provide specific tasks and explain the criteria for success. When assigning roles in groups, the teacher should divide responsibilities to ensure interdependence and cooperation. One possible division of responsibilities is (1) a discussion leader/facilitator,

(2) a recorder, and (3) a reporter. Upon each group's completion of the assigned cooperative learning activity, the final activity should be shared with the rest of the class and the entire class and teacher should assess the quality of the group's activity.

Paired Activities

Many activities in each chapter (particularly those labeled *Rollenspiel)* suggest that the class be divided into pairs as smaller groups can maximize their time to practice all language skills, their oral skills in particular. The paired activities come in the form of interviews, question-answers, role-play situations and developed conversations and/or narratives that relate to real-life and meaningful cultural situations. Paired activities are particularly effective as they (1) increase practice time, (2) provide students with greater self-confidence through less threatening situations, (3) provide a more realistic, communicative setting, (4) increase student involvement and motivation, (5) vary classroom routine, (6) encourage student cooperation with others to achieve goals and (7) allow the teacher to circulate and spot problems.

TPR Activities

TPR (Total Physical Response) activities encourage students to perform certain tasks after listening to directions given by the teacher or any of the classmates. TPR activities clearly demonstrate the students' understanding when requests are made and students are asked to follow the instructions accordingly. These activities may create some commotion in the classroom as there is a certain amount of student mobility involved. The following is a sample TPR activity:

> Teacher: *Monika, steh auf und geh zu Rainer!* (Monika should get up and go to Rainer.) *Rainer hat ein Buch. Zeig es der Klasse!* (Monika should pick up Rainer's book and show it to the class.) *Geh zu dem Stuhl zurück!* (Monika should return to her chair.)

The advantage of such a TPR activity is that the student is following directions and physically performs a given task. Such a performance enhances learning and becomes more meaningful in the learning process. A step beyond TPR activities is the more recent emphasis by many teachers on TPR storytelling. For more extensive insight and use of this method, see the TPR Storytelling Manual that accompanies *Deutsch Aktuell 1.*

Cross-curricular Activities

A language and culture cannot be isolated in itself, but must be interwoven with other subject areas or curricula that form part of the students' everyday learning experience. As students are exposed to *Deutsch Aktuell,* they will be confronted with topics related not just to the language and culture, but also to various cross-curricular activities that include such subjects as social studies, mathematics, geography, history and psychology. These activities will help maximize and expand global understanding and provide a bridge to further communication that encompasses curricula beyond the German language and culture.

Activities for Students with Multiple Intelligences

Every class consists of students with differing abilities and learning styles. Consequently, it is important to provide activities that cater to the needs of all students—those who need additional practice and those who want to be challenged more. The teacher will find many such activities. The sections *Menschen und Mächte* and *Extra! Extra!* will provide challenging readings and thought-provoking tasks for students. Many of the activities suggested in the *Endspiel* will take students beyond the text into areas of their own research and interests. The topics, themes, vocabulary and structures of the textbook are consistently spiraled. Those students who want to move ahead more quickly, will have ample opportunity to work with them and to make them part of their active knowledge.

COMPONENTS

Deutsch Aktuell 3 is the third part of a comprehensive three-level German language series designed to meet the needs of language students well into the next century. This third-level textbook program includes the following components:

- Textbook
- Teacher's Edition
- Workbook
- Workbook Teacher's Edition
- Testing/Assessment Program
  - Audio CDs (listening comprehension tests)
  - Tests (including answer key)
- Audio CD Program
  - Audio CDs
  - Audio CD Program Manual
- Video Program
  - Videocassettes or DVD
  - Video Program Manual

Textbook

This revised fifth edition textbook contains a total of 10 chapters *(Kapitel 1-10)*, a grammar summary, an end vocabulary section (German-English and English-German) and an index. All the chapters have been designed and structured in a similar manner so that students will become accustomed to the various sections and know what to expect. Each chapter is divided into two parts: *Lektion A* and *Lektion B*.

Front Section

The front section of the student textbook includes the following sections:
- introduction
- table of contents
- maps of *Europa, Deutschland, Deutsches Sprachgebiet, Österreich, Schweiz* and a map of the center of *Berlin*

Chapter Format

Chapter Opener—Preceding the chapter text are two photo-illustrated pages that visually prepare students for the general cultural content of the particular chapter. Communicative functions, also listed here, express the tasks that students will be expected to perform.

Lesson Opener—Colorful illustrations introduce the main vocabulary and expressions in *Lektion A* and *Lektion B* in a meaningful context. Students should be told that illustrations in the lesson opener are part of the basic textbook material, visually explaining words and expressions that students are expected to know. Activities coordinated with this illustrated page check the students' understanding.

Dialogs—*Lektion* A and *Lektion B* continue with a conversation dramatizing situations of interest to students but also depicting common everyday life in German-speaking countries. The speakers in these dialogs represent a cross section of age groups, although the emphasis is on scenes centered around young adults.

Each dialog has been carefully designed not only to be authentic, but also to include the vocabulary from the previous illustrations and the language structure taught in the lesson. The introduction of new words has been kept to a minimum so that students will not be burdened by excessive vocabulary.

These dialogs are followed by comprehension check-up activities to measure the students' understanding in a step-by-step manner.

Allerlei—This section is a preparatory reading for the communicative functions of the chapter and presents situations and dialogs that are of interest to students.

Rollenspiel—A role-playing activity engages students in meaningful conversations that reflect real-life situations.

Sprache—An explanation of the structure and grammar leads off each section followed by oral and written activities illustrating the specific grammar point. In many of the interactive activities, students use the grammar to complete charts, interview one another, communicate information about themselves, and create with the language. The *Sie* form has been used in the instruction lines and in activities except those in which students communicate with one another. The teacher may opt to use the *du* form, depending on the circumstances.

Länder, Kantone und Provinzen—This section introduces carefully researched reports on various geographical and ethnic areas of Germany, Austria and Switzerland, and provides the students with a view of contemporary culture in the German-speaking world.

Wörter und Ausdrücke—The new words and expressions for each lesson are listed here for review. Students can also find the new vocabulary at the end of the chapter and at the end of the book.

Von einem Ort zum andern—This narrative and dialog combination helps students develop cultural competency necessary for everyday interaction. Students will often work with authentic materials and learn about aspects of everyday life (taking the train, using the bus and so on).

Menschen und Mächte—This reading selection deals with the origins and development of German culture and society. The progression is chronological beginning with the ninth century. Each chapter focuses on an exemplary person or event from the century and is usually thematically linked to the chapter's focus topic (for example, *Gesundes Leben* and Paracelsus, the founder of modern medicine; or *Spaß muss sein* and the festival of Frederick Barbarossa). Accompanying exercises check comprehension.

Aktuelles—This section documents the latest trends in contemporary German culture as well as fresh aspects of some more traditional topics. It is a summarizing activity for the chapter and incorporates the chapter structures and thematic issues.

Extra! Extra!—These reading sections introduce students to authentic literary selections and other types of texts they will encounter in everyday life. Each selection (where appropriate) is accompanied by a short biography of the author and commentary on the type of writing students will encounter. The exercises that accompany the readings include pre-reading *(Vor dem Lesen)* and post-reading *(Nach dem Lesen)* activities. Pre-reading activities (in English) focus students' attention on form and topic or on genre concerns. Post-reading activities (in German) take students beyond the text and allow them to discuss their reactions to the reading. In *Extra! Extra!*, students become familiar with various reading strategies and are encouraged to appreciate literature and literary techniques, as well as stylistic issues.

Endspiel—This section gives students an opportunity to synthesize the structures and the main topics of the chapter. There are suggestions for further research, role-plays, and options for additional writing about topics beyond the texts. Many of these tasks use a cooperative learning format. These tasks give students a chance to express their own opinions or develop their own arguments and justifications for their beliefs and attitudes.

Vokabeln—The vocabulary section gives students an easy reference source to the new words introduced in each chapter. For each entry, either *Lektion A* or *Lektion B* is indicated, depending on which lesson introduces the word. Nouns are listed with their plural forms, and verbs include stem vowel changes where appropriate. The past and present perfect tense of strong (irregular) verbs are also provided. The definition for each vocabulary word is confined strictly to the context in which it is used in that particular chapter. In cases where a different meaning of a previously defined German word is introduced in a later chapter, that word is defined again. All words at the end of each chapter are intended as active vocabulary. Cognates or other easily recognizable words are combined with all active chapter vocabulary in the end-of-book vocabulary list, where they are marked with an asterisk for easy identification.

Hand-in-Hand—This info-gap activity is used by two students or partners. The first student uses the *Hand-in-Hand* activity found in the chapter while the second student provides the information from the *Hand-in Hand* activity located in the reference section (pages 362–364) of the textbook. The combination of both activities provides the questions and answers for both students.

Grammar Summary—The grammar introduced in all three levels has been summarized in this end-of-book section for convenient reference.

End Vocabulary—The complete vocabulary is listed here for easy reference. Each word or phrase is followed by a number indicating the chapter in which it appears for the first time. For convenient and flexible use, both German-English and English-German vocabularies are included. New passive vocabulary items are marked by an asterisk in the end-of-book vocabulary.

Index—A complete index of all the grammar is provided at the end of the book for easy reference to the chapter in which they were introduced.

Teacher's Edition

This teacher's edition contains the following sections:

Front Section
- scope and sequence chart
- National Standards
- philosophy and goals
- description of all textbook components
- using the Internet
- teaching approaches for model chapter for 50-minute periods and 90-minute block schedule
- teacher's notes
- Reform of Spelling Rules

Text Annotations and References

The following ancillaries and teacher's notes have been cross-referenced and marked with icons that indicate the most convenient place to use these supplementary materials, wherever appropriate.

CD	Audio CD Activity (including CD tracks)
WB	Workbook Activity
TP	Testing/Assessment Program
TN	Teacher's Notes
emcp.com	Internet Activity

For example, the reference "**WB** Activity 1" located in the margin means that Workbook Activity 1 is used best in connection with this particular section.

Scope and Sequence

The scope and sequence chart lists the main topics (functional, cultural, and grammatical) presented in each chapter.

Philosophy and Goals

The philosophy and goals statement outlines the various techniques, strategies, and activities employed in providing students with valuable tools that will make the language come alive in the classroom.

Description of Components

A detailed description of all the components accompanying *Deutsch Aktuell 3* informs teachers of the type of support available in successfully implementing this program.

Teaching Approaches for the Model Chapter

50-Minute Periods

Many school districts center around 45- to 55-minute periods. The first chart (pages TE35–36) following this section provides a detailed outline for teaching a complete chapter *(Kapitel 3)* over a class period, utilizing the specified time frame.

Block Scheduling

Many school districts have implemented a block scheduling system that can include blocks of time ranging from 75- to 110-minute periods. Furthermore, block schedules can involve consecutive days for a whole semester, alternate days for a year or many other variations. Our model (pages TE37–38) is based on a 90-minute class period.

Workbook

The workbook reviews, reinforces and expands the material covered in the textbook. The various activities are coordinated with the chapter content and, therefore, follow the same sequence. Additional activities provide the students with opportunities to test their understanding of authentic realia collected in Germany, Austria, Switzerland and Liechtenstein. Students should be made aware that they do not have to understand every word, but simply should get the gist or idea of the material presented. A crossword puzzle or word puzzle, the culminating activity of each chapter, reviews contextually some of the key vocabulary of the chapter. This teacher's edition also makes reference to the individual workbook activities as they relate to the textbook material.

Workbook Teacher's Edition

A teacher's edition of the workbook containing the answer key is also available.

Testing/Assessment Program

The testing/assessment program includes audio CDs and tests.

Audio CDs
The audio CDs, recorded by professional German speakers, present the recorded soundtrack for the listening comprehension tests (*Kapitel 1-10,* Achievement Tests I and II).

Tests
The tests evaluate students' listening, reading and writing skills. Each chapter test contains two sections: (1) the student answer sheets for the listening comprehension tests and (2) the written tests. For convenience and ease of scoring, the two tests (listening comprehension and written) for each chapter total 100 points. These tests should be given after the completion of each chapter. Students use the answer sheets while listening to the audio CDs, which direct them step-by-step to follow along and complete specific tasks as described. The test activities include true/false (*ja/nein*) and other multiple-choice statements as well as fill-in-the-blank sections based on the recorded material. Wherever appropriate, picture cues further assist students to select appropriate choices as directed by the speakers. The written tests are intended to measure the students' understanding of the language and cultural content of each chapter.

There are two achievement tests included in the testing/assessment program. Achievement Test I follows *Kapitel 5* and Achievement Test II follows *Kapitel 10.* These two tests contain 150 points each and should be given at the end of the semester. The material covered in each of the two achievement tests focuses on *Kapitel 1-5* and *Kapitel 6-10* respectively and tests the students' understanding of that material. Both listening comprehension and written tests are included.

The answers to all the tests are included in the back of the manual.

Audio CD Program

Audio CDs

The audio CD program, recorded by professional German speakers, is an integral part of *Deutsch Aktuell 3*. The audio CDs are coordinated with *Kapitel 1-10*. The recorded material for all chapters has been indicated in the teacher's edition by a CD symbol. Numerous opportunities are provided for students to be actively involved in practicing the material as presented in the textbook.

Audio CD Program Manual

A separate manual containing the text of the audio CDs is also available. Furthermore, the manual includes a Program Manager which provides details such as CD track number, recorded time of each section and the textbook page where this section can be found.

Video Program

Videocassettes or DVDs

The five video segments for *Treffpunkt Berlin (Dokumentation 1-5)*, coordinated with *Deutsch Aktuell 3*, provide a behind-the-scenes glimpse of the main actors in this series: Tanja, Hasan, Angelika, Petra and John. Students who have been exposed to all 24 episodes will now become acquainted with the real life of these actors as they talk about themselves—their friends, hobbys and personal interests.

Video Program Manual

A separate manual contains the printed video text, specific references for easy location of episodes on the DVD as well as many additional activities.

Web-based Activities

Internet Activities

The *Deutsch Aktuell* Internet Activities Web site features activities that are constantly being updated to provide students with practice that expands the cultural content of the textbook chapters. These interesting and enriching activities are based on current events, up-to-the-moment information and research data. There are three activities correlated to each textbook chapter. Students practice using their language skills as they explore authentic realia in German and read contemporary information about German culture. They combine the use of technology and German in real-life situations as they develop their Internet research skills. Students are carefully guided through the various links to complete each activity. Teachers receive a password to allow them to access all the activities' answers. To view these activities, visit www.emcp.com and follow the on-screen menus and links until you reach the activities.

News Ticker

The News Ticker features five scrolling news articles every day in German. Students click on these articles to read about current events throughout German-speaking countries that are chosen to appeal to teenagers. An audio feature allows students to hear the articles recorded by professional native speakers. These articles are archived so that they are accessible by date or by topic. Reach the News Ticker by visiting www.emcp.com and follow the on-screen menus and links.

i-Catcher

These interactive Internet video clips in German showcase young adults who talk about and demonstrate their interests and hobbies. One young German speaker is featured each month. Students can choose the subtitled version to check their listening-comprehension skills. The site promotes real-life communication through a monthly monitored chat with the video star simply by logging on. Not only is the site fun, it has a strong educational foundation. The i-Catcher offers another opportunity for students to check their listening skills with an on-line multiple-choice comprehension quiz. Students develop their writing skills with related Internet links and Web-based activities. Access i-Catcher by going to www.emcp.com and following the on-screen menus and links.

USING THE INTERNET: SUGGESTIONS AND IDEAS

Because of its widespread and instantaneous nature, the Internet offers endless potential as a tool for teaching and learning. In German classrooms, the Internet can help teachers meet the challenge of providing students with materials that are up-to-date and culturally authentic. With virtually no lag time, information from the culture of German-speaking countries can be accessed and utilized in a variety of ways. In a lesson about Berlin, for example, you and your students can:

- access city and subway maps
- view photographs of major landmarks of the city
- obtain news from German newspapers
- visit online museums and view works of art
- obtain tourist information
- participate in discussion groups on German culture and civilization
- access current weather information and forecasts
- exchange e-mail correspondence

By using the Internet as a supplement to *Deutsch Aktuell*, you also will create exciting learning opportunities for students that simply did not exist previously. The activities your students will be able to do are limitless. Here are some sample activities and various supplementary materials that illustrate the vast possibilities of the Internet.

E-mail Projects

Consider arranging e-mail exchanges to complement the use of *Deutsch Aktuell*. Have students participate in a number of exchanges that allow them to apply the concepts, vocabulary and cultural information studied in a given lesson. Here are some sample exchanges.

1. After studying expressions about the weather, students write a weather report for their city or state and send it to a collaborating keypal. They also inquire about the weather and climate in the region where the keypal lives. Subsequent exchanges could deal with:
   - sports and activities related to different seasons of the year
   - outdoor activities that students enjoy
   - the school calendar and how the local climate may affect it
   - weather conditions in different German-speaking countries

2. As part of a food unit, students develop an e-mail exchange sharing the following information about their culture or family:
   - a typical meal schedule at home
   - a typical meal schedule in their country
   - a menu for a typical day and one for a special celebration

3. After learning about leisure-time activities, students share with their keypals what they do during a typical weekend or vacation.

4. Students write a description of a well-known individual in sports, music, politics or the movies. Then they send the description to their keypal who tries to guess the mystery person's identity.

5. Students conduct surveys in order to explore cultural comparisons. Topics may include:
    *   the level of independence given to teenagers
    *   access and admittance to clubs or discos
    *   the legal age for driving
    *   the number of students who work
    *   the minimum wage paid to teenagers who work

6. Examples of other possible exchange topics for beginning students include school, daily life, family, friends, travel, sports, clothing and popular music. Topics for more advanced students may include current events, politics, household rules, curfew and educational aspirations.

Suggested Sites for E-mail Projects

E-pals
http://www.epals.com

Linguistic Funland
http://www.linguistic-funland.com/penpalpostings.html

International Pen Friends for Schools
http://www.europa-pages.co.uk/school_form.html

Model Unit for an E-mail Exchange: *Meine Familie*

This unit allows students to share information about their families and learn about the families of their keypals. Although the unit is appropriate for learners at various levels of proficiency, teacher expectations and student performance will vary accordingly.

Academic Goals
Students will be able to:
1. Use vocabulary related to the family.
2. Use possessive and descriptive adjectives and appropriate verbs.

Social Goals
Students will be able to:
1. Share information about their families.
2. Find out about the families of their keypals.
3. Recognize similarities and differences between families in the United States and families in cultures where German is spoken.

Procedures for a Beginning German Class

1. Teach and practice specific vocabulary pertaining to family members. Show pictures and begin by describing your real family or a fictitious family in terms of members, roles, names, ages, likes, dislikes and professions. After your description, see what students are able to remember. This questioning gives students a chance to use basic expressions.

2. Then have students describe their own families. As preparation for class, have students prepare notes about their families (real or imaginary) according to the specifications given in advance.

3. After further practice in class, have students write descriptions of their families. Possible information includes:
   - family name
   - number of people in the family
   - description of each family member (name, age, occupation, personality)
   - family activities and traditions

4. Once the documents are completed and revised (by peers and by the teacher), send the descriptions to keypals abroad. When the replies are received, have students compare families in both cultures and find similarities and/or differences.

Locating Keypals

Possible keypals can be found in the same school building or district, in another city or around the world. Here are some strategies for locating keypals.
- Place ads in professional organization newsletters and journals.
- Attend professional conferences and technology workshops in order to network with colleagues.
- Search the Web for Collaborating Classrooms, Cultural Classroom Connection or Exchanges.
- Post messages in German newsgroups.
- Subscribe to listservs pertinent to German-speaking areas.
- Check related Web home pages or Internet Guides.
- Write to American Schools Abroad. (A listing may be obtained from the Department of State in Washington, DC).

Netiquette Tips
- To see whether or not you and your students practice good "netiquette," take this quiz: **http://www.albion.com/netiquette/netiquiz.html**
- To find out whether or not you are safe at work when on the Web, take this quiz: **http://sladen.hfhs.org/library/education/netiquette.html**
- If you missed any questions on these two quizzes, review the rules at: **http://www.albion.com/netiquette/corerules.html**

Overcoming E-mail Limitations

Hardware Limitations: When a limited number of computers are available, students can work in pairs or individual students can access computers at other times (for example, while others in class are working on an assignment, after completing a test, during lunch periods, study hall, time in the media center or before and after school). Assignments made well in advance of their due date will allow students to choose their work time and produce final products of high quality.

Time Limitations: When computer lab time is limited, schedule individuals or groups in such a way that at least one exchange can be completed per quarter, trimester or semester.

Access Limitations: If you have one computer with access to the Internet using a modem and a single phone line, get the project ready and transmit it when the line is available. A designated student can be the mailer. If there is no access in school, a teacher or student who has access to the Internet or other commercial service can be the mailer for the group. This will ensure that the outgoing and incoming mail will involve only one supervised e-mail account.

Surfing the Web

To search or "surf" the Web, use the latest version available of the Web browser of your choice. Web browsers provide a harmonious interface for text and graphics. You have different options for general search engines. Some search titles or headers of documents, others search the documents themselves, and still others search indexes or directories. To locate a desired resource, do a Net Search. Here is a list of some popular and powerful search engines for this country and Germany. Note that *.com* usually refers to Web browsers in this country, whereas *.de* refers to Germany.

(**Note:** The following addresses may change at any time. Visit sites to verify they are active before using them in class.)

AltaVista	**http://www.altavista.de**
InfoSeek	**http://infoseek.go.com**
Lycos	**http://www.lycos.de**
Mamma	**http://www.mamma.com**
Webcrawler	**http://www.webcrawler.com**
Yahoo	**http://www.yahoo.de**

Sample Web Site and Activities

City Net is a World Wide Web home page that archives or stores information about cities around the world. This resource can be particularly helpful in creating cultural units because the information found at this site might include historical events, transportation, maps, pictures and sites of interest (including schedules, addresses and telephone numbers). Once the user has clicked on the city of choice, graphics and text that support these categories are accessible by clicking on highlighted areas on the screen.

Virtual City Tour

It's easy to take your students on a virtual city tour using the City Net home page. First, determine your objectives for this activity: What will your students learn from this work? What cultural awareness and knowledge will they develop? What language skills will they practice? How will students practice critical thinking and problem solving? How will they further process their conclusions and share what they have learned with others?

Procedures for Initiating a Virtual City Tour

1. Open the Web browser and go to City Net by entering **http://www.cities.com**
2. Select the desired continent, then country, then city.
3. Locate a map of the city and identify specific sites of interest that your students might "visit" during a virtual tour of the city.
4. If the city has a subway system, find a subway map or a subway planner. (The latter allows you to enter specific points of origin and destination. Then you receive the routing path and trip duration.)

Here are some other suggestions for a virtual city tour using small groups.

1. Have students visit a certain city that you have chosen. Each group selects a different section of the city. Their task is to determine what sites to visit during a 48-hour period while staying within a specific budget. One group may choose to visit museums while another group may travel to a park to see sculptures and attend a particular event.

2. Have each group visit a different city in the same country. When each group has processed the information, have them present their city's attractions to the entire class. To extend the activity, you might ask students to share their information with the class in written or visual form. Finally, have each group design a quiz pertaining to their city.

3. Have small groups design a travel brochure for their city that includes information on some of the following topics:
   - entertainment opportunities
   - shopping and dining
   - brief historical facts about the city
   - airlines serving the city
   - special events
   - weather
   - typical cuisine

When doing Web-based activities, keep in mind that vocabulary and structures will vary according to level. You may ask beginning students to identify numbers, times, days of the week, cognates and vocabulary related to daily activities. More advanced students may be asked to imagine and narrate a special experience from their virtual city tour.

Cultural/Historical Studies and Presentations

Students work in small groups to become "experts" on a country where German is spoken. The objectives of the activity are to help students get acquainted with the history, geography, economics, climate, attractions and current events of the target country and culture. Working in groups, students search for information pertaining to a German-speaking country that is assigned or chosen. Once the search is completed, groups summarize the information and present it to the class. The information can be found by doing searches at the sites listed previously or those listed at the end of this section.

Suggest that students include specific information in their presentation:
- maps
- geography
- history
- climate/weather
- major cities and tourist attractions
- popular events
- airlines serving the country
- economic activity and exchange rate
- major newspapers (include a copy of recent headlines)

In addition to sharing their findings with the class, students should submit:
1. a printed copy of the material found and used for the presentation
2. a copy of the final presentation
3. a listening comprehension or reading quiz prepared by the group and based on the presentation. Students can do the listening comprehension exercise while the presentation is being given. They can do the reading comprehension exercise at the end of the presentation after the group has distributed printed copies of their presentation to the entire class. The quiz should also include a key with the correct answers.

Virtual Museums and Works of Art

When teaching colors, emotions, description and even history, works of art may be viewed and/or copied to teach, illustrate and reinforce a variety of concepts. Students may be assigned to search for works of certain artists to illustrate the concepts and/or vocabulary studied in class. When considering the works of a given artist, students may also be assigned to give a presentation on that artist that includes:
- country of origin
- biographical information about the artist
- period in history when the artist lived
- style of work
- colors and shapes used by the artist
- feelings and aspects of life represented by the artist's work
- examples of the artist's work

Suggested sites:
> **http://www.museum-der-moderne.de/index.html**
> **http://www.berlin.de/museen**

Weather Reports

Weather reports, including satellite and infrared maps, are available through the Net. When teaching about weather and weather conditions, have students access weather reports from German-speaking countries and regions of the United States. Students then use this information to give weather reports or forecasts to the class. If used throughout the year, such information can be included in different units of the curriculum to link weather conditions with seasons, clothing, sports and outdoor activities.

As with other projects, students' ability levels will be a factor in assigning specific tasks and content. Beginning students may give simple weather reports, including temperatures and precipitation, while advanced students may explore the relationship between weather conditions and lifestyle, tourism and the economy.

Suggested sites:
> **http://www.weather.com**
> **http://www.wetter.de**

Newspapers and Magazines

The many newspapers and magazines on the World Wide Web are another outstanding resource for students and teachers in the German classroom. Here is one possible activity using newspapers and magazines.

1. Locate appropriate newspapers and magazines from countries where German is spoken.
2. Familiarize yourself with their format and content.
3. Divide the class into small groups.
4. Assign a content area to each member of the group or allow the students to choose an area of interest. Possible areas include international news, national news, politics, entertainment, weather and sports.
5. According to the number of groups in class, the level and the time allotted, develop a schedule that allows each group to present news from its newspaper or magazine on a regular basis. You may ask a different group to do this at the beginning of class every day or you may prefer to identify a day of the week for several group presentations. The activity should not take more than 5-10 minutes per group. It is helpful to give specific instructions about what you expect to hear in the presentations and to post a calendar of presentation dates in the classroom.

To vary this activity, divide students into small groups and have them summarize the school newspaper in German. Then send the summary via e-mail to a collaborating class with whom you have contact. Such an exchange of news can become an activity to be done throughout the year.

Suggested sites:

http://www.zeitungen.de
http://www.mopo.de
http://www.taz.de
http://www.spiegel.de
http://www.focus.de
http://www.stern.de
http://www.tagesschau.de

Assessing Internet Projects

Here are some helpful guidelines when developing and assessing e-mail and Web projects.

1. Give specific instructions in writing about the project.
2. Post a calendar or time line for the project.
3. Remember that some flexibility may be necessary if students encounter difficulties (for example, with access or printing).
4. Develop clear criteria for grading and evaluation. Depending on the project, some factors to consider may include:
   - appropriate content, length, etc.
   - completion of the project on time
   - quality of the presentation and/or written assignment(s)
   - printed copies of materials from the Web, with graphics where possible
   - participation

Being specific about how student work will be evaluated will make it easier to assign a grade that will require very little explanation at the end of the project. Again, it is a good idea to post the project's requirements, deadlines and evaluation procedures.

Teacher Resources on the World Wide Web

Travel/Tourism

       http://www.embassyworld.com
       http://www.towd.com
       http://www.bahn.de
       http://wetter.de
       http://www.frankfurt-airport.de/de/special/start.html
       http://cityguide.lycos.com
       http://www.excite.com/travel
       http://www.lonelyplanet.com
       http://travel.discovery.com/dest/dest.html
       http://www.virtualtourist.com

Germany

       (**Note:** To access German cities, key the city name followed by *.de*. Example:
       Dresden = http://www.dresden.de.)

Austria

       (**Note:** To access Austrian cities, key the city name followed by *.at*. Example:
       Innsbruck = http://www.innsbruck.at.)
       http://dir.yahoo.com/Regional/Countries/Austria/Cities
       http://dir.yahoo.com/Regional/Countries/Austria/States

Switzerland

       (**Note:** To access Swiss cities, key the city name followed by *.ch*. Example:
       Luzern = http://www.luzern.ch.)
       http://www.switzerland.ch
       http://www.yahoo.de/Staedte_und_Laender/Laender/Schweiz/Kantone

Liechtenstein

       http://www.lol.li
       http://www.news.li/touri/index.htm

Links for Teachers

FLTEACH is designed to facilitate networking and dialog among foreign language professionals. To subscribe to the list, send the following message: SUBSCRIBE FLTEACH first name last name to: **LISTSERV@UBVM.CC.BUFFALO.EDU.**

       American Association of Teachers of German: **http://www.aatg.org**
       Goethe Institutes: **http://www.goethe.de**
       Deutsche Welle: **http://www.dwelle.de**
       Inter Nationes: **http://www.inter-nationes.de**
       German Government: **http://www.germany-info.org**

TEACHING APPROACHES FOR THE MODEL CHAPTER

Because instructional objectives and the length of classes vary greatly, and since ability levels among students are usually considerably different within one class, it would be impossible to provide a detailed lesson plan that would suit all teachers and students using *Deutsch Aktuell*.

Based on a national survey, class length can vary anywhere from 40 to 110 minutes. Consequently, we have provided two different plans based on a 50-minute class period as well as on a block schedule system with a 90-minute class period.

This Teacher's Edition contains notations that point out any related activities on the audio CDs, in the workbook, and in the testing/assessment program. These notations occur in the text once all information necessary to complete a specific activity has been presented. They are numbered consecutively in the textbook.

	Textbook	Support Materials
Day 1	Review: *Kapitel 2* Chapter Focus: Discussion of chapter opener, pp. 70-71 Introduce vocabulary: *Der Stammbaum*, pp. 72-73 Activity 1, p. 74 Dialog: *Die Oma kommt*, pp. 74-75	CD Track 1 Workbook Activity 1 CD Track 2
Day 2	Review: Vocabulary, Dialog, Activity 1, pp. 72-75 Activity 2, p. 76 *Allerlei (Interviews 1-2)*, pp. 76-78	CD Tracks 1-2 CD Track 3 Workbook Activities 2-3 CD Tracks 4-6 Workbook Activity 4 Internet Activity
Day 3	Review: *Allerlei (Interviews 1-2)*, pp. 76-78 *Allerlei (Interview 3)*, pp. 78-79 Activities 4-5, pp. 79-80 *Rollenspiel*, p. 80 *Sprache: als, wenn, wann*, pp. 80-81 Activities 6-7, p. 81	CD Tracks 4-6 CD Track 7 CD Track 8 Workbook Activities 5-9
Day 4	Review: *Allerlei*, Activities 4-5, pp. 76-79; *Sprache*, Activities 6-7, pp. 80-81 *Länder, Kantone und Provinzen*, pp. 82-84 Activities 8-9, pp. 84-85	CD Track 9 CD Track 10 Workbook Activities 10-11 Internet Activity
Day 5	Review: *Länder, Kantone und Provinzen*, pp. 82-84; Lektion A Introduce vocabulary: *Das Fahrrad*, p. 86 Dialog: *Martins Fahrradprobleme*, pp. 87-88 Activity 10, p. 88	CD Track 9 CD Track 11 Workbook Activity 12 CD Track 12 Workbook Activities 13-14
Day 6	Review: Dialog, Activity 10, pp. 87-88 *Rollenspiel*, p. 88 *Von einem Ort zum andern*, p. 89 Activity 11, p. 89	CD Track 12 CD Track 13 Workbook Activities 15-16
Day 7	Review: *Von einem Ort zum andern*, Activity 11, p. 89 *Sprache*: Relative Pronouns, pp. 90-91 Activities 12-14, pp. 91-92	CD Track 13 Workbook Activities 17-18

Model Chapter *(Kapitel 3)*

	Textbook	Support Materials
Day 8	Review: Relative Pronouns, Activities 12-14, pp. 90-92 *Menschen und Mächte: Die letzte deutsche Kaiserin*, pp. 92-93 Activity 15, p. 93 *Menschen und Mächte: Agnes von Poitou*, p. 94 Activity 16	CD Track 14 CD Track 15 CD Track 16 CD Track 17 Workbook Activity 19 Internet Activity
Day 9	Review: *Menschen und Mächte*, Activity 16, pp. 92-95 *Sprache:* Present Subjunctive II: Polite Requests and Wishes, p. 95 Activities 17-18, p. 96	CD Tracks 14-17 CD Tracks 18-19 Workbook Activities 20-22
Day 10	Review: Present Subjunctive II: Polite Requests and Wishes, Activities 17-18, pp. 95-96 *Sprache:* Compound Nouns, p. 97 Activities 19-20, pp. 97-98	CD Tracks 18-19 Workbook Activity 23
Day 11	Review: Compound Nouns, Activities 19-20, pp. 97-98 *Aktuelles: Mountainbiking*, pp. 99-100 Activity 21, p. 101	CD Track 20 Workbook Activity 24
Day 12	Review: *Mountainbiking*, Activity 21, pp. 99-101 *Extra! Extra!: Lenchens Geheimnis (Michael Ende)*, pp. 102-105	CD Track 20
Day 13	Review: *Extra! Extra!*, pages 102–105; *Endspiel*, p. 106 Complete chapter (including *Vokabeln*)	
Day 14	Review: Parts of chapter Listening Comprehension Test	Testing/Assessment Program
Day 15	Written Test	Testing/Assessment Program

Model Chapter *(Kapitel 3)*

	Textbook	Support Materials
Day 1	Review: *Kapitel 2* Chapter Focus: Discussion of chapter opener, pp. 70-71 Introduce vocabulary, *Der Stammbaum*, pp. 72-73 Activity 1, p. 74 Dialog: *Die Oma kommt*, pp. 74-75 Activity 2, p. 76	CD Track 1 Workbook Activity 1 CD Track 2 CD Track 3 Workbook Activities 2-3
Day 2	Review: Vocabulary, Dialog, Activities 1-2, pp. 70-75 *Allerlei (Interviews 1-3)*, pp. 76-79 Activities 4-5, pp. 79-80 *Rollenspiel*, p. 80 *Sprache: als, wenn, wann*, pp. 80-81 Activities 6-7, p. 81	CD Tracks 1-3 CD Tracks 4-7 Workbook Activity 4 Internet Activity CD Track 8 Workbook Activities 5-9
Day 3	Review: *Allerlei*, Activities 4-5, pp. 76-79; *Sprache*, Activities 6-7, pp. 80-81 *Länder, Kantone und Provinzen*, pp. 82-84 Activities 8-9, pp. 84-85 Introduce vocabulary: *Das Fahrrad*, p. 86 Dialog: *Martins Fahrradprobleme*, pp. 87-88 Activity 10, p. 88	CD Track 9 CD Track 10 Workbook Activities 10-11 Internet Activity CD Track 11 Workbook Activity 12 CD Track 12 Workbook Activities 13-14
Day 4	Review: *Länder, Kantone und Provinzen*, pp. 82-85; Vocabulary; *Martins Fahrradprobleme*, pp. 86-88 *Rollenspiel*, p. 88 *Von einem Ort zum andern*, p. 89 Activity 11, p. 89 *Sprache:* Relative Pronouns, pp. 90-91 Activities 12-14, pp. 91-92	CD Tracks 9-12 CD Track 13 Workbook Activities 15-16 Workbook Activities 17-18

Day 5	Review: *Von einem Ort zum andern*, p. 89; Relative
	    Pronouns, Activities 12-14, pp. 90-92
	Menschen und Mächte: Die letzte deutsche Kaiserin,
	    pp. 92-93
	Activity 15, p. 93
	Menschen und Mächte: Agnes von Poitou, p. 94
	Activity 16, p. 95
	
	Sprache: Present Subjunctive II: Polite Requests and
	    Wishes, p. 95
	Activities 17-18, p. 96
		CD Track 13
		
		CD Track 14
		CD Track 15
		CD Track 16
		CD Track 17
		Workbook Activity 19
		Internet Activity
		
		CD Tracks 18-19
		Workbook Activities 20-22

	Textbook	Support Materials
Day 6	Review: *Menschen und Mächte*, Acivity 16, pp. 92-94; *Sprache*, Activities 17-18, pp. 95-96 *Sprache:* Compound Nouns, p. 97 Activities 19-20, pp. 97-98 *Aktuelles: Mountainbiking*, pp. 99-100 Activity 21, page 101	CD Tracks 14-19 Workbook Activity 23 CD Track 20 　　　　　　　Workbook Activity 24
Day 7	Review: *Mountainbiking*, Acitivity 21, pp. 99-101 *Extra! Extra!: Lenchens Geheimnis (Michael Ende)*, pp. 102-105 *Endspiel*, p. 106	CD Track 20
Day 8	Review: *Extra! Extra!*, pp. 102-105; *Endspiel*, p. 106	
Day 9	Listening Comprehension and Written Test	Teaching/Assessment Program

TEACHER'S NOTES

Throughout the text are numerous helpful hints, suggestions and reference items that the instructor might find useful in expanding the material. These items are identified in the margin throughout this teacher's edition with the icon " TN " and are described here in the sequence they appear in the text. Reference is made to the page number as well as to where the note appears on the page—top (t), center (c), or bottom (b).

Page	Description
6/t	Women in German-speaking countries who hold a Ph.D. or a doctorate degree are addressed as "Frau Doktor."
6/c	The *Kaufhaus* is the general word for a department store. The *Kaufhof* is part of a chain of known department stores. As in the United States, many women in Germany keep their maiden names after they marry.
9/t	One student looks at this page, the other student looks at page 362 in the Grammar Summary. The students ask each other questions and complete the charts together. They must not show their chart to the other student. The purpose of the *Hand-in-Hand* activities is to have students communicate information orally in German. Limit the time you allow students to complete this activity to approximately five minutes. Also model a few answers before students begin the activity with partners: *Warum geht Melanie Dupont einkaufen*? Elicit *Weil sie Brot braucht.* When students have completed the chart, do a follow-up and check their answers in random order: *Warum lernt Ingrid Schwarz Sprachen?* Students: *Weil sie internationale Freunde hat. Warum geht Rudolf Polasky jetzt nach Hause? Weil er heute das Abendessen kochen muss,* and so on. Suggest that the students complete the information for one character at a time.
13/b	Words that have already been introduced are not listed again in any of the *Wörter und Ausdrücke* sections throughout the textbook.
22/t	Have students create a chart with the information shown in the chart below. Then have them interview other students to complete the chart. You can reward the student who completes the chart first. After students have completed their chart, you can ask questions of the students, eliciting responses with *dass*: Teacher: *Was sagt Rita?* Student: *Rita sagt, dass sie heute Morgen mit dem Bus fährt,* and so on.

22/b   The first emperor to unite large portions of Europe after the Roman Empire was Charlemagne *(Karl der Große)*. He ruled over areas known to us today as France, Germany, Switzerland and Austria. He founded what has been referred to as the first "Reich" (followed by the second in 1871, and the infamous "Third Reich" in 1933). The unification of Charlemagne's empire facilitated trade, improved the living conditions for his subjects and demonstrated the advantages of an efficient government in the heart of Europe.

27/c   You may want to encourage students to discuss these questions in groups or as a class before proceeding with the reading. Help students chart their ideas.

30/c   This section is intended as a quick check-up or quiz to help the teacher better determine the students' understanding of the chapter.

38/t   Let students know that they can add more words to each column.

39/b   The figure of Roland is symbolic of free trade and certain economic privileges. The Roland Statue can be found in many cities and towns in central and northern Germany.

41/t   Point out to students that present perfect is used for conversational exchanges and narrative past for longer narrations of past events. The speaking exercises in this chapter stress the present perfect, and the writing exercises the narrative past. You may also want to point out that although there is much overlap, verbs are not always in the same class in English as in German (for example, "stay, stayed, has stayed" / *bleiben, blieb, ist geblieben*—weak in English but strong in German). Review the present tense conjugations of *haben* and *sein* before proceeding.

42/t   For additional practice, have students use the present perfect tense and have them add other verbs to describe their weekend activities to their partners.

44/t   Students must make up their own questionnaires before beginning this activity. Students circulate around the room, finding other students who have done these activities over the weekend. When a student answers "yes" to the question, that student signs on the appropriate line. The first student to get 10 signatures wins.

45/t   This exercise should help students to work with the irregular verb list in the Grammar Summary.

55/t The task here is to be able to read newspaper ads and make a purchase. Encourage students to inquire about details such as prices, describing a vehicle and gathering other information. You may want to have students cut out newspaper ads and use them for expansion of this topic. Other abbreviations and words in the text other than those mentioned in Activity 19 are: *VB = Verhandlungsbasis* negotiating base price; *TÜV (Technischer Überwachungs-Verein)*, an organization that approves condition of vehicles to allow them on the road; *PS = Pferdestärke* horsepower)

59/b Encourage students to use *dass* to practice the placement of the verb in the subordinate clause.

60/t After Charlemagne's time, Hungarian, Arab and Viking forces laid siege to western European cities. They took advantage of the power vacuum in the heart of Europe and looted and raided the villages and cities as they pleased. Heinrich I put an end to this activity. His idol was Charlemagne, and he was successful in forcing the Vikings in Haithabu to pay taxes, the Arabs to retreat to Africa and the Hungarians to return to their homeland.

66/b You may want to encourage students to think about trust issues by shopping at a smaller store where the proprietor is known to the shopper. This is part of the dynamic of Rösler's story.

68/t You may ask students to rewrite the story with a modern slant.

81/b In sentences with *als*, students can use either the narrative past or the present perfect tense.

84/c Le Corbusier was a famous Swiss-French architect (1887–1965).

85/c The list includes only those family members that have not been introduced before.

91/t The genitive is not included here as it isn't used as often. For additional reference, see the Grammar Summary of this book.

91/b Make sure that students understand that they must supply the approriate relative pronoun.

92/c The eleventh century was characterized by the first crusade (1096–1099), the schism between the Roman Catholic and Greek Orthodox churches, and four rulers who are all depicted at the cathedral of Speyer: Conrad II, Heinrich III, Heinrich IV and Heinrich V. Heinrich IV's mother, Agnes of Poitou, was the last Holy Roman empress in Germany. She and Heinrich III were the last to play a direct role in the selection of the popes in Rome. The eleventh century saw six German popes because the German emperors had maintained a strong influence when electing new popes. Since that time, no German has been elected pope.

102/b   You may want to encourage students to discuss these questions in groups or as a class before proceeding with the reading. Help students chart their ideas.

114/c   Point out that *Deutsch* and *Englisch* are capitalized when referring to school subjects. However, *deutsch* and *englisch* are written in lower case letters when used as follows: *deutsch/englisch sprechen*.

137/b   The *Obertertia* was the fifth grade of a *Gymnasium* or ninth grade in school as students already attended four years in the *Grundschule*. This designation is seldom used today; the more modern term is *die neunte Klasse*. The teacher in the story, Professor Heimbach, is not a university professor, but rather a *Gymnasiallehrer*.

144/t   People in Austria, similar to southern Germany, usually greet each other with *Grüß Gott*.

152/c   Have the students give a reason why they hold a particular opinion.

154/t   You may make this into a game and award prizes to the group that finishes first or that comes up with the most comparisons.

155/t   Encourage students to add their own ideas to the columns. You can expand this exercise by having students justify their preferences. For example: *Auto fahren mag ich lieber als Fahrrad fahren. Fahrrad fahren ist zu langsam.*

165/b   One student has a list with sights of the city, while the other student has a map with the sights so that he or she can describe how to find them.

166/c   A nice expansion of this activity is to have the students write a narrative of what actually happened on the trip. The sentences serve as a clue for what went wrong.

169/c   Have students look at this poem and identify as many words as they can in modern German.

170/c   Point out that these forms are like the archaic English words "therefore" (there = *da*, for = *für*) or "thereupon, therewith," and so on.

170/b   This letter is an example of an authentic text that demonstrates the use of grammar in real language. Assure students that they do not need to understand every word to do the exercise.

176/t   To help students appreciate nonsense poems, you may ask them to bring in examples of such poems in English, such as pieces by Lewis Carroll or Edward Lear.

176/c   You may also want to help students identify the rhyme patterns. Morgenstern often repeats his patterns.

176/c   Point out to students such clues as colons introducing speech and verbs like *sprechen*, *lachen* and *finden*.

187/c   As this letter was written at least 20 years ago, you may wish to point out to your students some of the changes that have taken place. Have students find all the spelling changes that have occurred after 1998. See this Teacher's Edition (pages TE46–TE47) for specific details on old and new spelling rules.

193/t   A *Freie Stadt* (free city) is a city that was originally autonomous and had special rights and privileges granted by the *Kaiser.* Today, Hamburg and Bremen are the only remaining cities with that status.

193/c   The *Alster*, a small river that becomes a lake, also runs through Hamburg (*Binnen- und Außenalster*), but Hamburg is located primarily on a major river, the Elbe.

203/c   For additional reference, have students review these modals in the Grammar Summary.

210/t   The idiomatic expression *Aus alt mach neu!* means "Make something new out of something old."

214/b   You may want to clap your hands while reading the first stanza for students to help them hear the rhythm of this poem. The students should hear the beating of the horse's hooves.

215/b   Encourage students to act out this poem without using words. This will reinforce the sounds and meter of the poem. The transfer of discourse from one medium (the poem) to the other (the sound stage) encourages students to explore the different layers of language and its communicative power.

227/t   This is an authentic text. Assure students that they do not need to understand every word in the text to do the exercise. You may want to remind them that *da*-compounds can introduce entire clauses.

232/b   To review the forms of *werden*, have students go to the Grammar Summary.

237/t   An *Entwerter* is a small machine on the bus or subway that cancels or validates tickets by stamping the ticket when inserted.

256/t   Temperatures as well as weights indicated have been given in Fahrenheit (F) and pounds (lbs.) to be more meaningful to students.

260/t   The *Abitur* is the final exam students must take to graduate from the *Gymnasium* in Germany.

264/c   This is an authentic text. Assure students that they do not need to understand every word to do the exercise.

265/c   Hans Christian Andersen (1805–1875) is famous for his fairy tales including "The Emperor's New Clothes" and "The Ugly Duckling"; Johann Wolfgang von Goethe (1749–1832) was one of the most influential writers of his time; Novalis (pseudonym of Friedrich von Hardenberg, 1772–1801) was an important writer of the Romantic period; and Heinrich Heine (1797–1856) was a famous poet from the early nineteenth century.

266/c   Sebastian Kneipp (1821–1897) was a Catholic priest who developed the idea of the aquatic cures *(Wasserkur)*. He developed his idea into a series of spas and wrote a handbook on herbal cures. Kneipp products (bath oils, etc.) are still marketed in Germany today.

267/b   Tilman Riemenschneider (1460–1531) was a famous woodcarver and sculptor who designed and executed several significant artworks in Germany.

279/t   There is some question about the actual date of Paracelsus' birth, hence the question mark in the *Steckbrief*. This is common notation in German biographies.

279/c   Leonardo da Vinci (1452–1519) was a painter, sculptor and architect; Nikolas Copernikus (1473–1543) was an astronomer; Martin Luther (1483–1546) was leader of the German Reformation; and Erasmus von Rotterdam (1466?–1536) was a famous humanist.

280/b   *Chemotherapie* is treatment of illness with chemical preparations; *Iatrochemie* is a medical approach that considers chemical processes in the body to be responsible for illnesses.

285/c   Help students answer basic informational questions about each section of the text. They should try to identify the W's—Who? What? When? Where? Why?—for each of the three parts. For questions they cannot answer without in-depth reading; encourage them to make reasonable guesses based on what they do know. This information gathering will help them understand the text in its entirety.

305/c   Have students create sentences using correct verb forms or tenses and making some additional minor changes. You may also want to have students begin each sentence with the time expressions from the third column so that they can review word order.

307/c   Ikarus (English: Icarus) is a figure in Greek mythology, the son of Daedalus. According to the myth, he tried to fly with the aid of wings made of wax and feathers. He came too close to the sun and melted his wings. He drowned when he fell into the sea. The island of Ikaria in Greece is named after him.

320/t   Suggest to students that they should start with the list and then speculate what might be in the text.

335/b   Germany continues adding new sites. Check the UNESCO home page for the most current list.

337/c   Friedrich Hölderlin lived from 1770 to 1843. Hermann Hesse lived from 1877 to 1962 and is famous for works such as *Der Steppenwolf, Siddhartha* and *Demian.*

338/c   Walter Gropius lived from 1824 to 1880; Paul Klee 1879 to 1940; Wassily Kandinsky 1866 to 1944; Lyonel Feininger, 1871 to 1956; Oskar Schlemmer, 1888 to 1943; and Laszlo Moholy-Nagy, 1895 to 1946.

344/c   These words are not glossed because students will know the English and can make assumptions about the German.

358/c   Help students speculate on what a "socially critical" fairy tale might be.

REFORM OF SPELLING RULES

Major changes in German spelling rules have been made and implemented in print materials throughout German-speaking countries. According to a commission that met in Vienna in July 1996, these new changes must be made during the period of August 1998, and no later than July 2005.

For your convenience and reference, the most important changes that affect the printed text of the *Deutsch Aktuell* (textbooks and ancillaries) have been summarized below.

1. **The *ß* following a short vowel no longer exists.**

old spelling	new spelling
muß, mußt, müßt	*muss, musst, müsst*
ißt, eßt	*isst, esst*
daß	*dass*

However, the *ß* remains in words with preceding long vowels or double vowels as in *Straße, draußen, Maß.*

2. **The word *wieviel* becomes *wie viel*.**
    Similar to the old spelling of *wie viele* and *so viele*, the rule now dictates that *wie viel* must be spelled as two words.

3. **Specific time designations related to *heute* and daily or weekly times are capitalized.**

old spelling	new spelling
heute mittag	*heute Mittag*
gestern abend	*gestern Abend*
am Sonntag abend	*am Sonntagabend*

4. **Words related to color and language designations are capitalized.**

old spelling	new spelling
aus weiß	*aus Weiß*
auf deutsch	*auf Deutsch*

5. **The familiar forms *du* and *ihr* as well as other related forms are now capitalized.**
Under the old rule, friends and relatives were addressed in correspondence with *Du, Dich* and so on.

old spelling	new spelling
Du, Dein, Dich, Dir *Ihr, Euer, Euch*	*du, dein, dich, dir* *ihr, euer, euch*

The following rule changes will most likely appear in more advanced German texts. However, for your convenience and reference, they have been listed here as well.

6. **Words with the same three consecutive consonants remain as they appear.**
When the same three consonants come together *(Schiff + Fahrt)*, they all remain.

old spelling	new spelling
Schiffahrt *Schrittempo*	*Schifffahrt* *Schritttempo*

7. **Nouns connected with infinitives are capitalized.**

old spelling	new spelling
haltmachen *radfahren*	*Halt machen* *Rad fahren*

8. **Anglicized words follow the same rules as for German compound nouns. Sometimes they can be separated with a hyphen.**

old spelling	new spelling
Compact Disc *Swimming Pool*	*Compactdisc* *Swimming-Pool*

9. Words that take the form of nouns are capitalized.

old spelling	new spelling
leid tun	*Leid tun*
in bezug auf	*in Bezug auf*
schuld geben	*Schuld geben*
der, die, das letzte	*der, die, das Letzte*
es ist das beste	*es ist das Beste*
jung und alt	*Jung und Alt*
aufs herzlichste	*aufs Herzlichste*

10. Hyphenation is determined by syllables.

old spelling	new spelling
We-sten	*Wes-ten*
bak-ken	*ba-cken*
Ofen	*O-fen*

Deutsch Aktuell 3

Fifth Edition

Roland H. Specht

Shawn C. Jarvis

Isolde Mueller

Wolfgang S. Kraft

CONSULTANTS

Cindy Burgess
Triad High School
St. Jacob, Illinois

Hans J. König
The Blake Schools
Hopkins, Minnesota

Sharon Gerstacker
S. P. Waltrip High School
Houston, Texas

Gunda Vaughan
East High School
Rockford, Illinois

EMC/Paradigm Publishing, Saint Paul, Minnesota

Editorial Assistance
Glenndell Larry
Sharon O'Donnell

Cover and Text Designer
Jennifer Wreisner

Production Specialist
Matthias Frasch

Illustrator
Hetty Mitchell

Cover Photographer
Michael Kämpf

About the Cover

The history of the *Berliner Dom* (the domed cathedral in the background) goes back to the Middle Ages. A small chapel was built on the site and was later replaced by other small churches. In 1894 Kaiser Wilhelm II convinced the city architects to authorize the construction of the cathedral we see now. The *Berliner Dom* was finished in 1905. Germans and tourists alike come here to see this famous historical site as well as other attractions in the near vicinity. During spring, summer and fall, outdoor concerts and special performances attract crowds of visitors.

Across the street from the *Berliner Dom* we recognize three of the main characters from *Treffpunkt Berlin*, the video program that accompanies this textbook series. From left to right are Petra, Hasan and Tanja.

ISBN 0-8219-2605-5

Published by EMC/Paradigm Publishing
875 Montreal Way
St. Paul, Minnesota 55102
800-328-1452
www.emcp.com
E-mail: educate@emcp.com

Printed in the United States of America
1 2 3 4 5 6 7 8 9 10 XXX 09 08 07 06 05 04

HALLO LEUTE!

Es geht weiter! Sie haben schon viel Deutsch gelernt und Sie können auch schon sehr viel. Aber jetzt wollen wir noch mehr können. Machen wir uns also wieder auf den Weg! In diesem Buch werden Sie viel über die deutsche und europäische Geschichte erfahren, zum Beispiel wie Leute im Mittelalter lebten, wie Gutenberg das erste Buch druckte, wie Johannes Kepler über unser Solarsystem lernte, und was man heute macht, um die Natur und alte historische Denkmäler für die Zukunft zu retten.

Wenn Sie Deutsch besser sprechen, lesen und verstehen wollen, wäre es auch eine gute Idee, mehr über die Leute in deutschsprachigen Ländern zu lernen. Deshalb reisen wir im Text durch Deutschland, Österreich und die Schweiz und sehen, was die Menschen für Traditionen haben. Wie kommt man dahin? Das erfahren wir in den Texten „Von einem Ort zum andern". Da gibt es verschiedene Transportmittel, von Motorrädern und Eisenbahnen bis hin zum Internet.

Über Hobbys und Freizeitaktivitäten lesen Sie in „Aktuelles". Da finden Sie alles über alte und neue Hobbys, Berufe, Sport und Interessen mit Themen wie Mountainbiking, Rollstuhlbasketball, Essen in Deutschland und der Euro. Und in „Extra, Extra!" werden Sie auch tolle Texte von deutschen Autoren und Schriftstellern lesen. Hier haben Sie viel Gelegenheit, das, was Sie schon können, weiter zu entwickeln und auch neue Sachen zu lernen. Sie werden viel üben, indem Sie Texte lesen, schreiben, und Themen besprechen, die für das alltägliche Leben wichtig sind. Um nur ein paar der Themen zu nennen: Wie verstehen sich die Generationen? Wie lebt man gesund? Wie bereitet man sich für ein Jobinterview vor? Welche Probleme und Träume haben deutsche Schüler? Alle diese Themen, und viele mehr, finden Sie hier im Buch. Wir sind sicher, es macht Ihnen Spaß!

Also, los!

KAPITEL 10
Beziehungen 327

EUROPA

ISLAND
Reykjavik

ATLANTISCHER OZEAN

NORWEGEN
Oslo
Stock
SCHWEDE

Schottland

VEREINIGTES

Nordirland

IRLAND
Dublin
KÖNIGREICH

DÄNEMARK
Kopenhager

England
Wales
Thames
London

Amsterdam
NIEDERLANDE

Berlin
Elbe
Weser

P

Brüssel
BELGIEN
Seine

DEUTSCHLAND
Oder

Luxemburg
LUXEMBURG
Paris
Loire

TSCHECHISC
Prag
REPUBLIK
LIECHTENSTEIN
Preß
Wien
Donau

FRANKREICH
Rhein

Bern
SCHWEIZ
Vaduz
ÖSTERREICH

U

Rhône
Po

Laibach
SLOWENIEN
Zag
KROAT

PORTUGAL

Andorra
la Vella
ANDORRA

MONACO
Monaco

San Marino
SAN
MARINO
HERZEGOW

BOSN
Sarajev

Lissabon
Tajo
Madrid
Ebro

SPANIEN

Guadalquivir

Rom
ITALIEN

Monten

MITTELLÄNDISCHE

Rabat

Algier

Tunis

MAROKKO
ALGERIEN

TUNESIEN

Valletta
MALTA

CHE

x

FINNLAND

Helsinki

Tallinn

ESTLAND

Riga

LETTLAND

LITAUEN

Wilna

SLAND

Minsk

WEISSRUSSLAND

schau

EN

RUSSLAND

Wolga

Moskau

Ural

KASACHSTAN

Don

Weichsel

Kiew

UKRAINE

Dnjepr

Don

Wolga

WAKISCHE

PUBLIK

apest

Dnjestr

MOLDAWIEN

Kischinew

N

RUMÄNIEN

Bukarest

rad

Donau

GOS-

WIEN

erbien

BULGARIEN

Sofia

a

Skopje

MAKEDONIEN

ANIEN

ECHENLAND

Athen

Tbilisi

GEORGIEN

ASERBAID-

SCHAN

ARMENIEN

Jerewan

IRAN

Ankara

T Ü R K E I

Euphrat

Bagdad

SYRIEN

Nikosia

IRAK

ZYPERN

LIBANON

Damaskus

Beirut

edigol

E E R

DEUTSCHLAND

DÄNEMARK

O S T S E E

NORDSEE

Sylt

Nordfriesische
Inseln

Fehmarn

Rügen

Usedom

Flensburg

Kiel

**Schleswig-
Holstein**

Lübeck

Rostock

Mecklenburg-

Schwerin

Neubrandenburg

Vorpommern

Ostfriesische Inseln

Cuxhaven

Hamburg

Hamburg

Wilhelmshaven

Bremerhaven

NIEDERLANDE

Oldenburg

Bremen
Bremen

Niedersachsen

POLEN

Osnabrück

Hannover

Wolfsburg

Brandenburg

Berlin
Berlin

Potsdam

Frankfurt

Münster

Bielefeld

Braunschweig

Hildesheim

Salzgitter

Magdeburg

Brandenburg

Recklinghausen

**Nordrhein-
Westfalen**

Dortmund

Göttingen

**Sachsen-
Anhalt**

Dessau

Cottbus

Duisburg

Essen

Kassel

Halle

Leipzig

Görlitz

Mönchen-
gladbach

Düsseldorf

Leverkusen

Köln

Siegen

Weimar

Jena

Sachsen

Dresden

Chemnitz

Aachen

Bonn

Hessen

Eisenach

Erfurt

Gera

Zwickau

**BEL-
GIEN**

Koblenz

Thüringen

**LUXEM-
BURG**

Wiesbaden

Frankfurt

**Rheinland-
Pfalz**

Mainz

Offenbach

Darmstadt

Würzburg

Bamberg

Bayreuth

TSCHECHISCHE

REPUBLIK

Ludwigshafen

Mannheim

Fürth

Erlangen

Nürnberg

Saarland

Kaiserslautern

Heidelberg

Rothenburg
ob der Tauber

Saarbrücken

Heilbronn

Regensburg

Karlsruhe

Pforzheim

Stuttgart

Bayern

Ingolstadt

Passau

FRANKREICH

Tübingen

Ulm

Augsburg

**Baden-
Württemberg**

Freiburg

München

ÖSTERREICH

Berchtesgaden

Garmisch-
Partenkirchen

Watzmann
2713

SCHWEIZ

▲ 2963
Zugspitze

LIECHTENSTEIN

© edigol

DEUTSCHSPRACHIGE LÄNDER UND GEBIETE

SCHWEDEN

DÄNEMARK

NORDSEE

OSTSEE

LETTLAND

LITAUEN

RUSSLAND

NIEDERLANDE

POLEN

DEUTSCHLAND

Rhein

BELGIEN

LUXEMBURG

TSCHECHISCHE
REPUBLIK

SLOWAKISCHE
REPUBLIK

Rhein

Donau

Donau

Bodensee

FRANKREICH

SCHWEIZ

ÖSTERREICH

UNGARN

LIECHTENSTEIN

ITALIEN

SLOWENIEN

RUMÄNIEN

KROATIEN

Donau

Deutschsprachige Länder

Deutschsprachige Gebiete

BOSNIEN UND
HERZEGOWINA

JUGOSLAWIEN

© edigal

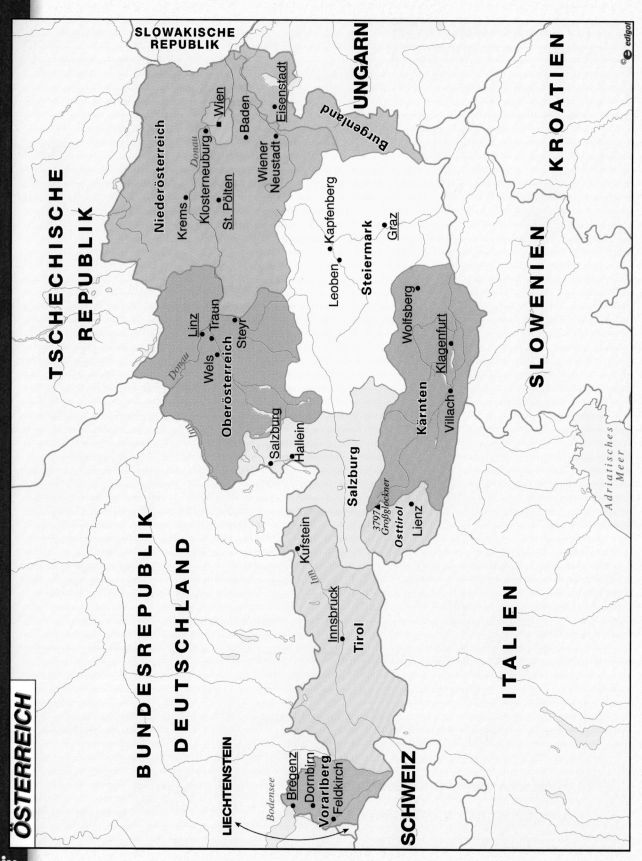

ÖSTERREICH

SLOWAKISCHE REPUBLIK

UNGARN

KROATIEN

TSCHECHISCHE REPUBLIK

Niederösterreich

Wien

Baden

Eisenstadt

Burgenland

Krems

Klosterneuburg

St. Pölten

Wiener Neustadt

Kapfenberg

Graz

Steiermark

Leoben

SLOWENIEN

Linz

Traun

Steyr

Wels

Oberösterreich

Donau

Wolfsberg

Klagenfurt

Salzburg

Hallein

Kärnten

Villach

Salzburg

3797 Großglockner

Osttirol

Lienz

Adriatisches Meer

BUNDESREPUBLIK DEUTSCHLAND

Kufstein

Inn

ITALIEN

Innsbruck

Tirol

LIECHTENSTEIN

Bregenz

Dornbirn

Vorarlberg

Feldkirch

Bodensee

SCHWEIZ

SCHWEIZ UND LIECHTENSTEIN

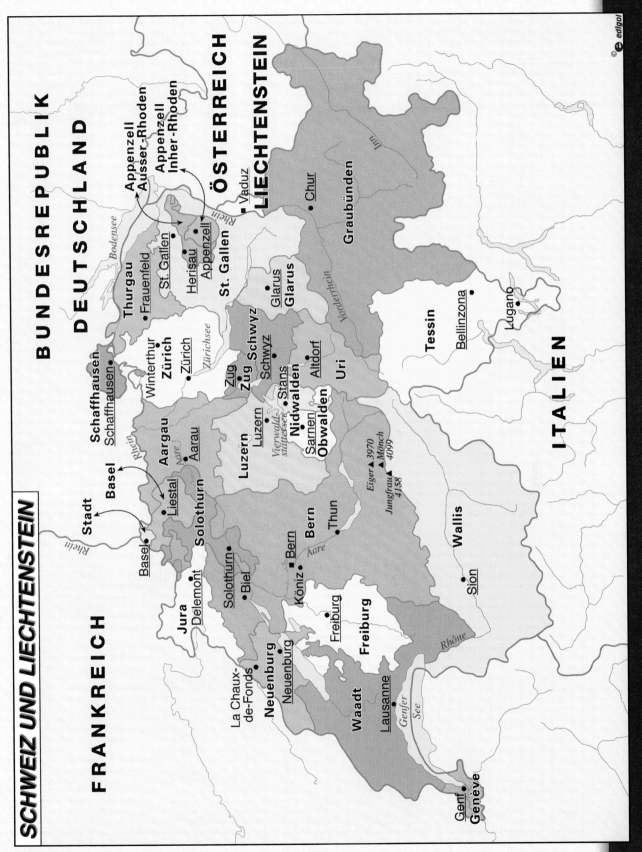

FRANKREICH

BUNDESREPUBLIK

DEUTSCHLAND

ÖSTERREICH

LIECHTENSTEIN

ITALIEN

Rhein
Stadt
Basel
Basel
Liestal
Solothurn
Aargau
Aarau
Schaffhausen
Schaffhausen
Rhein
Aare
Bodensee
Appenzell
Ausser-Rhoden
Appenzell
Inher-Rhoden
Thurgau
Frauenfeld
St. Gallen
Herisau
Appenzell
St. Gallen
Rhein
Vaduz
Chur
Graubünden
Inn
Winterthur
Zürich
Zürich
Zürichsee
Glarus
Glarus
Glarus
Zug
Zug
Schwyz
Schwyz
Altdorf
Uri
Vorderrhein
Tessin
Bellinzona
Lugano
Luzern
Luzern
Vierwald-
stättersee
Stans
Nidwalden
Sarnen
Obwalden
Eiger ▲ 3970
▲ Mönch
Jungfrau ▲ 4099
4158
Jura
Delémont
Solothurn
Biel
Königz
Bern
Bern
Bern
Thun
Aare
Wallis
Sion
Rhône
La Chaux-
de-Fonds
Neuenburg
Neuenburg
Freiburg
Freiburg
Freiburg
Waadt
Lausanne
Genfer
See
Genf
Genève

© edigol

Schweiz und Liechtenstein

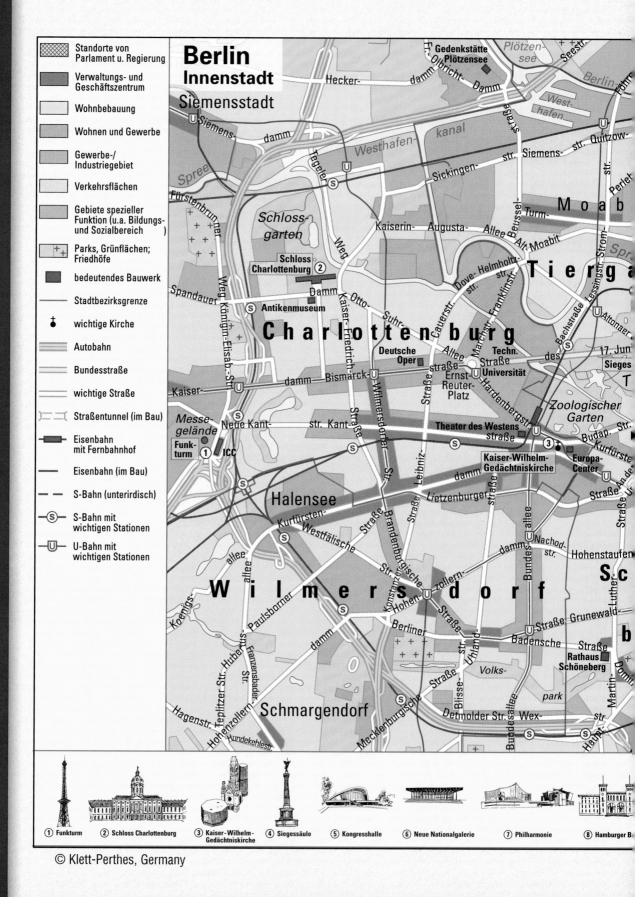

Berlin
Innenstadt

Legend:

- Standorte von Parlament u. Regierung
- Verwaltungs- und Geschäftszentrum
- Wohnbebauung
- Wohnen und Gewerbe
- Gewerbe-/Industriegebiet
- Verkehrsflächen
- Gebiete spezieller Funktion (u.a. Bildungs- und Sozialbereich)
- Parks, Grünflächen; Friedhöfe
- bedeutendes Bauwerk
- Stadtbezirksgrenze
- wichtige Kirche
- Autobahn
- Bundesstraße
- wichtige Straße
- Straßentunnel (im Bau)
- Eisenbahn mit Fernbahnhof
- Eisenbahn (im Bau)
- S-Bahn (unterirdisch)
- S-Bahn mit wichtigen Stationen
- U-Bahn mit wichtigen Stationen

Map labels:

Siemensstadt · Schlossgarten · Schloss Charlottenburg · Antikenmuseum · Charlottenburg · Deutsche Oper · Messegelände · Neue Kant- · Funkturm · ICC · Halensee · Wilmersdorf · Schmargendorf · Kurfürsten- · Westfälische · Paulsborner · Berliner · Volkspark · Hagenstr · Hundekehlestr · Mecklenburgische · Detmolder Str. · Wex- · Rathaus Schöneberg · Badensche Straße · Grunewald · Hohenstaufen · Kurfürstendamm · Europa-Center · Kaiser-Wilhelm-Gedächtniskirche · Zoologischer Garten · Theater des Westens · Techn. Universität · Ernst-Reuter-Platz · Bismarck-damm · Kaiserin-Augusta-Allee · Alt-Moabit · Moab · Tierga · Sieges · Gedenkstätte Plötzensee · Plötzensee · Westhafen · Westhafenkanal · Spree · Hecker-damm · Tegeler Weg · Sickingen- · Quitzow- · Siemens- · Perle

1. Funkturm
2. Schloss Charlottenburg
3. Kaiser-Wilhelm-Gedächtniskirche
4. Siegessäule
5. Kongresshalle
6. Neue Nationalgalerie
7. Philharmonie
8. Hamburger B

W e d d i n g

Fr.-Ludwig
Jahn-Sport-
park

Gedenkstätte
Berliner Mauer

P r e n z l a u e r   B e r g

Volkspark
Anton
Saefkow

Hamburger
Bahnhof
Lehrter
Stadtbahnhof

Charité

Am Friedrichshain

Volkspark
Friedrichs-
hain

Platz der
Vereinten
Nationen

Sitz der
Bundes-
regierung

M i t t e

Museums-
insel

Alexander-
platz

Sitz der
Bundes-
regierung

Kongress-
halle

Reichstagsgebäude

Brandenburger Tor

Berliner Dom

Humboldt-
Universität
Unter den Linden

Rotes Rathaus

Deutsche Staatsoper

Fernseh-
turm

Straußberger
Platz

Friedrichshain

Ostbahnhof

Franzö. Dom

Schauspielhaus

Deutscher Dom

Fischer-
insel

Philharmonie

Neue
Nationalgalerie

Potsdamer
Platz

Leipziger   Straße

Kochstraße

Marianen-
platz

K r e u z b e r g

Mehring-
platz

Gitschiner   Straße

Skalitzer

Landwehrkanal

Treptow

Yorck

Kreuzberg-   str.

Bergmann-

straße   Süd-   Hasen-

Monumentenstr.

Viktoria-
park

straße Duden-   straße

Kolonnen-   straße

Platz der
Luftbrücke

Volkspark
Hasenheide

T e m p e l h o f

✈ Flughafen
Berlin-Tempelhof

N e u k ö l l n

Reichstagsgebäude,
Sitz des Deutschen Bundestages

⑩ Brandenburger Tor

⑪ Deutsche Staatsoper

⑫ Museumsinsel

⑬ Berliner Dom

⑭ Rotes Rathaus

⑮ Fernsehturm

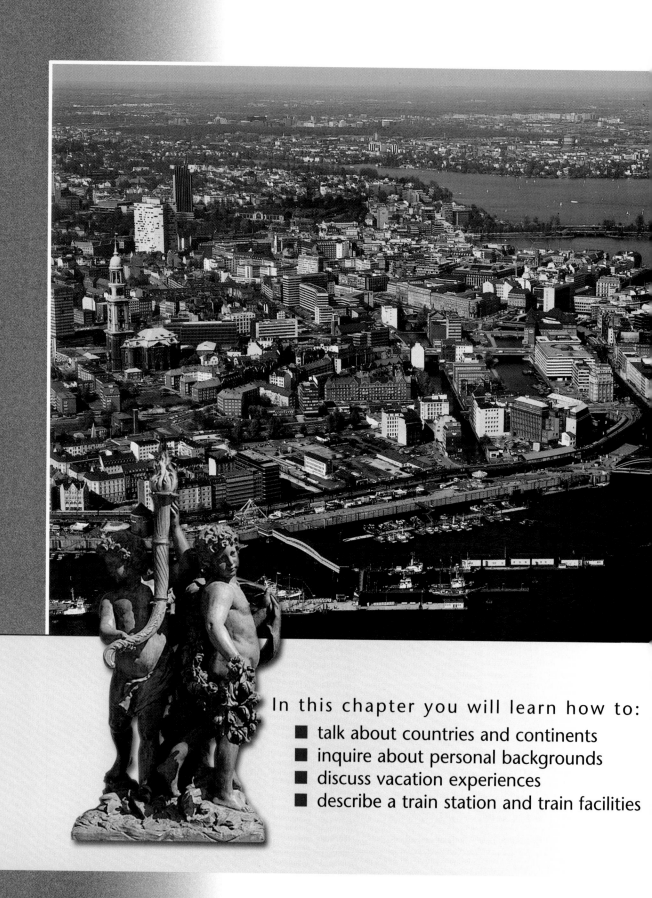

In this chapter you will learn how to:
- talk about countries and continents
- inquire about personal backgrounds
- discuss vacation experiences
- describe a train station and train facilities

KAPITEL 1

Im Herzen Europas

LEKTION A

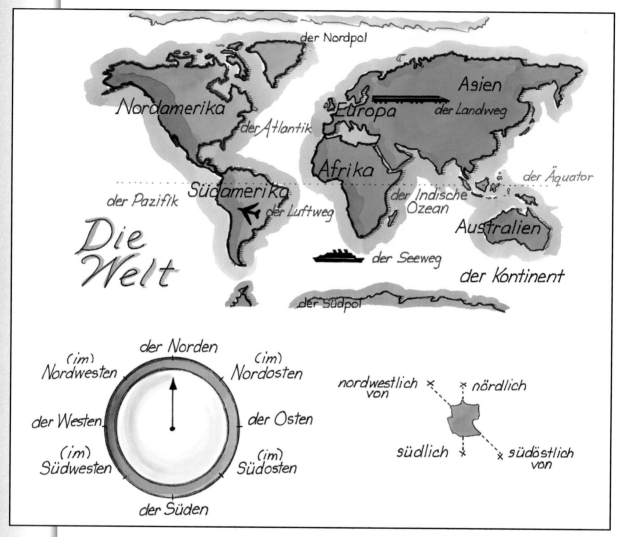

der Nordpol

Nordamerika

der Atlantik

Europa

Asien

der Landweg

Afrika

der Äquator

Südamerika

der Luftweg

der Indische Ozean

der Pazifik

Australien

der Seeweg

der Kontinent

Die Welt

der Südpol

der Norden

(im) Nordwesten

(im) Nordosten

der Westen

der Osten

(im) Südwesten

(im) Südosten

der Süden

nordwestlich von

nördlich

südlich

südöstlich von

WB Activities 1–2

1 Beantworten Sie diese Fragen!

1. Welcher Ozean liegt östlich von den USA?
2. Welches Land liegt westlich von Spanien?
3. Welche Kontinente liegen südlich vom Äquator?
4. Welche Länder liegen nördlich von Südamerika?
5. Welcher Kontinent liegt südlich von Asien?
6. Welcher Ozean liegt zwischen Asien und Nordamerika?
7. Welcher Pol liegt südlich von Afrika?
8. Und wo liegt Ihre Stadt? Ihr Land? Ihr Kontinent?

1. der Atlantik
2. Portugal
3. Südamerika, Australien, Afrika
4. Mexiko, die Vereinigten Staaten und Kanada
5. Australien
6. der Pazifik
7. der Südpol
8. *Answers will vary.*

2

Schreiben Sie zwei Sätze zu jedem Kontinent!

➤ Dieser Kontinent hat drei Länder: Mexiko, Kanada und die Vereinigten Staaten. Er liegt nördlich vom Äquator.

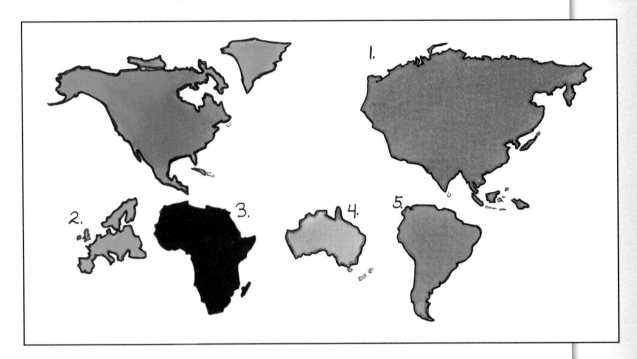

Wo liegen diese bekannten Sehenswürdigkeiten?

Nennen Sie das Land und den Kontinent!

Woher kommen Sie?

Frau Schwarz und Herr Polasky treffen Frau Dr. Dupont in der Stadt und unterhalten sich.

Wo treffen sich Frau Dr. Dupont, Frau Schwarz und Herr Polasky?

Frau Schwarz:	Hallo! Toll, dass wir uns treffen. Dann kann ich dir meinen Freund Rudolf Polasky vorstellen.
Frau Dr. Dupont:	Ach, nett Sie kennen zu lernen. Frau Schwarz hat mir schon viel von Ihnen erzählt.
Herr Polasky:	Nett, dass wir uns endlich treffen.
Frau Dr. Dupont:	Sie kommen aus Polen, oder?
Herr Polasky:	Ja. Und woher kommen Sie?
Frau Dr. Dupont:	Ich komme aus Albi, einer Stadt im Süden Frankreichs.
Herr Polasky:	Ich habe letzten Sommer eine Reise durch Frankreich gemacht.
Frau Dr. Dupont:	Wo waren Sie denn?
Herr Polasky:	Zuerst waren meine Freunde und ich im Norden Frankreichs, dann sind wir am Atlantik nach Süden gefahren und haben ein paar Tage in Bordeaux verbracht. Und dann sind wir wieder nach Norden, nach Paris gefahren, wo wir eine Woche bei Freunden gewesen sind.
Frau Dr. Dupont:	Wo hat es Ihnen am besten gefallen?
Herr Polasky:	Eigentlich im Norden. Dort war es sehr schön.
Frau Schwarz:	Ich bin leider letzten Sommer nur in Deutschland geblieben. Jetzt müssen wir aber los.
Frau Dr. Dupont:	Wohin wollt ihr denn?
Frau Schwarz:	Wir müssen noch einkaufen. Bis bald!
Frau Dr. Dupont:	Tschüs!

WB Activity 3

CD Track 3

3 *Was stimmt hier nicht?* Verbessern Sie den falschen Teil!

1. Frau Dr. Dupont kommt aus Deutschland.
2. Herr Polasky ist der Freund von Frau Dr. Dupont.
3. Frau Schwarz hat letzten Sommer eine Reise nach Frankreich gemacht.
4. Albi ist eine Stadt im Süden Deutschlands.
5. Herr Polasky hat zwei Wochen in Paris verbracht.
6. Herr Polasky war auf seiner Reise im Osten Frankreichs.
7. Frau Schwarz ist letzten Sommer nach Polen gefahren.
8. Frau Schwarz und Frau Dr. Dupont wollen noch einkaufen.

Margin answer key:

1. Sie kommt aus Frankreich.
2. Herr Polasky ist der Freund von Frau Schwarz.
3. Herr Polasky hat letzten Sommer eine Reise nach Frankreich gemacht.
4. Albi ist eine Stadt im Süden Frankreichs.
5. Herr Polasky hat eine Woche in Paris verbracht.
6. Herr Polasky war auf seiner Reise im Norden und Süden Frankreichs.
7. Frau Schwarz ist letzten Sommer in Deutschland geblieben.
8. Frau Schwarz und Herr Polasky wollen noch einkaufen.

Wir leben im Herzen° Europas

Deutschland in Europa

In der Mitte von Europa liegt Deutschland. Es hat sechzehn Bundesländer, viele Nachbarländer, viele Städte, viele alte Dörfer° und mehr als 80 Millionen Menschen°. Deutschland hat auch viele alte Traditionen. In jedem Dorf und jeder Stadt haben die Einwohner ihre Feste und Feiertage, ihre Geburtstage und Beerdigungen°, ihre Taufen° und Hochzeiten. Aber viele Menschen, die in Deutschland leben°, kommen aus anderen Ländern. Manche von ihnen kommen aus den Nachbarländern, im Westen aus Frankreich, im Süden aus Österreich, im Osten aus der Tschechischen Republik und Polen, oder im Norden aus Dänemark. Und andere kommen aus Slowenien, der Türkei, Griechenland oder Italien. Im Westen von Deutschland ist die älteste deutsche Stadt, Trier. Dort leben drei Freunde. Sie kommen aus drei europäischen Ländern.

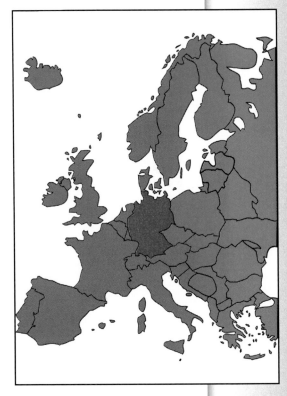

(*das Herz* heart; *das Dorf* village; *der Mensch* person, human; *die Beerdigung* funeral; *die Taufe* baptism; *leben* to live)

4 **Benutzen Sie Wörter aus dem Text, um die Sätze zu ergänzen!**

1. ___ liegt in der Mitte von Europa, westlich von Polen und der Tschechischen Republik.
2. ___ und Städte gibt es in diesem Land.
3. ___ Menschen leben in Deutschland.
4. ___ haben in ihren Dörfern Feste und Feiertage.
5. ___ kommen aus anderen Ländern nach Deutschland.
6. ___ und Geburtstage und Hochzeiten feiern die Leute.
7. ___ sind zwei Nachbarländer im Osten von Deutschland.
8. ___ ist ein Nachbarland im Norden Deutschlands.

1. Deutschland
2. Viele alte Dörfer
3. Mehr als 80 Millionen
4. Die Einwohner
5. Viele Leute
6. Taufen
7. Polen und die Tschechische Republik
8. Dänemark

Drei Leute aus Europa

Neben einem Kaufhaus treffen sich Frau Dr. Melanie Dupont, Frau Ingrid Schwarz und Herr Rudolf Polasky. Frau Dr. Dupont lebt schon seit zehn Jahren in Trier. Sie kommt aus Albi im Südwesten von Frankreich und unterrichtet° seit vielen Jahren Französisch am Gymnasium. Sie lebt gern in Deutschland, aber sie findet, dass das französische Brot immer noch am besten schmeckt. Deshalb hat sie ein französisches Brot gekauft. Sie trägt es unter ihrem Arm und will es mit nach Hause nehmen.

Frau Dr. Dupont trifft Frau Schwarz. Frau Schwarz lebt schon immer in Trier. Sie ist dort zur Schule gegangen, hat eine Ausbildung gemacht und arbeitet jetzt im Kaufhof als Verkaufsleiterin°. Sie kommt nach der Arbeit aus dem Kaufhof, wo sie heute eine teure Kamera gekauft hat. Die Kamera ist für ihren Mann, Herrn Trentani, denn er wird morgen 30 Jahre alt. Seinen Geburtstag wollen sie morgen feiern. Die dritte Person ist Rudolf Polasky. Er lebt jetzt auch in Trier, aber er kommt aus Polen. Er kommt aus Krakau. Diese Stadt in Polen ist wegen ihrer Kultur und der Universität berühmt. Dort hat er Informatik studiert. Herr Polasky ist heute Computerspezialist. Computer und Romane machen ihm Spaß. Er schreibt als Hobby Sciencefiction und kleine Romane.

Trier

Die drei unterhalten sich über den Unterricht° von Frau Dr. Dupont. Im Vergleich zu Deutschland lernen die französischen Schüler weniger Sprachen, aber im Vergleich zu Polen lernen die deutschen Schüler weniger Sprachen. Also ist Herr Polasky stolz, weil die Schüler in Polen mehr lernen. „Wir sind ökonomisch schwach°, aber akademisch stark!" meint Herr Polasky mit einem Lachen. Er findet, dass seine alte Universität besonders gut ist. Dort hat er seine Liebe° für Wissenschaft° und Literatur gefunden und schreibt seitdem seine eigenen Geschichten. Er hat die Geschichten „Reisen durchs Telefon" geschrieben. Die sind echt toll.

(*unterrichten* to teach; *die Verkaufsleiterin* sales manager; *der Unterricht* instruction; *schwach* weak; *die Liebe* love; *die Wissenschaft* science)

„Wir sind ökonomisch schwach,
aber akademisch stark!"

5 Von wem ist hier die Rede? Diese Person...

1. kommt aus Albi im Südwesten Frankreichs.
2. hat morgen Geburtstag.
3. schreibt Geschichten.
4. arbeitet im Kaufhof.
5. kommt aus Polen.
6. unterrichtet an einem Gymnasium in Trier.
7. hat eine Kamera gekauft.
8. arbeitet mit Computern.
9. lebt schon immer in Trier.
10. ist der Mann von Frau Schwarz.

CD Track 6

1. Frau Dr. Dupont	6. Frau Dr. Dupont
2. Herr Trentani	7. Frau Schwarz
3. Herr Polasky	8. Herr Polasky
4. Frau Schwarz	9. Frau Schwarz
5. Herr Polasky	10. Herr Trentani

Sie möchte heute Abend ins Kino, denn es gibt einen interessanten alten Film.

SPRACHE

Coordinating and Subordinating Conjunctions

Coordinating conjunctions (*denn, aber, sondern, und*) link ideas together, without necessarily indicating which aspect of the sentence is more important. When you use coordinating conjunctions, you do not have to change the position of the elements in the sentence. The coordinating conjunctions are the glue that holds two sentences together.

Ich möchte heute Abend ins Kino, aber ich muss arbeiten.	I would like to go to the movies tonight, but I have to work.
Ich möchte heute Abend ins Kino und dann in die Disko.	I would like to go to the movies tonight and then to the disco.
Ich möchte heute Abend ins Kino, denn es gibt einen interessanten neuen Film.	I would like to go to the movies tonight because there is an interesting new movie out.
Ich möchte heute Abend nicht ins Kino, sondern in die Disko.	I don't want to go to the movies tonight, but rather to the disco.

Subordinating conjunctions (*da, dass, ob, weil*) are *not* just glue—you can always see where they connect the sentences because they push the main verb to the end of the clause.

Ich möchte heute Abend ins Kino, weil es einen interessanten neuen Film <u>gibt</u>.	I would like to go to the movies tonight, because there's an interesting new movie out.
Meine Mutter sagt, dass ich heute ins Kino gehen <u>darf</u>.	My mother says that I may go to the movies tonight.

WB Activities 4–6

6 Was passt hier am besten?

1d, 2h, 3f, 4b, 5c, 6a, 7e, 8g

1. Herr Polasky lebt jetzt in Trier,
2. Das Geschenk ist für Herrn Trentani,
3. Die drei Leute treffen sich vor dem Kaufhof
4. Frau Dr. Dupont isst gern deutsches Brot,
5. Die deutschen Schüler lernen mehr Sprachen als die französischen Schüler,
6. Frau Dr. Dupont kauft lieber französisches Brot,
7. Frau Schwarz fährt in die Stadt,
8. Herr Polasky arbeitet mit Computern

a. denn sie isst es gern.
b. aber sie findet französisches Brot besser.
c. aber sie lernen weniger Sprachen als die polnischen Schüler.
d. aber er kommt aus Polen.
e. denn sie braucht ein Geschenk für ihren Mann.
f. und unterhalten sich über den Unterricht von Frau Dr. Dupont.
g. und schreibt Romane.
h. denn er hat morgen Geburtstag.

7 Bilden Sie Sätze! Passen Sie auf, wohin das Verb kommt!

1. Melanie Dupont unterrichtet Französisch / weil / sie / kommt / aus Frankreich
2. Rudolf Polasky kann Polnisch / aber / er / spricht / kein Französisch
3. Rudolf Polasky liest viele Bücher / und / er / schreibt / Sciencefiction und Romane
4. Frau Dr. Dupont ist froh / dass / sie / trifft / ihre Freunde in der Stadt
5. Ingrid Schwarz sucht ein Geschenk / denn / ihr Mann / hat / morgen Geburtstag
6. Herr Trentani bekommt eine Kamera / weil / er / fotografiert / gern
7. Frau Dr. Dupont fährt oft nach Frankreich / da / ihre Familie / lebt / dort
8. Herr Polasky sieht viele Sciencefictionfilme / weil / er / sucht / Ideen / für seine Romane

Die Schüler gehen gern auf den Schulhof, weil dort immer etwas los ist.

1. Melanie Dupont unterrichtet Französisch, weil sie aus Frankreich kommt.
2. Rudolf Polasky kann Polnisch, aber er spricht kein Französisch.
3. Rudolf Polasky liest viele Bücher und er schreibt Sciencefiction und Romane.
4. Frau Dr. Dupont ist froh, dass sie ihre Freunde in der Stadt trifft.
5. Ingrid Schwarz sucht ein Geschenk, denn ihr Mann hat morgen Geburtstag.
6. Herr Trentani bekommt eine Kamera, weil er gern fotografiert.
7. Frau Dr. Dupont fährt oft nach Frankreich, da ihre Familie dort lebt.
8. Herr Polasky sieht viele Sciencefictionfilme, weil er Ideen für seine Romane sucht.

Kapitel 1

<TN>

8 *Hand-in-Hand.* **This is a speaking activity for partners. One student looks at this page, the other student looks at page 362 in the appendix. You must interview one another to complete the chart, but don't show your page to your partner! Your partner has the information for the blanks in your chart and you have the information for the blanks in your partner's chart. Be sure to use** *weil* **in your answers.**

> *Person 1:* Warum lebt Melanie Dupont in Trier?
> *Person 2:* Melanie Dupont lebt in Trier, weil sie hier Französisch unterrichtet.

	Melanie Dupont	Ingrid Schwarz	Rudolf Polasky
Warum lebt er/sie in Trier?	Sie unterrichtet hier Französisch.	Sie lebt schon immer in Trier.	Er kann hier mit Computern arbeiten.
Warum geht er/sie einkaufen?	Sie braucht Brot.	Sie sucht ein Geburtstags- geschenk für ihren Mann.	Er braucht ein Buch.
Warum lernt er/sie Sprachen?	Sie reist gern.	Sie hat interna- tionale Freunde.	Er findet Sprachen wichtig.
Warum geht er/sie nach Hause?	Sie möchte fernsehen.	Sie ist müde.	Er muss heute das Abendessen kochen.

Warum lebt Rudolf Polasky in Trier?

9 **Schreiben Sie die Sätze zu Ende mit der Information aus** *Hand-in-Hand!*

> Melanie lebt in Trier, weil ___.
> sie hier Französisch unterrichtet

1. Melanie Dupont geht nach Hause, weil ___ .
2. Rudolf Polasky geht einkaufen, weil ___.
3. Ingrid Schwarz lernt Sprachen, weil ___.
4. Melanie Dupont geht einkaufen, weil ___.
5. Ingrid Schwarz geht nach Hause, weil ___.
6. Rudolf Polasky lebt in Trier, weil ___.
7. Melanie Dupont lernt Sprachen, weil ___.
8. Ingrid Schwarz geht einkaufen, weil ___.

1. sie fernsehen möchte
2. er ein Buch braucht
3. sie internationale Freunde hat
4. sie Brot braucht
5. sie müde ist
6. er hier mit Computern arbeiten kann
7. sie gern reist
8. sie ein Geburtstagsgeschenk für ihren Mann sucht

Der Chiemsee in Bayern

Ein Report von Erna und Siegfried Meurer

Erna: Mein Mann Siegfried und
ich fahren gern durch
Europa und besuchen
Städte, Länder, Seen,
Strände und Leute. Wir
wohnen im Saarland. Das ist
ein kleines Bundesland im
Südwesten Deutschlands. Es
kam erst 1957 wieder zu
Deutschland. In den Jahren
zwischen 1945, als der
Zweite Weltkrieg zu Ende
war, und 1956 waren viele Franzosen hier.

Unsere Heimatstadt° heißt Saarbrücken. Mit dem Auto fahren wir
oft in zehn Minuten nach Frankreich. Das ist heute sehr leicht.
Siegfried fährt immer sehr schnell. Wir haben viel Zeit zum Reisen,
denn mein Mann arbeitet nicht mehr und unsere Kinder sind groß.

Wenn wir in die Ferien fahren, reisen wir oft mit dem Zug, weil wir
Seniorenpässe° bekommen und das Reisen dann sehr preiswert ist.
Dann habe ich auch keine Angst, denn Siegfried kann nicht zu
schnell fahren.

Ich möchte jetzt gern von unserer Fahrt mit dem Zug nach Bayern
erzählen. Das war eine tolle Reise! Wir fahren nicht gern am
Wochenende, denn die Züge sind sehr voll. Wir fahren lieber am

Dienstag los° und kommen am
Donnerstag nach Hause. Ich lese
gern während mein Mann aus
dem Fenster sieht.

Dienstag sind wir also
losgefahren. Erst nach Stuttgart,
dann Nürnberg, Rosenheim bis
nach Prien. Wir haben in Prien
ein Hotelzimmer genommen
und sind am Morgen früh
aufgestanden. Siegfried, sag
doch auch mal etwas!

Meurers kaufen Seniorenpässe.

Siegfried: Ja, ja, so war das. Wir haben in Prien übernachtet. Als wir frühstückten°, hat die Sonne so schön geschienen, nicht, Erna?

Erna: Erzähl doch lieber, was wir gemacht haben! Wir sind an diesem Tag mit dem Schiff auf dem Chiemsee gefahren. Auf der Herreninsel ist ein Schloss von diesem bayrischen Märchenkönig°, Ludwig dem Zweiten. Siegfried, weißt du noch?

Siegfried: Ja, ja, Erna. So war das. Mit dem Schiff. Auf dem Chiemsee. Bis zur Herreninsel. Wir haben uns aber zuerst den Fahrplan und die Karte genau angesehen.

Ein Touristenboot fährt immer auf dem Chiemsee.

Erna: Dann habe ich die Fahrkarten gekauft. Wir sind zum Schiff gegangen. Ein Touristenboot fährt fast immer von Prien zur Herreninsel und Fraueninsel, den beiden Inseln im Chiemsee.

Wir sind zuerst bis zur Herreninsel gefahren. Dort ist das Königsschloss Herrenchiemsee mit einem schönen Park, einem Wasserspiel° und vielen Figuren. Dieses Schloss! Das viele Gold und die vielen Figuren und Spiegel und Bilder. Das vergesse° ich nie!

Was haben sich Herr und Frau Meurer genau angesehen?

Siegfried: Ja, ja, alles sehr barock. Viel Gold, ja, ja. Spiegel aus der noblen° Zeit.

Erna: Ich musste viel fotografieren. Alles war so schön! Aber man fühlt sich etwas fremd in einer so noblen Umgebung. Im Schloss vom König Ludwig dem Zweiten von Bayern sind viele Zimmer fertig. Aber nicht alle. Es gibt auch noch Zimmer und Flure°, die noch nicht fertig sind. Die werden immer als Kontrast dienen°. Dann sieht man erst, wie viel Geld so ein Schloss kostet. Meinst du nicht auch, Siegfried?

Die Fraueninsel sieht märchenhaft aus.

Siegfried:	Es kostet sehr viel Geld. Der Ludwig hatte am Ende kein Geld mehr. Er hat alles in seine Schlösser investiert. Und dann ist er im See ertrunken°. Der war noch sehr jung. Erst 41 Jahre, als er ertrank. Geboren° im Jahr 1845. Und 1886 war der dann tot°, der Ludwig der Zweite.
Erna:	Aber heute sind wir froh, dass „Ludwig der Märchenkönig" die Schlösser Herrenchiemsee, Linderhof und Neuschwanstein gebaut hat.
Siegfried:	Der hat nichts gebaut, nein, nein. Das hat der nicht, der Ludwig. Der hat bauen lassen. Der hat nur investiert.
Erna:	Jetzt maule° mal nicht, Siegfried! Die Reise war doch schön, oder? Und dann die Fraueninsel! Alle sagen, dass sie noch schöner ist. Älter und eindrucksvoller°. Und am Donnerstag waren wir wieder in Saarbrücken, denn Freitagmorgen musste Siegfried ja zum Arzt. Weil er doch so Rückenschmerzen hat. Tut es denn noch weh, Siegfried?
Siegfried:	Ja, ja. Der Rücken tut weh, aber das war eine schöne Reise. Am Freitag musste ich zum Doktor Filbinger; das hast du ja schon gesagt, Erna.
Erna:	Ach, wir haben noch nicht so viel von der Fraueninsel erzählt! Die war ja auch so schön! Noch schöner als die Herreninsel. Nur etwas kleiner. Ich habe noch mehr Fotos gemacht. Fotografieren ist meine Sache. Und Siegfried fährt mit mir mit.

(*die Heimatstadt* hometown; *der Seniorenpass* senior citizen rail pass; *losfahren* to leave, take off; *frühstücken* to have breakfast; *der bayrische Märchenkönig* Bavarian fairy-tale king; *das Wasserspiel* fountain; *vergessen* to forget; *nobel* noble, feudalistic; *der Flur* hallway; *dienen* to serve; *ertrinken* to drown; *geboren* born; *tot* dead; *maulen* to complain; *eindrucksvoll* impressive)

WB Activities 7–10

Wer hat Schloss Herrenchiemsee gebaut?

10 Beantworten Sie die Fragen!

1. Wo wohnen Herr und Frau Meurer?
2. Wie fährt Siegfried Meurer mit seinem Auto?
3. Wie kommen die Meurers zur Herreninsel?
4. Wie heißt das Schloss auf der Herreninsel?
5. Was gefällt Erna Meurer im Schloss?
6. Warum hatte Ludwig der Märchenkönig am Ende kein Geld mehr?
7. Welche Insel gefällt Erna Meurer besser? Warum?
8. Warum musste Herr Meurer am Freitag wieder in Saarbrücken sein?
9. Wer macht die Fotos?

1. Sie wohnen im Saarland (in Saarbrücken).
2. Er fährt sehr schnell.
3. Sie fahren mit dem Schiff.
4. Das Schloss heißt Herrenchiemsee.
5. Erna gefallen das Gold, die Figuren, die Bilder und die Spiegel.
6. Er investierte es in seine Schlösser.
7. Die Fraueninsel gefällt Erna besser, weil sie älter, schöner und eindrucksvoller ist.
8. Er musste zum Arzt.
9. Erna Meurer macht die Fotos.

11 *Was stimmt hier nicht?* Verbessern Sie den falschen Teil!

1. Das Saarland ist ein großes Bundesland im Norden Deutschlands.
2. Die Meurers fahren mit dem Zug nach Berlin.
3. Erna und Siegfried wohnen in Prien in einer Pension.
4. Das Schloss Herrenchiemsee ist auf der Fraueninsel.
5. Alle Zimmer im Schloss Herrenchiemsee sind fertig.
6. Ludwig der Märchenkönig ist 1845 gestorben.
7. Ludwig hat zwei Schlösser gebaut.
8. Siegfried musste am Freitagnachmittag zum Arzt.

1. großes - kleines; Norden - Südwesten
2. Berlin - Prien
3. in einer Pension - in einem Hotel
4. Fraueninsel - Herreninsel
5. alle Zimmer - nicht alle Zimmer
6. gestorben - geboren
7. zwei Schlösser - drei Schlösser
8. Freitagnachmittag - Freitagmorgen

Wörter und
Ausdrücke

IDENTIFYING GEOGRAPHIC AREAS OF THE WORLD

der Kontinent continent
  Asien Asia
  Nordamerika North America
  Südamerika South America
  Afrika Africa
  Europa Europe
  Australien Australia
der Äquator equator
der Nordpol north pole
der Südpol south pole

der Pazifik Pacific Ocean
der Atlantik Atantic Ocean
der Indische Ozean Indian Ocean

im Nordwesten, Nordosten in the northwest, northeast
im Südwesten, Südosten in the southwest, southeast
nördlich (östlich, südlich, westlich) von north (east, south, west) of
südöstlich (nordwestlich) von southeast (northwest) of

der Landweg across country, land route
der Seeweg seaway, by sea
der Luftweg by air

LEKTION B

der Waggon

der Schaffner

der Sitzplatz

1. Klasse

das Abteil

2. Klasse

das Raucherabteil

das Nichtraucherabteil

das Großraumabteil

der Speisewagen

die Ankunft

die Abfahrt

der Fahrplan

ankommen

einsteigen

aussteigen

das Gleis

der Kofferkuli

der Bahnsteig

12 Wovon spricht man hier?

1. Dort warten viele Leute auf den Zug und steigen dann von dort ein.
2. Man braucht ihn, besonders wenn man viel Gepäck hat.
3. Da sitzen die Leute in einem kleinen Raum im Zug.
4. Wenn man bequemer sitzen will und auch etwas mehr bezahlt, dann sitzt man da.
5. Darauf sieht man, wann die Züge ankommen und abfahren.
6. Dort essen die Reisenden und müssen dafür bezahlen.
7. Meistens findet man sie vor den Waggons.
8. Der Zug muss darauf fahren.
9. Er sieht sich die Fahrkarten der Reisenden an.
10. Von dort fahren die Züge ab und sie kommen dort auch an.

1. der Bahnsteig
2. der Kofferkuli
3. das Abteil
4. 1. Klasse
5. der Fahrplan
6. der Speisewagen
7. die Lokomotive
8. das Gleis
9. der Schaffner
10. der Bahnhof

Von einem Ort zum andern

CD
Track 12

Die Bahn°

Wenn Sie schnell und bequem an Ihr Ziel kommen wollen, dann fahren Sie mit der Bahn. Die Deutsche Bahn hat ein tolles System von Zügen, die durch ganz Deutschland und auch ins Ausland fahren. Wenn man mit der Bahn fahren will, muss man wissen:

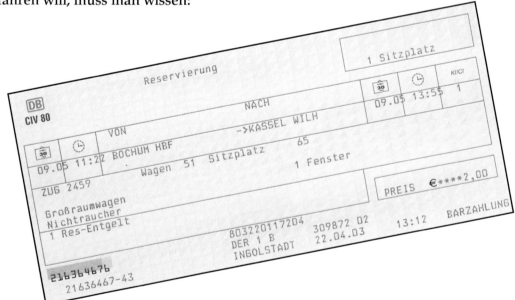

1. wohin man fahren will.
2. an welchem Tag man fahren möchte (der Abreisetag°).
3. um wie viel Uhr man abfahren will (die Abfahrt).
4. wann man ankommen möchte (die Ankunft).
5. mit welcher Klasse (1. oder 2. Klasse) man fahren will.
6. mit was für einem Zug man fahren will.

Die Erste Klasse ist normalerweise° 50 Prozent teurer als die Zweite Klasse. Man kann für die Fahrt auch einen Sitzplatz im Zug reservieren. Dann weiß man, dass man nicht die ganze Zeit stehen muss, und man kann sagen, ob man im Raucher- oder Nichtraucher-Wagen° sitzen möchte. Es gibt Großraumwagen (die ein bisschen wie Flugzeuge aussehen) oder Abteilwagen (die wie Züge in alten Filmen aussehen).

Es gibt viele verschiedene Züge. Der IntercityExpress (ICE) und der EuroCity (EC) verbinden° die europäischen Großstädte. Der InterCity (IC) ist besonders schnell und hält nur in größeren Städten an. Der InterRegio (IR) verbindet Städte in einer Region; der Schnellzug (D), der RegionalExpress (RE), die RegionalBahn (RB), und der StadtExpress (SE) sind etwas langsamere Züge, die in vielen kleinen und großen Städten anhalten. Manche Züge haben ein Restaurant oder ein Bistro Café. Da kann man gut sitzen, die Landschaft° sehen und auch gut essen.

Es gibt viele verschiedene Züge.

(*die Bahn* railroad, train; *der Abreisetag* day of departure; *normalerweise* normally; *der Nichtraucher-Wagen* nonsmoking car; *verbinden* to connect; *die Landschaft* landscape)

WB Activity 13

CD Track 13

Kais Reise nach Ingolstadt

Man kann preiswert mit der Bahn fahren. Es gibt Juniorenpässe für Schüler, Seniorenpässe für Senioren und Monatskarten für Geschäftsleute°. Aber manchmal muss man einfach eine Karte kaufen, so wie Kai.

Reiseverbindungen

Deutsche Bahn **DB**

Gültig am Freitag, dem 09.05.03

VON	Bochum Hbf			
NACH	Ingolstadt Hbf			BEMERKUNGEN
ÜBER		UHR	ZUG	
BAHNHOF				
Bochum Hbf		ab 11:22	IR 2459	Bistro Cafe
Kassel-Wilhelmshöhe		an 13:55		
		ab 14:21	ICE 789	
		an 16:18		
Nürnberg Hbf		ab 16:48	RE 4067	
		an 18:16		
Ingolstadt Hbf				

Dauer: 6:54 h. fährt täglich
Preis: 80€/125€(2./1.Kl.)
über (BI/HA)*(ICE:KS*N)*TREU

Kai:	Guten Tag!
Beamtin:	Guten Tag!
Kai:	Ich möchte eine Fahrkarte kaufen.
Beamtin:	Wohin?
Kai:	Von Bochum nach Ingolstadt.
Beamtin:	An welchem Tag?
Kai:	Am 9. Mai.
Beamtin:	Einfach°, oder hin und zurück°?
Kai:	Einfach. 2. Klasse, bitte. Sagen Sie mir auch die schnellste Verbindung°, ohne Umsteigen.
Beamtin:	Leider müssen Sie in Kassel und Nürnberg umsteigen, aber das ist die schnellste Verbindung. Die Fahrt dauert dann nur 6 Stunden 54 Minuten. Sie fahren zuerst mit dem InterRegio, dann mit dem InterCityExpress, und von Nürnberg mit dem RegionalExpress.
Kai:	Und wann fahre ich?
Beamtin:	Abfahrt ist 11.22 Uhr auf Gleis 7. Ankunft 18.16 Uhr in Ingolstadt.
Kai:	O.K. Und wie viel kostet die Fahrt?
Beamtin:	80 Euro.
Kai:	Gut, aber ich möchte auch einen Sitzplatz reservieren.
Beamtin:	Großraumwagen oder Abteil?
Kai:	Großraumwagen bitte, Nichtraucher und einen Fensterplatz, bitte.
Beamtin:	Ja. Also, Wagen 51, Platz 65. Die Reservierung kostet 2 Euro.
Kai:	Vielen Dank! Auf Wiedersehen!
Beamtin:	Auf Wiedersehen und gute Reise!

(*die Geschäftsleute* businesspeople; *einfach* one-way; *hin und zurück* round-trip; *die Verbindung* connection)

WB Activities 14–15

Kai kauft eine Fahrkarte.

Wie lange dauert die Fahrt? *Kapitel 1*

13 Was passt hier am besten? 1d, 2i, 3f, 4c, 5j, 6h, 7a, 8g, 9e, 10b

1. Abreise
2. Großraumwagen
3. Fahrt
4. Fahrkarte
5. Bahn
6. Resevierung
7. Ankunft
8. Sitzplatz
9. Ausland
10. Zentrum

a. Man kommt am Ziel an.
b. Ein anderes Wort für „Mitte".
c. Die braucht man, um mit dem Zug zu reisen.
d. Dann fährt man ab.
e. Man fährt nicht in Deutschland, sondern in ein anderes Land.
f. Ein anderes Wort für „Reise".
g. Man braucht dafür meistens eine Reservierung, wenn man nicht stehen will.
h. Man bezahlt Geld dafür, um einen bestimmten Sitzplatz zu bekommen.
i. Er sieht ein bisschen wie ein Flugzeug aus.
j. Ein anderes Wort für „Zug".

14 *Ergänzen Sie die Sätze!* Sie brauchen nicht alle Wörter von der Liste.

Abfahrt	Reise	einfache	Gleis
Fahrkarte	2. Klasse	Nichtraucherabteil	reservieren
Schlafwagen	umsteigen	Verbindung	Züge

1. Die ___ von Kais Zug ist um 11.22 Uhr.
2. Weil Kai nicht so viel Geld hat, kauft er eine Fahrkarte ___.
3. Weil Kai allergisch gegen Rauch ist, sitzt er im ___.
4. Weil Kai nicht nach Bochum zurückfahren will, nimmt er eine ___ Fahrkarte.
5. Die Beamtin sagt Kai, um wie viel Uhr und von welchem ___ der Zug fährt.
6. Weil Kai nicht stehen will, bezahlt er zwei Euro, um einen Sitz zu ___.
7. Kai muss zwei Mal ___.
8. Es gibt leider keine direkte ___ von Bochum nach Ingolstadt.
9. Die Beamtin wünscht Kai eine gute ___.
10. Der InterRegio, der InterCityExpress und der Regional Express sind ___, mit denen Kai fährt.

1. Abfahrt
2. 2. Klasse
3. Nichtraucherabteil
4. einfache
5. Gleis
6. reservieren
7. umsteigen
8. Verbindung
9. Reise
10. Züge

15 *Was passt hier?* Schreiben Sie die richtige Verbform! Sie brauchen nicht alle Wörter von der Liste.

abfahren	einsteigen	aussteigen	ankommen
kaufen	mitbringen	umsteigen	dauern
fahren	kosten	reservieren	bezahlen

Ingrid plant ihre Reise zu ihrer Oma nach Spanien. Sie ___ jeden Sommer nach Barcelona und bleibt vier Wochen dort. Die Bahnfahrt nach Barcelona ___ 20 Stunden. Sie muss in Frankfurt um 10.32 Uhr ___ . Leider muss sie auf der Strecke dreimal ___ : zuerst in Stuttgart, in Basel, und dann in Lyons. Das bedeutet, dass sie in Basel ___ und auf dem anderen Gleis wieder ___ muss. Der Zug aus Lyons ___ um 6.30 in Barcelona ___ . Heute geht Ingrid zum Bahnhof und ___ ihre Fahrkarte (2. Klasse, hin und zurück) nach Barcelona. Sie möchte auch einen Sitzplatz ___ , denn sie sitzt gern im Großraumabteil am Fenster. Dort kann man gut schlafen. fährt, dauert, abfahren, umsteigen, aussteigen, einsteigen, kommt...an, kauft, reservieren

R O L L E N S P I E L

Jetzt fahren Sie mit der Bahn von Berlin nach Braunschweig! Arbeiten Sie mit einem Partner/einer Partnerin! Eine Person ist der Tourist/die Touristin, die andere Person ist der Beamte/die Beamtin. Sprechen Sie über Abfahrt, Ankunft, Reservierung, Verbindung und so weiter! Viel Erfolg!

Studenten können billiger fahren.

Wohin möchten Sie denn?

Expressions for Times of Day

To express when something has happened or is going to occur, you use general time expressions. You can combine adverbs with parts of the day to indicate specific times:

vorgestern		Morgen
gestern		Vormittag
heute	**+**	Mittag
morgen		Nachmittag
übermorgen		Abend
		Nacht

Note: The time expression *morgen Morgen* does not exist. Use *morgen früh*.

These time expressions usually occur directly after the verb in main clauses; in subordinate clauses they occur after the subject.

Ich arbeite heute sehr lange, weil ich morgen früh mein Projekt fertig haben muss.

I'm working late today because I have to have my project done for tomorrow morning.

WB Activities 16–17

16 Machen Sie Sätze mit den folgenden Wörtern!

1. Ich / spielen / heute Nachmittag / Tennis / weil / es / bestimmt / regnen / morgen
2. Wir / besuchen / morgen früh / das Museum / weil / unsere Ferien / gehen / morgen Nachmittag / zu Ende
3. Sabine / gehen / heute Abend / ins Kino / weil / der Film / laufen / heute / zum letzten Mal
4. Ihr / suchen / heute Vormittag / euere Fahrkarten / weil / ihr / machen / heute Nachmittag / eine Reise
5. Er / einkaufen / heute Mittag / weil / er / kochen / heute Abend
6. Hans und Peter / lernen / heute Nacht / weil / sie / haben / morgen früh / eine Prüfung
7. Du / reparieren / heute Nachmittag / das Fahrrad / weil / du / machen / morgen Nachmittag / eine Radtour
8. Kevin / zubereiten / heute Abend / viel Essen / weil / er / haben / morgen früh / keine Zeit

1. Ich spiele heute Nachmittag Tennis, weil es morgen bestimmt regnet.
2. Wir besuchen morgen früh das Museum, weil unsere Ferien morgen Nachmittag zu Ende gehen.
3. Sabine geht heute Abend ins Kino, weil der Film heute zum letzten Mal läuft.
4. Ihr sucht heute Vormittag euere Fahrkarten, weil ihr heute Nachmittag eine Reise macht.
5. Er kauft heute Mittag ein, weil er heute Abend kocht.
6. Hans und Peter lernen heute Nacht, weil sie morgen früh eine Prüfung haben.
7. Du reparierst heute Nachmittag das Fahrrad, weil du morgen Nachmittag eine Radtour machst.
8. Kevin bereitet heute Abend viel Essen zu, weil er morgen früh keine Zeit hat.

17 *Was wollen Sie alles machen?* **Sie wollen wissen, was Ihre Freunde und Freundinnen heute, morgen, oder übermorgen machen. Sie müssen mindestens fünf Schüler und Schülerinnen fragen, was sie heute Morgen, heute Mittag, morgen Nachmittag und zu anderen Zeiten machen! Schreiben Sie auf, wer was wann macht! Sie können die Information in eine Tabelle schreiben, wie im folgenden Beispiel.**

➤ Was machst du heute Vormittag? Was machst du übermorgen Nachmittag?

	heute	morgen	übermorgen
Vormittag		Carla: lange schlafen	
Morgen	Rita: mit dem Bus fahren		
Mittag			Jana: Oma besuchen
Nachmittag			Jessica: zu Hause bleiben
Abend	Britta: sich einen Film ansehen		

18 **Machen Sie jetzt ganze Sätze aus Ihren Notizen!**

➤ Britta sieht sich heute Abend einen Film an.
➤ Carla schläft morgen Vormittag lange.

CD
Track 14

MENSCHEN UND MÄCHTE

Karl der Große

> Steckbrief°
> Name: Karl
> Geburtstag: 2. April 742
> Eltern: Pippin und Berthrada
> Geschwister°: Karlmann, gestorben 771
> Beruf: Kaiser°
> Todestag°: 28. 1. 814
> Wichtigster Tag: 25. 12. 800 in Rom, Karl wird zum Kaiser
> gekrönt° und heißt jetzt „Karl der Große"

Das Leben vor 1200 Jahren

Karl der Große

In den Jahren nach 760 sprechen die Leute zum ersten Mal über die *theodisca lingua*, die deutsche Sprache. Sie ist nicht wie die Sprache der Franzosen im Westen und die lateinische Sprache aus dem Süden. Sie ist die Sprache der einfachen Leute, Franken und Germanen, die zum Reich Karls des Großen gehören. Karl der Große ist seit 768 König in dem Reich, das sein Vater an ihn und seinen Bruder Karlmann übergeben° hat. Karlmann herrscht° im Süden und Karl im Norden. Die beiden Brüder mögen sich nicht und die Mutter Berthrada und der Vater Pippin sorgen sich° deshalb sehr. Aber Karlmann lebt nur bis 771 und Karl wird König von beiden Teilen des Reiches. Er ist ein guter Politiker und ein noch besserer General. Er macht sein Reich immer größer, bis er am Weihnachtstag des Jahres 800 in Rom Kaiser wird. Jetzt hat er den Titel „Karl der Große", weil er Kaiser in Europa und König der Franken und Langobarden ist. Er ist ein *Patricius Romanorum*, also ein römischer Herr° und Politiker. Das heißt auch, dass Italien, Deutschland und Frankreich zusammen in einem großen Kaiserreich° sind.

(*der Steckbrief* personal data; *die Geschwister* siblings; *der Kaiser* emperor; *der Todestag* day of death; *krönen* to crown; *übergeben* to hand over; *herrschen* to rule; *sich sorgen* to worry; *der römische Herr* Roman master; *das Kaiserreich* empire)

 Track 15

19 *Was stimmt hier nicht?* Verbessern Sie den falschen Teil!

1. Karl hat zwei Schwestern.
2. Vor dem Jahr 800 ist Karl schon Kaiser gewesen.
3. Karl und Karlmann haben das Reich von ihrer Mutter bekommen.
4. Karl und sein Bruder verstehen sich sehr gut und sind Freunde.
5. Karl ist ein besserer Politiker als ein General.
6. Karl wird zu Neujahr des Jahres 800 zum Kaiser gekrönt.
7. Karl ist Kaiser der Franken und Lombarden.
8. Karl stirbt vor seinem Bruder.

Der Dom in Aachen

1. Er hat einen Bruder.
2. Vor dem Jahr 800 ist er König gewesen.
3. Sie haben es von ihrem Vater bekommen.
4. Sie mögen sich nicht.
5. Er ist ein besserer General.
6. Er wird am Weihnachtstag des Jahres 800 zum Kaiser gekrönt.
7. Er ist König der Franken und Lombarden.
8. Er stirbt nach seinem Bruder.

Von den Leuten in Karls Reich

In Deutschland heißt Aachen auch heute noch die Kaiserstadt, weil Karl dort gelebt hat. Wenn er nicht auf Reisen ist, lebt Karl die meiste Zeit in dieser Stadt, weil es dort heiße Quellen° gibt. So kann er auch im Winter warm baden°. Er mag die Stadt auch, weil er von hier aus leicht nach Frankreich, in die Niederlande und in andere Teile seines Reiches kommen kann. Wegen seiner vielen Reisen kann er Latein, Griechisch, Deutsch und Französisch.

Karl, der Große, eine Statue in Aachen

Für seine Stadt baut er einen großen Palast, die Marienkirche und die Pfalzkapelle°. Später heißt diese Kirche das Aachener Münster.

Für die Leute in seinem Reich tut Karl viel. Weil er will, dass die Kinder etwas lernen, schickt er sie in die Schule, wo sie Lesen und Schreiben lernen. In den Schulen ist die Sprache Latein.

Auch für die Bauern° macht er das Leben besser. Jeder Bauer hat drei Felder° für seinen Bauernhof. Ein Jahr pflanzt° er Sommerweizen°, ein Jahr später Winter-weizen, dann ein Jahr nichts. So bleiben die Felder gesund und bringen eine gute Ernte°.

Karl ist der letzte europäische Herrscher°, der große Teile von Europa vereinigt°. Man kann also sehen, dass Kaiser Karl im Herzen Europas das tut, was heute die Europäische Union versucht: die Länder im Herzen Europas zusammenzu-bringen.

(*die Quelle* [hot water] spring; *baden* to bathe; *die Marienkirche und die Pfalzkapelle* names of a church and a chapel; *der Bauer* farmer; *das Feld* field; *pflanzen* to plant; *der Weizen* wheat; *die Ernte* harvest; *der Herrscher* ruler; *vereinigen* to unite)

WB Activity 18

20 *In jedem Satz stimmt etwas nicht.* **Verbessern Sie den Teil!**

1. Die Leute in Karls Reich arbeiten als Könige und Arbeiter.
2. In den Schulen lernen die Schüler Deutsch.
3 Karl wohnt in einem Haus.
4. Die Bauern pflanzen in einem Jahr Sommerweizen und Winterweizen.
5. Den Menschen geht es im Reich von Karl schlechter.
6. Viele Kinder lernen in den Schulen von Karl Schreiben und Sprechen.
7. Karl macht wenige Reisen.

1. Könige - Bauern
2. Deutsch - Latein
3. Haus - Palast
4. in einem Jahr Sommerweizen und ein Jahr später Winterweizen
5. schlechter - besser
6. Sprechen - Lesen
7. wenige - viele

Aktuelles

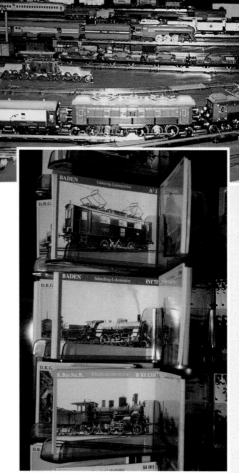

Die Spielzeugeisenbahn° CD Track 18

1825 fuhr in England der erste Zug der Welt. In Deutschland gab es erst zehn Jahre später, 1835, den ersten Zug. Er fuhr von Nürnberg nach Fürth. Züge transportierten Leute, aber auch Material wie Kohle°, weil die Straßen schlecht waren und die Pferde nicht so viel tragen konnten.

Heute sehen die Züge anders aus. Sie sind schneller und fahren längere Strecken, aber alte Züge gefallen vielen Leuten noch immer. So zum Beispiel Isabella Schneider, 45 Jahre alt, die schon seit mehr als dreißig Jahren Spielzeugzüge° sammelt. Sie sagt: „Ich habe Züge schon immer gern gehabt. Sie erinnern mich an meine frühe Jugend. Als Kind habe ich neben einem Bahnhof gewohnt. Mein Vater war Schaffner in einer kleinen tschechischen Stadt an der Grenze zu Österreich. In dieser Zeit gab es noch diese großen Lokomotiven, die mit Dampf° fuhren. Ich erinnere mich gerne an diese Zeit und deshalb habe ich viele alte Spielzeugzüge. Außerdem sammle ich auch Bilder von alten Zügen. Ich habe schon so viele, dass bald kein Platz mehr in unserer Wohnung ist."

Sie sammelt auch Bilder von alten Zügen.

Zu einem Zug gehören viele Details.

Wie viele Züge hat Franz Greber selbst gebaut?

Franz Greber, 19 Jahre alt, ist auch ein Eisenbahnfan°. Seine Züge hat er alle selbst gebaut. Jetzt hat er schon 35 Züge. Sein Interesse an Zügen erklärt er so: „Ich habe schon immer gern Modelle gebaut. Aber erst vor wenigen Jahren habe ich begonnen, Züge zu bauen. An Zügen gefällt mir, wie viele Details zu ihnen gehören. Außerdem finde ich, dass sie schön sind. Jetzt bin ich auch Mitglied in einem Modelleisenbahnklub. Wir treffen uns einmal im Monat, zeigen unsere neusten Modelle und geben uns Tips."

(*die Spielzeugeisenbahn* model train; *die Kohle* coal; *der Spielzeugzug* model train; *der Dampf* steam; *der Eisenbahnfan* train fan)

WB Activity 19

CD
Track 19

21 *Von wem ist hier die Rede?* Diese Person...

1. ist Modellbauer.
2. sammelt Bilder von alten Zügen.
3. hat als Kind neben dem Bahnhof gewohnt.
4. war Schaffner.
5. ist Mitglied in einem Modelleisenbahnklub.
6. sammelt seit 30 Jahren Spielzeugzüge.
7. hat 35 Modelle von Zügen.
8. hat bald keinen Platz mehr in der Wohnung.

1. Franz Greber
2. Isabella Schneider
3. Isabella Schneider
4. Isabellas Vater
5. Franz Greber
6. Isabella Schneider
7. Franz Greber
8. Isabella Schneider

Wörter und
Ausdrücke

DESCRIBING A TRAIN STATION AND TRAINS

der Bahnsteig platform
die Lokomotive locomotive
das Abteil compartment
das Großraumabteil large compartment with no dividers, seats are in rows
das Nichtraucherabteil, das Raucherabteil nonsmoker, smoker compartment
der Speisewagen dining car
der Waggon wagon, rail car
der Schaffner conductor

PURCHASING A TRAIN TICKET

einfach one-way
hin und zurück round-trip
die Verbindung connection

Emil und die Detektive

Erich Kästner (1899–1974)

Erich Kästner ist einer der bekanntesten Schriftsteller Deutschlands. Er schrieb viele Romane „für Kinder von 9–90". *Emil und die Detektive* (1928), einer seiner berühmtesten Kinderromane, schrieb Kästner im Jahr 1928.

Über den Text

Die Hauptfigur in diesem Roman heißt Emil. Seine Mutter schickt ihn mit dem Zug nach Berlin, weil seine Großmutter Geld braucht und die Mutter es nicht in einem Brief senden will. Emil ist sehr stolz, dass seine Mutter glaubt, er kann allein nach Berlin fahren. Lesen Sie also jetzt, wie Emil seine Reise mit dem Zug nach Berlin beginnt.

Vor dem Lesen

1. Did you ever have to take a trip alone as a child, or do you know somebody who did? How do people react to children traveling alone? How would you feel and behave if you had to travel alone?

2. What kinds of things do people talk to fellow travelers about when put into a situation with strangers? Are there "standard" topics of conversations? What might they be?

Emil nahm seine Schülermütze ab und sagte: „Guten Tag, meine Herrschaften. Ist vielleicht noch ein Plätzchen frei?"

Natürlich war noch ein Platz frei. Und eine dicke Dame, die sich den linken Schuh ausgezogen hatte, weil er drückte, sagte zu ihrem Nachbarn, einem Mann: „Solche höflichen Kinder sind heutzutage selten. Wenn ich da an meine Jugend zurückdenke. Gott! Da herrschte ein anderer Ton!"

Dass es Leute gibt, die immer sagen: „Gott, früher war alles besser," das wusste Emil längst. Und er hörte überhaupt nicht mehr hin, wenn jemand erklärte, früher sei die Luft gesünder gewesen, oder die Kühe hätten größere Köpfe gehabt, denn das war meistens nicht wahr, und die Leute gehörten bloß zu der Sorte, die nicht zufrieden sein wollen, weil sie sonst zufrieden wären.

Er befühlte seine rechte Jackentasche und war erst beruhigt, als er das Kuvert knistern hörte. Die Mitreisenden sahen auch nicht gerade wie Diebe und Mörder aus. Neben dem Mann und der dicken Frau saß eine andere Frau. Und am Fenster, neben Emil, las ein Herr im steifen Hut die Zeitung.

Plötzlich legte er die Zeitung weg, holte aus seiner Tasche ein Stück Schokolade und sagte: „Na, junger Mann, wie wär's?"

„Gerne", antwortete Emil und nahm die Schokolade. Dann nahm er schnell seine Mütze ab und sagte: „Emil Tischbein ist mein Name." Die Mitreisenden lächelten. Der Herr nahm nun auch ernst den steifen Hut ab und sagte: „Sehr angenehm, ich heiße Grundeis."

Dann fragte die dicke Dame, die den linken Schuh ausgezogen hatte: „Lebt denn in Neustadt der Herr Kurzhals noch?"

„Ja, freilich lebt Herr Kurzhals noch", sagte Emil, „kennen Sie ihn?"

„Ja, grüß ihn schön von Frau Jakob aus Groß-Grünau."

„Ich fahre doch aber nach Berlin."

„Das hat ja auch Zeit, bis zu zurückkommst," sagte Frau Jakob.

„So, so, nach Berlin fährst du?" fragte Herr Grundeis.

„Jawohl, und meine Großmutter wartet am Bahnhof Friedrichstraße am Blumenkiosk", antwortete Emil und fasste sich wieder ans Jackett. Und das Kuvert knisterte, Gott sei Dank, noch immer.

„Kennst du Berlin schon?"

„Nein."

„Na, da wirst du aber staunen! In Berlin gibt es jetzt Häuser, die sind hundert Stockwerke hoch, und die Dächer hat man am Himmel festbinden müssen, damit sie nicht wegfliegen... Und wenn es jemand besonders eilig hat und er will in ein anderes Stadtviertel, so packt man ihn auf dem Postamt in eine Kiste und schießt sie wie einen Rohrpostbrief zu dem Postamt, das in dem Viertel liegt, wo er hin möchte... Und wenn man kein Geld hat, geht man auf die Bank und lässt sein Gehirn als Pfand dort und kriegt dafür tausend Mark. Der Mensch kann nämlich nur zwei Tage ohne Gehirn leben, und er kriegt es von der Bank erst wieder, wenn er zwölfhundert Mark zurückzahlt..."

„Sie haben wohl Ihr Gehirn auch gerade auf der Bank", sagte der Mann neben der Frau Jakob zu dem Herrn im steifen Hut und fügte hinzu: „Lassen Sie doch den Unsinn!"

Emil lachte gezwungen. Und die beiden Herren redeten eine Zeitlang recht unhöflich miteinander. Emil dachte: Was geht das mich an! und packte seine Wurstbrote aus, obwohl er eben erst Mittag gegessen hatte. Wenig später hielt der Zug auf einem großen Bahnhof. Emil sah kein Stationsschild, und er verstand auch nicht, was der vor dem Fenster rief.

Fast alle Fahrgäste stiegen aus, nur der Mann im steifen Hut blieb.

„Also grüße Herrn Kurzhals schön", sagte Frau Jakob noch. Emil nickte.

Und dann waren er und der Herr mit dem steifen Hut allein. Das gefiel Emil nicht sehr. Ein Mann, der Schokolade verteilt und verrückte Geschichten erzählt, ist nichts Genaues. Emil wollte wieder nach dem Kuvert fassen. Er wagte es aber nicht, sondern ging, als der Zug weiterfuhr auf die Toilette, holte dort das Kuvert aus der Tasche, zählte das Geld — es stimmte immer noch — und war ratlos, was er machen sollte. Endlich kam ihm ein Gedanke. Er nahm eine Nadel, die er im Jackett fand, steckte sie erst durch die drei Scheine, dann durch das Kuvert und schließlich durch das Anzugfutter. So dachte er, nun kann nichts passieren. Und dann ging er wieder ins Kupee.

Herr Grundeis hatte es sich in einer Ecke gemütlich gemacht und schlief. Emil war froh, dass er sich nicht zu unterhalten brauchte, und blickte durchs Fenster. Bäume, Windmühlen, Felder, Fabriken, Kühe, winkende Bauern, zogen draußen vorbei. Und es war sehr hübsch anzusehen, wie sich alles vorüberdrehte, fast wie auf einer Grammofonplatte. Aber schließlich kann man nicht stundenlang durchs Fenster starren.

Herr Grundeis schlief weiter und schnarchte ein bisschen. Emil war in der anderen Ecke des Kupees und betrachtete den Schläfer. Warum der Mann nur immer den Hut aufbehielt! Und ein langes Gesicht hatte er, einen ganz dünnen schwarzen Schnurrbart und hundert Falten um den Mund, und die Ohren waren sehr dünn und standen weit ab.

Wupp! Emil erschrak. Beinahe wäre er eingeschlafen. Das durfte er ja nicht. Wenn doch jemand zugestiegen wäre! Der Zug hielt ein paar Mal, aber es kam kein Mensch. Dabei war es erst vier Uhr, und Emil hatte noch über zwei Stunden zu fahren. Er kniff sich in die Beine. In der Schule half das immer in Herrn Bremsers Geschichtsstunden.

Eine Weile ging's und Emil dachte an Pony Hütchen. Aber er konnte sich gar nicht mehr ihr Gesicht vorstellen. Er wusste nur, dass sie — als sie und die Großmutter und Tante Martha in Neustadt gewesen waren — mit ihm hatte boxen wollen. Er hatte natürlich nein gesagt, weil sie Papiergewicht war und er mindestens Halbschwergewicht. Das wäre unfair, hatte er damals gesagt. Und wenn er ihr einen Uppercut geben würde, müsse man sie hinterher von der Wand abkratzen. Sie hatte eben erst Ruhe gegeben, als Tante Martha dazwischenkam.

Schupp! Er fiel fast von der Bank. Schon wieder eingeschlafen? Er kniff und kniff sich in die Beine. Und trotzdem wollte es nichts nützen.

Er versuchte es mit Knopfzählen. Er zählte von oben nach unten und dann noch einmal von unten nach oben.

Von oben nach unten waren es dreiundzwanzig Knöpfe. Und von unten nach oben vierundzwanzig. Emil lehnte sich zurück und überlegt, woran das wohl liegen könnte

Und dabei schlief er ein.

Nach dem Lesen

1. Gibt es einen Grund, warum Emil skeptisch über Herrn Grundeis denkt? Wie benimmt sich Herr Grundeis?

2. Was denken Sie: Was passiert, nachdem Emil einschläft? Was macht Herr Grundeis? Was passiert mit dem Geld? (Denken Sie auch an den Titel des Buches.)

3. Schreiben Sie die Geschichte neu! Jetzt passiert alles heutzutage. Was ist anders? (Hat Emil, zum Beispiel, ein Handy und kann seine Mutter oder die Polizei anrufen? Fliegt Emil anstatt mit dem Zug zu fahren?)

TN

Endspiel

1. Erinnern Sie sich an Isabella Schneider und ihre Sammlung von Spielzeugeisenbahnen? Haben Sie auch eine Sammlung? Was sammeln Sie? Wie und warum haben Sie mit Ihrer Sammlung angefangen? Schreiben Sie darüber!

2. Erklären Sie diese Wörter: die Abfahrt, die Ankunft, der Abreisetag, die Fahrkarte, der Sitzplatz!

3. Stellen Sie sich vor, Sie können eine Reise um die Welt machen! Wohin fahren Sie und warum? Sprechen oder schreiben Sie darüber!

4. Benutzen Sie einen Computer, um weitere Informationen über Karl den Großen oder Ludwig den Märchenkönig zu finden! Schreiben Sie einen kurzen Bericht mit den Informationen, die Sie gefunden haben!

5. Benutzen Sie einen Computer, um weitere Informationen über Trier zu sammeln! Dann spielen Sie mit einem Partner/einer Partnerin die folgende Situation: Sie arbeiten in einem Reisebüro, die andere Person möchte nach Deutschland reisen, aber weiß nicht, in welche Stadt. Empfehlen Sie, dass die Person nach Trier fährt und erklären Sie, warum Trier besonders interessant ist!

WB Activity 20
TP

Vokabeln

der **Abreisetag,-e** day of departure 1B

das **Abteil,-e** compartment 1B

Afrika Africa 1A

der **Äquator** equator 1A

Asien Asia 1A

der **Atlantik** Atlantic Ocean 1A

Australien Australia 1A

baden to bathe 1B

die **Bahn,-en** railroad, train 1B

der **Bahnsteig,-e** platform 1B

der **Bauer,-n** farmer 1B

die **Beerdigung,-en** funeral 1A

der **Dampf,̈e** steam 1B

dienen to serve 1A

das **Dorf,̈er** village 1A

eigentlich actually 1A

eindrucksvoll impressive 1A

einfach one-way 1B

der **Eisenbahnfan,-s** train fan 1B

die **Ernte,-n** harvest 1B

ertrinken (*ertrank, ist ertrunken*) to drown 1A

das **Feld,-er** field 1B

der **Flur,-e** hallway 1A

frühstücken to have breakfast 1A

geboren born 1A

die **Geschäftsleute** (*pl.*) businesspeople 1B

die **Geschwister** (*pl.*) siblings 1B

das **Großraumabteil,-e** large compartment with no dividers 1B

die **Heimatstadt,̈e** hometown 1A

der **Herr,-en** master; *der römische Herr* Roman master 1B

herrschen to rule 1B

der **Herrscher,-** ruler 1B

das **Herz,-en** heart 1A

hin und zurück round-trip 1B

der **Indische Ozean** Indian Ocean 1A

der **Kaiser,-** emperor 1B

das **Kaiserreich,-e** empire 1B

Kanada Canada 1A

die **Kohle,-n** coal 1B

der **Kontinent,-e** continent 1A

krönen to crown 1B

der **Landweg** across country, land route 1A

leben to live 1A

die **Liebe** love 1A

die **Lokomotive,-n** locomotive 1B

losfahren (*fährt los, fuhr los, ist losgefahren*) to leave, take off 1A

der **Luftweg** by air 1A

die **Macht,̈e** might, power, force 1B

der **Märchenkönig,-e** fairy-tale king 1A

maulen to complain, grumble 1A

der **Mensch,-en** person, human 1A

Mexiko Mexico 1A

der **Nichtraucher-Wagen,-** nonsmoking car 1B

nobel noble, feudalistic 1A

Nordamerika North America 1A

nördlich (von) north (of) 1A

der **Nordosten** northeast 1A

der **Nordpol** north pole 1A

der **Nordwesten** northwest 1A

normalerweise normally 1B

östlich (von) east (of) 1A

der **Pazifik** Pacific Ocean 1A

pflanzen to plant 1B

die **Quelle,-n** spring (hot water) 1B

römisch Roman 1B

der **Schaffner,-** conductor 1B

schwach weak 1A

der **Seeweg** seaway, by sea 1A

der **Seniorenpass,̈e** senior citizen rail pass 1A

sich **sorgen** to worry 1B

der **Speisewagen,-** dining car 1B

die **Spielzeugeisenbahn,-en** model train 1B

der **Spielzeugzug,̈e** model train 1B

der **Steckbrief,-e** personal data 1B

südlich (von) south (of) 1A

der **Südosten** southeast 1A

der **Südpol** south pole 1A

der **Südwesten** southwest 1A

die **Taufe,-n** baptism 1A

der **Todestag,-e** day of death 1B

tot dead 1A

übergeben (*übergibt, übergab, übergeben*) to hand over 1B

die **Verbindung, -en** connection 1B

der **Unterricht** instruction 1A

unterrichten to instruct, teach 1A

verbinden (*verband, verbunden*) to connect 1B

vereinigen to unite 1B

vergessen (*vergisst, vergaß, vergessen*) to forget 1A

die **Verkaufsleiterin,-nen** sales manager 1A

der **Waggon,-s** wagon, rail car 1B

das **Wasserspiel,-e** fountain 1A

der **Weizen** wheat 1B

westlich (von) west (of) 1A

die **Wissenschaft,-en** science 1A

Sie warten auf dem Bahnsteig.

Vokabeln

Wikinger Museum Haithabu

Öffnungszeiten:

April - Oktober
täglich   9 - 18 Uhr

November - März
Dienstag - Freitag   9 - 17 Uhr
Sonnabend
und Sonntag   10 - 18 Uhr
Montag geschlossen

In this chapter you will learn how to:
- identify city sights
- describe a trip
- inquire about details
- talk about downtown traffic
- describe a vehicle
- gather information

KAPITEL 2

Gestern und heute

LEKTION A

Sehenswürdigkeiten in einer Stadt

Was fehlt hier? **Ergänzen Sie die Sätze!**

1. Im ___ kann man Schauspieler in einem Drama sehen.
2. Über den Fluss kommt man auf einer ___.
3. Man kann Kunst in einem ___ sehen.
4. In einer ___ kann man Musik, Orchester und Singen hören.
5. An einem ___ kann man im Sommer in der Stadt am Wasser sitzen.
6. In einem ___ kann man in der Sonne sitzen oder spazieren gehen.
7. Der König und die Königin wohnen in einem ___.
8. In der ___ kann man oft bunte Fenster sehen.

1. Theater	5. Brunnen
2. Brücke	6. Park
3. Museum	7. Schloss
4. Oper	8. Kirche

Sehenswürdigkeiten in Hamburg

Wie war deine Zeit in Hamburg?

Toll, nicht wahr?

Was habt ihr sonst noch alles besichtigt?

Frank und Sabine sprechen über die Sommerferien.

Frank: Wie war deine Zeit in Hamburg?

Sabine: Einfach toll. Der Hafen und die Schiffe haben mir am besten gefallen. Wir waren auf einem Museumsschiff.

Frank: Kannst du dich an den Namen des Schiffes erinnern?

Sabine: Ja, es heißt „Rickmer Rickmers". Warum?

Frank: Da war ich mit meinen Eltern vor zwei Jahren, als wir in Hamburg waren. Toll, nicht wahr?

Sabine: Ja. Was habt ihr sonst noch alles besichtigt?

Frank: Meine Mutter wollte in ein Museum für Kunst, die Hamburger Kunsthalle. Warst du da auch?

Sabine: Ja, die Bilder haben mir sehr gefallen.

Frank: Das Museum, in das ich mit meinem Vater gegangen bin, hat mir noch besser gefallen.

Sabine: Wo wart ihr denn?

Frank: Mein Vater wollte auf jeden Fall ins „Hotspice". Das ist ein Gewürzmuseum. Es war sehr interessant. Man kann sehen, wo Gewürze wie Pfeffer und Vanille herkommen, was man mit ihnen kochen kann und man kann sie natürlich auch testen. Meinem Vater wurde ganz schlecht von dem vielen Essen.

Sabine: Wart ihr auch bei Hagenbecks? Wir haben da viele verschiedene Tiere gesehen.

Frank: Nein, ich mag Tierparks eigentlich nicht so gern. Dafür sind wir nach Ahrensburg gefahren, denn da gibt es ein Schloss mit einem wunderschönen Park. So hatten wir auch Natur, nur keine Tiere.

Sabine: Und was ist im Schloss Ahrensburg?

Frank: Möbel und Bilder aus dem 18. und 19. Jahrhundert.

Sabine: Wo habt ihr gewohnt?

Frank: Ganz in der Stadtmitte. In der Nähe von der St. Michaelis Kirche. Da hatten wir es nicht weit zum Einkaufen und Essen. Und ihr?

Sabine: Wir haben bei meiner Tante Anita gewohnt. Sie hat ein Haus ein bisschen außerhalb von Hamburg, in Blankenese. Ich habe noch nie in meinem Leben so viele schöne und große Villen gesehen wie dort.

Frank: Es tut mir Leid, ich muss los. Lass uns später noch etwas mehr darüber sprechen.

Sabine: Gern. Bis bald!

WB Activity 3

Hagenbecks Tierpark

Im Hafen ist immer viel los.

2 *Hamburger Sehenswürdigkeiten.* Was passt zusammen? Kombinieren Sie!

1. St. Michaelis	a. Zoo
2. Hamburger Kunsthalle	b. Schloss
3. Hagenbecks Tierpark	c. Kirche
4. Ahrensburg	d. Museum
5. Blankenese	e. Villenviertel

1c, 2d, 3a, 4b, 5e

3 *Was stimmt hier nicht?* Verbessern Sie die Sätze!

CD Track 3

1. Sabine war vor zwei Jahren in Hamburg.
2. Franks Mutter wurde nach dem vielen Essen schlecht.
3. Frank war in Hagenbecks Tierpark.
4. Die St. Michaelis Kirche ist in Blankenese.
5. Sabine hat bei ihren Großeltern gewohnt.
6. Franks Vater interessiert sich für Kunst.
7. Im Schloss Ahrensburg kann man Gewürze testen.
8. Frank war auf einem Museumsschiff.

1. diesen Sommer
2. Franks Vater
3. Sabine
4. in der Stadtmitte
5. bei ihrer Tante
6. Franks Mutter
7. im "Hotspice"
8. Frank und Sabine

Der Hafen und die Schiffe haben Sabine am besten gefallen.

SPRACHE

Verbs Used as Nouns

In German, you can use infinitive forms of verbs as nouns to indicate the activity of the verb. These nouns are always neuter nouns: *das Schwimmen* (swimming), *das Denken* (thinking), *das Arbeiten* (working).

Das Lernen macht Peter Spaß.	Learning is fun for Peter.
Beim Tanzen werde ich immer müde.	I always get tired dancing.

WB Activities 4–5

Beim Tanzen haben sie viel Spaß.

4 Kombinieren Sie!

Beim	Tanzen	werde ich immer	keinen Spaß
Das	Diskutieren	finde ich	dumm
	Fahren	interessiert mich	schön
	Lesen	ist sehr	nicht
	Tennisspielen	macht mir	sehr
	Schwimmen	will ich	toll
	Reisen		lustig
	Lernen		viel Spaß
	Schlafen		müde

CD
Track 4

Allerlei

Eine Reise nach Papenburg

PAPENBURG

Stadt mit hohem Freizeitwert

Im April beginnt die Reisezeit für den Norden Deutschlands. Dann wird es dort wieder wärmer. Die Strände an der Nordsee, die Städte Bremen, Oldenburg und Hamburg werden langsam voll mit Touristen und Badegästen°. Die Badeorte° auf den Inseln in der Nordsee sind besonders beliebt.

Die Gruppe wartet auf ihre Reiseleiterin.

Wie finden die Touristen das richtige Museum? Wie finden sie die richtige Kirche oder den richtigen Ort? Natürlich mit Hilfe° einer Reiseleiterin° oder eines Reiseleiters. Martina Uhlenstein ist so eine Person. Sie führt viele Gruppen° nach Norddeutschland und Ostdeutschland. In Oldenburg beginnt die Fahrt. Die Touristen wollen die alten Schiffe und den Kanal in Papenburg sehen. Die Reiseleiterin sitzt vorn° im Bus neben dem Fahrer und erklärt° den Touristen, was sie draußen sehen.

Das Land ist flach und grün. Die Fahrt ist kurz. Nach dreißig Minuten kommen sie in Papenburg an. Frau Uhlenstein zeigt der Gruppe diese schöne norddeutsche Stadt. Die Stadt ist schon 700 Jahre alt. Die Traditionen leben in den renovierten Häusern weiter°.

Martina Uhlenstein

Papenburg liegt an einem Kanal.

Der Roland steht in der Stadtmitte.

Dann gehen die Touristen zum Kanal, der Papenburg mit dem Ems Fluss verbindet. Früher baute man hier viele Schiffe, als Papenburg einen Hafen hatte. Obwohl Papenburg heute keinen Hafen mehr hat, baut man hier immer noch die größten Schiffe, die in die ganze Welt fahren.

Bremen

Nach dem Besuch in Papenburg fährt Martina Uhlenstein mit der Gruppe weiter nach Bremen. Sie möchte den Touristen die interessante Stadt im Frühling zeigen. Die alten Häuser der Einwohner sehen dann am schönsten aus. Und in der Stadtmitte sieht die Gruppe das Rathaus, den Senat und die Figur des Rolands im besten Licht°.

(*der Badegast* tourist at a seaside or beach resort; *der Badeort* town by the sea; *die Hilfe* help; *die Reiseleiterin* tour guide; *die Gruppe* group; *vorn* in front; *erklären* to explain; *weiterleben* to live on; *das Licht* light)

WB Activities 6–7

TN

emcp.com

5 *Bringen Sie die Sätze in die richtige Reihenfolge!* **Die erste Antwort steht schon da.**

1. ___ Nach der Stadt Papenburg besuchen die Touristen und Frau Uhlenstein Bremen.
2. ___ Die Fahrt der Gruppe beginnt in Oldenburg und geht nach Papenburg.
3. ___ Die Reisezeit im Norden Deutschlands beginnt im April.
4. ___ In Papenburg sieht die Reisegruppe die alten Häuser.
5. ___ Weil die Fahrt kurz ist, kommen die Touristen nach dreißig Minuten in Papenburg an.
6. ___ Martina Uhlenstein begleitet Touristen in den Norden.
7. ___ Außerdem gibt es einen Kanal in Papenburg, auf dem die größten Schiffe fahren.

1h, 2d, 3a, 4f, 5e, 6c, 7g, 8b

8. ___ Dann ist es wärmer.

SPRACHE

Present Perfect and Narrative Past

When you talk or write about events that happened in the past, you need to use past tense forms. German offers you two options: narrative past and present perfect. Your choice of these verb forms depends on if you are narrating a series of events (narrative past) or if you are in a conversational exchange (present perfect). Look at the following time line with the tenses:

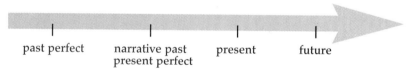

| past perfect | narrative past
present perfect | present | future |

As you can see, narrative past and present perfect can occur at the same time. The present perfect tense uses a past participle with a helping verb (*haben* or *sein*). The narrative past uses a simple form: the main verb in the past tense.

Er hat gelacht, als wir ihm gratuliert haben.
Er lachte, als wir ihm gratulierten.
He laughed when we congratulated him.

There are both regular and irregular verbs. It is important to know which category a verb falls in so that you can form the correct narrative past and present perfect forms.

Regular Verbs

Regular verbs form the narrative past and the participle for the present perfect in a very predictable way. For the narrative past, you use the infinitive root as the base form, add -*t* and then the endings: *lachen - lachte; kaufen - kaufte.* To form the past participle, these verbs use *ge-* and -*t*: *lachen - gelacht; kaufen - gekauft.*

Note: Verbs that end with -*ieren* or that begin with *be-, ent-, ge-, er-* and *ver-* do not add *ge-* to the past participle: *telefonieren - telefoniert; besuchen - besucht.*

When using regular verbs in the narrative past, you will need these endings:

TN

singular		plural		singular or plural	
ich	**e**	wir	**en**		
du	**est**	ihr	**et**	Sie	**en**
er, sie, es	**e**	sie	**en**		

6 Hand-in-Hand. Arbeiten Sie mit einem Partner oder einer Partnerin! Die andere Hälfte dieser Übung ist auf Seite 362 im Anhang.

> *Person 1:* Was hat Frau Schröder am Donnerstag gemacht?
> *Person 2:* Sie hat ein Buch gesucht.

> *Person 2:* Was hast du am Morgen gemacht?
> *Person 1:* Ich habe gefrühstückt.

	Thomas	Christine	Frau Schröder	Herr und Frau Ebert	du
Was hat er/sie (haben sie) am Morgen gemacht?	sich Zähne putzen Er hat sich die Zähne geputzt.	Kaffee kochen Sie hat Kaffee gekocht.	Sie hat ihre Haare gekämmt.	Sie haben Radio gehört.	
Was hat er/sie (haben sie) am Donnerstag gemacht?	Er hat eine Spielzeugeisenbahn gebaut.	mit Thomas diskutieren Sie hat mit Thomas diskutiert.	ein Buch suchen Sie hat ein Buch gesucht.	Freunde besuchen Sie haben Freunde besucht.	
Was hat er/sie (haben sie) am Wochenende gemacht?	zu den Großeltern reisen Er ist zu den Großeltern gereist.	Sie hat viel geträumt.	Sie hat ein Bild gemalt.	Briefmarken sammeln Sie haben Briefmarken gesammelt.	

7 Schreiben Sie, was Sie alles am Wochenende gemacht haben! Benutzen Sie mindestens sechs dieser Verben im Imperfekt (narrative past)!

telefonieren	besuchen	hören	einkaufen	schenken
spielen	kochen	machen	planen	mähen
übernachten	träumen	reden	wandern	

▶ Am Samstagmorgen telefonierte ich lange.

Was machten sie am Wochenende?

Irregular Verbs

Irregular verbs form the narrative past and the past participle for the present perfect in a very unpredictable way. It is important that you learn these forms. For a list of all irregular verbs, see the Grammar Summary at the back of the book.

There is a small group of verbs in this category that resemble the regular verbs in their endings and the -t of the narrative past and present participle: *denken - dachte - gedacht; mitbringen - brachte mit - mitgebracht; wissen - wusste - gewusst.* Use the same endings in the narrative past for these verbs as for regular verbs.

Here is a list of the most important verbs in this group: **WB** Activities 8–10

brennen	(to burn)	*brannte*	*gebrannt*
bringen	(to bring)	*brachte*	*gebracht*
denken	(to think)	*dachte*	*gedacht*
kennen	(to know [a person or place])	*kannte*	*gekannt*
rennen	(to run)	*rannte*	*ist gerannt*
wissen	(to know [a fact])	*wusste*	*gewusst*

8 Sie hören ein Gespräch, aber einiges hören Sie nicht. Können Sie die Sätze ergänzen?

brennen	bringen	denken	kennen
mitbringen	rennen	wissen	

Rita: ___ du ____, dass Hannes einen Marathon ___ ___?

Johanna: Was? Hannes kann rennen? Das ___ ich nicht ___. Er sieht immer so unsportlich aus.

Rita: Ja, du ___ ihn nicht vor zwei Jahren ___! Er hat aber gesagt, dass seine Füße beim Laufen sehr ___ ___. Armer Hannes!

Johanna: ___ du ihm etwas aus der Stadt ____? Vielleicht Blumen?

Rita: Warum denn? Er ___ mir nie ein Geschenk ___ .

Hast...gewusst,
gerannt ist,
habe...gedacht,
hast...gekannt,
gebrannt haben,
Hast...mitgebracht,
hat...gebracht

The largest group of irregular verbs has a special set of endings. Form the third person singular *(traf)* and add these endings:

singular		plural		singular or plural	
ich	-	wir	**en**		
du	**(e)st**	ihr	**(e)t**	Sie	**en**
er, sie, es	-	sie	**en**		

If verbs end in *d, t, s, ß,* or *z* add *-e* before the ending for *du* and *ihr* forms *(du fandest, ihr fandet)*.

For the present perfect, the past participle has the prefix *ge-* and ends in *-en*: *treffen - getroffen; einladen - eingeladen; gehen - gegangen.* You will need to learn these forms.

Note: Verbs that begin with *be-, ent-, ge-, er-,* and *ver-* cannot take *ge-* for the past participle *(verstehen - verstanden; ertrinken - ertrunken)*.

Was trugen sie?

Warum trafen sie sich?

Lektion A

9 *Umfrage.* **Sie wollen wissen, was Ihre Schulfreunde am Wochenende gemacht haben. Nehmen Sie ein Stück Papier und schreiben Sie die Aktivitäten auf! Sie müssen für jede Aktivität eine Person in der Klasse finden, die das gemacht hat. Wenn eine Person „ja" sagt, muss diese Person auf Ihrem Papier neben der Aktivität unterschreiben (*sign*).**

- *Person 1:* Bist du am Wochenende geschwommen?
- *Person 2:* Ja, ich bin am Wochenende geschwommen.
- *Person 1:* O.K., bitte hier unterschreiben.

Sie ist mit ihrer Freundin in die Stadt gefahren.

Hast du/Bist du am Wochenende...?

1. in einem Restaurant gewesen
2. zu viel gegessen
3. Sport getrieben
4. lange geschlafen
5. deine Freundin/deinen Freund angerufen

6. ein Buch gelesen
7. mit Freunden ausgegangen
8. mit deinen Eltern gesprochen
9. Auto gefahren
10. einen Film gesehen

10 *Was machten Sven und Monika?* **Schreiben Sie Sätze mit diesen Wörtern! Wenn Sie fertig sind, wissen Sie, was Sven und Monika letzte Woche gemacht haben.**

- die Zeitung lesen
  Sie lasen die Zeitung.

1. in der Stadt ankommen
2. Freunde dort treffen
3. Hunger haben
4. mit ihnen im Restaurant essen
5. danach einen Film im Kino sehen
6. vier Stunden in der Stadt bleiben
7. dann müde werden
8. nach Hause fahren

Was machten Sven und Monika?

1. Sie kamen in der Stadt an.
2. Sie trafen dort Freunde.
3. Sie hatten Hunger.
4. Sie aßen mit ihnen im Restaurant.

5. Sie sahen danach einen Film im Kino.
6. Sie blieben vier Stunden in der Stadt.
7. Sie wurden dann müde.
8. Sie fuhren nach Hause.

Kapitel 2

11 *Sie sind dran.* Jetzt versuchen Sie, das Beispiel von Wochenendaktivitäten der letzten Übung zu benutzen und beschreiben Sie acht Aktivitäten von Ihrem Wochenende!

12 *Rotkäppchen* (Little Red Riding Hood). Setzen Sie die Verben im Imperfekt ein! Einige Verben brauchen Sie mehr als einmal.

hören (2x)	schneiden	wohnen	legen
laufen	treffen	werfen	heißen
sehen	schlafen	packen	denken
sein (3x)	fressen (2x)	haben (2x)	gehen

Es war einmal vor vielen, vielen Jahren ein Mädchen. Es ___ Rotkäppchen. Weil Rotkäppchens Großmutter Geburtstag ___, wollte das Kind sie besuchen. Die Großmutter ___ am anderen Ende des Ortes. Im Wald ___ Rotkäppchen den Wolf. Der Wolf zeigte Rotkäppchen Blumen für die Großmutter. Rotkäppchen pflückte (*picked*) sie und blieb lange im Wald. hieß, hatte, wohnte, traf

Der Wolf aber ___ schnell zum Haus der Großmutter. Und weil er großen Hunger ___, ___er die Großmutter. Als er Rotkäppchen ___, zog er das Nachthemd der Großmutter an und ___ sich ins Bett. Rotkäppchen ___, dass der Wolf die Großmutter ___. So ___ der Wolf auch das arme Rotkäppchen. Dann ___ er. lief, hatte, fraß, hörte, legte, dachte, war, fraß, schlief

Der Wolf ___ sehr laut im Schlaf. Ein Jäger (*hunter*) ___ den Wolf. Der Mann ____ in das Haus und ___ den Wolf im Bett liegen. Er ___ den Bauch des Wolfes auf und befreite (*freed*) Rotkäppchen und die Großmutter. Die beiden ___ gesund. Der Jäger, Rotkäppchen, und die Großmutter ___ Steine (*stones*) in den Bauch des Wolfes und ___ ihn in den Brunnen. war, hörte, ging, sah, schnitt, waren, packten, warfen

Die Kinder pflückten Blumen.

Länder, Kantone und Provinzen

An der Nordsee

Viele Leute verbringen ihre Ferien jedes
Jahr an der Nordsee. In der Nordsee gibt es
drei verschiedene Inselgruppen, die man
alle friesische° Inseln nennt. Es gibt die
Westfriesischen Inseln (Rottum, Ameland,
Terschelling, Vlieland, Texel); sie gehören zu
den Niederlanden. Die Ostfriesischen
Inseln (Borkum, Juist, Norderney,
Langeoog, Spiekeroog, Wangerooge) und
die Nordfriesischen Inseln (Helgoland,
Amrum, Föhr, Sylt, Norstrand, Pellworm,
die Halligen) gehören zu Deutschland. Auf
diesen Inseln gibt es viel Interessantes: den
kleinsten Ort (Hallig Gröde) in

Deutschland mit nur sechzehn Einwohnern, Kurorte° und die meiste Sonne in
ganz Deutschland. Außerdem ist die Landschaft auf den Inseln sehr schön:
Dünen°, Felder, Klippen°, Strände, Leuchttürme° —
alles, was man sich zur Erholung° wünschen kann.
Die Touristen kommen nicht nur im Sommer.
Immer mehr Menschen fahren auch in den
anderen Jahreszeiten an dieses Meer°, weil man
auch im Frühling, Herbst und Winter auf den
Inseln viel machen kann.

Zu den Gästen im Winter gehören dieses Jahr auch

Im Sommer ist das Wetter auf der
Insel Spiekeroog meistens schön.

Zu den Gästen im Winter gehören auch Matthias und Katja.

Einen Leuchtturm findet man fast auf jeder norddeutschen Insel.

Die Zimmer sind im Winter besonders preiswert.

Matthias und Katja aus Weimar. Die beiden wollen zwei der Inseln in der Nordsee besuchen. Zuerst fahren sie auf die Insel Sylt und dann wollen sie auch noch einige Zeit auf der Insel Amrum verbringen. Matthias und Katja wollen wandern und viel Ruhe haben. Warum die beiden immer wieder ans Meer fahren, erklärt Matthias so: „Als kleiner Junge bin ich oft mit meinen Eltern ans Meer gefahren. Das hat so viel Spaß gemacht, dass ich es nie vergessen habe. Und als ich dann Katja getroffen habe, da hat sie gesagt, dass sie noch nie am Meer war. Da haben wir unsere erste Reise zusammen an die Nordsee gemacht. Ja, und seit dieser Zeit will sie nur noch ans Meer."

Die Jahreszeit spielt keine Rolle. Katja sagt: „Wir fahren gern im Februar hierher. Es regnet manchmal, aber die Inseln sind auch bei diesem Wetter schön. Und in dieser Zeit sind weniger Touristen hier als im Sommer und alles ist ruhiger°. Außerdem sind die Zimmer preiswerter."

Aber eigentlich gibt es noch einen anderen Grund°, warum Matthias und Katja in dieser Jahreszeit in diese Gegend Deutschlands fahren. Matthias erzählt: „Ich möchte dieses Jahr endlich zum Biikebrennen Fest gehen. Das ist ein sehr altes Fest, das es schon seit mindestens 2000 Jahren gibt. Das Fest findet jedes Jahr am Abend des 21. Februar statt. Die Menschen feiern den Frühling. Sie machen ein großes Feuer als Zeichen°, dass der Winter zu Ende ist. Dann tanzen sie um das Feuer und feiern so, dass sie Freunde sind. Auf den Inseln Amrum und Föhr feiern die Leute auch dieses Fest, aber das Fest auf Sylt ist das bekannteste."

Das Biikebrennen Fest

Katja plant den zweiten Teil der Reise: „Ich möchte dieses Jahr die Insel Amrum besuchen. Das ist eine Nachbarinsel° von Sylt. Die Natur ist auf dieser Insel besonders schön: es gibt viel Wald°, aber auch interessante Blumen und Tiere. In Nebel, dem größten Ort, gibt es noch alte Häuser. Hier wohnten früher viele Seemänner° und man kann noch heute ihre alten Wohnräume° und Küchen sehen. Aus dieser Zeit stammt auch der 60 m hohe Leuchtturm der Insel. Von dort oben kann man die ganze Insel sehen. Außerdem interessiere ich mich für die Friedhöfe° auf der Insel, wo es sehr schöne Grabsteine° gibt. Man kann von ihnen viel über einen Ort lernen. Und auf dem Heimatlosenfriedhof° liegen die Menschen, die das Meer angeschwemmt° hat und die niemand kennt."

Im Herbst wollen die beiden noch einmal ans Meer fahren, dann aber an die Ostsee. Sie wollen auf der Insel Fehmarn ein Drachenfest° besuchen. Matthias und Katja bauen selbst Drachen° und lassen sie fliegen. Und bei dem sonnigen Wetter und dem Wind geht das auf Fehmarn besonders gut. Die beiden können sich einfach nichts Schöneres vorstellen als Ferien am Meer.

(*friesisch* Frisian; *der Kurort* resort, spa; *die Düne* dune; *die Klippe* cliff; *der Leuchtturm* lighthouse; *die Erholung* relaxation; *das Meer* sea; *ruhig* quiet; *der Grund* reason; *das Zeichen* sign; *die Nachbarinsel* neighboring island; *der Wald* forest; *der Seemann* sailor; *der Wohnraum* living quarter; *der Friedhof* cemetery; *der Grabstein* gravestone; *der Heimatlosenfriedhof* cemetery for homeless, unknown people; *angeschwemmt* washed ashore; *das Drachenfest* kite flying festival; *der Drachen* kite)

WB Activity 11

Viele Deutsche fahren in den Ferien ans Meer.

13 Beantworten Sie diese Fragen!

1. Wie viele Inselgruppen gibt es in der Nordsee?
2. Welche Inselgruppe gehört zu den Niederlanden?
3. Aus welcher Stadt kommen Matthias und Katja?
4. Welche beiden Inseln besuchen sie dieses Jahr in der Nordsee?
5. Wann sind Katja und Matthias an der Nordsee?
6. Zu welchem Fest will Matthias dieses Jahr gehen?
7. Was feiern die Leute bei diesem Fest?
8. Wie heißt der größte Ort auf der Insel Amrum?
9. Wer hat früher auf dieser Insel gewohnt?
10. Wo liegen Menschen, die das Meer angeschwemmt hat und die niemand kennt?
11. Wohin fahren Matthias und Katja im Herbst?
12. Was machen sie dort?

1. Drei.
2. Die Westfriesischen Inseln.
3. Aus Weimar.
4. Sylt und Amrum.
5. Im Februar.
6. Zum Biikebrennen Fest.
7. Den Frühling.
8. Nebel.
9. Seemänner.
10. Auf dem Heimatlosenfriedhof.
11. Zur Insel Fehmarn in der Ostsee.
12. Sie besuchen ein Drachenfest.

Wann sind Katja und Matthias an der Nordsee? Ist dann viel los?

Wörter _und_ Ausdrücke

DESCRIBING CITY SIGHTS

das **Theater** theater
die **Brücke** bridge
der **Brunnen** fountain
das **Denkmal** monument
der **Park** park
die **Kirche** church
der **Hafen** harbor

Es ist wunderschön. It's beautiful.
Er wollte unbedingt dahin. He absolutely wanted to go there.
Ich mag Tierparks eigentlich nicht so gern. Actually, I don't care for zoos.
Dort gibt es Möbel aus dem 18. Jahrhundert. They have furniture from the 18th century there.
Ich habe noch nie so viele Villen gesehen. I have never seen so many villas.

LEKTION B

An der Kreuzung

die Einbahnstraße

MODEN

der Fußgänger

der Autofahrer

hupen

der Zebrastreifen

weiterfahren

die Ecke

der Bürgersteig

die Fahrbahn

nach rechts abbiegen

nach links abbiegen

geradeaus

gegenüber

die Ampel

der Fahrradweg

fahren

das Straßenschild

anhalten

überqueren

gehen

die Kreuzeug blockieren

stehen bleiben

Lektion B

14 *Wovon ist hier die Rede?* Identifizieren Sie die Wörter, die man beschreibt!

1. Dort dürfen Leute zu Fuß gehen, aber man darf da nicht mit dem Fahrrad fahren.
2. Es zeigt den Namen der Straße oder gibt andere Informationen für die Fahrer.
3. Dort kommen die Autos von links und rechts und die Leute überqueren die Straße nur, wenn die Ampel grün zeigt.
4. Diese Person geht zu Fuß.
5. Alle Autos dürfen da nur in eine Richtung *(direction)* fahren.
6. Er sitzt in einem Fahrzeug.
7. Bei viel Verkehr ist es nicht leicht, von einer zur anderen zu fahren.
8. Nur dort dürfen die Fußgänger an einer Kreuzung die Straße überqueren.

15 *Was passt hier?* Vervollständigen Sie die Sätze mit den passenden Formen von den Verben auf der Liste! Sie brauchen nicht alle Verben.

hupen	sein	biegen	weiterfahren	bleiben
blockieren	anhalten	gehen	stehen	überqueren

1. Wenn die Ampel rot ist, muss ein Fußgänger ___ bleiben.
2. Bevor ein Fußgänger die Straße ___, muss er auf Grün warten.
3. Der Autofahrer ___ nach links ab.
4. Bei Rot müssen die Autofahrer ___.
5. Wenn viele Autofahrer ___, dann gibt es viel Lärm.
6. Sobald die Ampel grün zeigt, dürfen die Autofahrer ___.
7. Viele Leute ___ auf dem Bürgersteig von einem Geschäft zum anderen.
8. Wenn ein Auto die Straße ___, können die anderen Autos nicht weiterfahren.

16 *Wie ist der Verkehr bei Ihnen?* Benutzen Sie mindestens acht Wörter von der Zeichnung und beschreiben Sie eine Kreuzung in Ihrer oder einer anderen Stadt!

In Berlin ist immer viel Verkehr.

Wir kommen nicht weiter!

Marin und Stefanie müssen sich beeilen, aber sie stehen an der Ampel. Die Ampel ist rot.

Marin:	Warum wird's nicht grün? Wir warten schon mindestens zehn Minuten!
Stefanie:	Immer mit der Ruhe, Marin. Es waren keine zehn Minuten. Vielleicht zwei! Es wird gleich grün.
Marin:	Warum fährt der Autofahrer nicht? Was ist los? Warum biegt er nicht ab?
Stefanie:	Ja, niemand kann fahren. Er blockiert die Kreuzung für alle Fußgänger und Fahrer. Und er steht direkt auf dem Zebrastreifen!
Marin:	Oh, jetzt sehe ich's. Er sucht sein Handy. Er sollte lieber zur Seite fahren, aussteigen, und dann telefonieren. Das macht mich wild!
Stefanie:	Wenn er nicht gleich fährt, fangen die anderen Autofahrer bestimmt zu hupen an!
Marin:	Dann lass uns lieber die nächste Straße überqueren. Da ist noch ein Zebrastreifen. Dann brauchen wir nicht so lange zu warten.

Marin und Stefanie warten an der Ampel.

Warum biegt er nicht ab?

Ja, niemand kann fahren.

Oh, jetzt sehe ich's.

WB Activity 13

Lektion B

17 Beantworten Sie die Fragen!

1. Warten Stefanie und Marin wirklich zehn Minuten?
2. Warum bleiben alle mit dem Auto stehen?
3. Wo steht der Fahrer?
4. Warum steht er da?
5. Was wird passieren, wenn der Fahrer nicht bald weiterfährt?
6. Wie kommen Stefanie und Marin über die Straße?

1. Nein. Sie warten vielleicht zwei Minuten.
2. Ein Autofahrer blockiert die Kreuzung.
3. Er steht direkt auf dem Zebrastreifen.
4. Er sucht sein Handy.
5. Die anderen Autofahrer werden hupen.
6. Sie überqueren die nächste Straße.

Von einem Ort zum andern

Das Motorrad

In Deutschland und Österreich ist es sehr teuer, den Führerschein zu machen und ein Auto zu kaufen. Das ist der Grund, warum viele Jugendliche gar kein Auto haben, sondern nur einen Roller oder ein Motorrad. Die sind viel billiger und viel praktischer zu fahren, weil man überall° einen Parkplatz finden kann. Manche kleinen Roller sind fast wie ein Fahrrad mit Motor — sie heißen auch Kicker°, weil man einen Kick-Starter hat und erst treten° muss, um den Motor zu starten. Bei einem Roller sind die Beine geschützt und die Füße auf einem Trittbrett°; bei einem Motorrad kommen die Füße auf die linke und rechte Seite. Motorräder und Roller werden immer beliebter, weil man mobil sein möchte. Aber Achtung°: Helmpflicht°!

(*überall* everywhere, all over; *der Kicker* moped; *treten* to pedal; *das Trittbrett* footboard; *die Achtung* attention; *die Helmpflicht* mandatory helmet use)

Gleich geht's mit den Motorrädern los!

Motorräder werden immer beliebter.

18 Zweiräder. Auf dieser Seite sehen Sie sechs Motorräder und Roller, aber acht Anzeigen aus der Zeitung. Lesen Sie die Texte und sagen Sie, welches Bild zu welchem Text passt! Für drei Anzeigen gibt es keine Bilder.

1f, 2c, 3d, 4a, 5b, 6h

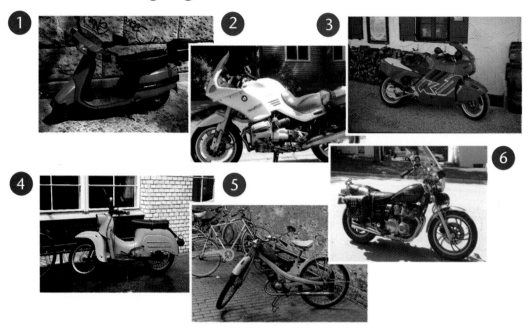

a **Mokick,** 50 ccm, gelb, 2-Takt, renoviert. Sammlerstück. Bj 55. Sehr gut. Zust. (09443) 51 17. VB € 1.980,-.

b **Moped,** alt, beige, fährt noch, Angebot. (09443) 77 82.

c **BMW,** Bj. 94, nur 12.000 km, weiß mit rotem Sitz. 1A gepflegt. TÜV frei. Zu erfragen (069) 58712. (Anrufbeantworter)

d **Kawasaki K1,** 1,1 L Maschine. Gelb/rot, kleine Scheibe, gelbe Räder, Rennausstattung. VB € 3.200,-. (0841) 7 77 89.

e **Suzuki DR 650 R,** 26 KW, Bj. 92, 8' km, blau/weiß, wie neu, VB € 1.200,-. (0 84 31) 37 83.

f **Roller Peugeot (rot),** 3 Jahre alt, 5' km, 4.5 PS, Elektro- und Kick-Starter. Helmfach, günstig zu verkaufen. Tel (0841) 5 32 66.

g **MZ 1-Zylinder,** 660 ccm, 37 k (50 PS), 13,600 km, € 5.400,- (0841) 1573.

h **Yamaha XJ 650.** Alt. 43.000 km, schwarz. 1. Hand VB € 900. (0841) 34 57 37.

i **Honda VTR 1000,** 72 KW, Kette, wie neu, BJ. 2002, 4100 km, € 8.100,- oder bestes Angebot. von privat (069) 555253.

19 *Hier haben Sie eine besondere Textart.* **Sie kennen vielleicht nicht alle Wörter in den Anzeigen, aber Sie kennen den Kontext. Raten Sie, was die Abkürzungen** *(abbreviations)* **und Wörter bedeuten!**

1. Bj.
2. 5' km
3. zu verk.
4. Anrufbeantworter
5. sehr gut. Zust.
6. Angebot
7. Rennausstattung
8. Sammlerstück

1. *Baujahr* (year the vehicle was built)
2. *5,000 km*
3. *zu verkaufen* (for sale)
4. answering machine
5. *sehr guter Zustand* (in very good condition)
6. offer
7. racing equipment
8. collector's item

Track 13

Ich kaufe ein Motorrad

Nachdem man die Anzeigen° gelesen hat, ruft man die Nummer in der Zeitung an, weil man mehr über das Motorrad wissen will und es auch sehen und fahren möchte.

Käufer: Guten Tag! Schmidt hier. Ich habe Ihre Anzeige in der Zeitung gelesen. Ich interessiere mich für Ihre BMW.

Verkäufer: Guten Tag. Ja, meine BMW ist wirklich ein ausgezeichnetes und schönes Motorrad. Was möchten Sie wissen?

Käufer: Wie alt ist das Motorrad?

Verkäufer: Sieben Jahre.

Käufer: Wie viele Kilometer sind Sie mit dem Motorrad gefahren?

Ist das Motorrad in gutem Zustand?

Verkäufer: 7.000.

Käufer: Ist das Motorrad in gutem Zustand?

Verkäufer: Ja, ich bringe mein Motorrad einmal im Jahr zum Mechaniker. Und ich hatte noch nie Probleme oder einen Unfall. Außerdem wasche und poliere° ich mein Motorrad einmal in der Woche. Wenn ich es nicht fahre, steht es immer in der Garage.

Käufer: Gut. Wie viel wollen Sie für das Motorrad?

Verkäufer: 5.200 Euro.

Käufer: Ich möchte mir das Motorrad gern einmal ansehen. Wann kann ich Sie treffen?

Verkäufer:	Kommen Sie doch heute Nachmittag vorbei°, so um drei Uhr! Ich wohne am Holzmarkt 13. Geht das?
Käufer:	Gut, bis dann. Auf Wiederhören!
Verkäufer:	Auf Wiederhören!

(*die Anzeige* ad; *polieren* to polish; *vorbeikommen* to come by)    Activity 14

ROLLENSPIEL

Jetzt kaufen oder verkaufen Sie ein Motorrad. Arbeiten Sie mit einem Partner oder einer Partnerin! Eine Person hat ein Motorrad zu verkaufen und muss es so gut wie möglich beschreiben. Die zweite Person sucht ein Motorrad und stellt so viele Fragen wie möglich.

SPRACHE

Time Expressions with the Dative

You can create time expressions that answer the question *wann* with the prepositions *an* (on), *in* (in) and *vor* (ago). These time expressions require the dative case.

Am Sonntagabend muss sie sich noch auf ihre Prüfung vorbereiten.

Use *an* in combination with days of the week and times of day: *am Sonntag* (on Sunday), *am Montag* (on Monday). You can also combine days and their parts: *am Sonntagmorgen* (on Sunday morning), *am Montagnachmittag* (on Monday afternoon). In addition, you can indicate dates using *am: am 14. (vierzehnten) April* (on the fourteenth of April), *am 31. Dezember* (on the thirty-first of December).

Use *in* with seasons and months (*im Herbst, im Mai*) as well as with time expressions including numbers and days (*in fünf Tagen*), weeks (*in zwei Wochen*) or months (*in drei Monaten*).

When you use *vor*, you need a number plus *Tag(e), Woche(n), Monat(e)* or *Jahr(e): vor zwei Tagen* (two days ago); *vor sieben Jahren* (seven years ago).

Remember: These prepositions work with the dative case. You need an *-n* on plurals!

 Activities 15–16

20 *In, im, am?* Ergänzen Sie diesen Text mit *in*, *im* oder *am!*

Heute ist Samstag, der 20. Oktober. ___ zehn Tagen hat Martina
Geburtstag, ___ 30. Oktober. ___ Nachmittag feiert die Familie eine
Party mit Freunden und Verwandten. ___ Abend gehen sie dann in ein
Restaurant. Martina ist glücklich, dass ihr Geburtstag ___ Herbst ist.
Dann ist das Wetter nicht so warm wie ___ Sommer, aber nicht so kalt
wie ___ Winter und die Gäste können auch im Garten sein. Ihr Bruder
Christian hat seinen Geburtstag ___ drei Monaten, ___ Januar, ___ 27.
Aber dann sitzen die Gäste nicht im Garten! In, am, Am, Am, im, im, im, in, im, am

Track 14

21 *Sie haben Sommerferien und müssen folgende Sachen machen.* Wann wollen Sie alles machen? Schreiben Sie acht Sätze mit Ihren Plänen und ob Sie es am Vormittag, Nachmittag oder Abend machen wollen!

➤ Zimmer aufräumen
   Ich räume mein Zimmer am Samstagvormittag auf.

1. Rasen mähen
2. staubsaugen
3. Freunde besuchen
4. E-Mails senden
5. ins Kino gehen
6. zum Einkaufszentrum gehen
7. mit den Eltern Verwandte besuchen
8. die Garage aufräumen

Was macht sie am
Samstagvormittag?

Alex bastelt gern am Abend an
seinem Modellboot.

Heike und Bernd kaufen am Montagnachmittag etwas Leckeres in
der Stadt.

Kapitel 2

22 *Zum ersten Mal, zum letzten Mal, noch nie: ein Interview.* Stellen Sie einem Partner oder einer Partnerin die folgenden Fragen! Sie können Rollen tauschen.

➤ *Person 1:* Wann bist du zum ersten Mal Fahrrad gefahren?
Person 2: Vor zehn Jahren.

➤ *Person 2:* Wann hast du zum letzten Mal Tennis gespielt?
Person 1: Vor drei Stunden.

➤ *Person 2:* Wann bist du zum letzten Mal ohne deine Schuhe auf dem Rasen gelaufen?
Person 1: Ich bin noch nie ohne meine Schuhe auf dem Rasen gelaufen.

Wann bist/hast du zum ersten Mal...?

1. für Geld gearbeitet
2. bei einer Freundin/einem Freund übernachtet
3. nach Mitternacht nach Hause gekommen
4. ohne Eltern ins Kino gegangen
5. im Zelt geschlafen
6. ein Auto gefahren

Wann hast du zum letzten Mal...?

7. dein Zimmer aufgeräumt
8. den Rasen gemäht
9. Sport getrieben
10. Computerspiele gespielt
11. ein Buch gelesen
12. Hausaufgaben gemacht
13. geduscht

Wann hat Tanja zum letzten Mal ihr Zimmer saubergemacht?

23 *Lustige Sachen.* Schreiben Sie sechs der lustigsten *(funniest)* Sachen, die Ihr Partner/Ihre Partnerin gesagt hat!

➤ Mein Partner sagt, dass er noch nie ein Buch gelesen hat.
➤ Meine Partnerin hat gesagt, dass sie ihr Zimmer zum letzten Mal vor drei Monaten aufgeräumt hat.

John hat Tanja und Petra etwas Lustiges gesagt.

⟨TN⟩

MENSCHEN UND MÄCHTE

Heinrich I.

Steckbrief

Name:	Heinrich I.
Geburtstag:	ein Tag im Jahr 876
Eltern:	unbekannt
Geschwister:	unbekannt
Ehefrau:	unbekannt
Kinder:	Gerberga, Tochter
Beruf:	König der Deutschen von 919 bis 936
Todestag:	ein Tag im Jahr 936
Wichtigster Tag:	Der Sieg° über die Wikinger

Heinrich der Erste wurde im Jahr 919 König von Deutschland. Er wohnte in Bonn und verbesserte das Training der Soldaten°. Er trainierte sie auf Pferden, Booten und zu Fuß. Die Soldaten lernten so, wie sie das Land schützen konnten. Heinrich führte seine Soldaten im Jahr 934 nach Norden an den Schlei Fluss. Er hatte erkannt, dass er mit dem Wikingerkönig Knuba kämpfen° musste. Die Wikinger nahmen sich immer, was sie wollten. Das sollte nun ein Ende haben, meinte Heinrich. Er ritt mit 3 000 Soldaten nach Norden und traf sich mit Knuba vor der Stadt Haithabu. Die Wikinger standen mit Keulen° und Messern hinter ihrem König. Heinrichs Soldaten standen hinter ihrem König. Am Ende ging es aber ohne einen Kampf°, denn die Wikinger und die Deutschen einigten sich°. Heinrich verlangte°, dass die Wikinger Steuern° bezahlten. König Knuba und seine Leute machten das, aber dieser Vertrag° kostete Haithabu viel Geld und die Stadt wurde immer kleiner, weil viele Wikinger in andere Länder zogen. Sie wollten Heinrich die Steuern nicht bezahlen. Heinrich erkannte, dass man gut trainierte Soldaten braucht, damit es keine Kämpfe gibt.

(der Sieg victory; *der Soldat* soldier; *kämpfen* to fight; *die Keule* club; *der Kampf* fight, battle; *sich einigen* to come to an agreement; *verlangen* to demand; *die Steuer* tax; *der Vertrag* contract)*

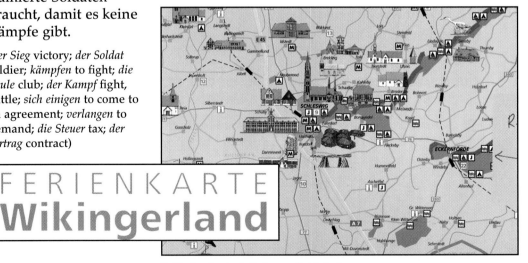

FERIENKARTE
Wikingerland

Haithabu liegt südlich von Schleswig.

24 *Richtig oder falsch?* **Wenn falsch, geben Sie die richtige Antwort!**

1. Heinrichs Schwester hieß Gerberga.
2. Heinrich lebte im 9. und 10. Jahrhundert.
3. Heinrich hatte eine gut trainierte Armee.
4. Die Wikinger lebten im Norden von Deutschland.
5. Die Wikinger waren Heinrichs Freunde.
6. Der König der Wikinger hieß Knuba.
7. Die Wikinger und Heinrichs Armee kämpften lange.
8. Die Wikinger mussten Steuern bezahlen.
9. Die Stadt der Wikinger hieß Bonn.

1. falsch/Seine Tochter hieß Gerberga.
2. richtig
3. richtig
4. richtig
5. falsch/Sie waren nicht seine Freunde.
6. richtig
7. falsch/Sie einigten sich.
8. richtig
9. falsch/Sie hieß Haithabu.

25 *Welche Verben passen hier am besten?* **Benutzen Sie das Imperfekt!**

brauchen	leben	verlangen	führen
lernen	wissen	kämpfen	reiten
bezahlen	treffen	ziehen	

1. Die Wikinger ___ in der Stadt Haithabu.
2. Heinrich hatte viele Soldaten. Sie ___ viel von ihm.
3. Heinrichs Soldaten ___ auf Pferden und fuhren mit Booten.
4. Heinrich ___, dass er gegen die Wikinger kämpfen musste.
5. Heinrich ___ seine Soldaten nach Norden.
6. Heinrich und seine Soldaten ___ die Wikinger und den Wikingerkönig.
7. Es gab keinen Krieg, denn die Wikinger und die Deutschen ___ nicht miteinander.
8. Heinrich ___ Geld, aber die Wikinger ___ nicht lange, weil sie in andere Länder ___.
9. Manchmal ___ Heinrichs Soldaten nicht zu kämpfen.

1. lebten
2. lernten
3. ritten
4. wusste
5. führte
6. trafen
7. kämpften
8. verlangte, bezahlten, zogen
9. brauchten

So sah es schon während der Wikingerzeit aus.

Die Wikinger

In Schleswig-Holstein liegt die Stadt Schleswig an der Schlei. Die Schlei ist ein großer Fluss mit vielen Armen. Die Arme gehen vom Meer 40 Kilometer weit ins Land. Dort liegt eine alte Stadt der Wikinger: Haithabu. Die alten Häuser sieht man nicht mehr, denn sie waren aus Holz°. Hier lebten noch Wikinger bis etwa 1100. Von hier fuhren sie mit ihren Wikingerschiffen auf dem Meer bis nach Island, Skandinavien, Spanien, Frankreich, Italien, der Türkei und sogar nach Amerika. Die Wikinger waren ein skandinavisches Volk und sie waren in Frankreich, Deutschland, Skandinavien und ab° 1066 auch in England zu finden.

Die Wikinger beim Essen und Trinken

Die Männer waren oft lange Monate oder Jahre mit den Booten auf dem Meer. Sie fuhren zur See und machten Geschäfte° mit ihren Booten oder plünderten° die Dörfer von anderen Leuten. Die schnellen Boote kamen ohne Warnung, die Wikinger nahmen sich was sie wollten und waren wieder weg. Die Wikingerboote waren das beste Transportmittel° vor tausend Jahren, denn sie waren sehr schnell und breit° genug für Reiter° und Pferde. Am Ufer sprangen° Reiter und Pferde von den Booten und waren sofort für den Kampf bereit°.

Ein Wikingerboot steht im Museum von Haithabu.

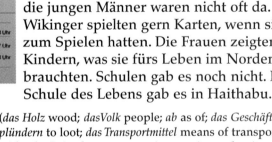

Wikinger
Museum
Haithabu

Öffnungszeiten:
April-Oktober
täglich   9-18 Uhr
November-März
Dienstag-Freitag 9-17 Uhr
Sonnabend
und Sonntag   10-18 Uhr
Montag geschlossen

Das Leben in der Stadt Haithabu war auch interessant. Meistens waren die Frauen, ihre Kinder und die alten Männer in der Stadt, aber die jungen Männer waren nicht oft da. Die Wikinger spielten gern Karten, wenn sie Zeit zum Spielen hatten. Die Frauen zeigten den Kindern, was sie fürs Leben im Norden brauchten. Schulen gab es noch nicht. Nur die Schule des Lebens gab es in Haithabu.

(*das Holz* wood; *das Volk* people; *ab* as of; *das Geschäft* business; *plündern* to loot; *das Transportmittel* means of transportation; *breit* wide; *der Reiter* horseman; *springen* to jump; *bereit* ready)

WB Activity 17

Die Wikingerboote waren das beste Transportmittel vor tausend Jahren.

26 Was passt hier am besten?

1. Die Stadt Haithabu wurde von den Wikingern gegründet,
2. Weil sie aus Holz waren,
3. Weil sie in viele Länder reisten,
4. Die Boote waren sehr praktisch,
5. Die Wikinger plünderten die Dörfer
6. Weil ihre Boote so leise waren,
7. Die Frauen und Kinder der Wikinger sahen die Männer nicht oft,
8. Wenn sie freie Zeit hatten,
9. Weil es keine Schule in Haithabu gab,
10. Viele Länder hatten Angst,

a. bauten die Wikinger viele Boote.
b. kamen sie oft ohne Warnung.
c. und fuhren bald wieder weg.
d. spielten die Wikinger gern Karten.
e. machten die Frauen viel mit den Kindern.
f. aber heute leben keine Leute mehr in dieser Stadt.
g. sieht man heute die Häuser der Wikinger nicht mehr.
h. weil die Männer viel auf dem Meer waren.
i. dass die Wikinger zu ihnen kommen.
j. weil man mit ihnen viel transportieren konnte.

1f, 2g, 3a, 4j, 5c, 6b, 7h, 8d, 9e, 10i

27 Was stimmt hier nicht? Geben Sie die richtigen Antworten!

Track 19

1. Die Wikinger lebten in der Stadt Schleswig.
2. Die Wikinger lebten direkt am Meer.
3. Die Wikinger hatten Steinhäuser.
4. Die Wikinger reisten nach Asien und Amerika.
5. Die Wikinger spielten Fußball.
6. Die Schiffe der Wikinger waren langsam.
7. Die ganze Familie reiste auf den Booten.
8. Die Wikinger lebten nach 1100 in Haithabu.

1. Schleswig - Haithabu
2. Meer - Fluss
3. Steinhäuser - Holzhäuser
4. Asien und Amerika - Europa und Amerika
5. Fußball - Karten
6. langsam - schnell
7. die ganze Familie - nur die Männer
8. nach - vor

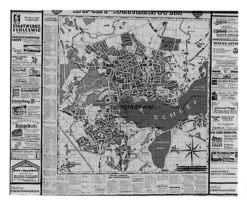

Den Stadtplan von Schleswig findet man gleich vor der Information.

Aktuelles

Essen in Deutschland: gestern und heute

Sicher kennen Sie traditionelles deutsches Essen: Sauerbraten, Sauerkraut, Brezeln, Bratwurst und noch vieles andere mehr. Seit dem Zweiten Weltkrieg hat sich das Essen in Deutschland aber sehr verändert°. Nach dem Krieg, in den 50er und 60er

Gert Brunner kann nur am Wochenende mit seinem Sohn zusammen essen und sprechen.

Jahren, hatten die Leute endlich wieder genug zu essen. Sie genossen es, dass sie so viel essen konnten, wie sie wollten. In dieser Zeit arbeiteten auch nicht so viele Frauen. Sie blieben zu Hause und kochten für ihre Familien, die zum Mittagessen nach Hause kamen.

Heute ist Deutschland ein modernes Industrieland. Die Leute haben immer weniger Zeit und mehr Frauen arbeiten als früher. Viele Leute haben auch weniger Zeit zu Hause, weil sie lange Strecken zur Arbeit fahren. Das beeinflusst° auch die deutschen Essgewohnheiten°.

Gert Brunner, ein Koch, erklärt wie die Deutschen heute essen:

„Ich sehe zwei Gruppen mit verschiedenen Essgewohnheiten in Deutschland: eine Gruppe isst Fastfood und Convenience-Products, also Sachen, die fertig aus der Dose oder dem Karton kommen. Diese Leute sind nicht mehr wie die ältere Generation, die jeden Tag typisches deutsches Essen wie Braten°, Kartoffeln, Soße° und Blumenkohl° gegessen hat. Viele Leute leben heute allein und wollen nicht viel kochen. Und in vielen Familien arbeiten der Vater und die Mutter. Da hat man weniger Zeit für die Familie zu kochen. Die zweite Gruppe versucht, gesund zu essen. Diese Leute essen wie die Franzosen, Italiener und Spanier. In diesen Ländern essen die Leute auch heute noch mehr Obst und Gemüse oder kochen selbst."

Der Koch bringt gesundes Essen auf den Tisch.

Fastfood wird also auch in Deutschland immer beliebter. Vor allem Kinder essen gern Hamburger, Pommes frites oder Pizza. Im Mikrowellenherd können sie schnell Essen warm machen, auch wenn die Eltern nicht da sind. Oder sie gehen in einer freien Stunde am Vormittag und am Nachmittag nach der Schule in ein Fastfood-Restaurant. Simon, der Sohn von Gert Brunner, sagt warum: „Ich esse nicht gern belegte Brote°. Und meine Mutter arbeitet und kocht deshalb nicht zu Mittag. Meine Pause am Mittag ist auch nicht so lang, dass ich selbst etwas kochen kann. Deshalb gehe ich in ein Fastfood-Restaurant, wo das Essen schnell kommt. Außerdem gehen meine Freunde auch dahin und zusammen essen macht mehr Spaß."

Mit seiner Familie isst Simon während der Woche selten°, weil alle so viel zu tun haben. Gert Brunner erzählt: „Nur am Wochenende können wir zusammen essen und, was vielleicht noch wichtiger ist, zusammen sprechen." Simon sagt dazu: „Stimmt. Ich freue mich immer schon auf das Wochenende, weil mein Vater ein sehr guter Koch° ist und wir dann endlich Zeit haben."

(*verändern* to change; *beeinflussen* to influence; *die Essgewohnheit* eating habit; *der Braten* roast; *die Soße* sauce, gravy; *der Blumenkohl* cauliflower; *das belegte Brot* sandwich; *selten* rarely; *der Koch* cook)

WB Activities 18–19

28 *Von wem ist hier die Rede?* Wer isst...?

1. gern Hamburger, Pommes frites oder Pizza
2. gern Braten und Blumenkohl
3. Convenience-Products
4. viel Obst und Gemüse
5. im Fastfood-Restaurant
6. nur am Wochenende zusammen
7. nicht gern belegte Brote
8. an Wochentagen ohne den Sohn

a. Simon Brunner
b. Franzosen, Italiener, Spanier
c. Herr Brunner
d. Familie Brunner
e. Kinder
f. die ältere Generation
g. Leute, die allein leben
h. Simon Brunner und seine Freunde

1e, 2f, 3g, 4b, 5h, 6d, 7a, 8c

Track 21

29 *Was essen Sie?* Gert Brunner hat über die Essgewohnheiten der Deutschen gesprochen. Was für Essgewohnheiten haben Sie? Essen Sie oft Fastfood? Wie viel Obst und Gemüse essen Sie? Wann essen Sie mit Ihrer Familie? Schreiben Sie darüber!

Wörter und Ausdrücke

DESCRIBING A MAJOR STREET INTERSECTION

die Kreuzung intersection
die Ampel traffic light
der Zebrastreifen (pedestrian) crosswalk
der Bürgersteig sidewalk
der Fahrradweg bicycle path
die Einbahnstraße one-way street

der Fußgänger pedestrian
der Autofahrer car driver
die Fahrbahn traffic lane
das Straßenschild street sign
stehen bleiben to remain standing, stop walking
weiterfahren to continue driving
blockieren to block
hupen to honk
gegenüber across

Winterkartoffeln

Jo Hanns Rösler (1899–1966)

Jo Hanns Rösler wollte zuerst Theologie studieren, aber er änderte seine Pläne im 1. Weltkrieg und entschied sich, Bücher zu schreiben. Er ist berühmt für seine lustigen Geschichten und Skizzen, die sich besonders gut für das Radio adaptieren lassen.

Über den Text

Röslers Text „Winterkartoffeln" ist ein typisches Beispiel der Kurzgeschichte. In diesen kurzen Texten gibt es oft nur wenige wichtige Charaktere, die mit einer Situation oder einem Erlebnis zu tun haben. Das Ende dieser Geschichte ist oft sehr wichtig, weil man meistens erst am Ende die Geschichte ganz verstehen kann.

Vor dem Lesen

1. The main character in this short story is named *Herr Gaunert*. In German, a *Gauner* is a person with dubious moral standards. In other words, he is a crook. How does understanding his name help you understand the author's portrayal of this character and predict events in the story?

2. What do you know about *Tante-Emma-Läden* (corner grocery stores) and *Supermärkte* in German-speaking countries? What do you think are the advantages and disadvantages of shopping at both types of stores?

Ich kaufe lieber beim kleinen Kaufmann ein als in den riesigen Geschäften. Beim alten Gaunert in der Nebenstraße gab es Winterkartoffeln. Er hatte viele. Die Kartoffelsäcke standen bis auf die Straßen hinaus; ein Kartoffelsack neben dem anderen. Über dem Fenster stand:

„Heute noch Kartoffeln zum alten Preis! Letzter Tag."

So kamen die Kunden.

„Was kosten die Kartoffeln?"

„Wir verkaufen noch zum alten Preis."

„Und das ist?"

„Fünf Pfund 75 Pfennige."

„Nur noch heute?"

„Heute ist der letzte Tag."

Die Kunden kamen und kauften sehr viel. Sie kauften für den ganzen Winter. Zum alten Preis. Jeder wollte Kartoffeln haben. Beim alten Gaunert wurde die Waage warm und die Kasse stand nicht still.

„Fünf Pfund 75 Pfennige! Wer will noch mal? Wer hat noch nicht? Wie viel Pfund dürfen es denn sein, junge Frau?"

Die Kunden standen bis auf die Straße hinaus. Sie standen in Reihen. Sie kamen zweimal und dreimal. Zu Hause baten die Frauen ihre Männer um mehr Geld.

„Beim Gaunert gibt es noch Kartoffeln zum alten Preis! Heute letzter Tag!"

Die Männer freuten sich über ihre Frauen. Johannes kam auch vorbei. Er sah die vielen Kartoffelsäcke.

„Kartoffeln zum alten Preis! Heute letzter Tag!"

Er stellte sich hinten an. Als er an der Reihe war, fragte er:

„Zum alten Preis?"

„Ja. Nur noch heute. Fünf Pfund 75 Pfennige."

Johannes fragte:

„Und morgen? Was werden die Kartoffeln morgen kosten?"

„Den neuen Preis."

„Wie viel ist das?"

Gaunert sagte, aber leise: „Fünf Pfund 65 Pfennige."

Nach dem Lesen

 1. Diese Geschichte ist über kluge Marketingstrategien. Wählen Sie ein Produkt und entscheiden Sie a) wem Sie dieses Produkt verkaufen wollen und b) wie Sie es auf den Markt bringen wollen!

2. Welche Rolle spielen Männer und Frauen in dieser Geschichte? Wer geht einkaufen und wer hat das Geld? Könnte Rösler diese Geschichte auch heute noch so schreiben? Warum oder warum nicht?

Endspiel

1. Beschreiben Sie Sehenswürdigkeiten in Ihrer Stadt oder in Ihrer Gegend!

2. Sie machen Ferien. Für morgen oder das Wochenende möchten Sie einen Roller mieten. Sprechen Sie mit drei Personen, die Roller zu vermieten haben! Versuchen Sie den besten Preis zu bekommen! Sie möchten einen Roller mit Kick-Starter haben. Vergessen Sie nicht zu sagen, wann und wie lange Sie Ihren Roller brauchen!

3. Besprechen Sie mit Hilfe eines Zeitungsartikels einen Unfall in Ihrer Gegend. Wie ist er passiert?

4. Benutzen Sie einen Computer, um weitere Informationen über die Wikinger und Heinrich I. zu finden. Schreiben Sie einen kurzen Bericht mit den Informationen, die Sie gefunden haben!

5. Beschreiben Sie einen typischen Montag in den Sommerferien und einen typischen Montag während des Schuljahres!

WB Activity 20
TP

Was machen sie in den Sommerferien...

...und während des Schuljahres?

Kapitel 2

Vokabeln

ab as of 2B
die **Achtung** attention 2B
die **Ampel,-n** traffic light 2B
angeschwemmt washed ashore 2A
die **Anzeige,-n** ad 2B
der **Autofahrer,-** car driver 2B
der **Badegast,-̈e** tourist at a seaside or beach resort 2A
der **Badeort,-e** town by the sea 2A
beeinflussen to influence 2B
belegt covered; *belegte Brote* sandwiches 2B
bereit ready 2B
blockieren to block 2B
der **Blumenkohl** cauliflower 2B
der **Braten,-** roast 2B
breit wide 2B
die **Brücke,-n** bridge 2A
der **Brunnen,-** fountain 2A
der **Bürgersteig,-e** sidewalk 2B
das **Denkmal,-̈er** monument 2A
der **Drachen,-** kite 2A
das **Drachenfest,-e** kite flying festival 2A
die **Düne,-n** dune 2A
die **Einbahnstraße,-n** one-way street 2B
sich **einigen** to come to an agreement 2B
die **Erholung** relaxation 2A
erklären to explain 2A
die **Essgewohnheit,-en** eating habit 2B
die **Fahrbahn,-en** traffic lane 2B
der **Fahrradweg,-e** bicycle path 2B
der **Friedhof,-̈e** cemetery 2A
friesisch Frisian 2A
der **Fußgänger,-** pedestrian 2B
gegenüber across 2B
das **Geschäft,-e** business 2B
das **Gewürz,-e** spice 2A
der **Grabstein,-e** gravestone 2A
der **Grund,-̈e** reason 2A
die **Gruppe,-n** group 2A
der **Hafen,-̈** harbor 2A
der **Heimatlosenfriedhof** cemetery for homeless, unknown people 2A

die **Helmpflicht** mandatory helmet use 2B
die **Hilfe** help 2A
das **Holz,-̈er** wood 2B
hupen to honk 2B
der **Kampf,-̈e** fight, battle 2B
kämpfen to fight 2B
die **Keule,-n** club 2B
der **Kicker,-** moped 2B
die **Kirche,-n** church 2A
die **Klippe,-n** cliff 2A
der **Koch,-̈e** cook 2B
die **Kreuzung,-en** intersection 2B
der **Kurort,-e** resort, spa 2A
der **Leuchtturm,-̈e** lighthouse 2A
das **Licht,-er** light 2A
das **Meer,-e** sea 2A
die **Möbel** *(pl.)* furniture 2A
die **Nachbarinsel,-n** neighboring island 2A
der **Park,-s** park 2A
plündern to loot 2B
polieren to polish 2B
die **Reiseleiterin,-nen** tour guide 2A
der **Reiter,-** horseman 2B
ruhig quiet, peaceful 2A
der **Seemann,-̈er** sailor 2A
selten rare 2B
der **Sieg,-e** victory 2B
der **Soldat,-en** soldier 2B
die **Soße,-n** sauce, gravy 2B
springen *(sprang, ist gesprungen)* to jump 2B
stehen bleiben *(blieb stehen, ist stehen geblieben)* to remain standing, stop walking 2B

die **Steuer,-n** tax 2B
das **Straßenschild,-er** street sign 2B
testen to test 2A
das **Theater,-** theater 2A
das **Transportmittel,-** means of transportation 2B
treten *(tritt, trat, getreten)* to pedal 2B
das **Trittbrett,-er** footboard 2B
überall everywhere, all over 2B
unbedingt absolutely, unquestionable 2A
verändern to change 2B
verlangen to demand 2B
der **Vertrag,-̈e** contract 2B
die **Villa,-llen** villa 2A
das **Volk,-̈er** people 2B
vorbeikommen *(kam vorbei, ist vorbeigekommen)* to come by 2B
vorn in front 2A
der **Wald,-̈er** forest 2A
weiterfahren *(fährt weiter, fuhr weiter, ist weitergefahren)* to continue driving 2B
weiterleben to live on 2A
der **Wohnraum,-räume** living quarter 2A
wunderschön beautiful, wonderful 2A
der **Zebrastreifen,-** (pedestrian) crosswalk 2B
das **Zeichen,-** sign 2A

Die Straßenbahn ist das wichtigste Transportmittel.

In this chapter you will learn how to:

- talk about additional family members
- express various moods
- describe neighbors
- identify and talk about bicycle parts
- get repairs made

KAPITEL 3

Familie und Nachbarn

LEKTION A

Herbert Müller

Klara Müller

Der Stammbaum

Hans Schmidt

Helene Müller

Ralf Oberst

Wilhelmine Härtl

Roland
Fischer
(tot)

Martha
Fischer

Gerhard
Schmidt

Robert
Schmidt

Gisela
Kneitz

Harald
Kneitz

Christine

Daniel

Helga

Nikolaus

Uschi

Beantworten Sie die Fragen!

1. Wer sind die Kinder von Gisela und Robert?
2. Wer ist der Stiefvater von Helga?
3. Wer ist die Großmutter von Martha?
4. Wer sind die Söhne von Gisela?
5. Wer ist der Großvater von Daniel?
6. Wer sind die Brüder von Martha?
7. Wer sind die Kinder von Helene?
8. Wer ist die Cousine von Helga?
9. Wer sind die Cousins von Christine?

1. Daniel, Helga, Nikolaus
2. Harald Kneitz
3. Klara Müller
4. Nikolaus, Daniel
5. Hans Schmidt
6. Gerhard, Robert
7. Martha, Robert, Gerhard
8. Christine
9. Nikolaus, Daniel

CD
Track 2

Die Oma kommt

Anne

Hannelore

Oma

Es ist aber nett, dass du kommen konntest.

Annes Vater Christian muss eine Geschäftsreise nach Mexiko machen. Ihre Mutter Hannelore möchte mitfahren, aber Anne kann nicht weg, denn sie steckt mitten im Schuljahr. Anne möchte die zwei Wochen nicht allein zu Hause sein oder bei den Nachbarn bleiben. Deshalb schlägt ihre Oma vor, dass sie kommt und bei Anne bleibt. Heute ist Annes Großmutter angekommen.

Hannelore: Hallo, Mutti! Es ist aber nett, dass du kommen konntest. Ich weiß, dass Anne sich auch auf dich freut!

Oma: Ich freue mich auch. Ich bleibe gern bei Anne. Und es ist auch schön, dass du und Christian ein bisschen allein sein könnt. Mexiko im Winter soll sehr schön sein.

Ich bleibe gern bei Anne.

Hannelore: Ja, das haben wir auch gehört. Leider kann Anne die Schule nicht zwei Wochen verpassen. Sie kommt bestimmt gleich von der Schule nach Hause.

Anne kommt ins Zimmer und begrüßt ihre Oma.

Anne: Hallo, Oma! Toll, dass du da bist. Du siehst ganz fit aus!

Oma: Danke, Anne. Meine Güte, wie meine Enkelin gewachsen ist!

Anne: Ja, Oma. Das sagst du immer, aber diesmal stimmt's! Ich bin fünf Zentimeter größer.

Oma: Bald bist du so groß wie ich. Nun, was wollen wir zusammen machen, während deine Eltern in Mexiko sind?

Anne: Können wir Tante Frieda und meine Cousins besuchen? Mutti sagt, Onkel Fritz ist im Moment auch auf einer Reise.

Oma: Klar! Dann kann ich mich ein bisschen mit Tante Frieda unterhalten und du kannst etwas mit Benjamin und Frederick machen.

Anne: Ja, ich freue mich schon. Wann fahren wir denn zu ihnen?

Oma: Dieses Wochenende?

Anne: Toll! Dann bin ich nicht so traurig, dass ich mit Mutti und Vati nicht nach Mexiko kann. Benjamin und Frederick sind immer ganz lustig und wir ärgern Tante Frieda gern.

Oma: Ja, deine Mutti hat mit ihrer Schwester Frieda und ihrem Cousin Heinz Tante Else auch gern geärgert.

Hannelore: Mutti, erzähl so etwas nicht! Wir waren immer Vorbilder für die anderen Cousinen und Cousins. Und Tante Else hat's außerdem auch verdient!

Hallo Oma!

Oma sieht Anne an und beide lachen.

Anne: Ja, Mutti, ich möchte auch so nett zu Tante Frieda sein wie du zu Tante Else warst.

Hannelore: Dann tu das! Ich werde nach unserer Reise nach Mexiko mit meiner Schwester Frieda sprechen und hören, wie nett du zu ihr warst.

Anne: Ja, Mutti. Oma und ich werden uns benehmen, nicht wahr, Oma?

Oma: Klar! Viel Spaß in Mexiko, Hannelore! Bis in zwei Wochen! Ich werde mit meiner Enkelin gut auskommen.

Hannelore: Ja, das ist ja gerade das Problem, Mutti.

Oma: Nur keine Angst. **WB** Activities 2–3

Oma und ich werden uns benehmen, nicht wahr, Oma!

2 *Was stimmt hier nicht?* Verbessern Sie die Sätze!

1. Christian ist Annes Bruder.
2. Christian und Anne fliegen nach Mexiko.
3. Annes Opa bleibt bei Anne, weil ihre Eltern eine Reise machen.
4. Die Mutter von Annes Cousine heißt Else.
5. Hannelores Cousin heißt Benjamin.
6. Hannelores Onkel heißt Heinz.
7. Anne ärgert ihre Oma gern.
8. Die Schwester von Anne heißt Frieda.
9. Anne ist Friedas Tante.
10. Benjamin und Frederick sind Hannelores Nichten.

1. Bruder - Vater
2. Anne - Hannelore
3. Opa - Oma
4. Else - Frieda
5. Hannelores - Annes
6. Onkel - Cousin
7. Oma - Tante Frieda
8. Anne - Hannelore
9. Tante - Nichte
10. Nichten - Neffen

3 *Schreiben Sie den Stammbaum von Ihrer Familie!* Nehmen Sie eine Person und beschreiben Sie, wer diese Person ist (z.B. der Neffe von Onkel Fritz, der Bruder von Carl, usw.).

Allerlei

Umfrage zum Thema: Nachbarn

Wir wollten wissen, was die Menschen in Deutschland über ihre Nachbarn denken, wo sie wohnen, wie die Nachbarn sind, was sie mit den Nachbarn zusammen tun, welche Hilfe sie von den Nachbarn bekommen und was sie schon für ihre Nachbarn getan haben. Diese Fragen haben wir vielen Personen in Baden-Württemberg, Rheinland-Pfalz, Nordrhein-Westfalen und in Hessen gestellt°. Die Antworten finden wir sehr informativ, denn sie zeigen, was alte und junge Leute, Leute in der Stadt und Leute auf dem Land über das Thema *Nachbarn* denken und sagen.

FRAGEBOGEN

1. Wo wohnen Sie?

2. Kennen Sie Ihre Nachbarn?

3. Was machen Sie zusammen mit Ihren Nachbarn?

4. Bitten Ihre Nachbarn Sie manchmal um etwas?

5. Was haben Sie schon für Ihre Nachbarn getan?

Interview 1   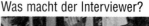 Track 5

In Stuttgart sprachen wir mit Irene, einer jungen Frau mit langen schwarzen Haaren. Sie hatte ihre Freundin dabei. Sie antwortete sofort auf unsere Fragen.

Interviewer: Wo wohnen Sie?

Irene: Ich wohne in Ludwigsburg. Das ist eine Stunde von hier. Ich bin zu Besuch bei meiner Freundin hier.

Interviewer: Kennen Sie Ihre Nachbarn?

Irene: In Ludwigsburg? Da kenne ich jeden Nachbarn.

Interviewer: Was tun Sie mit Ihren Nachbarn?

Irene: Ich spreche jeden Tag mit ihnen. Monika, die Tochter der Nachbarn, ist in meiner Klasse.

Interviewer: Bitten Ihre Nachbarn Sie manchmal um° etwas?

Irene: Monikas Mutter hat ihren kranken Vater im Haus. Da bittet sie mich manchmal, ihr mit dem Vater zu helfen. Dann ruft sie: „Irene, komm doch bitte und hilf mir den Vati drehen°!" Dann drehen wir ihren Vater im Bett auf die andere Seite.

Interviewer: Was haben Sie schon für Ihre Nachbarn getan?

Irene: Ich helfe unseren Nachbarn oft beim Einkaufen und im Garten.

Interviewer: Herzlichen Dank für dieses Gespräch°!

Irene: Bitte schön!

Interview 2   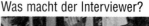 Track 6

In Dörrenbach gehen wir ins Geschäft und sprechen mit der Verkäuferin, Frau Weiss. Ihr Geschäft liegt ein paar Häuser vom Rathaus entfernt. Sie antwortet gern auf unsere Fragen.

Interviewer: Darf ich Ihnen ein paar Fragen stellen?

Frau Weiss: Ja, worum geht's denn?

Interviewer: Wo wohnen Sie?

Frau Weiss: Ich wohne natürlich hier, in Dörrenbach, ein paar Häuser weiter.

Interviewer: Kennen Sie Ihre Nachbarn?

Frau Weiss: Ja, was denken Sie denn? Ich kenne jeden Menschen im Dorf. Die kommen doch alle und kaufen bei mir ein.

Dörrenbach

Interviewer:	Was tun Sie mit Ihren Nachbarn?
Frau Weiss:	Ja, wissen Sie, am Tage verkaufe ich ihnen, was sie brauchen. Und ich habe auch eine Post im Geschäft. Ich bin also auch Postdirektorin, wenn Sie so wollen. Bei mir können Sie Pakete und Briefe schicken. Aber das ist mehr Arbeit, als ich dachte.
Interviewer:	Bitten Ihre Nachbarn Sie manchmal um etwas?
Frau Weiss:	Meine Nachbarn bitten mich immer um etwas. Sie vergessen ihr Geld und ich soll den Kauf anschreiben°. Ich schreibe den Betrag° dann hier auf die Tafel.
Interviewer:	Was haben Sie schon für Ihre Nachbarn getan?
Frau Weiss:	Meine Nachbarn und ich, wir leben gut zusammen. Ich helfe gern und das tun meine Nachbarn auch. Im Geschäft brauche ich oft Hilfe und dann kommt der Nachbarsjunge und hilft mir. Und meine Nachbarin, die Frau Schulte, die vergisst oft das Einkaufen. Dann kommt sie am Abend, wenn das Geschäft schon zu ist und ich gebe ihr, was sie braucht.
Interviewer:	Herzlichen Dank für dieses Gespräch!
Frau Weiss:	Ja, wollen Sie denn nichts kaufen?

WB Activity 4

 Track 7

Interview 3

Eine Frau und ein Mann stehen neben dem Zug im Bahnhof von Duisburg und sehen sich die Informationstafel an. Sie sind gerade aus Frankfurt angekommen.

Interviewer:	Darf ich Ihnen schnell ein paar Fragen stellen?
Nivedita:	Ja, gern.
Interviewer:	Wo wohnen Sie?

Die beiden sehen sich die Informationstafel an.

Nivedita:	In Frankfurt. Wir sind zu Besuch hier in Duisburg. Sarnath, komm her, der Interviewer möchte mit uns sprechen.

Der Mann aus Indien dreht sich jetzt um° und sieht uns an.

Interviewer:	Wir fragen, ob Nachbarn für Sie wichtig sind.
Nivedita:	Für uns sind die Nachbarn sehr wichtig. In Indien ist es wichtig, dass wir mit den Nachbarn guten Kontakt haben.
Interviewer:	Wie sind die Deutschen anders als die Menschen in Indien, wenn wir über Nachbarn sprechen?

Sarnath:	Hier sind die Menschen privater. Hier weiß nicht jeder Nachbar alles. In meiner Heimatstadt Kalkutta, da wusste jeder Nachbar alles. Man konnte nichts privat machen. Was meinst du, Nivedita?
Nivedita:	Fragst du mich, wo es mir besser gefällt, Sarnath? Ich mag meine neue Heimat° hier. Unsere Familien sind auch hier. Meine Mutter wohnt bei uns in Frankfurt.

In Indien kann man von den Nachbarn immer alles bekommen, was man braucht.

Ich möchte bleiben, denn wir haben gute Jobs.

Interviewer:	Helfen Ihnen die deutschen Nachbarn gern? Und ist es Ihnen möglich, den deutschen Nachbarn zu helfen?
Sarnath:	Ich weiß es nicht genau. In Frankfurt lebt man sehr privat. Ich kenne die Nachbarn in unserem Mietshaus° nicht.
Nivedita:	Wir haben unsere indischen Nachbarn besser gekannt als unsere deutschen Nachbarn. In Indien kann man von den Nachbarn immer alles bekommen, was man braucht. In Frankfurt ist das anders, obwohl Kalkutta viel größer ist als Frankfurt.

(*eine Frage stellen* to ask a question; *um etwas bitten* to ask for something; *drehen* to turn; *das Gespräch* conversation; *den Kauf anschreiben* to sell (the purchase) on credit; *der Betrag* amount; *sich umdrehen* to turn around; *die Heimat* home, homeland; *das Mietshaus* apartment building)

emcp.com

╓ *Wer sagt das?* Diese Person sagt, dass...

1. sie der Nachbarin mit ihrem Vater hilft.
2. sie die Postdirektorin ist.
3. ihre Mutter in Frankfurt lebt.
4. sie die indischen Nachbarn besser gekannt hat als die deutschen.
5. sie gut mit ihren Nachbarn zusammenlebt.
6. ihr der Nachbarsjunge oft hilft.
7. sie in Ludwigsburg wohnt.
8. die Menschen in Deutschland privater sind.
9. er die Nachbarn im Mietshaus nicht kennt.

CD
Track 8

1. Irene
2. Frau Weiss
3. Nivedita
4. Nivedita
5. Frau Weiss
6. Frau Weiss
7. Irene
8. Sarnath
9. Sarnath

5 Welches Wort fehlt? Geben Sie die richtige Antwort!

1. Ludwigsburg ist eine ___ von Stuttgart entfernt.
2. Irene hilft den Nachbarn beim Einkaufen und im ___ .
3. Die Tochter der Nachbarn ist bei Irene in der ___ .
4. Frau Weiss hat ihr ___ ein paar Häuser vom Rathaus.
5. Frau Weiss schreibt einen Betrag an die ___ .
6. Wenn Frau Weiss Hilfe braucht, kommt der ___ .
7. In Indien hat Nivedita mit den Nachbarn guten ___ .
8. Sarnath kennt die Nachbarn im ___ nicht.

1. Stunde
2. Garten
3. Klasse
4. Geschäft
5. Tafel
6. Nachbarsjunge
7. Kontakt
8. Mietshaus

ROLLENSPIEL

Spielen Sie dieses Rollenspiel mit zwei Personen! Die erste Person ist der neue Nachbar oder die neue Nachbarin und braucht Hilfe, weil er oder sie in die neue Wohnung zieht. Sie bittet die zweite Person um Hilfe. Die zweite Person hilft gern, will aber mehr über den neuen Nachbarn oder die neue Nachbarin wissen.

SPRACHE

als, wenn, wann

Three different words can be used for "when," depending on the context.

Wann is a question word used for situations in which you are asking about a time when something occurs. You can use *wann* for questions in any tense, present or past.

Wann gehst du in die Stadt?	When are you going downtown?
Wann war dein Geburtstag?	When was your birthday?
Wann wirst du die Reise machen?	When will you take the trip?

Wann functions as a subordinating conjunction when it introduces a subordinate clause.

Wissen Sie, wann die Party ist?	Do you know when the party is?

Als is not a question word, but a subordinating conjunction that indicates when past events occurred.

Das Kind weinte, als es vom Fahrrad fiel.	The child cried when it fell off the bike.
Als wir nach Deutschland gereist sind, sind wir mit der Lufthansa geflogen.	When we went to Germany, we flew with Lufthansa.

Wenn is used for present and future events.

Wenn ich früh aufstehe, bin ich den ganzen Tag müde.　　When I get up early, I'm tired the whole day.

Wenn ich Zeit habe, besuche ich meine Freunde in Köln.　　When I have time, I visit my friends in Cologne.

Wenn is also used for past and present events that occurred or occur repeatedly.

Ich habe als Kind jedes Mal gemault, wenn ich mir die Zähne putzen musste.　　As a child I complained every time I had to brush my teeth.

WB Activities 5–9

6 *Vater hat seinen Ehering* (wedding ring) *verloren.* **Benutzen Sie** *als, wenn,* **oder** *wann,* **um herauszufinden, was passiert ist!**

Christian:　___ macht ihr sauber?

Maria:　Jeden Samstagvormittag.

Wann, Als, als, Wann, Als, wenn, wann, Als, Wann, wenn

Christian:　Ist letzten Samstag etwas Besonderes passiert?

Maria:　Ja! ___ wir gestaubsaugt haben, hat mein Vater seinen Ehering verloren. Und ___ meine Mutter das gehört hat, ist sie ausgeflippt.

Christian:　___ hat euer Vater gesehen, dass sein Ring weg war?

Maria:　___ er sich die Hände gewaschen hat. Er wäscht sich immer die Hände, ___ er nicht arbeiten will!

Christian:　Und ___ habt ihr den Ring wiedergefunden?

Maria:　___ meine Mutter im Schlafzimmer aufgeräumt hat. Aber sie hat zu meinem Vater gesagt: „ ___ passt du endlich besser auf deinen Ring auf? Ich gebe dir den Ring nur dann wieder, ___ du mir eine neue Uhr kaufst!"

7 *Schreiben Sie Sätze mit den Teilen!* **Passen Sie auf, dass Sie die richtige Zeitform benutzen!** ⬡TN

1. Als / wir / ankommen / in München / meine Freunde / warten / auf uns
2. Wenn / ich / meine Tante / zum Geburtstag / anrufen / sie / sein / immer froh
3. Wissen Sie / wann / die Schmidts / machen / nächstes Jahr / Ferien
4. Wann / wir / putzen / zum letzten Mal / die Wohnung
5. Sein / du / froh / als / du / früh aufstehen
6. Wann / Sie / gehen / am Abend / ins Bett
7. Als / ich / jung / sein / ich / mein Zimmer / immer aufräumen
8. Wenn / wir / gehen / ins Kino / ich / kaufen / immer die Karten

1. Als wir in München ankamen, warteten meine Freunde auf uns.
2. Wenn ich meine Tante zum Geburtstag anrufe, ist sie immer froh.
3. Wissen Sie, wann die Schmidts nächstes Jahr Ferien machen?
4. Wann haben wir zum letzten Mal die Wohnung geputzt?
5. Warst du froh, als du früh aufgestanden bist?
6. Wann gehen Sie am Abend ins Bett?
7. Als ich jung war, habe ich mein Zimmer immer aufgeräumt.
8. Wenn wir ins Kino gehen, kaufe ich immer die Karten.

Länder, Kantone und Provinzen

Die Schweiz und Zürich

Die Schweiz ist ein kleines Land, wo die Besucher viel sehen können. Wenn man von der Schweiz hört, denkt man an Uhren, Schmuck, Schokolade, Berge und lange Traditionen. In den 26 Kantonen der Schweiz sprechen die Einwohner vier verschiedene Sprachen. Die meisten Leute (70%) sprechen deutsch. Im westlichen Teil der Schweiz, der an Frankreich grenzt, sprechen die Leute mehr französisch (19%). Im Tessin, einem Kanton im Süden der Schweiz, spricht man italienisch (10%). Die vierte Sprache ist Rätoromanisch. Das ist eine sehr alte Sprache, die nur sehr wenige Menschen sprechen (1%). Man spricht sie im Kanton Graubünden, der im Südosten der Schweiz liegt. Aber alle vier Sprachen sind offizielle Sprachen der Schweiz.

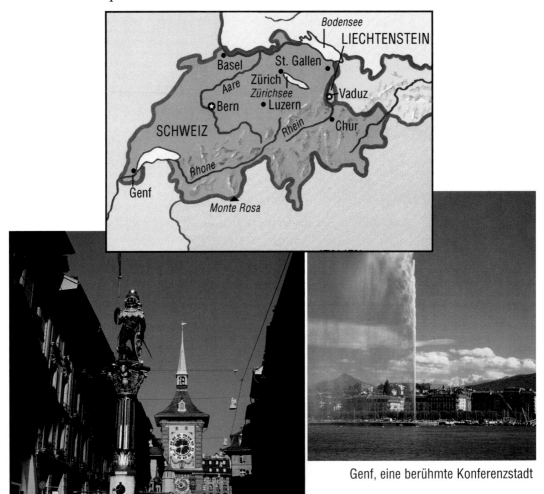

Bern, die Hauptstadt

Genf, eine berühmte Konferenzstadt

Das Großmünster in Zürich

Luzern mit der schönen alten Brücke

In der Schweiz gibt es viele schöne Städte: Bern, die Hauptstadt des Landes; Genf, eine berühmte Konferenzstadt; Luzern mit seiner schönen alten Brücke; und natürlich Zürich, die größte Stadt der Schweiz. Zürich liegt am Zürichsee. Zürich hat eine lange Geschichte. Schon vor ungefähr 2 000 Jahren waren die Römer° hier. Man kann noch ein Haus aus dieser Zeit sehen. Auch die Könige und Kaiser im Mittelalter fanden diese Stadt so wichtig, dass sie sie immer wieder besuchten. Im 10. Jahrhundert gewann Zürich großen Einfluss, den die Stadt bis heute noch hat.

Viele Gebäude° in Zürich sind Zeugen° dafür, wie alt diese Stadt ist. Das Großmünster°, zum Beispiel, ist eine Kirche mit zwei Türmen° aus dem 11. Jahrhundert. Wenn man diese Kirche besichtigt, kann man Elemente aus den verschiedenen Jahrhunderten finden. Es gibt eine interessante Geschichte, die erklärt, warum die Kirche an diesem Ort steht. Die Römer enthaupteten° zwei Menschen in Zürich, die Geschwister Felix und Regula. Die beiden nahmen danach ihre Köpfe unter den Arm und gingen auf einen kleinen Berg. Karl der Große fand ihr Grab° und ließ die Kirche an dieser Stelle bauen. Deshalb gibt es auf diesen Türmen eine Statue Karls des Großen (742–814). Im 16. Jahrhundert war das Großmünster sehr berühmt, weil Huldrych Zwingli in dieser Kirche arbeitete. Er wollte wie Martin Luther die katholische Kirche reformieren. Er war aber so radikal, dass sogar Martin Luther Angst vor ihm hatte.

Aber auch die heutige Zeit hat Einfluss auf Zürich. Zürich ist ein großes Wirtschafts- und Kulturzentrum°. In der Stadt kann man viele Banken und viele moderne Firmen sehen. Aber auch die moderne Kunst gehört zu Zürich.

Lektion A

Zürich liegt am Zürichsee.

Ein Beispiel ist das „Heidi-Weber-Haus". Es war das letzte Haus, das der französisch-schweizerische Architekt Le Corbusier baute. Bei so vielen verschiedenen Attraktionen ist eines sicher: Zürich ist ein Zeuge der Zeit und eine Reise wert°!

(*der Römer* Roman; *das Gebäude* building; *der Zeuge* witness; *das Großmünster* Grand Cathedral; *der Turm* tower; *enthaupten* to behead; *das Grab* grave; *das Wirtschafts- und Kulturzentrum* economic and cultural center; *wert sein* to be worth)

WB Activities 10–11

emcp.com

CD
Track 10

Was stimmt hier nicht?

1. Die Schweiz hat fünfzehn Kantone.
2. 70% der Leute sprechen französisch.
3. Zürich ist die Hauptstadt der Schweiz.
4. In Luzern gibt es eine neue Brücke.
5. Zürich liegt in den Bergen.
6. Bern ist die größte Stadt in der Schweiz.
7. Schon die Griechen waren in Zürich.
8. Das Großmünster ist eine Kirche mit zwei Fenstern.
9. Martin Luther hat die katholische Kirche gebaut.
10. Le Corbusier war ein Maler.

1. 15 - 26 Kantone
2. französisch - deutsch
3. Zürich - Bern
4. neue - alte
5. in den Bergen - an einem See
6. Bern - Zürich
7. Griechen - Römer
8. Fenstern - Türmen
9. gebaut - reformiert
10. Maler - Architekt

9 Was passt zusammen?

1. Die Schweiz ist ein kleines Land,
2. Die meisten Leute in der Schweiz
3. Der westliche Teil der Schweiz grenzt
4. Im Tessin sprechen
5. Rätoromanisch ist eine alte Sprache,
6. Viele Gebäude in Zürich sind
7. Im 10. Jahrhundert gewann Zürich
8. Das „Heidi-Weber-Haus" ist

a. Zeugen des hohen Alters der Stadt.
b. wo man viel sehen kann.
c. das letzte Haus von Le Corbusier.
d. an Frankreich.
e. die Leute italienisch.
f. wirtschaftlichen Einfluss.
g. die nur wenige Leute sprechen.
h. sprechen deutsch.

1b, 2h, 3d, 4e, 5g, 6a, 7f, 8c

An welches Land grenzt die Schweiz im Westen?

Wörter und Ausdrücke

ADDITIONAL FAMILY MEMBERS

der Urgroßvater great-grandfather
die Urgroßmutter great-grandmother
das Enkelkind grandchild
die Enkelin granddaughter
der Enkel grandson
das Ehepaar married couple
der Ehemann husband
die Ehefrau wife
der Schwager brother-in-law
die Schwägerin sister-in-law
der Stiefvater stepfather
die Stiefmutter stepmother
das Stiefkind stepchild
der Stiefsohn stepson
die Stieftochter stepdaughter
die Stiefschwester stepsister
die Nichte niece
der Neffe nephew

IDENTIFYING MARITAL STATUS

alleinstehend single, unmarried
geschieden divorced
verheiratet married
unverheiratet unmarried, single

EXPRESSING MOOD

Meine Güte! My goodness!
lustig funny
ärgern to annoy
lachen to laugh
sich benehmen to behave

LEKTION B

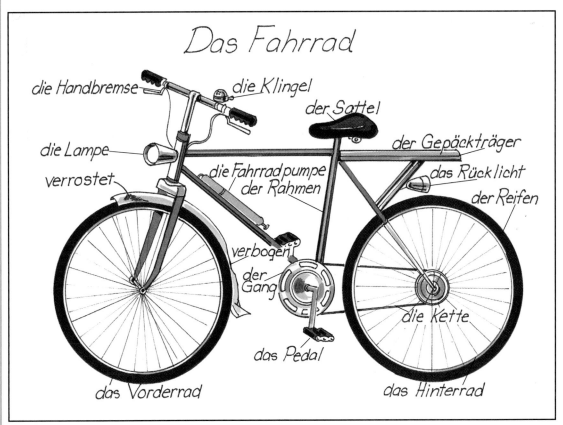

Das Fahrrad

die Handbremse

die Klingel

der Sattel

die Lampe

der Gepäckträger

verrostet

die Fahrradpumpe
der Rahmen

das Rücklicht

der Reifen

verbogen

der Gang

die Kette

das Pedal

das Vorderrad

das Hinterrad

WB Activity 12

Mit dem Fahrrad kommt man überall hin.

Martins Fahrradprobleme

Der Mechaniker repariert jeden Tag Fahrräder für seine Kunden.

Martin ruft beim Fahrradhaus Klein an.

Mechaniker:	Guten Tag! Hier Fahrradhaus Klein.
Martin:	Guten Tag! Hier Martin Simmer. Ich habe von meinem Großvater ein altes Rad bekommen. Das Rad hat einige Probleme und ich möchte wissen, wie viel die Reparatur kostet.
Mechaniker:	Was ist denn alles kaputt?
Martin:	Das Rad hat kein Rücklicht. Die Handbremse funktioniert nicht. Das Vorderrad ist verbogen und das Hinterrad hat einen platten Reifen.
Mechaniker:	Ist die Kette noch in Ordnung?
Martin:	Nein, das habe ich ganz vergessen. Sie ist ganz verrostet.
Mechaniker:	Ja, das passiert oft bei alten Rädern. Und Sie wollen wissen, wie viel es kostet. Also, Sie brauchen sicher ein neues Vorderrad, weil das Fahrrad schon alt ist. Ein Rücklicht ist nicht so teuer, nur um die 20 Euro. Und die Handbremse braucht vielleicht nur etwas Öl. Den Reifen kann ich Ihnen auch auswechseln. Es ist aber besser, wenn Sie hier vorbeikommen, so dass ich mir das Rad einmal ansehen kann. Dann kann ich Ihnen auch einen genaueren Preis sagen.
Martin:	Heute habe ich keine Zeit. Aber morgen früh kann ich kommen. Geht das?

Lektion B

Mechaniker:	Das ist kein Problem. Wir machen um 8 Uhr 30 auf.
Martin:	Gut, dann bis morgen.
Mechaniker:	Ja, bis dann.
Martin:	Auf Wiederhören!
Mechaniker:	Wiederhören! **WB** Activities 13–14

10 Wovon spricht man hier? Schreiben Sie jedes Wort im Singular und mit dem Artikel!

1. die Klingel
2. das Rücklicht
3. die Fahrradpumpe
4. das Pedal
5. der Reifen
6. der Gang
7. die Handbremse
8. der Gepäckträger
9. der Sattel
10. der Scheinwerfer

1. Man hört das und lässt damit die Leute wissen, dass sie aufpassen müssen.

2. Man braucht es, wenn es dunkel ist. Dann können andere Radfahrer hinter dem Fahrer sehen, dass da einer vorn auf einem Rad fährt.

3. Wenn in dem Reifen nicht genug Luft ist, dann braucht man sie.

4. Beim Fahren sind beide Füße darauf.

5. Ein Rad hat zwei davon. Da ist Luft drin.

6. Ein Mountainbike und auch ein Auto haben ein paar davon. Man braucht sie, wenn man nach oben oder nach unten fährt.

7. Damit kann man sein Fahrrad mit der Hand anhalten.

8. Das ist ein Platz für den Rucksack.

9. Darauf sitzt man.

10. Das braucht man, damit man die Fußgänger, Autofahrer und Radfahrer sehen kann, wenn es dunkel ist.

ROLLENSPIEL

Jetzt sind Sie an der Reihe. Arbeiten Sie mit einer zweiten Person! Eine Person hat vor drei Wochen ein Fahrrad zur Reparatur gebracht. Es sollte vor zwei Wochen fertig sein, aber der Mechaniker oder die Mechanikerin sagt, dass es noch immer nicht fertig ist. Was tun Sie?

Die zweite Person ist der Mechaniker oder die Mechanikerin. Sie haben das Fahrrad noch immer nicht repariert. Finden Sie eine gute Ausrede *(excuse)*, warum es noch immer nicht fertig ist!

Auch mit einfachen Fahrrädern kann man gut einkaufen.

Von einem Ort zum andern

Das Fahrrad

Das Fahrrad ist ein beliebtes Transportmittel in den deutschsprachigen° Ländern. Man fängt dort schon früh mit dem Radfahren an. Die Kinder lernen in der Schule die Verkehrsregeln° und machen dann eine praktische Prüfung mit ihrem Rad, so dass sie auch ohne Erwachsene fahren dürfen.

Viele Leute fahren jeden Tag mit ihrem Fahrrad. Besonders kurze Strecken fahren die meisten Leute lieber mit dem Rad als mit dem Auto oder Bus. Viele kaufen zum Beispiel mit ihrem Fahrrad ein. Dann müssen sie ihr Essen und ihre Getränke nicht

Mit dem Fahrrad kommt man schneller durch die Stadt.

nach Hause tragen. Das ist der Grund, warum fast alle Räder, die man in deutschsprachigen Ländern kauft, einen Gepäckträger haben. Und alle Fahrräder müssen einen Scheinwerfer haben, damit sie auch in der Nacht° fahren dürfen. In der Innenstadt ist das Rad fast so schnell wie ein Auto, weil die Autos hier langsam fahren müssen. Und man kann es leichter parken und das Radfahren verschmutzt° die Luft und die Umwelt nicht. Deshalb versuchen manche Städte, die Menschen zu motivieren, noch mehr Rad zu fahren. In Ingolstadt in Bayern zum Beispiel gibt es 350 Räder im Stadtzentrum. Sie sind gelb und alle Leute können sie in der Stadt kostenlos° benutzen.

An Wochenenden fährt oft die ganze Familie mit dem Rad eine längere Strecke. Auf diesen Radtouren kann man sich gut erholen° und etwas für die Gesundheit° tun. Das macht Spaß und hält fit.

WB Activities 15–16

(*deutschsprachig* German-speaking; *die Verkehrsregel* traffic rule; *die Nacht* night; *verschmutzen* to pollute; *kostenlos* free, without charge; *sich erholen* to relax, recover; *die Gesundheit* health)

11 Was passt hier?

1. Verkehrsregeln
2. Strecken
3. Gepäckträger
4. Lampe
5. Innenstadt
6. Umwelt
7. (Fahr)Räder
8. Radtour

1. Mit den ___ weiß man, was man auf der Straße machen muss und darf.
2. Viele Leute nehmen ihr Fahrrad, wenn sie keine langen ___ fahren müssen.
3. Auf dem ___ kann man transportieren, was man gekauft hat.
4. Wenn man spät am Abend mit dem Rad fährt, braucht man eine ___.
5. Weil der Verkehr in der ___ so langsam ist, fahren viele Leute lieber mit dem Rad.
6. Außerdem ist das Fahrrad gut für die ___, weil es sie nicht verschmutzt.
7. Damit die Leute noch mehr Rad fahren, gibt es in manchen Städten kostenlose ___, die man in der Stadt benutzen kann.
8. Am Samstag und Sonntag kann sich die ganze Familie bei einer ___ erholen.

Relative Pronouns

Relative clauses are a kind of subordinate clause. Like subordinating conjunctions, relative pronouns push the main verb to the end of the clause. Like other pronouns, relative pronouns replace a noun. Usually they directly follow the noun they describe.

Relative pronouns can appear in the nominative, accusative, dative and genitive cases. You use relative clauses to provide more information about a noun in the main clause. To determine the case of the relative pronoun, check the following: (1) the gender of the noun it refers to—masculine, feminine, neuter; (2) the number (singular or plural) and (3) the role of the relative pronoun in the subordinate clause—subject, direct object or indirect object. The redundant noun is deleted in the relative clause.

A relative pronoun can be the subject (nominative) of the relative clause:

main clause	Der Freund	+	kommt am Montag.
subordinate clause		Der ~~Freund~~	hat Geburtstag.
	Der Freund,	der Geburtstag hat,	kommt am Montag.

The friend, who has a birthday, is coming on Monday.

A relative pronoun may be the direct object (accusative) of the relative clause:

main clause	Der Freund	+	kommt am Montag.
subordinate clause	Ich habe	den ~~Freund~~	lange nicht gesehen.
	Der Freund,	den ich lange nicht gesehen habe,	kommt am Montag.

The friend, whom I have not seen for a long time, is coming on Monday.

A relative pronoun may be the indirect object (dative) of the relative clause:

main clause	Der Freund	+	kommt am Montag.
subordinate clause	Ich schenke	dem ~~Freund~~	ein Buch zum Geburtstag.
	Der Freund,	dem ich ein Buch zum Geburtstag schenke,	kommt am Montag.

The friend, to whom I am giving a book for his birthday, is coming on Monday.

The relative pronouns are identical to the definite articles except for the dative plural form.

	masculine	feminine	neuter	plural
nominative	der	die	das	die
accusative	den	die	das	die
dative	dem	der	dem	**denen**

WB Activities 17–18

12 Kombinieren Sie die Sätze! Benutzen Sie Relativpronomen im Nominativ, um die Sätze zu verbinden!

➤ Das Kind, ____, geht heute Abend ins Theater.
Das Kind trägt einen roten Rock.

Das Kind, das einen roten Rock trägt, geht heute Abend ins Theater.

1. Der Schüler, ___, sieht toll aus.
   Der Schüler trägt eine bunte Jacke.
2. Die Lehrerin, ___, ist nett.
   Die Lehrerin unterrichtet Deutsch.
3. Das Mädchen, ___, lebt gern in Deutschland.
   Das Mädchen wohnt in Trier.
4. Die Lehrer, ___, erkennen gute Schüler.
   Die Lehrer sind klug.
5. Die Bücher, ___, sind interessant.
   Die Bücher kommen aus Berlin.
6. Der Computer, ___, ist teuer.
   Der Computer ist neu.
7. Die Blume, ___, ist sehr schön.
   Die Blume steht im Garten.
8. Die Flugzeuge, ____, sind lange geflogen.
   Die Flugzeuge landen jetzt.

1. Der Schüler, der eine bunte Jacke trägt, sieht toll aus.
2. Die Lehrerin, die Deutsch unterrichtet, ist nett.
3. Das Mädchen, das in Trier wohnt, lebt gern in Deutschland.
4. Die Lehrer, die klug sind, erkennen gute Schüler.
5. Die Bücher, die aus Berlin kommen, sind interessant.
6. Der Computer, der neu ist, ist teuer.
7. Die Blume, die im Garten steht, ist sehr schön.
8. Die Flugzeuge, die jetzt landen, sind lange geflogen.

13 Kombinieren Sie!

Die Tante	meine Oma sehr gern hat	ist unverheiratet
Der Onkel	alleinstehend ist	war früher verheiratet
Die Cousine	wir besuchen	heißt Franz
Die Eltern	geschieden ist	sieht gern Fußball
Der Cousin	zwei Töchter haben	wohnt in Berlin
Das Enkelkind	keine Geschwister hat	heißen Silvia und Bernd

14 Welches Relativpronomen passt hier am besten?

1. Wir wohnen in der Straße, ___ hinter dem Supermarkt ist.
2. Das ist ein Wort, ___ ich noch nie gehört habe.
3. Kennen Sie den Mann, ___ die Busreise macht?
4. Wer ist die Frau, ___ so viel fotografiert?
5. Die Kinder, ___ er die Fotos gezeigt hat, haben sehr gelacht.
6. Ich kenne das Restaurant, ___ du so schön findest.
7. Die Nachbarin, ___ ich helfen will, ist sehr freundlich.
8. Wo ist das Kind, ___ ich das Buch gegeben habe?
9. Wann kommt der Zug, ___ nach Berlin fährt?
10. Das ist nicht das Motorrad, ___ ich gern kaufen möchte.
11. Wann kommen die Gäste, ___ wir zum Geburtstag eingeladen haben?
12. Wo ist der Computer, ___ wir für Katja gekauft haben?

1. die
2. das
3. der
4. die
5. denen
6. das
7. der
8. dem
9. der
10. das
11. die
12. den

CD
Track 14

TN

MENSCHEN UND MÄCHTE

Die letzte deutsche Kaiserin
Im 11. Jahrhundert

Wenn Sie nach Speyer, Aachen, Bamberg oder Goslar fahren, finden Sie dort die Zeugen einer Zeit, die wir Mittelalter nennen. Das frühe Mittelalter geht von 500 bis 1000. Dann folgt das hohe Mittelalter.

Das elfte Jahrhundert (1000–1099) war eine wichtige und interessante Zeit, weil es mit der Jahrtausendwende° begann, wie das Jahr 2000. In diesem Jahrhundert spielte Religion eine große Rolle. Es war die Zeit des ersten Kreuzzuges° (1096–1099); 330 000 Leute zogen in das Heilige Land°, aber nur 40 000 kamen in Jerusalem an. Die Klöster° waren wichtige Orte für das Lernen und das Wissen über Naturwissenschaften und Technik. Aber

Speyer mit dem Dom

Ostseite des Domes

Goslar

das Leben im 11. Jahrhundert war immer noch sehr schwer: die Leute wurden im Durchschnitt° nur 35 Jahre alt. Die Schulen wurden immer besser: man lernte Schreiben, Grammatik, Rhetorik und Latein. In diesen Jahren spielten die Deutschen noch eine sehr wichtige Rolle in Rom. Sechs Deutsche wurden zwischen 996 und 1085 Papst°. Die deutschen Kaiser hatten in der europäischen Politik das Sagen und konnten in Italien und Frankreich aktive Politik treiben. Das wurde ab der Mitte des 11. Jahrhunderts anders. **emcp.com**

(*die Jahrtausendwende* turn of the millennium; *der Kreuzzug* Crusade; *das Heilige Land* Holy Land; *das Kloster* cloister, monastery; *im Durchschnitt* on the average; *der Papst* pope)

🔘 Track 15

15 Beantworten Sie diese Fragen!

1. In welchen Städten findet man Zeugen der Zeit, die man Mittelalter nennt?
2. Wann beginnt das frühe Mittelalter?
3. Warum ist das Jahr 1000 wie das Jahr 2000?
4. In welchem Jahrhundert war der erste Kreuzzug?
5. Wohin zogen die Leute auf dem Kreuzzug?
6. Wo waren wichtige Orte für das Lernen und das Wissen in dieser Zeit?
7. Wie alt wurden die Menschen im 11. Jahrhundert?
8. Was lernte man in den Schulen?
9. Aus welchem Land kamen viele Päpste im 11. Jahrhundert?
10. In welchen europäischen Ländern hatten die deutschen Kaiser auch Einfluss?

In Aachen ist immer etwas los.

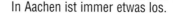

1. In Speyer, Aachen, Bamberg und Goslar.
2. Im Jahr 500.
3. Es war auch eine Jahrtausendwende.
4. Im 11. Jahrhundert.
5. In das Heilige Land, nach Jerusalem.
6. Die Klöster.
7. 35 Jahre.
8. Schreiben, Grammatik, Rhetorik und Latein.
9. Aus Deutschland.
10. In Italien und Frankreich.

Agnes von Poitou

> Steckbrief
>
> Name: Agnes von Poitou
> Geburtstag: unbekannter Tag im Jahr 1025
> Eltern: Vater, Wilhelm von Aquitanien
> Beruf: Kaiserin des Deutschen Reiches
> Ehemann: Heinrich III.
> Kinder: Heinrich IV.
> Todestag: 14. 12. 1077
> Wichtigster Tag: 25. 12. 1046 Agnes wird Kaiserin

Agnes von Poitou wurde Königin. Die bescheidene°, religiöse Frau kam aus
Frankreich und wurde die Frau des deutschen Königs Heinrich III. Die beiden
hatten im November 1043 in Ingelheim geheiratet°. Seit dem 25.12.1046 war sie
dann Kaiserin und ihr Mann war Kaiser. (Ein König regierte° in einem Land, aber
ein Kaiser in mehreren Ländern.) Die beiden regierten ein Reich, das größer war
als Deutschland heute. Aber ihr Mann Heinrich III. lebte nicht lange. Er starb am
5. Oktober 1056 und sein kleiner Sohn Heinrich IV. war noch viel zu jung zum
Regieren. Deshalb musste die Mutter Agnes die politischen Geschäfte führen.

Agnes regierte ab 1056 das deutsche Reich für ihren Sohn Heinrich. Die
deutschen Fürsten waren mit ihrer religiösen Politik und der Verbindung zum
Papst in Rom aber nicht zufrieden°. Sie wollten, dass Agnes nicht mehr Kaiserin
war und machten einen Plan. Sie entführten° Heinrich. So steht es in den
Annalen, die Lampert von Hersfeld schrieb:

> Der Erzbischof° von Köln fuhr auf einem Schiff zur Insel Kaiserswert, wo der
> König war. Als der König nach einem großen Essen besonders guter Laune°
> war, lud ihn der Bischof ein, sein Schiff anzusehen. Der arglose° Knabe° ging
> ohne Angst auf das Schiff. Nachdem er auf dem Schiff war, umringten° ihn
> Leute und sie fuhren das Schiff mit starken Ruderschlägen° sehr schnell in
> die Mitte des Flusses. Der König bekam Angst, weil er dachte, die Leute
> wollten ihn töten° und er sprang in den Rhein. Der Graf Eckbert sprang
> schnell hinterher° und rettete ihm das Leben. Als er wieder auf dem Schiff
> war, versuchten sie ihn zu beruhigen° und führten ihn nach Köln.

Agnes wusste, dass die Politik für sie und ihren Sohn zu gefährlich° war. Im April 1062
gab Agnes ihre Macht ab° und ging in den Süden. Sie wollte von der Politik nichts
mehr wissen und wanderte nach Italien und Rom, um ein religiöses Leben zu führen.
Dort lebte sie in einem Kloster, bis sie starb. Ihr Sohn Heinrich IV. aber wurde Kaiser
und hatte seine eigenen Probleme mit dem Papst. Nach diesem Jahrhundert wurde
kein Deutscher mehr Papst in Rom und die Französin Agnes von Poitou war die letzte
Frau, die deutsche Kaiserin war.

(*bescheiden* modest; *heiraten* to marry; *regieren* to rule; *zufrieden* satisfied; *entführen* to abduct; *der
Erzbischof* archbishop; *die Laune* mood; *arglos* unsuspecting; *der Knabe* boy; *umringen* to surround; *der
Ruderschlag* oar stroke; *töten* to kill; *hinterherspringen* to jump after; *beruhigen* to calm down; *gefährlich*
dangerous; *abgeben* to give up, relinquish)

16 *Von wem spricht man hier? Wer war(en) die Person(en), die...?*

1. Agnes vom Poitou heiratete
2. ab 1056 Deutschland regierte
3. mit der Politik Agnes nicht zufrieden waren
4. über die Entführung von Heinrich IV. schrieb
5. mit einem Schiff zur Insel Kaiserswert fuhr
6. Heinrich IV. das Leben rettete
7. Probleme mit dem Papst hatte
8. von der Politk nichts mehr wissen wollte

Köln

1. Heinrich III.	4. Lampert von Hersfeld.	7. Heinrich IV.
2. Agnes von Poitou.	5. Der Erzbischof von Köln.	8. Agnes von Poitou.
3. Die deutschen Fürsten.	6. Graf Eckbert.	

SPRACHE

Present Subjunctive II: Polite Requests and Wishes

When you make polite requests and suggestions in German, you use a special form of the verb called subjunctive II. The endings for these verbs are identical to the narrative past endings of regular verbs (see Chapter 2).

The present subjunctive forms of *werden - würde; haben - hätte* and *sein - wäre* work much the same way in German as "would" does in English:

Würdest du bitte nicht so laut reden?	Would you please not talk so loudly?
Hätten Sie vielleicht den neuen Roman?	Would you happen to have the new novel?
Wärest du bitte leiser?	Would you please be quieter?

You can also express wishes with these verb forms and *wenn...nur.* In English these kinds of statements usually begin with "if only."

Wenn du nur dein Zimmer aufräumen würdest!	If only you would clean up your room!
Wenn wir nur weniger Arbeit hätten!	If only we had less work!
Wenn ich nur nicht krank wäre!	If only I weren't sick!

WB Activities 20–22

17 *Diese Nachbarn!* **Sie haben nette Nachbarn, aber manchmal können sie Sie richtig ärgern. Was sollten Ihre Nachbarn *nicht* machen? Benutzen Sie *nur nicht* in Ihren Antworten.**

➤ Sie mähen den Rasen am frühen Morgen.
Wenn sie nur nicht den Rasen am frühen Morgen mähen würden.

1. Sie spielen immer laute Musik.
2. Sie schreien so viel.
3. Sie parken vor unserem Haus.
4. Sie verlieren so oft unser Werkzeug.
5. Sie stellen den Müll vor die Haustür.
6. Sie hupen so laut vor der Tür.
7. Sie machen so viel Lärm im Garten.
8. Sie reparieren ihr Auto am Samstagmorgen um sechs Uhr.

Wenn sie nur nicht...
1. immer laute Musik spielen würden.
2. so viel schreien würden.
3. vor unserem Haus parken würden.
4. so oft unser Werkzeug verlieren würden.
5. den Müll vor die Haustür stellen würden.
6. so laut vor der Tür hupen würden.
7. so viel Lärm im Garten machen würden.
8. ihr Auto am Samstagmorgen um sechs Uhr reparieren würden.

18 *Im Restaurant.* **Sie sind in einem romantischen Restaurant und wollen etwas bestellen. Bitten Sie den Kellner um verschiedene Dinge! Vergessen Sie nicht, „bitte" zu sagen!**

➤ uns einen Tisch im Garten geben
Würden Sie uns bitte einen Tisch im Garten geben?

➤ einen Platz frei haben
Hätten Sie bitte einen Platz frei?

1. eine Getränkekarte haben
2. uns die Speisekarte bringen
3. die Spezialität des Hauses erklären
4. uns sagen, was heute gut ist
5. ein besonders gutes Getränk vorschlagen
6. ein Mineralwasser haben
7. uns die Nachtische zeigen
8. uns die Rechnung bringen

1. Hätten Sie bitte eine Getränkekarte?
2. Würden Sie uns bitte die Speisekarte bringen?
3. Würden Sie bitte die Spezialität des Hauses erklären?
4. Würden Sie uns bitte sagen, was heute gut ist?
5. Würden Sie bitte ein besonders gutes Getränk vorschlagen?
6. Hätten Sie bitte ein Mineralwasser?
7. Würden Sie uns bitte die Nachtische zeigen?
8. Würden Sie uns bitte die Rechnung bringen?

Würden Sie uns bitte zwei Tassen Kaffee bringen?

Kapitel 3

SPRACHE

Compound Nouns

German has many compound nouns. An example from the text is *"Martins Fahrradprobleme."* You could also say *Probleme mit dem Fahrrad,* but the compound noun *(Fahrradprobleme)* is shorter and more efficient. Sometimes the two nouns are connected with an *-s: Verkehr-s-regel.* The last part of the compound determines the gender. Knowing one part of the noun will sometimes allow you to guess what the whole word means.

WB Activity 23

19 ***Wortsalat.* Hier haben Sie zwei Schüsseln mit zusammengesetzten Wörtern aus diesem Kapitel. Die Wörter sind nicht mehr zusammen. Setzen Sie sie wieder zusammen und geben Sie den Artikel für das Wort an!**

Jahrtausend
Gepäck   Rad   Natur   Ehe
Zeit   Sport   Computer
Transport   Fahrrad   Hand

der Gepäckträger, die Jahrtausendwende, das Ehepaar, die Naturwissenschaften, die Zeitschrift, die Sportart, das Computernetz, das Transportmittel, der Fahrradmechaniker, die Handbremse, die Radtour

Art   Tour
Träger   Netz   Bremse
Paar   Wende   Wissenschaften
Mechaniker   Mittel   Schrift

Schiffe sind wichtige Transportmittel.

Lektion B

20 Hier sind Wörter, die alle mit „Schul-" beginnen. Sehen Sie sich die Zeichnungen an und bilden Sie dann ein zusammengesetztes Wort!

➤ die Arbeit / die Schularbeit

1. das Gebäude / das Schulgebäude
2. der Bus / der Schulbus
3. die Stunde / die Schulstunde
4. die Tasche / die Schultasche
5. der Arzt / der Schularzt
6. die Zeitung / die Schulzeitung

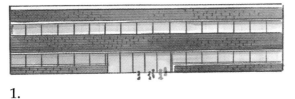

1.

2.

3.

4.

5.

6.

Aktuelles

Mountainbiking

Renate Tscherning, 16, lebt in Zürich in der Schweiz. Dieser Ort ist sehr bekannt für seine Berge, die viele Touristen in die Schweizer Alpen bringen. Im Winter fahren die Leute hier Ski und im Sommer kann man hier wandern. In den letzten Jahren aber wird eine Sportart hier immer beliebter: Mountainbiking.

„Ich bin sehr sportlich."

Renate gehört zu den Leuten, die mit ihrem Fahrrad vom Berg fahren. Renate erzählt, wie sie anfing, Mountainbike zu fahren: „Ich bin sehr sportlich. Ich fahre im Winter Ski und in der Schulzeit spiele ich Fußball. Im Sommer aber habe ich oft nicht gewusst, was ich tun soll, bis mein Bruder Sebastian eines Tages eine Zeitschrift für Mountainbikes nach Hause brachte. Ich habe sie von Anfang bis zum Ende gelesen. Ich war sofort von diesem Sport fasziniert und ich wusste, dass ich Mountainbiking selbst versuchen wollte.

Wo lebt Renate?

Meine Eltern hatten zuerst Angst, dass Mountainbiking nur eine Phase sein würde und ich nach drei Wochen kein Interesse mehr an meinem Mountainbike haben würde. Aber dann haben sie mir zum 13. Geburtstag doch ein Mountainbike geschenkt. Und jetzt fahre ich schon drei Jahre und dieses Hobby gefällt mir immer besser. Meine Eltern waren auch besorgt°, dass dieser Sport zu gefährlich ist, weil ich sehr schnell fahre. Aber ich hatte bis heute nur kleine Unfälle, was ganz normal ist."

Warum sie diesen Sport mag, erklärt Renate so: „Ich bin gern draußen, wenn ich Sport treibe. Die Natur ist ein wichtiger Teil dieses Sportes. Das Fahren ist ganz verschieden auf den einzelnen Strecken. Aber am besten gefällt mir, wie schnell man fahren kann. Wenn man zuerst den Berg langsam hinauffährt° und dann endlich schnell hinunterfährt°, das ist schon ein tolles Gefühl."

Jetzt ist Renate Mitglied in einem Mountainbike-Klub. Dreimal in der Woche treffen sich die Jugendlichen und trainieren zusammen. Das macht viel Spaß und macht die Motivation größer. Außerdem lernen die Klubmitglieder, wie man ein Rad repariert und wie man Unfälle vermeiden° kann. Renate meint: „Dieser Teil meines Trainings ist fast so wichtig wie das Fahren selbst. Ich möchte alles über mein Rad wissen. Wenn ich Probleme mit dem Rad bekomme, bin ich oft allein. Dann ist es gut, wenn ich weiß, wie ich mir selbst helfen kann. Und Sicherheit° ist in meinem Sport sehr wichtig, weil wir auf steilen Strecken oft sehr schnell fahren. Und deshalb fahre ich auch immer mit einem Helm." Für den nächsten Sommer hat Renate große Pläne: sie will an ihrem ersten Rennen° teilnehmen. Sie ist etwas nervös, aber sie hat ja noch Zeit zum Trainieren.

(*besorgt* worried; *hinauffahren* to ride uphill; *hinunterfahren* to ride downhill; *vermeiden* to avoid; *die Sicherheit* safety; *das Rennen* race)

WB Activity 24

Mountainbiking macht Spaß!

Ab und zu muss man sich auch einmal ausruhen.

21 *Was ist die richtige Reihenfolge?* **Der Anfang steht schon da.**
1e, 2g, 3b, 4a, 5h, 6d, 7c, 8f

___ 1. Renate hat zum 13. Geburtstag ein Mountainbike bekommen.

___ 2. Sie trainiert im Klub dreimal in der Woche.

___ 3. Renates Bruder hat eine Zeitschrift für Mountainbikes nach Hause gebracht.

_a_ 4. Im Sommer hat Renate oft nicht gewusst, was sie tun soll.

___ 5. Nächsten Sommer will Renate ihr erstes Rennen fahren.

___ 6. Renates Eltern waren zuerst etwas besorgt.

___ 7. Mountainbiking hat Renate sofort fasziniert.

___ 8. Renate wurde Mitglied in einem Mountainbike-Klub.

Welche Fahrradteile kannst du identifizieren?

Im Sommer fährt sie gern mit dem Fahrrad.

Wörter*und* Ausdrücke

BICYCLE PARTS AND RELATED WORDS

das Pedal pedal
der Sattel seat, saddle
die Klingel bell
der Gepäckträger bike rack
die Handbremse hand brake
die Fahrradpumpe bike pump
das Rücklicht taillight
der Gang gear
der Rahmen frame
das Vorderrad front wheel
das Hinterrad rear wheel
die Kette chain

verrostet rusted
verbogen bent
den Reifen auswechseln to change the tire

EXTRA! EXTRA!

Lenchens Geheimnis

Michael Ende (1929–1995)

Michael Ende war der Sohn des
surrealistischen Malers Edgar Ende. Für
seine Bücher und Geschichten bekam er
viele Preise in Deutschland und auch in
anderen Ländern. Seine Bücher kann man
in 30 verschiedenen Sprachen kaufen.
Insgesamt hat man bis jetzt mehr als 5
Millionen seiner Bücher auf der ganzen
Welt verkauft. Aus zwei seiner Romane, *Die
unendliche Geschichte* und *Momo,* hat man
Filme gemacht.

Über den Text

Lenchen ist ein typischer Teenager und wie die
meisten Teenager hat sie Probleme mit ihren Eltern. Ihr Vater
und ihre Mutter tun nämlich nicht immer, was Lenchen will. Wenn Lenchen ihren
Vater zum Beispiel um Geld bittet, weil sie ein Eis kaufen will, sagt er: „Nein, du
hast schon drei Eis gegessen und zu viel Eis ist nicht gut für dich." Um ihre Eltern zu
kontrollieren, fährt Lenchen zu der Fee Franziska Fragezeichen. Zusammen machen
die beiden einen Plan, wie Lenchen ihre Eltern besser kontrollieren kann. Der Teil,
den Sie jetzt lesen, beginnt, als Lenchen und Franziska miteinander sprechen.

Vor dem Lesen

 1. *Lenchens Geheimnis* is a modern fairy tale. Usually fairy tales involve
magical characters and supernatural events. What other sorts of characters
and events do you expect to find in a fairy tale, especially a modern one?

2. Think about the following questions before reading this selection:

   a. If you had supernatural powers that enabled you to control the
   behavior of others, whom would you want to control, and why?

   b. How would you describe the worst possible parent or teenager?

Wenige Minuten
später kam der
Zauberkahn schon
an der Insel an, und das
kleine Mädchen sprang an
Land. Da war das Land
plötzlich ein Zimmerboden
mit einem Teppich darauf,
und in diesem Zimmer saß
an einem runden
dreibeinigen Tischchen eine
Frau, die gerade Kaffee
trank. Es war ziemlich
dunkel im Raum, weil er nur
von ein paar brennenden
Kerzen hell wurde, die an
den Wänden festgemacht
waren. Zum Fenster schien
der volle Mond herein. Eine
Kuckucksuhr schlug
zwölfmal, nur dass der
Kuckuck, der aus der Uhr
kam, kein Kuckuck war,
sondern ein Uhu, der
zwölfmal „uhu!" rief.

„Setz dich zu mir, mein Kind", sagte die Fee, „und sprich!"

„Wieso ist es denn schon so spät?" fragte Lenchen.

„Es ist Mitternacht", antwortete die Fee, „weil hier immer Mitternacht ist.
Es gibt gar keine andere Zeit."

Tatsächlich zeigte die Uhr anstelle der anderen Zahlen nur zwölfmal eine
Zwölf.

„Das ist sehr praktisch", erklärte die Fee, „denn man kann, wie du weißt,
nur um Mitternacht richtig zaubern. Das verstehst du doch?"

Lenchen wusste nicht richtig, die Sache war ihr gar nicht klar.

„Also, worum geht's?" fragte Franziska Fragezeichen.

Lenchen setzte sich der Fee gegenüber auf den freien Stuhl an das
Tischchen und sah sie sich genau an. Eigentlich sah die Frau ganz normal
aus — wie irgendeine Frau, die man auf der Straße sieht. Trotzdem war
etwas Besonderes an ihr, nur merkte Lenchen nicht gleich, was es war.
Doch dann sah sie es: Die Fee hatte sechs Finger an jeder Hand.

„Das macht nichts", sagte Franziska Fragezeichen, „bei uns Feen ist immer irgend etwas ein bisschen anders als bei gewöhnlichen Menschen. Sonst wären wir ja keine Feen. Das versteht sich doch?"

Lenchen nickte. „Es geht um meine Eltern", erklärte sie dann und seufzte. „Ich weiß nicht, was ich mit ihnen machen soll. Sie wollen und wollen mir einfach nicht folgen..."

„Das ist ja allerhand", meinte die Fee mitfühlend. „Was kann ich für dich tun?"

„...Weil sie nämlich in der Überzahl sind", sagte Lenchen, „immer zwei gegen einen."

„Dagegen ist schwer etwas zu machen", murmelte die Fee.

„Außerdem sind sie größer als ich", sagte Lenchen.

„Das ist bei Eltern meistens so", sagte die Fee.

„Wenn sie kleiner wären als ich", sagte Lenchen laut, „wäre die Sache mit der Überzahl vielleicht nicht mehr so wichtig."

„Sicher!" sagte die Fee.

Franziska Fragezeichen faltete ihre zwölf Finger, machte die Augen zu und dachte eine Weile nach. Lenchen wartete.

„Ich hab's!" rief die Fee schließlich. „Ich gebe dir hier zwei Zuckerstückchen. Sie sind natürlich verzaubert. Die tust du deinen Eltern heimlich und unbemerkt in die Tee- oder Kaffeetassen. Es wird ihnen nichts passieren. Nur werden sie, sobald sie erst mal den Zucker

gegessen haben, **jedesmal** wenn sie dir nicht folgen, halb so groß werden, wie sie vorher waren. **Jedesmal** immer wieder halb so groß. Das verstehst du doch?"

Und sie schob dem Kind zwei ganz normale weiße Zuckerstücke über den Tisch, die sie aus einer besonderen Büchse genommen hatte.

„Danke sehr", sagte Lenchen, „was kosten sie?"

„Nichts, mein Kind", antwortete die Fee. „Die erste Beratung ist immer gratis. Die zweite wird dann allerdings schrecklich teuer."

„Das macht mir nichts", sagte Lenchen, „weil ich ja keine zweite Beratung brauche. Also dann, schönen Dank."

„Auf Wiedersehen", sagte Franziska Fragezeichen und lächelte.

Dann gab es ein Geräusch — „flopp!" — als ob man den Korken aus einer Flasche zieht, und Lenchen stand plötzlich im Wohnzimmer bei sich zu Hause. Die Eltern waren da und hatten noch nicht einmal bemerkt, dass ihre Tochter weg gewesen war. Aber Lenchen hielt die beiden Zuckerstückchen in der Hand. Daran erkannte sie mit Sicherheit, dass das ganze kein Traum gewesen war.

Die Mutter brachte gerade die Teekanne herein und ging noch einmal in die Küche, um den Teller mit den Plätzchen zu holen. Der Vater zog sich im Schlafzimmer seine bequeme Hausjacke an. Als Lenchen allein war, tat sie die beiden Zuckerstückchen in die Teetassen ihrer Eltern. Einen kurzen Augenblick lang hatte sie ein schlechtes Gewissen, aber das ging schnell vorüber. Sie haben selber Schuld, dachte sie.

Nach dem Lesen

Was denken Sie, wird mit Lenchen und ihren Eltern passieren? Schreiben Sie Ihre Version der Geschichte!

Endspiel

1. Benutzen Sie das Internet, um weitere Informationen über das elfte Jahrhundert zu finden! Schreiben Sie einen kurzen Bericht mit den Informationen, die Sie finden! Ein interessantes Thema wäre zum Beispiel der 1. Kreuzzug.

2. In diesem Kapitel haben Sie über Mountainbiking gelesen. Wissen Sie noch, wie Ihr erstes Fahrrad ausgesehen hat und wie Sie zum ersten Mal gefahren sind? Schreiben Sie darüber!

3. Benutzen Sie eine Webseite, um weitere Informationen über die Schweiz, Zürich oder andere Städte in der Schweiz zu finden. Stellen Sie sich vor, Sie machen eine Reise dahin und schreiben eine Postkarte, in der Sie diese Informationen über die Stadt benutzen.

4. Machen Sie einen Fragebogen und interviewen Sie dann drei Leute in der Klasse über ihre Nachbarn. Diskutieren Sie in einer Gruppe, was Sie herausgefunden haben.

5. Stellen Sie sich vor, Sie sind ein Fahrradreifen. Beschreiben Sie einen typischen Tag in Ihrem Leben als Fahrradreifen!

TP **WB** Activities 25–26

Er schließt sein Fahrrad ab.

Anstatt mit dem Zug können wir auch mit unseren Fahrrädern fahren.

Warum hat er zwei Fahrräder?

Vokabeln

abgeben *(gibt ab, gab ab, abgegeben)* to give up, relinquish *3B*

alleinstehend single, unmarried *3A*

anschreiben *(schrieb an, angeschrieben)* to sell on credit, charge *3A*

ärgern to annoy *3A*

arglos unsuspecting *3B*

auswechseln to change *3B*

sich **benehmen** *(benimmt, benahm, benommen)* to behave *3A*

beruhigen to calm down *3B*

bescheiden modest *3B*

besorgt worried *3B*

der **Betrag,⸚e** amount *3A*

bitten *(bat, gebeten) um etwas bitten* to ask for something *3A*

deutschsprachig German-speaking *3B*

diesmal this time *3A*

drehen to turn *3A*

der **Durchschnitt** average; *im Durchschnitt* on the average *3B*

die **Ehefrau,-en** wife *3A*

der **Ehemann,⸚er** husband *3A*

das **Ehepaar,-e** married couple *3A*

der **Enkel,-** grandson *3A*

die **Enkelin,-nen** granddaughter *3A*

das **Enkelkind,-er** grandchild *3A*

entführen to abduct *3B*

enthaupten to behead *3A*

sich **erholen** to relax, recover *3B*

der **Erzbischof,⸚e** archbishop *3B*

die **Fahrradpumpe,-n** bike pump *3B*

die **Frage,-n** question; *eine Frage stellen* to ask a question *3A*

der **Gang,⸚e** gear *3B*

das **Gebäude,-** building *3A*

gefährlich dangerous *3B*

der **Gepäckträger,-** bike rack *3B*

die **Geschäftsreise,-n** business trip *3A*

geschieden divorced *3A*

das **Gespräch,-e** conversation *3A*

die **Gesundheit** health *3B*

das **Grab,⸚er** grave *3A*

das **Großmünster** Grand Cathedral *3A*

die **Güte** goodness; *Meine Güte!* My goodness! *3A*

die **Handbremse,-n** hand brake *3B*

das **Heilige Land** Holy Land *3B*

die **Heimat** home, homeland *3A*

heiraten to marry *3B*

hinauffahren *(fährt hinauf, fuhr hinauf, ist hinaufgefahren)* to ride uphill *3B*

hinterherspringen *(sprang hinterher, ist hinterhergesprungen)* to jump after *3B*

das **Hinterrad,⸚er** rear wheel *3B*

hinunterfahren *(fährt hinunter, fuhr hinunter, ist hinuntergefahren)* to ride downhill *3B*

die **Jahrtausendwende** turn of the millennium *3B*

der **Kauf,⸚e** purchase; *den Kauf anschreiben* to buy on credit *3A*

die **Kette,-n** chain *3B*

die **Klingel,-n** bell *3B*

das **Kloster,⸚** cloister, monastery *3B*

der **Knabe,-n** boy *3B*

kostenlos free, without charge *3B*

der **Kreuzzug,⸚e** Crusade *3B*

lachen to laugh *3A*

die **Laune,-n** mood *3B*

lustig funny, amusing *3A*

das **Mietshaus,⸚er** apartment building *3A*

mitfahren *fährt mit, fuhr mit, ist mitgefahren)* to ride along *3A*

die **Nacht,⸚e** night *3B*

der **Neffe,-n** nephew *3A*

die **Nichte,-n** niece *3A*

das **Öl** oil *3B*

der **Papst,⸚** pope *3B*

das **Pedal,-e** pedal *3B*

der **Rahmen,-** frame *3B*

regieren to rule *3B*

das **Rennen,-** race *3B*

der **Römer,-** Roman *3A*

das **Rücklicht,-er** taillight *3B*

der **Ruderschlag,⸚e** oar stroke *3B*

der **Sattel, Sättel** seat, saddle *3B*

der **Schwager,⸚** brother-in-law *3A*

die **Schwägerin,-nen** sister-in-law *3A*

die **Sicherheit** safety *3B*

der **Stammbaum,-bäume** family tree *3A*

das **Stiefkind,-er** stepchild *3A*

die **Stiefmutter,⸚** stepmother *3A*

die **Stiefschwester,-n** stepsister *3A*

der **Stiefsohn,⸚e** stepson *3A*

die **Stieftochter,⸚** stepdaughter *3A*

der **Stiefvater,⸚** stepfather *3A*

töten to kill *3B*

der **Turm,⸚e** tower *3A*

sich **umdrehen** to turn around *3A*

umringen to surround *3B*

unverheiratet unmarried, single *3A*

die **Urgroßmutter,⸚** great-grandmother *3A*

der **Urgroßvater,⸚** great-grandfather *3A*

verbogen bent *3B*

verheiratet married *3A*

die **Verkehrsregel,-n** traffic rule *3B*

vermeiden *(vermied, vermieden)* to avoid *3B*

verrostet rusted *3B*

verschmutzen to pollute *3B*

das **Vorderrad,⸚er** front wheel *3B*

wert sein to be worth *3A*

das **Wirtschafts- und Kulturzentrum** economic and cultural center *3A*

der **Zentimeter,-** centimeter *3A*

der **Zeuge,-n** witness *3A*

zufrieden satisfied *3B*

In this chapter you will learn how to:
- talk about various games
- describe a musical event
- identify parts of a car
- inquire about details
- discuss street performances by artists

KAPITEL 4

Spaß muss sein

LEKTION A

Das Brettspiel

Ich bin Rot. Ich komme raus.

Ich bin dran. Ich will die Spielregeln lesen. Du schummelst!

Ich bin Gelb. Ich kriege heute keine Sechser!

Ich bin Blau. Gib mir den Würfel! Ich bin jetzt dran.

der Würfel

die Figur

der Stein

gewinnen der Gewinner

der Verlierer verlieren

1 Was brauchen Sie, um diese Spiele zu spielen? Identifizieren Sie, was man für die einzelnen Spiele braucht! Ein paar Antworten stehen für Sie schon da.

	Trivial Pursuit	Memory	Monopoly	Schach	Dame	Scrabble
Zahl der Spieler	2+		2–4			
Würfel				nein		
Steine/Figuren	ja					ja
Brett						
Karten					nein	

2 Was und mit wem haben Sie als Kind gern gespielt? Erzählen Sie Ihrem Partner/Ihrer Partnerin davon!

Track 2

Komm, spielen wir!

Meine Hand tut mir weh vom Joystick.

Was können wir sonst noch machen?

Es regnet schon seit fünf Tagen und niemand kann draußen spielen. Es ist Samstagnachmittag und die zwei Brüder Thomas und Bernd sitzen am Küchentisch und überlegen sich, was sie machen sollen.

Bernd: Dieses Regenwetter macht mich wild! Und das Computerspiel wird nach vier Stunden doch etwas langweilig. Meine Hand tut mir weh vom Joystick. Was können wir sonst machen? Können wir nicht zusammen etwas spielen?

Thomas: Wie wäre es mit Memory?

Bernd: Was? Das alte Spiel? Langweilig! Ich weiß noch, wie du als Kind immer geschummelt hast. Deshalb hast du auch immer gewonnen.

Thomas: Na ja, das ist schon einige Jahre her, Bernd. Jetzt kann ich nicht mehr schummeln. Vielleicht gewinnst du zum ersten Mal.

Bernd: Ja, schon möglich, aber ich möchte etwas Anderes spielen. Dame vielleicht?

Thomas: Dame finde ich zu doof. Nur herumspringen und deine Steine fangen. Was soll das?

Bernd: Aber mir macht das Spaß, weil ich oft gewinne.

Thomas: Spielen wir doch etwas, wo wir beide eine Chance haben! Wie wäre es mit Schach?

Bernd: O je, mein Kopf tut mir jetzt schon weh. Ich muss beim Schach immer so viel denken.

Thomas: Denken kann dir doch nicht schaden, mein Lieber. Komm, wir holen die Figuren und das Brett und dann geht's los! Willst du Schwarz oder Weiß spielen?

Bernd: Lieber Weiß. Dann komme ich als Erster raus.

Thomas: Aber ich gewinne trotzdem.

Bernd: Wie immer. Nun los!

 Activities 2–3

Was spielen Thomas und Bernd?

3 *Von wem spricht man hier?* Wer...

CD
Track 3

1. hat heute lange Computerspiele gespielt?
2. möchte Memory spielen?
3. hat als Kind beim Spielen geschummelt?
4. hat als Kind beim Spielen immer verloren?
5. möchte Dame spielen?
6. gewinnt oft beim Dame spielen?
7. möchte Schach spielen?
8. fängt an, Schach zu spielen?

1. Bernd
2. Thomas
3. Thomas
4. Bernd
5. Bernd
6. Bernd
7. Thomas
8. Bernd

4 Beantworten Sie diese Fragen!

1. Warum spielen die beiden Brüder nicht draußen?
2. Was machen sie in der Küche?
3. Warum will Bernd nicht Memory spielen?
4. Was hat Thomas als Kind gemacht?
5. Wie findet Thomas Dame?
6. Warum spielt Bernd gern Dame?
7. Was für ein Spiel schlägt Thomas zuletzt vor?
8. Welche Farbe beginnt beim Schachspiel?

1. Es regnet.
2. Sie überlegen sich, was sie machen können.
3. Es ist alt und langweilig.
4. Er hat geschummelt.
5. Er findet es doof.
6. Er gewinnt oft.
7. Er schlägt Schach vor.
8. Weiß beginnt beim Schachspiel.

SPRACHE

Imperative

When you want to give commands in German, you use imperative forms. Since you can give commands only to people to whom you are speaking, there are command forms for *du*, *ihr*, *wir* and *Sie*.

To form commands, use the stem of the infinitive and add the appropriate endings.

du	geh	-
ihr	geh	t
wir	geh	en
Sie	geh	en

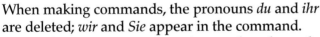
Trinkt etwas
Wasser!

When making commands, the pronouns *du* and *ihr* are deleted; *wir* and *Sie* appear in the command.
Remember to use an exclamation mark at the end of an imperative sentence.

Geh ins Bett, Renate!	Go to bed, Renate!
Geht weg, Britta und Gisela!	Go away, Britta and Gisela!
Gehen wir heute Abend ins Kino!	Let's go to a movie tonight!
Gehen Sie bitte ins nächste Zimmer, Frau Schmidt!	Please go into the next room, Mrs. Schmidt!

Note: When using *du*-commands with verbs that change their stem vowel from *e* to *i* or *e* to *ie*, use the verb stem with the vowel change *(Lies! Gib! Sieh!)*. Use -*e* on *du*-commands with verb stems that end in -*d*, -*t* and -*ig* (*Entscheide! Beantworte! Entschuldige!*) or clusters of consonants *(Frühstücke! Erkenne!)*. The command forms for *sein* are irregular: *Sei ruhig! Seid pünktlich! Seien Sie bitte so nett!*

WB Activity 4

5 Sagen Sie verschiedenen Leuten, was sie machen sollen!

➤ Renate: ins Bett gehen!
   Geh ins Bett!

1. Margot und Sven: den Müll vors Haus stellen
2. Herr Müller: das Auto abholen
3. Kinder: ruhig sein
4. Herr und Frau Schulz: doch ab und zu eine Reise machen
5. Katja: die Blumen pflanzen
6. wir: jetzt Dame spielen
7. Jens: den Rasen mähen
8. Paul und Sabine: euere Zimmer aufräumen
9. Mutti: nicht so viel arbeiten
10. Frau Wolters: das Spiel nicht verlieren

1. Stellt den Müll vors Haus!
2. Holen Sie das Auto ab!
3. Seid ruhig!
4. Machen Sie doch ab und zu eine Reise!
5. Pflanze die Blumen!
6. Spielen wir jetzt Dame!
7. Mäh den Rasen!
8. Räumt euere Zimmer auf!
9. Arbeite nicht so viel!
10. Verlieren Sie das Spiel nicht!

6 *Ratschläge.* Helfen Sie den folgenden Leuten mit ihren Problemen!

➤ Frau Richter hat Kopfschmerzen, aber sie tut nichts dagegen.
   Nehmen Sie eine Tablette!

1. Rudi sieht immer fern, aber das ist nicht gut für seine Augen.
2. Peter will den Müll nicht aus dem Haus tragen, aber er ist heute dran.
3. Frau Müller hat Angst, weil Herr Straub immer so schnell fährt.
4. Sabine bekommt schlechte Noten in der Schule, denn sie macht nie ihre Hausaufgaben.
5. Martha und Monika lernen deutsch, aber sie sprechen immer englisch.
6. Frau Maier sucht ein Geburtstagsgeschenk für ihren Freund, aber sie hat nicht viel Geld.
7. Frank spielt Golf, aber nicht gut.
8. Hans kommt nie pünktlich, weil er zu spät aufsteht.

1. Sieh nicht so viel fern!
2. Trag den Müll aus dem Haus!
3. Fahren Sie nicht so schnell!
4. Mach deine Hausaufgaben!
5. Sprecht nicht immer englisch! Sprecht deutsch!
6. Kaufen Sie ein preiswertes Geschenk!
7. Trainier mehr!
8. Steh früher auf!

Anne geht zur Zahnärztin, aber trotzdem hat sie später noch Zahnschmerzen.

Kapitel 4

Allerlei

CD Track 7

Rockfestival Südpfalz

Jedes Jahr treffen sich in Herxheim Musikgruppen aus der Pfalz im südwestlichen Teil Deutschlands und spielen ihre Musik. Hunderte von Fans und Besuchern kommen, um die Bands zu hören und sehen. Das Konzert kostet nichts. Die Bands spielen nur zum Spaß. Wenn keine Gruppe Geld bekommt, dann ist es allen recht°. Sie spielen, weil sie bekannt werden möchten und weil sie so ihre CDs und ihre Musik vorstellen können.

Was für ein Musikinstrument spielt Jörg?

Wir interviewten verschiedene Leute von zwei Bands:

Jörg: Wenn ich an die ersten Jahre denke, muss ich lachen. Heute ist alles viel professioneller. Ich bin seit zehn Jahren in der Band „Pfalzgraf". Wir sind eine regionale Band und spielen auch oft in Frankreich. Das ist ja nur eine halbe Stunde von hier. Von den ersten Mitgliedern der Band ist außer mir keiner mehr da. Die anderen machten alle erst später mit. Mein Saxophon und ich sind gute Freunde. Saxophon ist echt cool. Welche Wünsche° und Hoffnungen° ich habe? Ich würde gern mal in Amerika spielen; dann könnte ich auch Woodstock besuchen. Ich möchte außer Saxophon auch Schlagzeug spielen, aber wir haben ja einen guten Schlagzeuger°, den Ralf. Und ich hoffe auf den großen Erfolg von unserer CD. Das sind so die Wünsche, mit denen ich lebe.

Ernesto spielt die Lead-Gitarre und singt.

Ernesto: Ich spiele die Lead-Gitarre und singe. Ich bin seit zwei Jahren der Bandleader bei „Pfalzgraf".

Wir haben jetzt unsere erste CD gemacht, von der wir hier viele Stücke spielen. Wir sind echt stolz° auf die CD, ohne die wir nicht bekannt werden können. Wenn man seine eigene CD hat, dann kann man den Leuten etwas zeigen und sie können unsere Musik mit nach Hause nehmen. Wir haben heute fünfzig CDs mitgebracht, von denen wir sechsunddreißig verkauft haben. Die anderen vierzehn werden bestimmt bis heute Abend weg sein. Ich wünsche mir, dass es so weiter geht.

Maren: Ich habe früher mit der Gruppe „Pfalzgraf" gespielt. Aber dann gefielen mir die Songs immer weniger und ich habe vor zwei Jahren meine eigene Band angefangen. Die heißt „Maidensang". Wir spielen Folklore und Lieder aus der Pfalz. Ernesto hat meinen Platz in der Gruppe „Pfalzgraf" übernommen°. Wenn ich mir überlege, was man für eine erfolgreiche° Gruppe braucht, würde ich sagen:

- Mach deine eigene Musik und spiele nichts von anderen Bands!

- Übe und spiele jeden Tag mehrere Stunden!

- Spiel drei Mal die Woche mit der Band!

- Mach deine eigene CD so bald du kannst!

- Spiel so oft es geht vor Leuten!

- Versuche eine kleine Show anzubieten!

- Hab keine Angst vor großen Namen, denn alle machen Fehler°!

Was hat Maren vor zwei Jahren angefangen?

Giovanni: Ich spiele gern mit Maren, weil sie tolle Arrangements macht: wie man das Lied bringt, die Bühnenshow° und so. Maren liebt Folklore und ich auch. Sie ist die Bandleaderin, mit der ich am liebsten spiele. Wir sind jetzt drei Männer und Maren. Sie und Reggy singen. Bobby und ich spielen Gitarre und helfen mit den Arrangements. Wir hoffen auf gutes Wetter, denn es hat die letzten Tage geregnet. Also los! Wir sind dran.

(*recht sein* to be okay with; *der Wunsch* wish; *die Hoffnung* hope; *der Schlagzeuger* drummer; *stolz* proud; *übernehmen* to take over; *erfolgreich* successful; *der Fehler* mistake; *die Bühnenshow* stage show)

 Activity 5

Giovanni spielt gern mit Maren.

CD
Track 8

7 *Wer sagt das?* Welche Person aus der Band spricht?

1. Wir sind eine regionale Band und spielen auch oft in Frankreich.
2. Jetzt spiele ich mit der Gruppe „Maidensang" Folklore und Lieder aus der Pfalz.
3. Wir sind echt stolz auf die CD, ohne die wir nicht bekannt werden können.
4. Maren liebt die Folklore und ich auch.
5. Ich bin seit zehn Jahren in der Band.
6. Ich habe früher mit der Gruppe „Pfalzgraf" gespielt.
7. Ich spiele Gitarre und helfe mit den Arrangements.
8. Maren ist die Bandleaderin, mit der ich am liebsten spiele.
9. Mein Saxophon und ich sind gute Freunde.
10. Ich bin seit zwei Jahren der Bandleader bei Pfalzgraf.

1. Jörg
2. Maren
3. Ernesto
4. Giovanni
5. Jörg
6. Maren
7. Giovanni
8. Giovanni
9. Jörg
10. Ernesto

CD
Track 9

8 *Richtig oder falsch?* Verbessern Sie den falschen Teil!

1. Es kostet viel, das Rockfestival Südpfalz zu hören.
2. Die Gruppen spielen, weil sie ihre CDs vorstellen möchten.
3. Jörg spielt Geige.
4. Jörg würde gern mal in England spielen.
5. Die Band „Pfalzgraf" hat heute vierzehn CDs verkauft.
6. Jörg singt in der Gruppe „Maidensang".
7. Seit zwei Jahren hat Maren ihre eigene Band.
8. Giovanni spielt gern mit Maren, weil sie tolle Arrangements macht.
9. In der Gruppe „Maidensang" sind vier Männer.
10. Die Gruppe „Maidensang" hofft auf gutes Wetter, weil es in den letzten Tagen geschneit hat.

Die Leute hören der Musikgruppe mit Interesse zu.

1. falsch / Es kostet nichts.
2. richtig
3. falsch / Er spielt Saxophon.
4. falsch / Er möchte gern in Amerika spielen.
5. falsch / Sie hat sechsunddreißig CDs verkauft.
6. falsch / Jörg singt mit „Pfalzgraf".
7. richtig
8. richtig
9. falsch / In der Gruppe „Maidensang" sind drei Männer.
10. falsch / Es hat in den letzten Tagen geregnet.

Lektion A

117

Wir raten mal!

Wer weiß es? **Bilden Sie Gruppen mit vier Leuten und versuchen Sie, diese Scherzfragen zu lösen! Die Gruppe, die die meisten richtigen Antworten hat, gewinnt.**

1. Welcher Mann hat im Winter keine Kleidung, aber ist nicht kalt.
2. Wie fängt der Tag an und wie hört die Nacht auf?
3. Wer hört alles und sagt nichts?
4. Was liegt in der Mitte von Rom?
5. In welche Gläser kann man kein Spezi gießen?
6. Wie lange lebte Karl der Große?
7. Auf welche Frage kann man nie „ja" antworten?
8. Wer kommt am Abend, geht am Morgen, ist aber nicht zu sehen?
9. Was geht über das Wasser und wird nicht nass?
10. „Du bist meine Tochter, aber ich bin nicht deine Mutter." Wer sagt das?

1. Der Schneemann.
2. Mit einem „T".
3. Das Ohr.
4. Das „O".
5. In volle Gläser.
6. Bis er starb.
7. Schläfst du?
8. Der Schlaf.
9. Die Brücke.
10. Der Vater.

CD
Track 10

Länder, Kantone und Provinzen

Tirol

Tirol ist eines der neun Bundesländer in Österreich. Es liegt im Westen Österreichs und grenzt im Norden an Deutschland und im Süden an Italien. Neben Wien und Salzburg ist Tirol eine der größten Attraktionen dieses Landes. Diese Provinz ist bekannt für ihre Hauptstadt Innsbruck und ihre schöne Landschaft°: die hohen

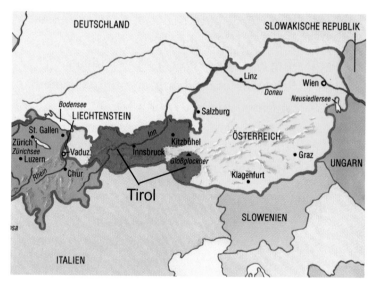

Berge und die Wälder und Wiesen°, in denen alte Bauernhöfe stehen. Schon die österreichischen Kaiser und ihre Familien fuhren nach Tirol, um Urlaub zu machen°. Viele Menschen reisen heute nach Tirol, um sich in dieser schönen Gegend zu erholen. Im Winter kann man hier gut Sport treiben. Im Sommer kann man wandern, Rad fahren, Golf und Tennis spielen, reiten und schwimmen. Aus diesem Grund verdient Tirol mehr Geld mit Touristen als jedes andere Bundesland Österreichs, sogar mehr als Salzburg und Wien.

Die hohen Berge sind aber auch aus einem anderen Grund wichtig für Tirol. Die Berge und Flüsse produzieren Elektrizität, die die Tiroler nach Süddeutschland verkaufen.

Tirol ist auch bekannt für den Föhn°, einen warmen Wind aus dem Süden, den es hier oft gibt. Viele Leute haben Kopfschmerzen, wenn es Föhn gibt und manche Leute sind auch aggressiver als sonst. Das sieht man, wenn man an diesen Tagen Auto fährt.

Tirol liegt in der Mitte Europas. Wichtige Straßen sind die Inntalautobahn, die den Westen Österreichs mit dem Osten verbindet, und die Brennerautobahn, die den Norden Europas über Tirol mit dem Süden verbindet. Lastwagen° transportieren viele wichtige Waren auf diesen Straßen.

Über die Tiroler selbst gibt es viele Geschichten. Viele andere Österreicher denken, dass die Tiroler ihren eigenen Kopf haben. Das lässt sich zum Teil aus der Geschichte und der geographischen Lage° erklären. Als Napoleon am Anfang des 19. Jahrhunderts gegen die Tiroler kämpfte, verloren die Tiroler erst, nachdem sie lange gegen die französischen Soldaten gekämpft hatten. Und als Hitler im März 1938 mit deutschen Soldaten nach Österreich kam, gab es nur an einem Ort in Österreich Widerstand°: in Hall in Tirol.

(*die Landschaft* landscape, scenery; *die Wiese* meadow; *Urlaub machen* to take vacation; *der Föhn* foehn [warm, dry wind from the mountains]; *der Lastwagen* truck; *die Lage* location; *der Widerstand* resistance)

WB Activities 6–7

In Tirol gibt's hohe Berge, Wälder und Wiesen.

emcp.com

Die Hauptstadt Tirols ist Innsbruck.

Die Brennerautobahn verbindet den Norden Europas mit dem Süden.

CD
Track 11
1. Deutschland
   und Italien.
2. Innsbruck.
3. Wandern, Rad
   fahren, Golf und
   Tennis spielen,
   reiten und
   schwimmen.
4. Süddeutschland.
5. Ein warmer Wind
   aus dem Süden.
6. Ostösterreich und
   Westösterreich.
7. Am Anfang des
   19. Jahrhunderts.
8. Im März 1938.

9 Beantworten Sie diese Fragen!

1. An welche Länder grenzt Tirol?
2. Wie heißt die Hauptstadt Tirols?
3. Welche Sportarten kann man hier im Sommer treiben?
4. Wer kauft die Elektrizität, die Tirol produziert?
5. Was ist der Föhn?
6. Was verbindet die Inntalautobahn?
7. Wann kämpften die Tiroler gegen die Franzosen?
8. Wann kam Hitler mit deutschen Soldaten nach Österreich?

Touristen sehen sich das „Goldene Dachl" an, eine Sehenswürdigkeit in Innsbruck.

Was gibt's in Innsbruck alles zu sehen?

Wörter und
Ausdrücke

PLAYING GAMES

Ich komme raus. I'm starting.
Gib mir den Würfel! Give me the die!
Ich kriege keine Sechser. I'm not getting any sixes.
Du schummelst! You're cheating!
Das finde ich doof. I find that stupid (dumb).
Wie wäre es? How about it?
Hast du eine Chance? Do you have a chance?

das Brettspiel board game
die Spielregel game rule
der Start start
das Brett board
das Spielgeld play money
der Würfel die
die Figur figure, game piece
der Stein checker piece
Dame checkers (game)
der Gewinner winner
der Verlierer loser

LEKTION B

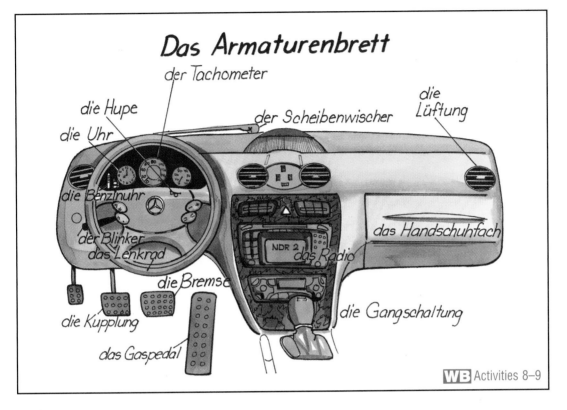

Das Armaturenbrett

der Tachometer

die Hupe

die Uhr

der Scheibenwischer

die Lüftung

die Benzinuhr

der Blinker
das Lenkrad

das Handschuhfach

NDR 2
das Radio

die Bremse

die Gangschaltung

die Kupplung

das Gaspedal

WB Activities 8–9

CD
Track 13

10 *Das Armaturenbrett.* **Was ist das?**

1. Damit kann man hupen.
2. Da sieht man, wie schnell das Auto fährt.
3. Damit macht man die Scheiben sauber.
4. Dort sieht man, wann man wieder tanken muss.
5. Damit hält man das Auto an.
6. Damit kann man Musik hören.
7. Dort hat man Papiere für das Auto, Landkarten und andere Sachen.
8. Damit zeigt man, dass man rechts oder links abbiegen will.
9. Damit kommt Luft in das Auto.
10. Damit kann das Auto schneller fahren.

1. die Hupe
2. der Tachometer
3. der Scheibenwischer
4. die Benzinuhr
5. die Bremse
6. das Radio
7. das Handschuhfach
8. der Blinker
9. die Lüftung
10. das Gaspedal

Am Montag geht's in die Fahrschule!

Also, hier ist natürlich der Tachometer.

Daneben ist die Benzinuhr.

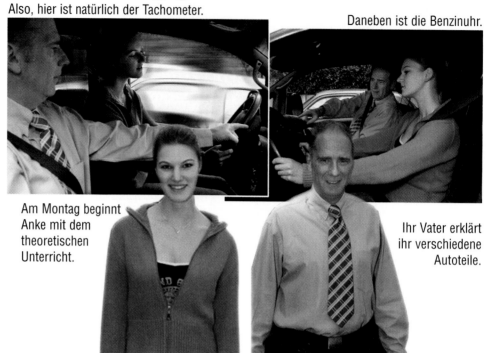

Am Montag beginnt Anke mit dem theoretischen Unterricht.

Ihr Vater erklärt ihr verschiedene Autoteile.

Vater: Am Montag fängt die Fahrschule für dich an, Anke.

Anke: Zuerst haben wir theoretischen Unterricht. Der dauert ein paar Wochen.

Vater: Dann wirst du natürlich die einzelnen Teile des Autos wissen müssen.

Anke: Vielleicht kannst du mir schon jetzt ein paar Sachen erklären. Das Armaturenbrett sieht ja so kompliziert aus.

Vater: Na gut. Also, hier ist natürlich der Tachometer. Der zeigt dir, wie schnell du fährst. Daneben ist die Benzinuhr — sehr wichtig, denn ohne Benzin fährt auch das beste Auto nicht.

Anke: Am besten setze ich mich ins Auto; dann kann ich alles besser sehen.

Vater: Bevor du den Schlüssel drehst und den Motor startest, solltest du dich bequem hinsetzen. Bitte halte das Lenkrad mit beiden Händen!

Anke: Jetzt läuft der Motor.

Vater: Bitte stell das Radio ab! Dein rechter Fuß sollte auf der Bremse sein und mit dem linken Fuß drückst du auf die Kupplung. Dann kannst du die Gänge schalten. Aber das machen wir jetzt nicht, denn du darfst natürlich nicht auf die Straße.

Anke: Hoppla! Jetzt habe ich den Scheibenwischer angemacht.

Vater: Hier im Handschuhfach sind alle Anweisungen. Lies die Seite über das Armaturenbrett! Ich werde dir später ein paar Fragen stellen.

Anke: Warum warte ich nicht bis Montag? Prüfungen habe ich in der Schule genug.

Vater: Es ist gut, wenn du schon vorher etwas weißt.

WB Activity 10

11 Beantworten Sie die Fragen!

1. Was für einen Unterricht wird Anke zuerst in der Fahrschule haben?
2. Was soll Ankes Vater tun?
3. Was zeigt der Tachometer?
4. Was soll man machen, bevor man den Schlüssel dreht?
5. Worauf drückt man mit dem linken Fuß?
6. Schaltet Anke die Gänge?
7. Was liegt im Handschuhfach?
8. Warum soll Anke über das Armaturenbrett lesen?

CD Track 15

1. Zuerst wird sie theoretischen Unterricht haben.
2. Er soll ihr ein paar Sachen erklären.
3. Er zeigt, wie schnell man fährt.
4. Man soll sich bequem hinsetzen.
5. Man drückt auf die Kupplung.
6. Nein, das macht sie nicht.
7. Dort liegen die Anweisungen.
8. Ihr Vater will ihr später ein paar Fragen stellen.

Von einem Ort zum andern

CD Track 16

Die Mitfahrzentrale°

Wenn Sie kein Auto haben, aber trotzdem preiswert mit einem Auto von einem Ort zum andern wollen, dann rufen Sie am besten die Mitfahrzentrale an. Das ist eine Firma, die Autofahrten für Leute organisiert. Die Mitfahrzentrale hilft Personen mit Autos, die irgendwo hinfahren wollen, aber nicht allein. Sie hilft auch Leuten ohne Autos, die in die gleiche Stadt wollen und dann mit anderen Personen mitfahren können.

Mitfahrzentralen werden in Deutschland immer beliebter. Es gibt sie in vielen kleinen und großen Städten. Sie zeigen das heutige Denken der Leute. Anstatt allein in einem Auto eine lange Reise zu machen, fahren viele Leute lieber mit anderen Personen. Das spart Geld, weil der Mitfahrer° auch einen Teil des Benzins bezahlt. Und oft macht es auch mehr Spaß, nicht allein zu reisen. Man kann sich unterhalten, Witze erzählen und Pausen machen. Und manchmal kann ein

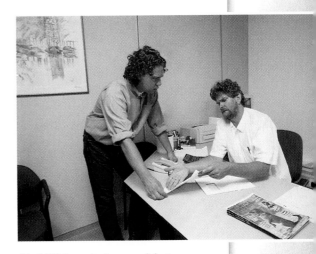

Die Mitfahrzentrale organisiert Autofahrten für Leute.

Mitfahrer für den Fahrer einen Teil der Strecke fahren. Es ist auch gut für die Umwelt, wenn die Leute nicht allein ihr Auto benutzen.

Wenn man der Fahrer ist, muss man die Mitfahrzentrale über die Reise informieren. Die meisten Mitfahrzentralen nehmen Anmeldungen° auch spät an°. Es ist natürlich besser, wenn man der Mitfahrzentrale die Zeit der Abfahrt schon Tage vorher gibt. Dann sind die Chancen größer, dass man Mitfahrer findet.

Die Mitfahrzentrale muss wissen, wie viele Leute mitfahren können, wohin die Reise geht, wann man fährt und ob man Raucher° oder Nichtraucher möchte. Außerdem möchte die Mitfahrzentrale wissen, ob der Fahrer auch Mitfahrer mitnehmen will, die nur einen Teil der Strecke fahren wollen.

Die Fahrer fragen bei der Mitfahrzentrale, ob sie Anmeldungen für ihre Strecke haben. Wenn man eine Mitfahrgelegenheit° findet, kann man einen Platz reservieren. Wenn man nicht sofort Glück hat, ruft die Mitfahrzentrale an, sobald sie etwas finden. Und was kostet das alles? Die Mitfahrer bezahlen der Mitfahrzentrale Geld für die Reise, und die Mitfahrzentrale gibt dem Fahrer einen Teil des Geldes.

Am Tag der Abfahrt treffen sich der Fahrer und die Mitfahrer bei der Mitfahrzentrale oder an Plätzen wie Bahnhöfen oder Busstationen. Dann kann die Reise beginnen!

(*die Mitfahrzentrale* ride share agency; *der Mitfahrer* ride sharer; *die Anmeldung* registration; *annehmen* to accept; *der Raucher* smoker; *die Mitfahrgelegenheit* ride share opportunity)

WB Activities 11–12

Manche treffen sich vor einem Bahnhof.

Mitfahrzentralen gibt es in allen großen Städten.

12 *Was fehlt hier?* Ergänzen Sie die fehlenden Wörter von der Liste! Sie brauchen nicht jedes Wort.

Umwelt	Anmeldung	Nichtraucher	Teil
Denken	Benzin	Autofahrten	Bahnhof
Abfahrt	Fahrer	Geld	Raucher

1. Eine Mitfahrzentrale organisiert ___ für Leute mit und ohne Auto.
2. Es gibt Mitfahrzentralen, weil sich das ___ der Leute über Autos geändert hat.
3. Mitfahrgelegenheiten sparen Geld, weil man sich die Kosten für das ___ teilen kann.
4. Wenn ein Fahrer müde wird, kann der andere einen ___ der Strecke fahren.
5. Es ist besser für die ___, wenn nicht jede Person allein im Auto fährt.
6. Der ___ informiert die Mitfahrzentrale, wann er wohin fährt.
7. Leute, die mitfahren wollen, müssen ihre ___ bei der Mitfahrzentrale abgeben.
8. Es ist auch wichtig für die Mitfahrzentrale zu wissen, ob ___ mitfahren können, denn nicht jeder Fahrer mag es, wenn man in seinem Auto raucht.
9. Die Mitfahrzentrale bekommt ___ von den Mitfahrern und gibt einen Teil davon dem Fahrer.
10. Am Tag der ___ treffen sich der Fahrer und seine Mitfahrer oft an zentralen Orten.

1. Autofahrten
2. Denken
3. Benzin
4. Teil
5. Umwelt
6. Fahrer
7. Anmeldung
8. Raucher
9. Geld
10. Abfahrt

Sie haben ihre Autofahrt durch die Mitfahrzentrale organisiert.

Ich möchte gern von Hamburg nach Köln fahren.

Ruths Mitfahrgelegenheit

Mitfahrzentrale: Guten Tag! Wie kann ich Ihnen helfen?

Ruth: Guten Tag! Ich suche eine Mitfahrgelegenheit nach Essen.

Mitfahrzentrale: Ja, nach Essen. Wann möchten Sie fahren?

Ruth: Ich möchte am 20. Dezember fahren. Haben Sie eine Fahrt an diesem Tag?

Mitfahrzentrale: Ja, wir haben eine Fahrt am Morgen des 20. und am Abend des 20. Welche Zeit ist besser für Sie?

Ruth: Ich würde lieber am Abend fahren.

Mitfahrzentrale: Wissen Sie schon, wann Sie zurückfahren möchten?

Ich suche eine Mitfahrgelegenheit nach Essen.

Ruth: Ja, am 7. Januar. Hätten Sie etwas für diesen Tag?

Mitfahrzentrale: Nein, aber wenn ich etwas habe, rufe ich Sie an.

Ruth: Das wäre nett.

Mitfahrzentrale: Jetzt brauche ich Ihren Namen und Ihre Adresse, damit ich Ihre Reise buchen kann.

Ruth: Ruth Kessler. Meine Anschrift ist Goethestrasse 24 und meine Telefonnummer ist 58 38 76. Ist das alles?

Mitfahrzentrale: Gut. Die Fahrt nach Essen kostet 22 Euro. Wir schicken Ihnen eine Rechnung. Sie können mit Ihrer Kreditkarte bezahlen. Die Person, die am 20. nach Essen fährt, heißt Jörg Wiedemann. Seine Telefonnummer ist 34 28 56. Rufen Sie ihn an! Dann sagt er Ihnen, wo und wann Sie sich treffen.

Ruth: Und Sie rufen mich dann an, wenn Sie etwas für den 7. haben?

Mitfahrzentrale: Ja, gern. Das machen wir.

Ruth: Vielen Dank. Auf Wiederhören!

Mitfahrzentrale: Auf Wiederhören und gute Reise!

WB Activity 13

Arbeiten Sie in einer Gruppe von vier Leuten. Eine Person ist der Fahrer/die Fahrerin und die anderen drei sind Mitfahrer/Mitfahrerinnen. Eine Person will sehr oft Pausen machen. Eine andere Person fragt immer, wann Sie ankommen und wo Sie gerade sind. Die dritte Person muss zu einem Treffen, ist aber schon sehr spät dran. Aus diesem Grund bittet sie den Fahrer/die Fahrerin, schneller zu fahren. Nun los! Und gute Fahrt!

SPRACHE

Verb-Preposition Combinations

In both German and English, verbs often work in combination with prepositions to create special meanings. These meanings and combinations often produce something that is not the sum of the parts. Take the English verb-preposition combination *to look through* and consider these combinations:

I looked through the window and saw...

I looked through your papers last night.

I looked right through her!

To look through means something very different in each of these sentences. If you change the preposition, you change the meaning. If you say *I'm waiting for someone*, it is very different than saying *I'm waiting on someone*.

The same thing happens in German when verbs work together with prepositions. These verb-preposition combinations create special meanings. So far, you have learned these verb-preposition combinations that work with the accusative.

sich	*beklagen über*	to complain about
sich	*bewerben um*	to apply for
	bitten um	to ask for, request
	danken für	to thank for
	denken an	to think of
sich	*erinnern an*	to remember (about)
sich	*freuen auf*	to look forward to
	grenzen an	to border on
sich	*interessieren für*	to be interested in
sich	*kümmern um*	to look after, take care of
	lachen über	to laugh about
	schreiben über	to write about
	sprechen über	to speak about
sich	*vorbereiten auf*	to prepare for
	warten auf	to wait for

There are also verb-preposition combinations that work with the dative. Here are some of the most useful ones:

arbeiten an	to work on
erzählen von	to tell about
helfen bei	to help with
sprechen mit	to speak with
suchen nach	to search for
teilnehmen an	to participate in
träumen von	to dream about

Since many verb-preposition combinations are idiomatic, you will have to learn what case goes after the preposition if it is not clearly an accusative or dative preposition.

Activity 14

Die Touristen freuen sich schon auf die Donaufahrt.

Verwandte und Bekannte nehmen an der Hochzeit teil.

13 *Angst vor der Prüfung!* Ergänzen Sie die fehlenden Präpositionen!

Ich bereite mich ___ eine große Prüfung vor und warte ___ meine Schulfreunde, die mir dabei helfen. Wir sprechen ___ die verschiedenen Themen und wir alle beklagen uns ___ die schwere Prüfung. Jede Nacht träumen wir ___ Fragen, die die Prüfer stellen werden. In meinem schlimmsten Traum arbeite ich ___ einem Matheproblem, ___ das ich mich interessiere, aber ich kann mich nicht ___ die Antworten erinnern. Ein anderer Schulfreund erzählt ___ seinem Traum. Er sucht ___ einem Stück Papier, um seine Antwort aufzuschreiben und bittet eine Schülerin ___ eine Seite aus ihrem Heft. Sie gibt es ihm und er dankt ihr ___ das Papier. Aber er denkt nicht ___ die Zeit, die er ___ der Schülerin spricht und die Prüfung ist vorbei! Er darf nicht mehr schreiben. Wir alle lachen ___ unsere Träume und freuen uns ___ die Zeit, wenn wir keine Prüfungen mehr haben.

auf, auf, über, über, von, an, für, an, von, nach, um, für, an, mit, über, auf

Track 18

14 Beantworten Sie diese Fragen!

➤ Über wen lacht die Klasse? (der Lehrer)
Die Klasse lacht über den Lehrer.

1. Mit wem spricht Hannes jeden Morgen? (sein Vater)
2. Bei wem hilft Renate oft? (die Nachbarin)
3. An wen denkt Gisela am meisten? (ihr Freund)
4. Auf wen muss Roland oft warten? (seine Schulfreunde)
5. Über wen sprechen die Lehrer nicht gern? (schlechte Schüler)
6. Nach wem suchen wir? (die Katze)
7. Um wen kümmert sich eine Mutter? (ihre Kinder)
8. Für wen interessieren sich viele Schüler? (bekannte Popstars)

1. Hannes spricht jeden Morgen mit seinem Vater.
2. Renate hilft oft bei der Nachbarin.
3. Gisela denkt am meisten an ihren Freund.
4. Roland muss oft auf seine Schulfreunde warten.
5. Die Lehrer sprechen nicht gern über schlechte Schüler.
6. Wir suchen nach der Katze.
7. Eine Mutter kümmert sich um ihre Kinder.
8. Viele Schüler interessieren sich für bekannte Popstars.

MENSCHEN UND MÄCHTE

 Track 19

Der Kaiser macht ein Fest

Steckbrief

Name:	Friedrich Barbarossa
Geburtstag:	im Jahr 1125
Todestag:	10. 6. 1190
Eltern:	Friedrich II. und Judith
Frau:	Beatrix von Burgund
Söhne:	Heinrich und Friedrich
Beruf:	Kaiser
Wichtigster Tag:	18. 6. 1155: Barbarossa wird Kaiser

Für das 12. Jahrhundert ist eine Person besonders wichtig: König Friedrich Barbarossa, der 1155 Kaiser wurde. Nachdem die deutschen Fürsten ihn 1152 zum König krönten, fuhr Friedrich nach Aachen, um dort drei Jahre später seine Krone° als Kaiser zu bekommen. Er wollte wie sein Idol Karl der Große in dieser Stadt Kaiser werden.

In seinem Reich hatte Friedrich viele Probleme. Manche seiner Fürsten wollten selbst mehr Macht haben. Einige dachten, dass der Kaiser weniger Einfluss haben sollte. Städte im Norden Italiens wollten, dass Friedrich nicht ihr Kaiser war. Und auch der Papst in Rom mochte Friedrichs Politik manchmal nicht. Aber Friedrich war ein sehr guter Politiker. Er löste° viele seiner Probleme mit seinen Verwandten. Da er nicht überall sein konnte, versuchte er, dass seine Verwandten an diesen Orten wichtige Jobs hatten. Sie konnten ihm so bei seiner Politik helfen.

Lektion B

Mainz

In deutschen Burgen sieht man noch Sachen aus alten Zeiten.

Fridericus primus Imp.

Friedrich Barbarosssa

Da Friedrich ein großes Reich hatte, musste er mit seinen Fürsten in Kontakt bleiben. Es gab ja noch kein Telefon und Pferde waren manchmal zu langsam. So gab er große Feste und lud seine Ritter° und Fürsten ein. Alle kamen, denn wenn ein Kaiser eine Einladung schickt, kommt man natürlich. So konnte Friedrich mit seinen Gästen sprechen und kannte ihre Wünsche und Pläne. Und die Fürsten konnten sehen, wie viel Macht Friedrich hatte.

Ein solches Fest gab es 1184 in Mainz am Rhein. Mainz war eine gute Stadt für so ein Treffen, weil sie in der Mitte Deutschlands liegt und deshalb alle Leute leicht dorthin kommen konnten. Man glaubt, dass 40 000 bis 70 000 Leute auf diesem Fest waren. Die Gäste kamen aus Italien, Frankreich, Deutschland und Polen. Viele von ihnen waren Ritter. Sie waren gekommen, um Friedrich zu sehen, aber auch um an den Spielen auf dem Fest teilzunehmen°. Sie ritten auf Pferden und kämpften mit Schwertern°. Aber sie mussten auch zeigen, dass sie tanzen und Musik machen konnten. Sie sollten auch etwas über Literatur wissen, denn ein Ritter musste viele Dinge können. Nur Lesen und Schreiben waren nicht so wichtig. Schon ab 14 Jahren bereiteten sich die Jungen darauf vor, Ritter zu werden. Der Kaiser sagte, wer ein neuer Ritter war. Ritter waren wichtig für seine Politik. Auf dem großen Fest 1184 waren es seine beiden Söhne Friedrich und Heinrich, die der Kaiser zu Rittern machte.

Nicht nur reiche° Leute und Ritter kamen zu so einem Fest, sondern auch viele ärmere Leute. Sie spielten Musik und tanzten, aßen und tranken. Zu essen gab es Fisch und Fleisch, Kartoffeln und natürlich auch Süßes. Sie sahen Jongleuren° zu, die bunte Keulen in die Luft warfen°. Man konnte auch die reichen Leute in ihren schönen Kleidern ansehen.

Friedrich lebte lange. Die Menschen in dieser Zeit wurden im Durchschnitt 38 Jahre alt. Friedrich starb mit 65 Jahren. Es passierte auf dem dritten Kreuzzug. An einem heißen Tag nahm Friedrich ein Bad° in einem sehr kalten Fluss und starb.

(*die Krone* crown; *lösen* to solve; *der Ritter* knight; *teilnehmen an* to participate in; *das Schwert* sword; *reich* rich; *der Jongleur* juggler; *werfen* to throw; *ein Bad nehmen* to take a bath)

emcp.com   WB Activities 15–16

Kapitel 4

15 Beantworten Sie die Fragen!

1. Wo bekam Friedrich Barbarossa seine Krone?
2. Wo liegt Mainz?
3. Wie viele Leute waren auf dem Fest in Mainz?
4. Aus welchen Ländern kamen die Gäste?
5. Was musste ein Ritter können?
6. Wer sagte, wer Ritter wurde?
7. Was aßen die Leute auf diesem Fest?
8. Wo starb Friedrich?

1. In Aachen.
2. In der Mitte Deutschlands.
3. 40 000 bis 70 000 Leute.
4. Aus Italien, Frankreich, Deutschland und Polen.
5. Reiten, kämpfen, tanzen, Musik machen, etwas über Literatur wissen.
6. Der Kaiser.
7. Fisch, Fleisch, Kartoffeln, Süßes.
8. In einem sehr kalten Fluss.

So sahen die Ritter aus.

SPRACHE

Relative Pronouns after Prepositions

You have already learned how to use relative pronouns as subjects, direct objects, and indirect objects in relative clauses. Relative pronouns can also be used after prepositions.

Der Bus, auf den ich warte, kommt nicht. The bus for which I am waiting isn't coming.

Ist das die Lehrerin, von der wir gesprochen haben? Is that the teacher about whom we were speaking?

Note: The translation of these sentences sounds somewhat odd in English because English does not always require a relative pronoun, whereas they are mandatory in German.

WB Activities 17–18

Hasan hält viele Kleidungsstücke, von denen sie alle bei der Modenschau Gebrauch machen können.

Das sind Florian und Julia, über die Sie viel in der Videoserie gehört und gesehen haben.

16 Was passt zusammen? Kombinieren Sie!

1. Wann kommt der Bus?
2. Auf welche Frau wartest du?
3. Erinnerst du dich an den Mann?
4. Siehst du die Frau da?
5. Träumst du jede Nacht von deinem alten Freund?
6. Ist das die Familie?
7. Wo sind die Nachbarn?
8. Hast du deinen alten Lehrer gesehen?

a. Nein, von dem nicht.
b. Ja, er ist der Mann, über den ich nicht so gern spreche.
c. Ja, das ist die, an die ich so oft denke.
d. Ist sie nicht die, über die wir gestern gesprochen haben?
e. An den, der gestern hier war?
f. Auf die, die jeden Mittwoch mit meiner Mutter Kaffee trinkt.
g. Meinst du den, auf den ich schon 10 Minuten warte?
h. Meinst du die, bei denen ich so oft helfen muss?

1g, 2f, 3e, 4d, 5a, 6c, 7h, 8b

17 Wer kann das sein? Ergänzen Sie die Sätze!

1. Das ist der Mann, auf ___ alle warten.
2. Das sind die Reiseleiterinnen, von ___ alle sprechen.
3. Das ist die Gruppe, über ___ alle diskutieren.
4. Das ist der Clown, über ___ alle lachen.
5. Das ist die Schauspielerin, von ___ alle träumen.
6. Das ist der nette Nachbar, bei ___ alle helfen.
7. Das sind die Probleme, an ___ alle denken.
8. Das ist die alte Oma, um ___ sich alle sorgen.

1. den
2. denen
3. die
4. den
5. der
6. dem
7. die
8. die

Das ist Angelikas Kaninchen, um das sie sich kümmern muss.

Das ist ein glückliches Brautpaar, auf das schon alle vor dem Rathaus warten.

SPRACHE

If/Then Clauses, Present Tense

You have learned how to make polite requests and wishes using the subjunctive. You can also use the subjunctive to express unreal conditions—things that might be true under other circumstances, but that are not true now.

Wenn ich mehr Zeit hätte, (dann) würde ich meine Freunde öfter besuchen.
If I had more time, (then) I would visit my friends more often.

Wenn wir reich wären, (dann) würden wir oft reisen und weniger arbeiten.
If we were rich, (then) we would travel often and work less.

As with polite requests, the present subjunctive forms of *werden - würde, haben - hätte* and *sein - wäre* work much the same way in German as "would" does in English. The *wenn*-clause ("if"-clause) uses *hätte* or *wäre* and the *dann*-clause ("then"-clause) *würde* plus the infinitive of the main verb. As always, *wenn* functions as a subordinating conjunction and pushes the verb to the end of the clause. Note that *dann* is often omitted. Remember that the *wenn*-clause = *hätte* or *wäre*; the *dann*-clause = *würde* plus infinitive.

Note: If *haben* or *sein* is the main verb in a *dann*-clause, you can simply use their subjunctive forms: *Wenn ich reich wäre, hätte ich immer noch Probleme.* If I were rich, I would still have problems.

WB Activities 19–20

18 *Wie wäre Ihr Leben, wenn Sie...? Schreiben Sie eine Antwort auf diese Frage!*

CD
Track 21

➤ jeden Tag zwölf Stunden im Bett wären (nicht so müde sein)
Ich würde nicht so müde sein. (Ich wäre nicht so müde.)

1. nicht in der Schule wären (mehr Freizeit haben)
2. ein eigenes Haus hätten (viele Zimmer für Hobbys haben)
3. einen Job hätten (jeden Tag arbeiten)
4. eine bekannte Person wären (oft mit vielen Leuten sprechen)
5. ein teures Auto hätten (viel Geld ausgeben)
6. 10 000 Dollar hätten (viele Sachen kaufen)
7. keine Freunde hätten (allein sein)
8. jetzt in Deutschland lebten (sehr gut Deutsch sprechen)

1. Ich würde mehr Freizeit haben. (Ich hätte mehr Freizeit.)
2. Ich hätte viele Zimmer für Hobbys.
3. Ich würde jeden Tag arbeiten.
4. Ich würde oft mit vielen Leuten sprechen.
5. Ich würde viel Geld ausgeben.
6. Ich würde viele Sachen kaufen.
7. Ich würde allein sein. (Ich wäre allein.)
8. Ich würde sehr gut Deutsch sprechen.

19 Kombinieren Sie!

Wenn Sie	keine Arbeit	hättest	würden wir	mehr zu Hause sein
Wenn sie	eine nette Person	wären	würden Sie	mir bei den Hausaufgaben helfen
Wenn er	viele Freunde	wärest	würde er	oft zu Besuch kommen
Wenn ich	mehr Zeit	hätte	würden sie	uns helfen
Wenn du	mehr Ruhe	hätten	würde ich	Zeit zum Lesen haben
		wäre		

20 *Das Leben eines Millionärs.* Beschreiben Sie einen typischen Tag, wenn Sie Millionär wären!

Aktuelles

Straßenkünstler°

Innsbruck ist eine Universitätsstadt, in der viele Studenten und Studentinnen studieren und wohnen. Viele von ihnen haben einen Job, weil sie Geld brauchen. Hannes gehört auch zu ihnen. Er erklärt: „Meine Eltern haben nicht so viel Geld und ein Stipendium° bekomme ich auch nicht; deshalb habe ich mir einen Job gesucht. Aber es war nicht leicht, etwas zu finden. Etwas Interessantes habe ich nicht gefunden und etwas Langweiliges wie als Kellner arbeiten, wollte ich auch nicht machen. Deshalb arbeite ich als Straßenkünstler. Ich bin in meiner Familie nicht der Erste. Mein Onkel hat das als Student angefangen und macht es auch heute noch manchmal, wenn er Zeit hat.

Was trägt der Straßenkünstler?

Wie sieht er aus?

Wenn ich arbeite, trage ich einen Smoking° und ein weißes Hemd. Mein Gesicht male ich schon zu Hause weiß. Ich sehe fast wie Charlie Chaplin aus. Ich bringe auch mein Radio und einen Hut° mit. Ich stehe auf einer Kiste° und warte bis die Leute Geld in meinen Hut werfen. Dann beginne ich auf meiner Kiste zu tanzen. Nach einer Minute oder so höre ich wieder auf und fange wieder an, wenn ich den nächsten Euro bekomme.

134

Kapitel 4

Am Tag arbeite ich vielleicht drei Stunden und verdiene ungefähr 20 Euro. Das ist nicht schlecht. Ich kann die Entscheidung treffen, wann und wo ich arbeiten will. Am liebsten stehe ich in der Fußgängerzone° in der Innsbrucker Altstadt, ganz in der Nähe von einem Maler, der seine Bilder mit bunter Kreide auf die Straße malt. Hier gehen viele Leute vorbei, vor allem am Samstag, wenn die Geschäfte lange geöffnet sind.

Wenn es regnet, arbeite ich nicht gern, denn dann werde ich nass und die Leute wollen nur nach Hause und nehmen sich nicht die Zeit, mir zuzusehen. Ich arbeite auch im Winter, wenn es nicht zu kalt ist. Besonders zu Weihnachten verdiene ich viel Geld.

Das Schwierigste° an meiner Arbeit ist, dass ich manchmal lange ohne eine Bewegung da stehen muss. Manchmal wollen die Leute mich dann zum Lachen bringen und machen lustige Gesichter° oder sagen etwas Lustiges. Dann muss ich aufpassen, dass ich nicht lache. Und einmal bin ich von meiner Kiste gefallen°. Ich hatte Glück, dass mir nichts passiert ist. Ich habe einfach meine Sachen genommen und bin nach Hause gegangen."

(*der Straßenkünstler* street artist; *das Stipendium* scholarship; *der Smoking* tuxedo; *der Hut* hat; *die Kiste* box, trunk; *die Fußgängerzone* pedestrian zone; *das Schwierigste* the most difficult [thing]; *das Gesicht* face; *fallen* to fall)

Gefällt es den Leuten, was er da macht?

WB Activities 21–22   **emcp.com**

21 *Was passt zusammen?* Machen Sie logische Kombinationen!

1. Weil er Geld für sein Studium braucht,
2. Seine Eltern können ihm nicht helfen,
3. Hannes hat lange gesucht,
4. Hannes malt zu Hause sein Gesicht weiß
5. Hannes trifft die Entscheidung,
6. Er arbeitet auch im Winter,
7. Hannes wird bei der Arbeit manchmal müde,
8. Hannes hat einen Onkel,

a. aber keine Arbeit gefunden.
b. wenn er lange ohne eine Bewegung da stehen muss.
c. wann und wo er arbeiten will.
d. hat Hannes einen Job gesucht.
e. da er zu Weihnachten viel Geld verdient.
f. der auch Straßenkünstler ist.
g. und geht dann mit seinem Radio und seiner Kiste in die Innsbrucker Altstadt.
h. weil sie nicht so viel Geld haben.

1d, 2h, 3a, 4g, 5c, 6e, 7b, 8f

22 *Was fehlt?* Ergänzen Sie die fehlenden Wörter!

1. Studenten und Studentinnen
2. Kellner
3. Straßenkünstler
4. Kiste
5. Hut
6. Fußgängerzone
7. Kreide
8. Geschäfte
9. Bewegung

1. In Innsbruck gibt es viele ___.

2. Hannes wollte nicht als ___ arbeiten, weil er diesen Job langweilig findet.

3. Der Onkel von Hannes ist auch ein ___.

4. Hannes steht auf einer ___.

5. Wenn die Leute ihm Geld in seinen ___ werfen, beginnt er zu tanzen.

6. In der ___ in der Innsbrucker Altstadt arbeitet Hannes am liebsten.

7. Dort arbeitet auch ein Maler, der mit ___ auf die Straße malt.

8. Am Samstag haben die ___ lange geöffnet.

9. Als Straßenkünstler muss Hannes manchmal lange ohne eine ___ da stehen.

Als Straßenkünstler steht er oft lange ohne eine Bewegung.

Wörter*und*

A u s d r ü c k e

PARTS OF A CAR

das Armaturenbrett dashboard
die Lüftung ventilation
die Hupe horn
der Scheibenwischer windshield wiper
der Tachometer speedometer
das Handschuhfach glove compartment
die Gangschaltung gear shift
das Gaspedal gas pedal
die Bremse brake
die Kupplung clutch
der Blinker turn signal
die Benzinuhr gas gauge

ABOUT DRIVING A CAR

in eine Fahrschule gehen to go to a driving school
theoretischen Unterricht haben to have in-class driver's ed
den Schlüssel drehen to turn the key
den Motor starten to start the motor
sich bequem hinsetzen to sit down comfortably
beide Hände auf dem Lenkrad halten to keep both hands on the steering wheel
das Radio abstellen to turn off the radio
auf die Kupplung drücken to push the clutch
die Gänge schalten to shift the gears

Der Stift

Heinrich Spoerl (1887–1955)

Heinrich Spoerl begann sein Leben in Düsseldorf, wo er auch als Rechtsanwalt arbeitete. In seiner Freizeit schrieb er humoristische Geschichten, vor allem über seine Schulzeit. Sein bekanntestes Buch „Die Feuerzangenbowle" wurde auch zu einem Film gemacht, den man heute in manchen Städten in Deutschland jeden Tag sehen kann, wie „The Rocky Horror Picture Show" in Großbritannien und den USA.

Über den Text

Dieser Text ist eine literarische Anekdote. Solche Texte sind meistens durch ihre Kürze und Form charakterisiert. Oft haben Anekdoten eine kleine Lehre und enden mit einer Art Pointe *(punch line).*

Vor dem Lesen

1. The title of the story is *Der Stift.* This story is about a prank that schoolchildren play on their teacher. Speculate on what the joke in this story might be, based on the title, the drawing and the fact that this is a school prank.

2. What are some typical pranks played at your school, and who are usually the victims?

Eine Türklinke hat zwei Teile, einen positiven und einen negativen Teil. Diese Teile stecken ineinander, der kleine wichtige Stift hält sie zusammen. Ohne den Stift fällt alles auseinander. Auch die Türklinke in der Obertertia ist nach diesem Prinzip konstruiert.

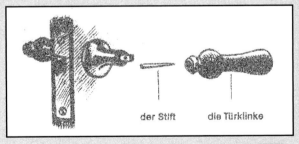

der Stift   die Türklinke

⟨TN⟩

Als der Englischlehrer um zwölf Uhr in die Klasse kam und wie immer mit Energie die Tür hinter sich zumachte, hatte er den negativen Teil der Klinke in der Hand. Der positive Teil flog draußen auf den Korridor.

Mit dem negativen Teil kann man eine Tür nicht aufmachen. Die Tür hat dann nur ein viereckiges Loch. Der negative Teil auch.

Die Klasse hatte die Luft angehalten und nun war sie in großer Freude. Die Klasse wusste, was nun kam. Nämlich:

Erstens: Eine genaue Untersuchung, welcher Schüler den Stift herausgezogen hatte und zweitens: Technische Versuche, wie man die Tür ohne Klinke aufmachen konnte. Damit ging die Stunde vorbei.

Es kam aber nichts. Nicht „erstens" und nicht „zweitens". Professor Heimbach war ein viel zu kluger Lehrer, um mit seiner Klasse über kriminalistische Untersuchungen und technische Probleme zu sprechen. Er wusste, worauf die Jungen warteten und tat genau das Gegenteil.

„Wir werden hier schon einmal herauskommen", sagte er kurz. „Matthiesen, fang bitte an! Kapitel siebzehn, Linie zwei."

Matthiesen fing an und bekam eine Drei minus. Dann ging es weiter. Die Stunde war wie jede andere. Die Sache mit dem Stift war vergessen. Aber die Jungen waren doch etwas klüger. Wenigstens einer von ihnen. Plötzlich stand der lange Klostermann auf und sagte, er musste rausgehen.

„Wir gehen später alle."

Er musste aber trotzdem rausgehen.

„Setz dich auf deinen Platz!"

Der lange Klostermann stand immer noch. Er sagte, er hatte Pflaumenkuchen gegessen und so weiter.

Professor Heimbach stand vor einem Problem. Gegen Pflaumenkuchen kann man nichts machen. Aber wer will die Folgen auf sich nehmen? Der Professor ging zur Tür und machte einen Versuch mit der Türklinke. Er stocherte mit seinem Hausschlüssel in dem viereckigen Loch herum. Aber kein Schlüssel ließ sich hineinstecken.

„Gebt mir einmal eure Schlüssel her!"

Merkwürdig! Kein Schüler hatte einen Schlüssel. Sie suchten in ihren Hosentaschen und feixten. Der Pflaumenkuchenmann feixte auch. Professor Heimbach war Menschenkenner. Wer Pflaumenkuchen gegessen hat, der feixt nicht.

„Klostermann, ich kann dir nicht helfen. Setz dich ruhig wieder hin! Die Rechnung kannst du dem geben, der den Stift herausgenommen hat. Klebben, lass das Feixen sein und lies weiter!"

Also wieder nichts. Langsam, viel zu langsam wurde es ein Uhr. Dann schellte es. Die Schüler aus den anderen Klassen liefen auf die Straße. Aber die Obertertia konnte nicht gehen. Sie lag im dritten Stock am toten Ende eines langen Korridors.

Professor Heimbach machte mit dem Unterricht Schluss und blieb an seinem Pult sitzen. Die Jungen packten ihre Bücher ein.

„Wann können wir gehen?"

„Ich weiß es nicht, wir müssen warten."

Warten war nichts für die Jungen. Außerdem hatten sie Hunger. Der dicke Schrader hatte noch ein Butterbrot und kaute es laut. Die anderen Jungen kauten an ihren Federhaltern.

„Können wir nicht vielleicht unsere Hausarbeiten machen?"

„Nein! Erstens werden Hausarbeiten, wie der Name sagt, zu Hause gemacht. Und zweitens habt ihr fünf Stunden hinter euch und müsst eure junge Gesundheit schonen. Ruht euch aus. Meinetwegen könnt ihr schlafen."

Schlafen in den Bänken haben die Schüler genug versucht. Es ist wundervoll. Aber es geht nur, wenn es nicht erlaubt ist. Jetzt, wo es erlaubt war, machte es keine Freude und funktionierte nicht. Eine schreckliche Langeweile ging durch das Zimmer. Die Jungen versuchten zu schlafen. Der Professor hatte es besser: er korrigierte die Hefte für die nächste Stunde.

Kurz nach zwei Uhr kamen die Putzfrauen. Die Obertertia konnte nach Hause gehen. Und der lange Klostermann, der den Stift herausgenommen hatte und sehr stolz darauf war, bekam Klassenschläge.

Nach dem Lesen

1. Welche Elemente machen diese Geschichte lustig? Wer lacht zuerst und wer lacht am Ende?

2. Erfinden Sie eine neue Komplikation für die Schüler der Obertertia! Was wäre mit ihnen passiert, wenn zum Beispiel die Putzfrauen nicht gekommen wären?

Endspiel

1. Gehen Sie in die Bibliothek oder benutzen Sie einen Computer, um mehr Informationen über Friedrich Barbarossa zu finden! Schreiben Sie über ihn!

2. Sie haben über ein Bundesland in Österreich gelesen. Es gibt noch acht andere: das Burgenland, Kärnten, Niederösterreich, Oberösterreich, Salzburg, die Steiermark, Vorarlberg und Wien. Gehen Sie in die Bibliothek oder benutzen Sie einen Computer, um mehr über eines dieser Bundesländer zu lernen! Erzählen Sie den anderen Schülern und Schülerinnen, was Sie herausgefunden haben!

3. Wählen Sie zwei oder drei Spiele aus, die Sie heute noch gern spielen. Erzählen Sie einem Partner/einer Partnerin, was Sie bei diesen Spielen machen, was Sie für die Spiele brauchen, mit wem Sie spielen und wann Sie spielen.

4. Sie sind ein Straßenkünstler. Sie stehen nun schon ein ganze Zeit ohne eine Bewegung da. Niemand gibt Ihnen Geld und das Wetter ist auch nicht so gut. Schreiben Sie über das, was Sie denken.

5. Haben Sie einen Lieblingsmusiker? Was wissen Sie über diese Person? Schreiben Sie einen Steckbrief mit den wichtigsten Informationen!

WB Activities 23–24

TP

Haben Sie einen Lieblingsmusiker?

Bei schönem Wetter macht es als Straßenkünstler mehr Spaß.

Vokabeln

abstellen to turn off *4B*

die **Anmeldung,-en** registration *4B*

annehmen *(nimmt an, nahm an, angenommen)* to accept *4B*

das **Armaturenbrett,-er** dashboard *4B*

das **Bad,-̈er** bath; *ein Bad nehmen* to take a bath *4B*

die **Benzinuhr,-en** gas gauge *4B*

der **Blinker,-** turn signal *4B*

die **Bremse,-n** brake *4B*

das **Brett,-er** board *4A*

das **Brettspiel,-e** board game *4A*

buchen to book *4B*

die **Bühnenshow,-s** stage show *4A*

die **Chance,-n** chance *4A*

die **Dame,-n** checkers (game) *4A*

doof stupid, dumb *4A*

drücken to push *4B*

erfolgreich successful *4A*

die **Fahrschule,-n** driving school *4B*

fallen *(fällt, fiel, ist gefallen)* to fall *4B*

fangen *(fängt, fing, gefangen)* to catch *4A*

der **Fehler,-** mistake *4A*

der **Föhn** foehn (warm, dry wind from the mountains) *4A*

die **Fußgängerzone,-n** pedestrian zone *4B*

die **Gangschaltung** gear shift *4B*

das **Gaspedal,-e** gas pedal *4B*

das **Gesicht,-er** face *4B*

der **Gewinner,-** winner *4A*

das **Handschuhfach,-̈er** glove compartment *4B*

herumspringen *sprang herum, ist herumgesprungen)* to jump around *4A*

sich **hinsetzen** to sit down *4B*

die **Hoffnung,-en** hope *4A*

die **Hupe,-n** horn *4B*

der **Hut,-̈e** hat *4B*

der **Jongleur,-e** juggler *4B*

die **Kiste,-n** box, trunk *4B*

kompliziert complicated *4B*

kriegen (colloquial) to get *4A*

die **Krone,-n** crown *4B*

die **Kupplung,-en** clutch *4B*

die **Lage,-n** location *4A*

die **Landschaft,-en** landscape, scenery *4A*

der **Lastwagen,-** truck *4A*

lösen to solve *4B*

die **Lüftung,-en** ventilation *4B*

der **Mitfahrer,-** ride sharer *4B*

die **Mitfahrgelegenheit,-en** ride share opportunity *4B*

die **Mitfahrzentrale,-n** ride share agency *4B*

der **Raucher,-** smoker *4B*

rauskommen *(kam raus, ist rausgekommen)* to start *4A*

recht sein to be okay with *4A*

reich rich *4B*

der **Ritter,-** knight *4B*

schaden to hurt, damage *4A*

schalten to switch; *die Gänge schalten* to shift gears *4B*

der **Scheibenwischer,-** windshield wiper *4B*

der **Schlagzeuger,-** drummer *4A*

schummeln to cheat *4A*

das **Schwert,-er** sword *4B*

das **Schwierigste** the most difficult [thing] *4B*

der **Sechser,-** six (on a die) *4A*

der **Smoking,-s** tuxedo *4B*

das **Spielgeld** play money *4A*

die **Spielregel,-n** game rule *4A*

der **Start,-s** start *4A*

starten to start; *den Motor starten* to start the motor *4B*

der **Stein,-e** checker, stone *4A*

das **Stipendium,-dien** scholarship *4B*

stolz proud *4A*

der **Straßenkünstler,-** street artist *4B*

der **Tachometer,-** speedometer *4B*

teilnehmen an *(nimmt teil, nahm teil, teilgenommen)* to participate in *4B*

theoretisch theoretical; *theoretischer Unterricht* in-class driver's ed *4B*

übernehmen *(übernimmt, übernahm, übernommen)* to take over *4A*

der **Urlaub,-e** vacation; *Urlaub machen* to take a vacation *4A*

der **Verlierer,-** loser *4A*

werfen *(wirft, warf, geworfen)* to throw *4B*

der **Widerstand** resistance *4A*

die **Wiese,-n** meadow *4A*

der **Wunsch,-̈e** wish *4A*

der **Würfel,-** die *4A*

Sie nehmen alle am Musikunterricht teil.

In this chapter you will learn how to:

- ask for advice and information
- express politeness
- express preferences
- describe travel experiences
- talk about a hiking trip

KAPITEL 5

Österreich

LEKTION A

1 *Wer sagt was?* **Entscheiden Sie, ob man du, ihr oder Sie in diesen Situationen braucht. Ordnen Sie die Personen der richtigen Gruppe zu! Was sagen...**

1. zwei Kinder zueinander?
2. drei Schüler zueinander?
3. ein Schüler zu drei Mitschülern?
4. ein Herr zu seinem Hund?
5. Frau Schmidt zu Frau Hansen?
6. ein Abteilungsleiter zu seiner Sekretärin?
7. ein 16-jähriges Mädchen zu einer 60-jährigen Frau, die sie nicht kennt?
8. ein 18-jähriger Junge zu seiner Tante?
9. zwei 16-jährige Mädchen zu einer Lehrerin?
10. eine Mutter zu ihren vier Kindern?
11. ein Junge zu seinen Großeltern?

1. du
2. du und ihr
3. ihr
4. du
5. Sie
6. Sie
7. Sie
8. du
9. Sie
10. ihr
11. ihr

In einem Buchgeschäft

Marion! Hallo! Wie geht es dir?

Ich habe dich lange nicht gesehen.

Was machst du denn hier?

Anita geht in ein Buchgeschäft, weil sie ein Geschenk sucht.

Verkäufer: Kann ich Ihnen helfen?

Anita: Nein, ich möchte mich zuerst einmal umschauen.

Verkäufer: Gern, wenn Sie eine Frage haben, lassen Sie es mich wissen.

Anita: Danke.

Als Anita zu einem Regal im Geschäft geht, sieht sie plötzlich ihre Freundin Marion und eine andere Person an der Theke stehen.

Lektion A

Sag doch „du" zu mir.

Kauf deinem Bruder doch dieses Buch!

Anita:	Marion! Hallo! Wie geht es dir? Ich habe dich lange nicht gesehen.
Marion:	Anita. Das ist ja toll. Was machst du denn hier?
Anita:	Na, was schon? Bücher kaufen natürlich. Ich suche ein Geschenk für meinen Bruder.
Marion:	Ich auch, nicht für deinen, sondern meinen Bruder. Ich möchte dich auch meiner Tante Beate vorstellen: Anita Schmidt, Beate Meier.
Anita:	Guten Tag, Frau Meier! Nett, Sie kennen zu lernen. Marion hat mir schon viel von Ihnen erzählt.
Beate:	Hallo Anita. Sag doch „du" zu mir. Ich bin noch so jung, dass ich mich weniger wie eine Tante und mehr wie eine Cousine von Marion fühle. Wir beide haben viel zu viel Spaß zusammen.
Anita:	Gern. Noch ein Mal hallo, also! Was macht ihr heute noch?
Marion:	Wir wollen noch ein bisschen einkaufen und dann gehen wir Eis essen. Komm doch mit!
Anita:	Tolle Idee. Ich muss schnell etwas erledigen und treffe euch dann in einer halben Stunde im Eiscafé. Bis dann!
Marion & Beate:	Tschüs!

WB Activity 2

Track 4

2 Beantworten Sie die Fragen!

1. Weiß Anita gleich, was sie im Buchgeschäft kaufen will?
2. Wen trifft Anita im Geschäft?
3. Was sucht Anita im Geschäft?
4. Wen stellt Anita vor?
5. Wer ist Beate Meier?
6. Was machen Beate und Marion, nachdem sie im Buchgeschäft gewesen sind?
7. Was wird Anita in einer halben Stunde machen?

1. Nein, sie möchte sich zuerst etwas umschauen.
2. Sie trifft ihre Freundin Marion.
3. Sie sucht ein Geschenk für ihren Bruder.
4. Sie stellt Beate Meier vor.
5. Sie ist Marions Tante.
6. Sie gehen Eis essen.
7. Sie wird Beate und Marion im Eiscafé treffen.

Allerlei

Wie höflich° sind die Leute?

Um° sich das Leben leichter zu machen, haben die Menschen Regeln, die sagen, was man in einer Situation tun darf und was man nicht tun soll. Diese Regeln machen klar, ob man ein kleines Geschenk oder Blumen zu einer Party mitbringen soll, ob man ein schwarzes Kleid auf einer Hochzeit tragen kann, wer zuerst „Guten Tag" oder „Grüß Gott" sagt und noch viele Dinge mehr. Manche Leute finden, dass diese Regeln das Leben leichter machen; andere aber sagen, dass sie nur Probleme machen. Wir haben in Salzburg verschiedene Leute gefragt, was sie von diesen Regeln halten°.

Wolfgang Bauer

Wolfgang Bauer, Mechaniker, 60 Jahre, erzählt: „Also ich denke, dass diese Regeln schon sehr gut sind. Ich finde es schade, dass immer weniger Leute heute wissen, wie man sich richtig benimmt. Das sehe ich zum Beispiel, wenn ich mit dem Bus fahre. Meine Mutter hat immer gesagt, dass ich aufstehen soll, wenn eine ältere Person keinen Sitzplatz hat. Die jungen Leute heute scheinen diese Regel nicht zu kennen. Und da muss man dann als alter Mensch stehen. Und auch wenn man den Bus verlassen will, hat man seine Probleme mit diesen jungen Leuten. Sie wollen als erste aus dem Bus aussteigen. Und dann muss man mit ihnen kämpfen, wenn man aus dem Bus will. Ich denke schon, dass die jungen Leute von heute weniger höflich sind."

Sabine Feldengut, Schülerin, 17 Jahre, sieht die Sache etwas anders: „Viele dieser Regeln finde ich ganz gut. Wenn man mit Erwachsenen zu tun hat, dann weiß man, was sie von einem erwarten. Und oft hat man weniger Probleme, wenn man diesen Regeln folgt. Aber manche dieser Regeln finde ich etwas alt. Warum zum Beispiel soll der Mann immer der Frau die Tür aufmachen? Die Rolle der Frau heute ist nicht wie vor 50 Jahren. Viele Frauen arbeiten heute und machen auch viele andere Sachen selbst und Türen sind für sie heute wirklich kein Problem. Deshalb würde ich es gut finden, wenn man manche dieser Regeln vergessen oder ändern würde, weil sie nicht mehr in die heutige Zeit passen."

Sabine Feldengut

(*höflich* polite; *um* in order to; *halten von* to think of)

3 *Was stimmt hier nicht?* Verbessern Sie den falschen Teil!

1. Wolfgang Bauer findet, dass heute mehr Leute wissen, wie man sich gut benimmt.
2. Die jungen Leute wollen als erste in den Bus einsteigen.
3. Wolfgangs Vater sagte, dass er im Bus für alte Leute aufstehen soll.
4. Wolfgang Bauer kämpft mit dem Fahrer, um aus dem Bus auszusteigen.
5. Sabine findet es dumm, dass die Frauen den Männern die Türen aufmachen.
6. Sabine will keine Regeln vergessen.
7. Sabine findet, dass man mehr Probleme hat, wenn man Regeln benutzt.
8. Sabine findet die Regeln gut, wenn man mit Kindern zu tun hat.

1. mehr - weniger
2. in den Bus einsteigen - aus dem Bus aussteigen
3. Vater - Mutter
4. mit dem Fahrer - mit den jungen Leuten
5. die Frauen den Männer - die Männer den Frauen
6. keine - manche
7. mehr - weniger
8. mit Kindern - mit Erwachsenen

Track 7

Charlotte Melin, Professorin, 45 Jahre, hat interessante Ideen zu diesem Thema. Sie ist eine Amerikanerin, die seit fünfzehn Jahren in Salzburg lebt. Sie unterrichtet hier an der Universität Englisch. „Jetzt lebe ich schon lange in diesem Land. Die Österreicher sind ein charmantes Volk. Manche Sachen sind aber etwas seltsam°. Zum Beispiel küssen° manche Männer noch immer die Hand der Frau, wenn sie sie treffen. Und dann muss man hier in Österreich auch immer die Titel sagen, wenn man mit jemandem spricht. Manchmal sagt man dann also ‚Grüß Gott, Herr Professor Doktor Huber‘. Und wenn man dann den Titel vergisst

Charlotte Melin

oder den falschen benutzt, dann kann man mit manchen Leuten wirklich Probleme bekommen. Aber was ich am schwersten finde, sind die Regeln für ‚du‘ und ‚Sie‘. Es gibt so viele dafür. Manche haben mit dem Alter zu tun, manche mit dem Beruf. Ich bin mir nicht sicher, ob ich diese Regeln einmal ganz verstehen werde. Oft denke ich, man muss hier geboren sein, um diese Regeln ganz richtig zu benutzen. Manchmal warte ich deshalb lieber bis mir ein Österreicher oder eine Österreicherin das ‚Du‘ anbietet. Denn es ist sehr peinlich°, wenn man beginnt ‚du‘ zu sagen und die andere Person das nicht will."

WB Activity 3

(*seltsam* strange; *küssen* to kiss; *peinlich* embarrassing)

Die Österreicher sind ein charmantes Volk.

4 *Von wem spricht man hier?* Das ist die Person, die...

1. im Bus manchmal stehen muss.
2. denkt, dass die jungen Leute heute weniger höflich sind.
3. glaubt, dass die Rolle der Frau heute nicht mehr wie vor 50 Jahren ist.
4. die Regeln für „du" und „Sie" schwer findet.
5. zur Schule geht.
6. älter als die beiden anderen Personen ist.
7. aus den USA kommt.
8. denkt, dass manche Regeln nicht in die heutige Zeit passen.
9. meint, dass die Österreicher charmant sind.

1. Wolfgang Bauer
2. Wolfgang Bauer
3. Sabine Feldengut
4. Charlotte Melin
5. Sabine Feldengut
6. Wolfgang Bauer
7. Charlotte Melin
8. Sabine Feldengut
9. Charlotte Melin

5 *Welche Regeln kennen Sie?* Nennen Sie vier Situationen, in denen man solche Regeln benutzt!

6 *Können Sie die Wörter aus dem Text identifizieren?* Das ist/Das sind...

1. der Tag, an dem zwei Menschen sagen, dass sie ihr Leben zusammen verbringen wollen.
2. eine Person, die ein kaputtes Auto repariert.
3. Leute, die keine Kinder oder Jugendlichen mehr sind.
4. der Ort, wo Studenten studieren.
5. der Eingang zu einem Haus.
6. bestimmte Dinge, denen man folgen muss.
7. ein Verkehrsmittel, mit dem 30 oder mehr Touristen eine Reise machen.

1. die Hochzeit
2. der Mechaniker (die Mechanikerin)
3. Erwachsene (die Erwachsenen)
4. die Universität
5. die Tür
6. die Regeln
7. der Bus

Das ist ein Verkehrsmittel, in dem viele Leute mitfahren können.

7 ***Was ist Ihre Meinung?* Lesen Sie die folgenden Meinungen und sagen Sie, ob Sie derselben oder anderer Meinung sind! Warum oder warum nicht?**

1. Jugendliche sollen laute Musik auf der Straße spielen dürfen.

2. Erwachsene sollen nur „du" zu einander sagen.

3. Jugendliche unter achtzehn Jahren sollen nicht Auto fahren.

4. Junge Leute sollen im Bus aufstehen und älteren Leuten ihren Sitzplatz anbieten.

5. Eltern sollen ihren Kindern Hausregeln geben.

6. Jugendliche sollen nicht heiraten dürfen, bis sie älter als achtzehn Jahre sind.

ROLLENSPIEL

Arbeiten Sie in einer Gruppe mit drei anderen Leuten! Erzählen Sie von Situationen, als Sie oder eine andere Person nicht höflich waren oder als Ihnen etwas Peinliches passiert ist. Was haben Sie in dieser Situation gemacht? Was haben Sie gedacht und gefühlt?

SPRACHE

Comparative and Superlative

When you use the comparative and superlative forms of adjectives and adverbs, you add suffixes to the positive, or base form. To form the comparative, add *-er* (*schön - schöner-; schnell - schneller-*). For the superlative, add *-st* to the base (*schön - schönst-; schnell - schnellst-*). These forms can precede a noun and modify it; therefore they need adjective endings. See the chart in the appendix of this book to review adjective endings.

Comparative of adjectives:

positive: *Die freundliche Lehrerin unterrichtet Geschichte.* The friendly teacher teaches history.

comparative: *Die freundlich**er**e Lehrerin unterrichtet Mathe.* The friendlier teacher teaches math.

superlative: *Die freundlich**st**e Lehrerin unterrichtet Deutsch.* The friendliest teacher teaches German.

When the adjectives or adverbs end in *d, s, ß, sch, st, t, x* or *z*, the superlative adds an *-e-* before the ending *-st (heiß - heißest-; charmant - charmantest-)*.
Note exception: *groß - größt-*.

Most one-syllable adjectives or adverbs with *a, o* and *u* add an umlaut in the comparative and superlative. Occasionally, other adjectives and adverbs also take umlauts (*gesund - gesünder*).

groß	*größer-*	*größt-*
warm	*wärmer-*	*wärmst-*

As you have already learned, there are also adjectives and adverbs that have irregular forms. Here they are again for your review. These are the most important ones:

gern	*lieber*	*liebst-*
gut	*besser-*	*best-*
hoch	*höher-*	*höchst-*
nahe	*näher-*	*nächst-*
viel	*mehr*	*meist-*

WB Activity 4

Note: There are no adjective endings for *lieber* and *mehr*.

8 *Welche Endungen braucht man hier?* **Ergänzen Sie die Endungen!**

1. Ein schneller___ Mountainbike ist oft das besser__ Mountainbike.
2. Deutsche Autos sind oft die tollst___ Autos.
3. Die schönst___ Dinge im Leben sind nicht immer teuer.
4. Wenn ich ein kleiner___ Zimmer hätte, würde ich trotzdem die meist___ Sachen drin haben.
5. Wenn ich mit meiner ältest___ Schwester hier wäre, hätte ich keine Angst.
6. Möchten Sie den teurer___ oder den billiger___ Roller kaufen?
7. Wir brauchen eine länger___ Pause.
8. Ich habe wenig Geld und mache nur die wichtigst___ Reparaturen an meinem Motorrad.

1. es, e
2. en
3. en
4. es, en
5. en
6. en, en
7. e
8. en

Viele der besten
Skiläuferinnen kommen
aus Österreich.

9
Man kann nicht alles haben! **Ergänzen Sie die fehlenden Wörter! Benutzen Sie den Komparativ und vergessen Sie die Adjektivendungen nicht!**

Sind die schönsten Dinge im Leben unbedingt die teuersten?

▶ Ich möchte ___ Prüfungen haben, aber dafür ___ Hausaufgaben. (leicht, schwer)
Ich möchte leichtere Prüfungen haben, aber dafür schwerere Hausaufgaben.

1. kleineres, größeres
2. teureren, billigeres
3. kürzeren, besseren
4. gesündere, mehr
5. engere, weitere
6. ältere, günstigere
7. wärmere, kühlere
8. einfachere, schönere

1. Ich möchte ein ___ Zimmer haben und ein ___ Bett. (klein, groß)

2. Uwe möchte einen ___ Computer haben und dafür ein ___ Fahrrad. (teuer, billig)

3. Jens und Barbara möchten einen ___ Urlaub haben, aber dafür einen ___ Job. (kurz, gut)

4. Renate möchte ___ Sachen essen und dafür ___ Zeit zum Kochen haben. (gesund, viel)

5. Hannes möchte ___ Hosen haben und ___ Hemden. (eng, weit)

6. Kinos, die ___ Filme zeigen, bieten meistens ___ Preise an. (alt, günstig)

7. Ich möchte ___ Tage haben, aber dafür ___ Nächte. (warm, kühl)

8. Viele Musiker möchten ___ Arrangements haben, aber dafür ___ Musik. (einfach, schön)

10
Ihre Meinung, bitte! **Schreiben Sie, was Sie meinen und benutzen Sie den Superlativ dazu!**

▶ Welches Verkehrsmittel ist das schnellste: das Fahrrad, das Flugzeug, das Motorrad?
Das Flugzeug ist das schnellste Verkehrsmittel.

1. Welche Stadt ist die größte: Berlin, Wien, New York?

2. Welcher Platz ist der schönste zum Sitzen: eine Bank, der Rasen, ein Park?

3. Welche Person ist die älteste in einer Familie: der Vater, die Mutter, der Großvater?

4. Welche Sportart ist für Sie die beste: Laufen, Schwimmen, Fußball?

5. Welcher Tanz ist der einfachste? der Foxtrott, der Walzer, die Polka?

6. Welches Zimmer ist das kleinste in Ihrem Haus oder Ihrer Wohnung: die Küche, das Wohnzimmer, das Badezimmer?

7. Welche Hausarbeit ist für Sie die schwerste: Staubsaugen, Wäsche waschen, Geschirr spülen?

8. Welche Kunst ist die älteste: das Malen, das Straßentheater, das Singen?

Comparison of Adjectives and Adverbs

Adjectives and adverbs that appear after verbs in the sentence do not have adjective endings. When you compare them, add *-er* to the base form in the comparative and *-st* to the base form in the superlative. Notice that *am* precedes the superlative form, which ends in *-en*.

positive: *Die Englischlehrerin ist freundlich.* The English teacher is friendly.

comparative: *Die Französischlehrerin ist freundlicher als die Englischlehrerin.* The French teacher is friendlier than the English teacher.

superlative: *Die Biologielehrerin ist am freundlichsten.* The biology teacher is the friendliest.

When you compare two things that are equal, use *so...wie.*

Melanie ist so intelligent wie Ingrid. Melanie is as intelligent as Ingrid.
Das Rathaus ist so alt wie die Bibliothek. The city hall is as old as the library.

When you compare two unequal things, use the comparative form and *als.*

Rudolf ist glücklicher als Herr Schwarz.
Rudolf is happier than Mr. Schwarz.

Frau Bauer ist jünger als Herr Teubner.
Mrs. Bauer is younger than Mr. Teubner.

WB Activities 5–6

Das Kreuzfahrtschiff ist viel größer als das Segelschiff.

CD Track 10

11 Vergleichen Sie diese Gegenstände!

 eine Villa / ein Mietshaus / klein
Eine Villa ist kleiner als ein Mietshaus.

1. Deutschland / die Schweiz / groß
2. Literatur / Politik / interessant
3. ein Gewinner / ein Verlierer / glücklich
4. Seniorenpässe / Juniorenpässe / billig
5. im Internet surfen / eine Enzyklopädie lesen / schnell
6. ein Sessel / ein Stuhl / bequem
7. ein Kind / ein Erwachsener / jung
8. der Zug / die Mitfahrzentrale / sicher
9. im Park sitzen / in der Stadt herumfahren / ruhig
10. eine neue Kette fürs Fahrrad / eine verrostete Kette / gut

1. Deutschland ist größer als die Schweiz.
2. Literatur ist interessanter als Politik.
3. Ein Gewinner ist glücklicher als ein Verlierer.
4. Seniorenpässe sind billiger als Juniorenpässe.
5. Im Internet surfen ist schneller als eine Enzyklopädie lesen.
6. Ein Sessel ist bequemer als ein Stuhl.
7. Ein Kind ist jünger als ein Erwachsener.
8. Der Zug ist sicherer als die Mitfahrzentrale.
9. Im Park sitzen ist ruhiger als in der Stadt herumfahren.
10. Eine neue Kette fürs Fahrrad ist besser als eine verrostete Kette.

12 *Schöner, schneller, teurer!* **Hier haben Sie Wortkreise mit Wörtern, die etwas miteinander zu tun haben. In Gruppen von vier Leuten versuchen Sie für jedes Wort in der Liste einen Vergleich zu machen!**

➤ Stiefel sind schwerer als Tennisschuhe.
Ein Tiroler Hut ist größer als Ohrringe.

A
Auto
Fahrrad
Schiff
Bahn
Schlittschuhe
Spielzeugeisenbahn
Flugzeug

B
Stiefel
Tennisschuhe
Kleid
Ohrringe
Tiroler Hut
Jeans

C
das Lesen
das Schwimmen
das Schlafen
das Fernsehen
das Tanzen
das Lernen
das Essen
das Fahren

Expressing Preferences with Comparative and Superlative

The comparative and superlative will be helpful when you want to express your preferences for things or people. The following are a few expressions that will help you:

Ich finde...als...
Ich mag...gern, aber...lieber.
Ich habe...lieber als....
Ich habe...gern, aber...gefällt/gefallen mir besser.

Ich finde klassische Musik langweiliger als Rockmusik.	I find classical music more boring than rock music.
Ich mag die Arbeit im Kaufhaus, aber ich möchte lieber mein eigenes Geschäft haben.	I like the work in the department store, but I would prefer to have my own business.
Herr Polasky hat Krakau lieber als Trier.	Mr. Polasky likes Cracow better than Trier.
Frau Dupont hat Trier gern, aber Albi gefällt ihr besser.	Mrs. Dupont likes Trier, but she prefers Albi (but she likes Albi more).

13 Kombinieren Sie!

Auto fahren	den Winter	besser als	den Sommer
Ich finde	Deutsch	so gern wie	Fahrrad fahren
Ich habe	finde ich	so gut wie	Fernsehen
Ich mag	gefällt mir	lieber als	Französisch
Lesen	mag ich	schöner als	meinen Job
Samstag	meine Schule		Sonntag
			Ski laufen

Länder, Kantone und Provinzen

CD
Track 11

Wien, Budapest und Prag

Wenn man etwas über Österreich lernen will, soll man nicht nur die Alpen, Salzburg, Tirol und Wien sehen. Man soll auch Prag, die Hauptstadt der Tschechischen Republik und Budapest, die Hauptstadt Ungarns, besuchen. Auch wenn diese beiden Städte heute nicht mehr zu Österreich gehören, spielten sie doch eine wichtige Rolle in der österreichischen Geschichte. Vor dem Ersten Weltkrieg (1914–1918) war Österreich ein großes Reich, zu dem auch andere Länder gehörten. Und zwei der wichtigsten Länder waren Ungarn° und die Tschechische Republik, die zu dieser Zeit noch Böhmen° hieß. Aus diesem Grund kann man auch heute noch in diesen Ländern Leute finden, die sehr gut Deutsch sprechen.

Philipp, Manuela und Anna sind nach Wien, Prag und Budapest gefahren. Das haben sie nach ihrer Reise erzählt.

(*Ungarn* Hungary; *Böhmen* Bohemia)

Manuela

Manuela

Wien hat mir von den drei Städten am besten gefallen. Wenn man Kunst und Geschichte mag, dann ist Wien ein gutes Reiseziel. Wenn man lange genug sucht, kann man in Wien ein Gebäude aus fast jedem Jahrhundert finden.

Aber unseren interessantesten Nachmittag hatten Philipp, Anna und ich auf dem Zentralfriedhof. Wir sind bestimmt drei Stunden dort gewesen. Ich habe die Gräber von so berühmten Leuten wie Wolfgang Amadeus Mozart, Ludwig van Beethoven und Johann Strauß, dem König des Walzers, gesehen. Das war toll!

Wien hat Manuela am besten gefallen.

Nach einem langen Tag in der Stadt sind wir oft in ein Café gegangen. Wer nach Wien fährt, muss wenigstens einmal in ein Café gehen. Cafés haben eine lange Tradition in Wien. Viele Leute gehen jeden Tag in ein Café. Sie bleiben oft viele Stunden dort. Sie lesen die Zeitung oder treffen sich mit Freunden. Außerdem gibt es dort guten Kaffee oder Kakao. Und natürlich habe ich Sachertorte° gegessen.

(*die Sachertorte* famous Austrian cake)

Track 12

14 Beantworten Sie diese Fragen!

1. Wem hat Wien am besten gefallen?
2. Wo haben die drei einen interessantesten Nachmittag verbracht?
3. Was machen viele Leute jeden Tag in Wien?
4. Was hat Manuela im Café gegessen?

1. Manuela.
2. Auf dem Zentralfriedhof.
3. Sie gehen ins Café.
4. Sachertorte.

Anna

Track 13

Anna

Ich mag Budapest von den drei Städten am liebsten. Wir sind von Wien mit einem Schiff auf der Donau° nach Budapest gefahren. Das war so schön! In der Stadt gibt es sechs Brücken über die Donau. Wir haben eine lange Wanderung° zu allen diesen Brücken gemacht. Bei der vierten Brücke haben Philipp und Manuela zu maulen begonnen, aber ich wollte einfach alle diese Brücken sehen.

Ich habe es nicht gewusst, aber Philipp hat mir erklärt, dass Budapest aus den zwei Teilen Buda und Pest besteht°. Die Donau fließt durch die Mitte der Stadt. Buda liegt oben auf einem kleinen Berg. Dort liegt auch die Fischerbastei°. Das ist eine alte Burg°. Philipp und Manuela fanden sie ganz toll, aber ich interessiere mich nicht so für alte Gebäude.

Der zweite Teil der Stadt, Pest, liegt unten. In diesem Teil der Stadt gibt es viele Geschäfte und man kann dort gut einkaufen. Ich habe fast alle Andenken° für meine Familie hier gekauft. Wenn ich nur mehr Geld gehabt hätte! Ich werde sicher noch einmal nach Budapest fahren.

(*die Donau* Danube River; *die Wanderung* hike; *bestehen aus* to consist of; *die Fischerbastei* name of castle in Budapest; *die Burg* fortress, castle; *das Andenken* souvenir)

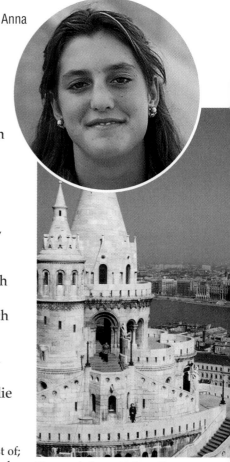
Oben auf einem kleinen Berg liegt die Fischerbastei.

15 Beantworten Sie diese Fragen!

1. Wie fahren die drei nach Budapest?
2. Wie heißen die beiden Teile von Budapest?
3. Was hat Anna in Pest gemacht?
4. Was interessiert Anna nicht?

1. Mit dem Schiff.
2. Buda und Pest.
3. Sie hat Andenken für ihre Familie gekauft.
4. Alte Gebäude.

Philipp

CD Track 14

Philipp

Ich fand Wien und Budapest auch ganz toll. Aber ich muss sagen, dass mir Prag noch besser gefallen hat. Prag ist kleiner als Wien und Budapest. Deshalb kann man leichter überall zu Fuß hinkommen°. In der Altstadt gibt es auch noch mehr alte Häuser als in Wien. Was die modernen Architekten in Wien manchmal bauen, das finde ich hässlich°. Das sieht man in Prag weniger, weil die Leute hier während der Zeit des Kommunismus kein Geld für so etwas hatten.

Ein Ort in Prag, den man besuchen muss, ist der Wenzelsplatz°. Er liegt in der Mitte der Stadt. Anna, Manuela und ich haben hier einen lustigen Straßenkünstler gesehen. Am Abend waren wir auch auf dem Hradschin°, einer alten Burg auf einem kleinen Berg in Prag. Dort wohnt der Präsident der Tschechischen Republik. Von dort oben kann man die ganze Stadt sehen.

Aber am besten hat mir der jüdische° Friedhof gefallen. Manche Leute denken, dass es komisch ist, Friedhöfe zu besichtigen. Aber man kann da wirklich viel lernen. Prag hat einen der ältesten jüdischen Friedhöfe Europas. Es gibt dort lange Reihen alter Gräber. Man kann sehen, wie wichtig dieser Ort für Prag und die Kultur dieser Stadt ist.

(*hinkommen* to get there; *hässlich* ugly; *der Wenzelsplatz* name of square in Prague; *der Hradschin* name of castle in Prague; *jüdisch* Jewish)

emcp.com   **WB** Activities 7–8

CD Track 15

16 Beantworten Sie diese Fragen!

1. Wie findet Philipp die Gebäude der modernen Architekten in Wien?
2. Was haben die drei auf dem Wenzelsplatz gesehen?
3. Was für einen Friedhof haben die drei in Prag besucht?
4. Wo waren die drei Freunde am Abend im Prag?

Vom Hradschin, einer alten Burg, hat man eine schöne Aussicht auf Prag.

1. Hässlich.
2. Einen lustigen Straßenkünstler.
3. Den jüdischen Friedhof.
4. Auf dem Hradschin.

Lektion A

17 Von welcher Stadt ist hier die Rede? In dieser Stadt...

1. gibt es zwei Teile.
2. gibt es die Fischerbastei.
3. gibt es einen der größten jüdischen Friedhöfe Europas.
4. liegt das Grab Mozarts.
5. gibt es sechs Brücken über die Donau.
6. liegt der Wenzelsplatz.
7. haben Cafés eine lange Tradition.
8. wohnt der Präsident in einer Burg.

1. Budapest
2. Budapest
3. Prag
4. Wien
5. Budapest
6. Prag
7. Wien
8. Prag

Wo gibt es ein paar Brücken über die Donau?

Wo liegt das Grab Mozarts?

Wörter und Ausdrücke

EXPRESSING FEELINGS

So langsam geht's mir wieder gut. Slowly I'm better again.
Ich bin wieder auf der Höhe. I'm up to par again.

REQUESTING HELP AND AGREEING TO BE HELPFUL

Würden Sie diesen Brief tippen? Would you type this letter?
Selbstverständlich. Of course.
Das wäre momentan alles. That's all for now.

TALKING ABOUT VARIOUS ACTIVITIES

Was treibt ihr? What are you up to?
Wir führen eine rege Diskussion. We're having a lively discussion.

LEKTION B

WB Activities 9–10

159

18 *Was gehört zusammen?* **Kombinieren Sie!**

Berg	Brot	Spazier	Regen	Ruck	Sonnen
Wander	Wasser	Stiefel	Flasche	Karte	Sack
Schutz	Schutzcreme		Stock	Zeit	

1. Bergstiefel
2. Brotzeit
3. Spazierstock
4. Regenschutz
5. Rucksack
6. Sonnenschutzcreme
7. Wanderkarte
8. Wasserflasche

19 *Warum brauchen Sie das?* **Suchen Sie sich drei Wörter von der Liste aus und beschreiben Sie dann jedes Wort mit mindestens zwei Sätzen! Geben Sie auch den Grund an, warum Sie die Sachen für eine Wanderung brauchen!**

Viel Spaß im Schwarzwald!

Was hat Karsten auf dem Kopf und in seinem Rucksack?

Was hat Sven mitgebracht?

Was hat Heiko in der Hand?

Der Schwarzwald ist eine der beliebtesten Wandergegenden in Deutschland. Während der Sommermonate kommen die Leute von überall her, um hier zu wandern. Heiko, Sven und Karsten sind auf eine Woche nach Neustadt gekommen. Sie sind schon früh am Morgen von der Jugendherberge losgegangen und haben vor, bis zum späten Nachmittag zu wandern.

Heiko: Sven, du bist wirklich ein Pessimist.

Sven: Warum denn?

Heiko: Bei dem schönen Wetter hast du deinen Regenschutz mitgebracht.

Sven: Man weiß nie, wie schnell sich alles ändern kann. Trotzdem habe ich aber meine Sonnebrille auf und Karsten hat sogar einen Sonnenhut und Sonnenschutzcreme in seinem Rucksack mitgebracht.

Warum machen die drei Jungen eine Pause?

Karsten: Die brauche ich bestimmt bald, denn es wird jetzt schon viel wärmer und die Sonne scheint auch ganz toll. Moment mal! Wie geht's jetzt hier weiter?

Sven: Nach der Wanderkarte sollten wir rechts abbiegen und dann direkt am See entlang wandern.

Die drei wandern und genießen die Gegend. Sie ist wirklich sehr schön. Nach zwei Stunden brauchen sie eine kurze Pause.

Heiko: Ich glaube, wir machen jetzt erst einmal Brotzeit. Dort ist ja schon eine Bank, direkt am Wanderweg.

Karsten: Ich bin froh, dass es hier keine Berge gibt, denn das würde ich nicht den ganzen Tag schaffen.

WB Activity 11

20 Beantworten Sie die Fragen!

CD Track 19

1. Warum kommen viele Deutsche im Sommer in den Schwarzwald?
2. In welchem Ort übernachten die drei Jugendlichen?
3. Warum ist Sven ein Pessimist?
4. Wie ist das Wetter heute im Schwarzwald?
5. Was hat Karsten in seinem Rucksack?
6. Wie wissen sie, wohin sie wandern werden?
7. Was machen sie, nachdem sie zwei Stunden gewandert sind?
8. Wo sitzen die drei, um zu essen?

1. Sie wandern da gern.
2. Sie übernachten in Neustadt.
3. Er hat seinen Regenschutz mitgebracht.
4. Das Wetter ist schön. Die Sonne scheint.
5. Er hat einen Sonnenhut und Sonnenschutzcreme darin.
6. Sie haben eine Wanderkarte.
7. Sie machen eine Pause.
8. Sie sitzen auf einer Bank.

Von einem Ort zum andern

Wandern

Wenn man das Wort „wandern" hört, denkt man an Sonne, Berge, Kühe, Rucksack, Picknick und bequeme Schuhe. Österreich ist berühmt für Wege, auf denen man gut wandern kann. Wegen der Alpen kommen jedes Jahr viele Touristen nach Österreich, wo sie auf die hohen Berge steigen.

Aber es gibt auch noch andere Arten° von Wanderungen. Ein gutes Beispiel sind die Wanderungen, die man in Klagenfurt am Wörthersee machen kann. Klagenfurt ist die Hauptstadt Kärntens. Kärnten ist ein Bundesland Österreichs und grenzt an Italien und Slowenien. Dort kann man von einem Schloss zum andern wandern, mit dem Rad wandern, in der Altstadt von Klagenfurt wandern oder eine Wanderung für Kinder machen. Für jede dieser Wanderungen bekommt man eine Landkarte, die zeigt, wohin man geht und was man sieht.

Wandern macht viel Spaß.

Auf den Wanderungen von einem Schloss zum anderen können die Touristen 23 Schlösser und Klöster aus verschiedenen Jahrhunderten besuchen. In ihnen gibt es schöne Zimmer, Gärten und wertvolle° Kunst. So kann man viel über die Geschichte dieser Gegend lernen.

Man kann auch mit dem Rad wandern, wenn man nicht zu Fuß gehen will. Man muss nicht das eigene Fahrrad mitbringen, sondern kann sich für wenig Geld ein Rad leihen° und Radtouren machen. Eine Radtour, die man in Klagenfurt machen kann, ist die Picknicktour, auf der man gut draußen essen und auch schwimmen kann. Aber es gibt auch interessante Gebäude zu besichtigen: alte Kirchen, Schlösser und ein Museum. Wenn man keine Pause macht, dauert die Fahrt zwei Stunden, aber viele Leute nehmen sich mehr Zeit, um sich die schöne Umgebung anzusehen.

Klagenfurt
in Kärnten

Der Wörthersee ist bei Besuchern besonders beliebt.

Man kann auch in der Altstadt wandern,
wenn man etwas in Klagenfurt selbst machen
will. In dieser Stadt gibt es viele interessante
Sehenswürdigkeiten. Am Anfang der
Wanderung steht das Rathaus aus dem 17.
Jahrhundert. Vor dem Rathaus liegt der Neue
Platz in der Mitte der Stadt. Auf diesem Platz
steht der Lindwurm° aus dem Jahr 1593, das
Wahrzeichen° der Stadt. Es gibt eine alte
Geschichte, in der es heißt, dass der
Lindwurm aus dem Wörthersee kam. Aber
das ist erst der Anfang der Wanderung durch
die Altstadt.

Viele beginnen
ihre Radtour
am Rathaus.

Für Kinder gibt es eine besondere Wanderung
durch die Altstadt. Sie bekommen eine
Landkarte, die einen Weg durch die Stadt
beschreibt. Die Kinder müssen auf ihrem Weg durch die
Stadt siebzehn Fragen beantworten. Das macht das
Wandern noch interessanter. Und wenn man alle
Antworten richtig hat, dann kann man einen schönen Preis
gewinnen.

Sie sehen also: man braucht nicht unbedingt hohe Berge
zum Wandern!

(*die Art* kind; *wertvoll* valuable; *leihen* to rent; *der Lindwurm* name of a
dragon; *das Wahrzeichen* landmark)

emcp.com

21 Was braucht man für diese Wanderungen? Was kann man sehen, wenn man hier wandert?

Der Lindwurm ist das
Wahrzeichen Klagenfurts.

▰ am Strand
Man braucht Sonnenschutzcreme, eine Sonnenbrille und Sandalen.
Man kann das Meer sehen, die Badegäste und viele Vögel.

1. in den Bergen
2. von einem Schloss zum anderen
3. auf einem Rad
4. in der Altstadt

Was kann man alles sehen, wenn
man bis hier oben wandert?

Auskunft

Adrian und Elisabeth verbringen eine Woche in Klagenfurt. Heute wollen die beiden verschiedene Dinge tun. Sie wollen das Landesmuseum° besuchen und dann müssen sie auch noch Geschenke einkaufen. Da sie Klagenfurt nicht so gut kennen, gehen sie zur Information am Neuen Platz. Das ist ein Büro, das Touristen hilft.

Angestellter: Grüß Gott! Kann ich Ihnen helfen?

Adrian: Grüß Gott! Ja, wir haben ein paar Fragen.

Angestellter: Gern. Was möchten Sie wissen?

Elisabeth: Wir haben viel über das Landesmuseum gehört. Können Sie uns sagen, wie wir dort hinkommen?

Angestellter: Sehen Sie hier auf den Stadtplan°! Sie gehen am besten auf der Burg-Gasse bis Sie zur Bahnhof-Straße kommen. Dort gehen Sie nach rechts diese Straße hinunter° bis zur Mießtaler-Straße. Das Landesmuseum ist gleich am Anfang der Mießtaler-Straße.

Adrian und Elisabeth besprechen ihre Pläne.

Elisabeth: Vielen Dank. Können wir den Stadtplan mitnehmen?

Angestellter: Ja, bitte. Hier sind außerdem ein paar Broschüren über Wanderungen in Klagenfurt, die man hier machen kann.

Adrian: Vielen Dank. Dann wollten wir auch noch wissen, wo man hier gut einkaufen kann. Wir müssen Andenken für unsere Familie zu Hause kaufen.

Angestellter: Da gehen Sie am besten in die Innenstadt. Dort gibt es so viele Geschäfte, dass Sie sicher etwas finden werden. Und da die Geschäfte alle nahe zusammen liegen, können Sie leicht alles zu Fuß machen. Kann ich sonst noch etwas für Sie tun?

Elisabeth: Nein. Vielen Dank! Sie haben uns sehr geholfen.

Angestellter: Gut. Auf Wiedersehen und viel Spaß im Museum und beim Einkaufen!

Adrian/Elisabeth: Auf Wiedersehen!

WB Activity 12

(*das Landesmuseum* museum for local artifacts; *der Stadtplan* city map; *hinuntergehen* to go down)

Im Landesmuseum kann man sehen wie die Einwohner früher gelebt hatten.

Kapitel 5

22 Ergänzen Sie die Sätze! Wenn Sie fertig sind, benutzen Sie den Anfangsbuchstaben von jedem Wort, um ein neues Wort zu bilden! Schreiben Sie alle Wörter mit großen Buchstaben!

1. ___ und Elisabeth wollen das Landesmuseum besuchen.
2. Elisabeth sagt zu dem Angestellten: „Sie haben ___ viel geholfen."
3. Der Angestellte in der Information am Neuen Platz zeigt ihnen auf dem ___ , wohin sie gehen sollen.
4. Die beiden verbringen eine Woche in ___ .
5. Der Angestellte gibt ihnen Broschüren von Klagenfurt ___ erklärt ihnen Wanderungen.
6. Adrian und Elisabeth kennen die Stadt ___ so gut.
7. Die beiden möchten Geschenke ___ ihre Familie zu Hause kaufen.
8. Die Information am Neuen Platz ist ein Büro, das ___ hilft.

1. ADRIAN
2. UNS
3. STADTPLAN
4. KLAGENFURT
5. UND
6. NICHT
7. FÜR
8. TOURISTEN

23 Von wem spricht man hier? Adrian, Elisabeth oder dem Angestellten? Diese Person/diese Personen...

Track 22

1. verbringen eine Woche in Klagenfurt.
2. hilft Touristen.
3. fragt, wo das Landesmuseum ist.
4. zeigt auf dem Stadtplan, wohin man gehen muss.
5. möchte den Stadtplan mitnehmen.
6. gibt Leuten Prospekte von Klagenfurt.
7. möchte wissen, wo man gut einkaufen kann.
8. bedankt sich am Ende.

1. Adrian und Elisabeth
2. der Angestellte
3. Elisabeth
4. der Angestellte
5. Elisabeth
6. der Angestellte
7. Adrian
8. Elisabeth

ROLLENSPIEL

Erste Person: Sie arbeiten in einem Touristenbüro in Ihrer Stadt. Ein Tourist oder eine Touristin aus Österreich kommt und fragt, was man in Ihrer Gegend alles machen kann. Beschreiben Sie die wichtigsten Sehenswürdigkeiten in Ihrer Umgebung!

Zweite Person: Sie sind ein Tourist oder eine Touristin aus Österreich und machen in den USA Urlaub. Fragen Sie im Touristenbüro, was man hier am besten machen kann! Sie verbringen mehrere Tage in dieser Gegend. Versuchen Sie so viele Informationen wie möglich zu bekommen! Viel Spaß!

SPRACHE

If/Then Clauses, Past Tense

You have learned how to use the subjunctive to express unreal conditions—things that might be true under other circumstances, but that are not true now. These unreal conditions can also have occurred in the past and appear in the past subjunctive.

Wenn ich mehr Zeit gehabt hätte, (dann) hätte ich meine Freunde öfter besucht.

If I had had more time, (then) I would have visited my friends more often.

Wenn wir reich gewesen wären, (dann) wären wir mehr gereist.

If we had been rich, (then) we would have traveled more.

In the past subjunctive, use *hätte* or *wäre* plus the past participle of the verb in both the *wenn*-clause and the *dann*-clause.

Note: Although English uses "would" for both the present and past unreal conditions, German cannot use *würde* for past subjunctive sentences.

WB Activities 13–14

CD
Track 23
TN

24 ***Was hätten Uwe und Maythe anders machen sollen, damit die Reise nicht schief gegangen wäre?* Schreiben Sie, was die beiden hätten anders machen können, um die Reise zu retten! Seien Sie kreativ!**

➤ Wenn Uwe eine Reiseleiterin angerufen hätte,...
   hätte sie die Reise für ihn geplant.

1. Wenn Maythe an eine Landkarte für die Reise gedacht hätte,...

2. Wenn Uwe einen Juniorenpass gekauft hätte,...

3. Wenn Maythe die Mitfahrzentrale angerufen hätte,...

4. Wenn Maythe und Uwe mit einer Wanderkarte gewandert wären,...

5. Wenn Uwe sich für die Reise interessiert hätte,...

6. Wenn Uwe ein Zimmer im Hotel reserviert hätte,...

7. Wenn Maythe in Bergstiefeln gelaufen wäre,...

8. Wenn Uwe Geld mitgebracht hätte,...

Sample answers:
1. hätten sie und Uwe den Weg leichter gefunden.
2. wäre die Reise billiger gewesen.
3. wären sie nicht selbst gefahren.
4. hätten sie gewusst, wie weit die Strecke ist.
5. wären sie länger geblieben.
6. hätten sie nicht in einer Jugendherberge übernachtet.
7. wären ihre Füße nicht so müde gewesen.
8. hätte Maythe nicht für alles bezahlt.

25 Was wäre dann passiert? Schreiben Sie ganze Sätze!

▶ ich / fahren / ins Ausland / ich / besuchen / Prag und Wien
Wenn ich ins Ausland gefahren wäre, hätte ich Prag und Wien besucht.

1. wir / studieren / Informatik / wir / bekommen / gute Jobs
2. Maythe / bleiben / zwei Wochen / wir / machen / Urlaub
3. ich / sich fühlen / nicht so schwindlig / ich / fallen / nicht / vom Fahrrad
4. wir / mitbringen / einen Stadtplan / wir / wissen / den Weg
5. du / bügeln / dein Hemd / es / besser / aussehen
6. ihr / besuchen Prag / ihr / sehen / den Wenzelsplatz
7. ihr / verbringen / mehrere Tage / in Wien / ihr / Kaffee / trinken / im Café
8. meine Mutter / kennen lernen / nicht / meinen Vater / sie / sich heiraten / nicht

Wenn wir mehrere Tage in Wien verbracht hätten, hätten wir gern Schloss Schönbrunn etwas länger besichtigt.

1. Wenn wir Informatik studiert hätten, hätten wir gute Jobs bekommen.
2. Wenn Maythe zwei Wochen geblieben wäre, hätten wir Urlaub gemacht.
3. Wenn ich mich nicht so schwindlig gefühlt hätte, wäre ich nicht vom Fahrrad gefallen.
4. Wenn wir einen Stadtplan mitgebracht hätten, hätten wir den Weg gewusst.
5. Wenn du dein Hemd gebügelt hättest, hätte es besser ausgesehen.
6. Wenn ihr Prag besucht hättet, hättet ihr den Wenzelsplatz gesehen.
7. Wenn ihr mehrere Tage in Wien verbracht hättet, hättet ihr Kaffee im Café getrunken.
8. Wenn meine Mutter meinen Vater nicht kennen gelernt hätte, hätten sie sich nicht geheiratet.

MENSCHEN UND MÄCHTE Track 24

Ein Dichter° im Mittelalter: Walther von der Vogelweide

Steckbrief	
Name:	Walther von der Vogelweide
Geburtstag:	um 1170
Eltern:	unbekannt
Geschwister:	unbekannt
Beruf:	Dichter
Todestag:	um 1230
Wichtigster Tag:	der Tag, an dem er vom Kaiser Land bekam

Das Mittelalter ist nicht nur eine Zeit der Kriege, Kaiser, Könige und Päpste, sondern auch der Kunst und der Literatur. Es gibt heute nicht sehr viele Texte aus dieser Zeit, aber wenigstens ein paar der Dichter sind bekannt. Deshalb weiß man auch ein wenig davon, wie Dichter im 13. Jahrhundert lebten und Geld verdienten.

Einer der bekanntesten Dichter aus dieser Zeit ist Walther von der Vogelweide. Walther schrieb Texte und Lieder über die Fragen und Sorgen in seinem Jahrhundert. Wir wissen nicht viel über ihn als Mensch. Es ist nicht klar, wo er geboren wurde. Viele Leute glauben, dass es in Österreich war. Es gibt 20 Orte, die sagen, dass Walther dort geboren ist. Es ist auch eine Frage, wann sein Leben begann. Wahrscheinlich° war es zwischen 1160 und 1170.

Da er kein Ritter war, hatte er wenig Geld und musste mit seiner Dichtung° Geld verdienen. Auch wenn er mehr Bücher geschrieben hätte, hätte er nicht mehr Geld bekommen, weil wenige Leute zu dieser Zeit lesen konnten und man jedes Buch mit der Hand schrieb und kopierte. Er brauchte also eine Person, einen Fürsten oder König, der sich für seine Kunst interessieren würde und ihm genug Geld zum Leben geben würde.

Am Anfang des 13. Jahrhunderts lebte Walther in Wien. Dort arbeitete er für einen österreichischen Fürsten und lernte von einem Mann mit dem Namen Reinmar, der ihm zeigte, wie man gute Dichtungen und Lieder schreibt. Nach zehn Jahren verließ Walther Wien und wanderte von einem Fürsten zum anderen. Auf den Schlössern las und sang er seine Dichtungen und bekam Essen, Trinken und ein Bett. Mehr und mehr Ritter lernten so seine Dichtungen kennen und konnten sie selbst singen, denn Musik war etwas, was die Ritter kennen sollten.

Walther lebte in einem sehr komplizierten Jahrhundert. Nach 1198 gab es in Deutschland zur gleichen° Zeit zwei Kaiser, aber nur ein Reich und eine Krone. Die Menschen im Reich wollten, dass der Kaiser für sie sorgte°. Aber die beiden Kaiser kämpften nur um die Krone und hatten deshalb keine Zeit für die Leute im Reich.

Auch Walther machte sich wegen dieser Politik Sorgen. Und er schrieb in seiner Dichtung über die beiden Kaiser und die Rolle des Papstes in der deutschen Politik. Erst als es ab 1212 wieder nur einen Kaiser gab, wurde das Leben für die Leute in Deutschland ruhiger. Auch Walthers Leben wurde anders.

Walther von der Vogelweide

Auf den Schlössern las und sang Walther seine Dichtungen.

Kapitel 5

Er zog mit dem neuen Kaiser ins Heilige Land. Und endlich schenkte ihm der Kaiser Land, so dass er nicht mehr wandern musste. Er lebte bis zu seinem Tod° (wahrscheinlich 1230 — man weiß nicht genau, wann er gestorben ist) in Würzburg, einer Stadt in Bayern. Walthers Dichtungen sind heute noch Zeugen seines Lebens und seiner Zeit.

Ich saß auf einem Stein	Ich saz ûf eime steine,	I sat upon a rock
und deckte ein Bein mit dem andern	und dahte bein mit beine:	and crossed my legs (covered one leg with the other)
Darauf setzte ich den Ellbogen:	dar ûf satzt ich den ellenbogen:	and thereupon put my elbow:
Ich hatte in meine Hand geschmiegt	ich hete in mîne hant gesmogen	I nestled my chin and one of my cheeks in my hand.)
das Kinn und eine meiner Wangen.	daz kinne und ein mîn wange.	

(*der Dichter* poet; *wahrscheinlich* probably; *die Dichtung* poetry, literature; *gleich* same; *sorgen für* to take care of; *der Tod* death)

WB Activity 15

26 *Was stimmt hier nicht?* Verbessern Sie den falschen Teil!

CD Track 25

1. Wir kennen viele Texte aus dem Mittelalter.
2. Walther von der Vogelweide wurde in der Schweiz geboren.
3. Walther arbeitete für den deutschen König in Aachen.
4. Reinmar lernte in Wien Lieder und Dichtungen schreiben.
5. Ab 1198 gab es drei Kaiser in Deutschland.
6. Ab 1212 gab es wieder zwei Kaiser in Deutschland.
7. Walther zog mit dem neuen Kaiser nach Rom.
8. Walther bekam Geld vom neuen Kaiser.

1. viele - wenige
2. Schweiz - Österreich
3. deutschen König in Aachen - österreichischen Fürsten in Wien
4. Reinmar - Walther
5. drei - zwei
6. zwei - einen
7. nach Rom - ins Heilige Land
8. Geld - Land

27 *Bringen Sie die Sätze in die richtige Reihenfolge!* Die erste Antwort steht schon da.

__a__ 1. Walther lebte in Wien.   1a, 4b, 2c, 6d, 5e, 3f, 7g

____ 2. Nach zehn Jahren in Wien wanderte Walther von einem Ort zum andern.

____ 3. Walther bekam Land vom Kaiser.

____ 4. Walther lernte bei Reinmar gute Gedichte schreiben.

____ 5. Walther zog ins Heilige Land.

____ 6. Walther schrieb über die beiden Kaiser Deutschlands.

____ 7. Walther starb in Würzburg.

SPRACHE

Da-compounds

When you use pronouns after prepositions in German, the pronoun must refer to a person or animal.

Hast du den Hund gesehen?
Nein, ich sorge mich aber um ihn.

Have you seen the dog?
No, but I'm worried about him.

Telefonieren Sie heute mit Frau Schwarz?
Ja, ich telefoniere mit ihr.

Are you calling Mrs. Schwarz today? Yes, I'm going to call her.

If the pronoun refers to a thing or abstract concept, German uses the preposition preceded by *da-* (or *dar-* for prepositions beginning with vowels: *auf, an, in,* and so forth). The prepositions *ohne, außer* and *seit* cannot form *da-*compounds.

Wartet ihr auf den Bus? Ja, wir warten schon seit zehn Minuten darauf.

Are you waiting for the bus? Yes, we've been waiting for it for ten minutes.

Erzählst du oft von deinen Ferien?
Ja, ich erzähle oft davon.

Are you talking often about your vacation? Yes, I'm talking often about it.

You can also use *da-*compounds to introduce subordinate clauses when the verb in the main sentence requires a verb/preposition combination.

Ich schrieb darüber, was ich auf meiner Reise machte.

I wrote about what I did on my trip.

WB Activity 16

28 ***Sabine schreibt an die Jugendzeitschrift Stafette.* Lesen Sie den folgenden Text und beantworten Sie die Fragen dazu!**

Ich schreibe an euch, da ich mit niemandem darüber sprechen kann. Weil alle denken, dass mein Problem kindisch ist, schreibe ich an euch. Wenn ich fernsehe oder an etwas Schönes denke (kann auch traurig sein), kommen mir immer die Tränen. Manchmal kämpfe ich damit, so dass man es nicht sieht, aber die Tränen sind stärker als ich. Was soll ich nur tun?

1. Worüber kann Sabine nicht sprechen?
2. Mit wem spricht Sabine über ihr Problem?
3. Woran denkt Sabine, wenn ihr die Tränen kommen?
4. Womit kämpft Sabine?

1. Über ihr Problem.
2. Mit niemandem.
3. An etwas Schönes oder auch an etwas Trauriges.
4. Mit ihren Tränen, so dass man es nicht sieht.

29 *Wenn es nur mein eigenes Zimmer wäre!* Ergänzen Sie die richtigen Formen!

daran	darauf	darunter	daneben	darüber	dazwischen

Wenn ich nur nicht mit meinem Bruder in einem Zimmer leben würde! Ich erinnere mich ___, wie wir zum ersten Mal in dem Zimmer schliefen. Das Bett von Frank steht in der Ecke. ___ hatte er all seine Kleidung und ___ lagen ein alter Tennisschläger, seine Schuhe, Bücher, alte Dosen und mehr. Und das war nur der erste Tag! Mein Nachttisch war neben meinem Bett. Am zweiten Tag stellte er sein Radio und seinen Wecker ___. Am dritten Tag hing er seine Kleidung nicht in den Schrank, sondern warf sie ___ . Am vierten Tag war es noch schlimmer! Nichts war am richtigen Platz, sondern alles lag überall: seine Schulbücher auf dem Boden, seine Kleidung ___, seine Schuhe ___, und meine Sachen ___. Ach, wenn ich nur allein ein Zimmer hätte! Wenn ich wenigstens mit Frank ___ sprechen könnte, dass wir ein Problem haben.

Tag 1 — daran, Darauf, darunter
Tag 2 — darauf
Tag 3 — darunter
Tag 4 — darauf, daneben, dazwischen, darüber

Tag 1

Tag 2

Tag 3

Tag 4

30 *Schreiben Sie etwas darüber!* Sehen Sie sich die Zeichnungen an and schreiben Sie zwei Sätze über jede Zeichnung!

➤ Das Bild hängt an der Wand.
Es hängt daran.

1. Das Buch liegt auf dem Bücherregal. Das Buch liegt darauf.
2. Die Leute sitzen im Bus. Sie sitzen darin.
3. Das Auto steht vor dem Haus. Es steht davor.
4. Der Hund liegt unter dem Tisch. Er liegt darunter.
5. Die Frau steht vor dem Fenster. Sie steht davor.
6. Der Junge sitzt am Computer. Er sitzt daran.

1.

2.

3.

4.

5.

6.

Wo liegt alles im Zimmer herum?

Aktuelles

Alles Walzer!

Lieber John,

wie geht's dir so in den USA? Wie ist das Wetter bei dir? Du willst also wissen, warum ich dir seit Wochen von nichts anderem als dem Opernball° schreibe. Und du bist sicher froh, denn morgen Abend ist es also so weit: es ist der Donnerstag vor dem Faschingsdienstag° und ich werde mit meinen Freunden bei der Eröffnung° des Opernballes tanzen. Dann können wir auch wieder über etwas anderes sprechen. Du musst verstehen, dass ich es aufregend finde, aber wir haben das ganze Jahr im Tanzkurs° für diesen Tag geübt und uns schon seit langem darauf gefreut. Und dieser Ball hat eine lange Tradition. Die Leute haben sich in dieser Stadt schon immer gern zum Tanzen getroffen, und viele denken bei Wien nur an Walzer.

Ich bin etwas nervös, weil uns Debütantinnen° sicher sehr viele Leute (in der Oper und auch am Fernsehen) bei der Polonaise° zusehen werden. So beginnt der offizielle Teil des Balles. Ich hoffe, ich komme nicht aus dem Takt. Aber wenn ich einen Fehler mache, sieht es hoffentlich niemand. Ich bin froh, wenn ich „Alles Walzer" höre, denn dann tanzen nicht mehr nur wir jungen Leute, sondern alle und dann sieht uns wirklich niemand mehr zu.

Wiener Staatsoper

Meine Mutter ist fast so nervös wie ich. Als sie so alt war wie ich, durfte sie auch zum ersten Mal auf den Opernball gehen. Das war 1956 auf dem ersten Opernball nach dem 2. Weltkrieg. Leider hat sie keine Fotos von ihrem ersten Ball, aber sie hat mir immer, als ich ein Kind war, viel von den Leuten und natürlich von der guten Musik erzählt.

Ballett bei der Eröffnung der Wiener Festwochen

Mein Kleid habe ich schon vor ein paar Wochen gekauft. Es ist natürlich weiß, denn alle Mädchen, die in der Polonaise tanzen, müssen weiß tragen. Es ist aus Seide°, eng oben mit einem langen weiten Rock unten und würde dir sicher gut gefallen. Meine Schuhe habe ich schon länger. Ich habe sie letzten Sommer aus Italien mitgebracht. Morgen gehe ich zur Friseuse, dass auch meine Haare für den großen Anlass gut aussehen.

Viele interessante Leute besuchen jedes Jahr den Ball. Der Bundespräsident° kommt jedes Jahr, und dann sind auch andere berühmte° Leute aus Musik, Kunst und vom Theater und Film da, die Prominenz° also.

In den letzten Jahren hat der Opernball manchmal aber auch Schlagzeilen° gemacht, weil am Abend des Balles Demonstrationen stattfanden. Manche Leute sehen diesen Ball als ein Fest der reichen Leute und demonstrieren vor dem Opernhaus dagegen. Vielleicht hast du bei euch in den Zeitungen oder in den Nachrichten von diesen Demonstrationen gehört. Vor ein paar Jahren haben die Demonstranten Mist° vor das Opernhaus gebracht; das hat ganz schön gestunken°.

Jetzt muss ich aufhören, weil ich zu einer letzten Probe° in das Tanzstudio muss. In zwei Tagen schreibe ich dir dann, wie es war. Schade, dass du nicht kommen kannst.

Alles Liebe!

Deine Franziska

WB Activity 17

(*der Opernball* ball at the Opera House in Vienna; *der Faschingsdienstag* Tuesday before Lent; *die Eröffnung* opening; *der Tanzkurs* dance class; *die Debütantin* debutante; *die Polonaise* polonaise (name of dance); *die Seide* silk; *der Bundespräsident* president (of a country); *berühmt* famous; *die Prominenz* famous people; *die Schlagzeile* headline; *der Mist* manure; *stinken* to stink; *die Probe* rehearsal)

31 Setzen Sie die passenden Verben ein!

aussieht	besuchen	erzählt	finden	freut
gegangen	gekauft	schreiben	tanzen	vorbereitet

1. freut
2. vorbereitet
3. tanzen
4. gegangen
5. erzählt
6. besuchen
7. aussieht
8. gekauft
9. finden
10. schreiben

1. Franziska _____ sich sehr auf den Opernball.

2. Franziska hat sich in der Tanzschule auf diesen Ball ___.

3. Franziska und ihre Freunde ___ in der Polonaise zur Eröffnung des Opernballes.

4. Franziskas Mutter ist zum ersten Mal 1956 auf den Opernball ____.

5. Franziskas Mutter hat Franziska schon als Kind von diesem Fest ___.

6. Berühmte Leute aus Kunst und Politik ___ jedes Jahr den Ball.

7. Damit sie gut ___, geht Franziska zur Friseuse.

8. Ihr Ballkleid hat sie schon vor ein paar Wochen ___.

9. Am Ballabend ___ aber auch immer Demonstrationen statt.

10. Franziska hört auf, John zu ____, weil sie noch einmal in die Tanzschule muss.

32 *Was passiert zuerst?* **Ordnen Sie die Sätze in eine logische Reihenfolge! Franziska...**

_5_ tanzt in der Polonaise auf dem Opernball.

_3_ geht zu einer letzten Probe in der Tanzschule.

_1_ kauft italienische Schuhe.

_2_ kauft ein Kleid.

_6_ wird ihrem Freund John schreiben, was sie auf dem Opernball alles gesehen und gemacht hat.

_4_ geht zur Friseuse.

33 *Was stimmt hier nicht?* **Verbessern Sie den falschen Teil!**

🆑 Track 28

1. John und Franziska gehen zum Opernball.
2. Franziskas Großmutter war 1956 zum ersten Mal auf dem Opernball.
3. Franziska hat von ihrer Mutter tanzen gelernt.
4. Franziska trägt auf dem Ball ein rotes Kleid.
5. Franziskas Schuhe kommen aus Spanien.
6. Der österreichische Bundespräsident kommt manchmal auf den Ball.
7. In drei Tagen schreibt Franziska mehr vom Opernball.
8. Man kann den Opernball im Radio verfolgen.

1. John und Franziska - Franziska
2. Großmutter - Mutter
3. von ihrer Mutter - in der Tanzschule
4. rotes - weißes
5. Spanien - Italien
6. manchmal - jedes Jahr
7. drei - zwei
8. im Radio - im Fernsehen

Wörter *und* A u s d r ü c k e

ITEMS RELATED TO HIKING

der Wanderweg hiking path
der Bergstiefel hiking boot
die Brotzeit snack break
die Sonnenschutzcreme suntan lotion
der Spazierstock walking stick
die Wanderkarte hiking map
die Wasserflasche water bottle
die Sonnenbrille sunglasses
der Regenschutz rain gear
der Sonnenhut sun hat
die Wanderung hike

Sie sind auf einem Wanderweg.

EXTRA! EXTRA!

Gedichte

Christian Morgenstern (1871–1914)

Morgenstern wurde in München geboren. Er war
ein bekannter Lyriker und Journalist. Er
experimentierte mit konkreter Poesie, aber seine
Nonsensgedichte machten ihn am berühmtesten.
Viele von diesen Texten konnte man erst nach
seinem Tod im Jahr 1914 kaufen.

Über die Texte

Diese Gedichte sind einige der besten Beispiele für
die Kunst Morgensterns und seinen Sinn für Humor.
Da diese Texte für junge Leser geschrieben sind, benutzt
Morgenstern einfache Reime und alltägliche Wörter. Seine
Themen kommen aus dem Alltag und zeigen ganz normale
Dinge in einem neuen Licht.

Über die Zeichnerin

Lisbeth Zwerger (1955–) wurde in Wien geboren, wo sie auch Kunst an der
Hochschule für angewandte Kunst studierte. Sie illustriert vor allem Kinderbücher.
Sie hat viele internationale Preise bekommen, unter anderen die Hans Christian
Andersen Medaille. Sie illustriert Texte deutscher, englischer, amerikanischer und
dänischer Autoren.

Vor dem Lesen

1. Poets work not only with rhyme patterns, but also with rhythm. Try reading
   the first five stanzas of *Klein Irmchen*, for example, and then describe how
   you feel. Can you hear what Irmchen is doing?

2. *Die beiden Esel* is a wonderful example of *Lautmalerei* (painting with
   sounds). Notice how many long, dark vowels there are in the first two
   stanzas. What kind of feeling do they produce? Can you feel how heavy
   the donkeys are? What happens in the last stanza?

3. Lisbeth Zwerger's illustration of *Der Frühling kommt bald* is an outstanding
   example of how drawings and texts can work together. Even before
   reading Morgenstern's text, can you make some assumptions about what
   happens in the poem looking at Zwerger's illustrations?

4. The poem *Herr Löffel und Frau Gabel* contains dialog, even though
   Morgenstern has not indicated it specifically. Can you find other clues in
   the text that represent speech, such as punctuation and verbs, to identify
   the speakers and their statements?

KLEIN IRMCHEN

Spann dein kleines Schirmchen auf;
denn es möchte regnen drauf.

Denn es möchte regnen drauf,
halt nur fest den Schirmchen-Knauf.

Halt nur fest den Schirmchen-Knauf –
und jetzt lauf! und jetzt lauf!

Und jetzt lauf! und jetzt lauf!
Lauf zum Kaufmann hin und kauf!

Lauf zum Kaufmann hin und sag:
Guten Tag! guten Tag!

Guten Tag, Herr Kaufmann Klein,
gib mir doch ein Stückchen Sonnenschein.

Gib mir doch ein Stückchen Sonnenschein;
denn ich will mein Schirmchen trocknen fein.

Denn ich will mein Schirmchen trocknen fein.
Und der Kaufmann geht ins Haus hinein.

Und der Kaufmann geht hinein ins Haus,
und er bringt ein Stückchen Sonne heraus.

Und er bringt ein Stückchen Sonne heraus.
Sieht es nicht wie gelber Honig aus?

Sieht es nicht wie gelber Honig schier?
Und er tut es sorgsam in Papier.

Und er tut es sorgsam in Papier.
Und dies Päckchen dann, das bringst du mir.

Und zu Haus, da packen wir es aus –
sieht es nicht wie gelber Honig aus?

Und die Hälfte kriegst dann du, mein Irmchen,
und die andere Hälfte kriegt das Schirmchen.

Und jetzt spann dein Schirmchen auf –
und lauf! und lauf!

DIE BEIDEN ESEL

Ein finstrer Esel sprach einmal
zu seinem ehlichen Gemahl:

*„Ich bin so dumm, du bist do dumm,
wir wollen sterben gehen, kumm!"*

Doch wie es kommt so öfter eben:
Die beiden blieben fröhlich leben.

DER FRÜHLING KOMMT BALD

Herr Winter
geh hinter,
der Frühling kommt bald!
Das Eis ist geschwommen,
die Blümlein sind kommen
und grün wird der Wald.

Herr Winter
geh hinter,
dein Reich ist vorbei.
Die Vöglein alle,
mit jubelndem Schalle,
verkünden den Mai!

HERR LÖFFEL UND FRAU GABEL

Herr Löffel und Frau Gabel,
die zankten sich einmal.
Der Löffel sprach zur Gabel:
Frau Gabel, halt den Schnabel,
du bist ja bloß aus Stahl!

Frau Gabel sprach zum Löffel:
Ihr seid ein großer Töffel
mit Eurem Gesicht aus Zinn,
und wenn ich Euch zerkratze
mit meiner Katzentatze,
so ist Eure Schönheit hin!

Das Messer lag daneben
und lachte: Gut gegeben!
Der Löffel aber fand:
Mit Herrn und Frau aus Eisen
ist nicht gut Kirschen speisen,
und küsste Frau Gabel galant — die Hand.

Nach dem Lesen

1. Lernen Sie ein Gedicht von Morgenstern und rezitieren Sie es für Ihre Klassenkameraden!

2. Schreiben Sie Ihr eigenes Nonsensgedicht! Hier ist ein möglicher Anfang: Zwei Teller saßen neben der Tasse...

Endspiel

1. Gehen Sie in die Bibliothek oder benutzen Sie das Internet, um weitere Informationen über das Leben der Leute im 13. Jahrhundert zu finden! Schreiben Sie darüber!

2. Gehen Sie in die Bibliothek oder benutzen Sie das Internet, um weitere Informationen über die Städte Wien, Prag und Budapest zu finden! Schreiben Sie einen kurzen Bericht mit den Informationen, die Sie finden! Zu welcher Stadt würden Sie am liebsten reisen und warum?

3. Sie haben in diesem Kapitel über höfliche Leute gelesen. Wie wäre das Leben, wenn es keine Regeln geben würde, die sagen, wie man sich benehmen soll? Beschreiben Sie einen Tag, an dem Sie tun können, was Sie wollen!

4. Sie sind Franziska und schreiben eine E-mail an John. Erzählen Sie ihm, was Sie alles auf dem Ball erlebt haben. Wenn Sie ein paar Ideen brauchen, gehen Sie bitte zur Webseite http://www.wiener-staatsoper.at/. Lassen Sie Ihrer Fantasie freien Lauf!

5. Sie haben in diesem Kapitel über verschiedene Arten von Wanderungen gelesen. Erfinden Sie eine neue Wanderung und schreiben Sie eine Werbung für Ihre Wanderung!

6. Finden Sie eine Landkarte von Österreich vor 1918 und eine Landkarte von heute! Vergleichen Sie die beiden Landkarten! Was ist anders?

TP **WB** Activity 18

Vokabeln

das **Andenken,-** souvenir *5A*
die **Art,-en** kind *5B*
der **Bergstiefel,-** hiking boot *5B*
berühmt famous *5B*
bestehen aus *(bestand, bestanden)* to consist of *5A*
Böhmen Bohemia *5A*
die **Brotzeit,-en** snack break *5B*
das **Buchgeschäft,-e** bookstore *5A*
der **Bundespräsident** president (of a country) *5B*
die **Burg,-en** fortress, castle *5A*
die **Debütantin,-nen** debutante *5B*
der **Dichter,-** poet *5B*
die **Dichtung,-en** poetry, literature *5B*
die **Donau** Danube River *5A*
die **Eröffnung,-en** opening *5B*
der **Faschingsdienstag** Tuesday before Lent *5B*
die **Fischerbastei** name of castle in Budapest *5A*
gleich same *5B*
halten von *(hält, hielt, gehalten)* to think of *5A*
hässlich ugly *5A*
hinkommen *(kam hin, ist hingekommen)* to get there *5A*

hinuntergehen *(ging hinunter, ist hinuntergegangen)* to go down *5B*
höflich polite *5A*
der **Hradschin** name of castle in Prague *5A*
jüdisch Jewish *5A*
küssen to kiss *5A*
das **Landesmuseum** museum for local artifacts *5B*
leihen *(lieh, geliehen)* to rent *5B*
der **Lindwurm** name of a dragon *5B*
der **Mist** manure *5B*
der **Opernball,-̈e** ball at the Opera House in Vienna *5B*
peinlich embarrassing *5A*
die **Polonaise,-n** polonaise (name of dance) *5B*
die **Probe,-n** rehearsal *5B*
die **Prominenz** famous people *5B*
der **Regenschutz** rain gear *5B*
die **Sachertorte,-n** famous Austrian cake *5A*
die **Schlagzeile,-n** headline *5B*
die **Seide,-n** silk *5B*
seltsam strange *5A*

die **Sonnenbrille,-n** sunglasses *5B*
der **Sonnenhut,-̈e** sun hat *5B*
die **Sonnenschutzcreme** suntan lotion *5B*
sorgen für to take care of *5B*
der **Spazierstock,-̈e** walking stick *5B*
der **Stadtplan,-̈e** city map *5B*
stinken *(stank, gestunken)* to stink *5B*
der **Tanzkurs,-e** dance class *5B*
der **Tod** death *5B*
um in order to *5A*
sich **umschauen** to look around *5A*
Ungarn Hungary *5A*
wahrscheinlich probably *5B*
das **Wahrzeichen,-** landmark *5B*
der **Walzer,-** waltz *5A*
die **Wanderkarte,-n** hiking map *5B*
die **Wanderung,-en** hike *5A*
der **Wanderweg,-e** hiking path *5B*
die **Wasserflasche,-n** water bottle *5B*
der **Wenzelsplatz** name of square in Prague *5A*
wertvoll valuable *5B*

In this chapter you will learn how to:
- introduce yourself and talk about others
- reminisce
- describe talents and abilities
- apply for a job
- talk about various professions

KAPITEL 6

Spuren der Geschichte

LEKTION A

Stellen Sie sich vor, dass Sie auf Ihrem Klassentreffen sind. Alte Klassenkameraden stellen Ihnen ein paar Fragen. Beantworten Sie sie!

1. Was machst du jetzt?
2. Warum habe ich so lange nichts von dir gehört?
3. Wie geht's deiner Familie?
4. Bist du verheiratet? Hast du Kinder?
5. Wo und wie hast du deinen Partner/deine Partnerin kennen gelernt?
6. Warum warst du nicht auf dem letzten Klassentreffen?
7. Was für einen Job hast du? Wie viel verdienst du?

Was ist aus ihnen geworden?

Worüber reden Angelika und Sandra?

Es war wirklich interessant zu sehen, was alle so machen.

Tja, besonders alle die Leute, die schon in der Schule nichts gelernt haben.

Angelika und Sandra reden über ihr Klassentreffen und wen sie dort gesehen haben.

Angelika: Ich kann's gar nicht glauben, dass wir vor 10 Jahren mit der Schule fertig geworden sind. Es war wirklich interessant zu sehen, was alle so machen.

Sandra: Tja, besonders alle die Leute, die schon in der Schule nichts gelernt haben.

Angelika: Aber, Sandra, das kannst du nicht behaupten! Wir haben in Französisch viel für Frau Giscard gemacht. Aber Französischlehrerin wollte ich nie werden, nur nach Frankreich reisen und einen französischen Freund finden.

Sandra: Ja, ich habe viel in Physik bei Herrn Wolf gelernt, aber was hat's gebracht? Ich bin heute nicht Physikerin, sondern Biologin.

Angelika: Sag mal, hast du auf dem Klassentreffen Klaus-Bernd gesehen? Er behauptet, er hat eine Computerfirma mit 16 Angestellten! Dass er Informatiker werden würde, hätte ich nie gedacht, weil er in Mathe immer so schlecht war.

Sandra: Ja, Herr Schmitz war wirklich schlecht. Aber Klaus-Bernd hat's überstanden und verdient jetzt gutes Geld.

Angelika: Geld ist nicht alles, meine Liebe. Hast du Regina gesehen? Sie hat toll ausgesehen und singt jetzt in einer Rockband. Sie verdient nicht so gut, aber ihre Arbeit macht ihr Spaß.

Sandra: Das erzählt sie so, aber wer glaubt's? Reginas Mann ist Apotheker. Deshalb braucht sie nicht so gut zu verdienen und kann jeden Tag ihre Lieder üben.

Angelika: Ich würde sie aber gern einmal auf der Bühne sehen.

Sandra: Ich auch. Sollten wir unsere alte Clique an ihren Arbeitsstellen besuchen? Christian in seiner Praxis, Annette im Reisebüro, Paul bei der Zeitung und Klaus-Bernd in seiner Firma? Das könnten wir in zwei Tagen schaffen!

Angelika: Und wer arbeitet für uns?

Sandra: Leider keiner! Dann müssen wir bis zum nächsten Klassentreffen warten, um unsere alten Freunde zu sehen! **WB** Activity 3

CD
Track 4

2 *Von wem spricht man hier?* Diese Person/diese Personen...

1. war die Französischlehrerin.
2. wollte einen französischen Freund.
3. war Sandras Lehrer, bei dem sie viel gelernt hat.
4. ist jetzt Informatiker.
5. war ein schlechter Lehrer.
6. sah auf dem Klassentreffen sehr gut aus.
7. hat einen Apotheker geheiratet.
8. möchte ihre alten Schulkameraden an ihren Arbeitsstellen besuchen.

1. Frau Giscard
2. Angelika
3. Herr Wolf
4. Klaus-Bernd
5. Herr Schmitz
6. Regina
7. Regina
8. Sandra

Unsere Klasse

Regina hatte vor zwanzig Jahren von ihrer Freundin Heidi einen Brief bekommen. Beim Aufräumen in ihrem Zimmer hat sie ihn wieder gefunden und liest ihn jetzt mit Interesse. Regina war damals° mit Heidi in der gleichen Klasse in einem Gymnasium in Bremen. Aber dann zog Regina mit ihren Eltern nach Köln. Die zwei Freundinnen schrieben sich oft und riefen sich auch manchmal an. Im Brief, den Regina jetzt in der Hand hat, hatte Heidi ein Bild von der Klasse geschickt und von den verschiedenen Freunden erzählt. Hier ist Heidis Brief.

Heidis Klasse vor zwanzig Jahren

Liebe Regina,

vielen Dank für Deinen lieben Brief. Du hast gefragt, wie es denn in unserer Klasse so geht? Hier ist das neuste Foto. Wir sehen noch nicht so anders aus, daß Du uns nicht mehr erkennst, oder? Manche Dinge haben sich schon verändert, seitdem Du weg bist. Aysel ist unsere neue Klassensprecherin°. Das finde ich gut. Du weißt ja, wie klug und praktisch sie ist. Alle Schüler und Lehrer arbeiten gern mit ihr. Wir haben auch einen neuen Lehrer in Mathematik. Ich kann Dir nicht so viel von ihm erzählen, weil wir ihn ja erst seit zwei Monaten haben. Er heißt Herr Ernst. Ich finde ihn etwas langweilig, aber Mathe ist auch nicht mein Lieblingsfach. Außerdem trägt er sehr häßliche Krawatten.

Silvia hat heute nach Dir gefragt. Sie ist noch immer unsere Klassenbeste°. Sie ist so klug. Sie hilft mir in Latein. Ich hasse dieses Fach. Ich verstehe einfach nicht, warum ich diese Sprache lernen soll. Ich werde nie im Leben einen alten Römer treffen, der mich nach dem Weg fragt. Und da sagt man, daß uns die Schule auf das Leben vorbereiten soll. Aber zurück zu Silvia. Sie ist dieses Jahr auch sehr aktiv bei der Schulzeitung. Das ist gut, denn die letzten paar Jahre war mit dieser Zeitung nicht so viel los. Ich bin sicher, daß sie es besser machen wird.

Oliver ist noch immer der Clown der Klasse. Manchmal ist er ja ganz lustig, aber meistens benimmt er sich einfach dumm. Er will immer im Mittelpunkt° stehen, was mich und viele andere langsam ärgert. Wenn seine Streiche und Witze nur besser wären! Und er ist auch so ein Angeber°! In letzter Zeit jongliert° er mit Sachen, die ihm nicht gehören. So hat er schon einige Dinge kaputt gemacht°. Gestern konnten wir gerade noch Aysels kleinen CD-Spieler retten, bevor Oliver ihn in die Luft warf. Stell Dir vor, er wäre auf den Boden° gefallen! Vielleicht sollten wir Oliver ein paar Bälle kaufen?

Oliver sitzt dieses Jahr neben Julian. Der arme Julian! Es ist sicher schwer, auf den Unterricht aufzupassen, wenn die Person neben Dir immer lacht und Witze macht. Wenigstens° macht Julian dieses Jahr nicht mehr alles für alle. Erinnerst Du Dich noch daran, wie er letztes Jahr immer die Tafel geputzt hat, obwohl eine andere Person aus der Klasse dran war? Oder wenn er die Schultasche für andere Leute trug? Das war wirklich sehr peinlich!

Wir haben auch wieder eine Austauschschülerin aus England. Sie heißt Linda. Ihr Deutsch ist sehr gut, sie kann fast alles verstehen. Sie wohnt bei Gudrun und ihrer Familie. Die beiden sind schon gute Freundinnen und haben viel Spaß zusammen.

Das hätte ich fast vergessen: wir haben auch einen neuen Schüler. Er heißt Herbert Thiel. Ich glaube, er fühlt sich allein. Fast niemand spricht mit ihm. Er sitzt auch ganz hinten° in der Klasse. Ich habe mich heute mit ihm in der Pause unterhalten. Sein Lieblingsfach ist Deutsch. Er liest viel. Ich denke aber, daß er nett ist. Und er sieht gut aus! Ich habe ihn am Samstag zu meiner Party eingeladen, damit er mehr Leute aus der Klasse kennenlernt.

Jetzt muß ich aufhören. Leider muß ich noch meine Hausaufgaben machen. Schreib mir bald! Viele Grüße auch vom Rest der Klasse.

Alles Liebe, Heidi

(*damals* at that time, back then; *die Klassensprecherin* class representative; *die Klassenbeste* top of the class; *der Mittelpunkt* center (of attention); *der Angeber* bragger, show-off; *jonglieren* to juggle; *kaputt machen* to break; *der Boden* floor; *wenigstens* at least; *ganz hinten* all the way in the back)

3 *Von wem ist hier die Rede?* Das ist die Person, die...

1. klug und praktisch ist.
2. immer lacht und Witze macht.
3. gern Bücher liest.
4. einen Brief bekommt.
5. mit Sachen anderer Leute jongliert.
6. nicht gern Latein lernt.
7. Mathematik unterrichtet.
8. die Schultaschen für andere trägt.
9. dieses Jahr bei der Schulzeitung sehr aktiv ist.
10. aus England kommt.
11. am Samstag eine Party gibt.
12. immer im Mittelpunkt stehen will.

1. Aysel
2. Oliver
3. Herbert
4. Regina
5. Oliver
6. Heidi
7. Herr Ernst
8. Julian
9. Silvia
10. Linda
11. Heidi
12. Oliver

4 *Leute in Ihrer Klasse.* Gibt es in Ihrer Klasse auch Leute wie Oliver, Julian, Linda und Silvia? Beschreiben Sie eine Person aus Ihrer Klasse!

Machen Sie ein Klassentreffen mit den Leuten aus Ihrem Deutschkurs! Erzählen Sie einander, was in den letzten Jahren passiert ist und erinnern Sie sich auch an die Zeit, als Sie zusammen im Deutschkurs waren!

SPRACHE

Modals: Present Perfect

Modals use *haben* as their helping verb when forming the present perfect. Form the participles by adding *ge-* to the front of the stem and *-t* to the end. Note that the participles of modals are all without umlauts.

dürfen: Bist du gestern Abend ins Kino gegangen? Nein, ich habe das nicht gedurft.
Did you go to the movies last night? No, I wasn't allowed to (go).

können: Wann hast du Klavier gelernt? Oh, das habe ich nie gekonnt.
When did you learn to play the piano? Oh, I've never been able to (do that).

mögen: Habt ihr gestern den Film gesehen? Ja, aber wir haben ihn nicht gemocht.
Did you see the movie yesterday? Yes, but we didn't like it.

Hat die Beamtin das Paket gewogen? Ja, sie hat es gemusst.

müssen: Hans, hast du den Müll oft rausgetragen? Ja, das habe ich immer gemusst.
Hans, did you often carry out the garbage? Yes, I always had to (do it).

sollen: Martin, haben wir Mutti angerufen? Oh, haben wir das gesollt?
Martin, did we call Mom? Oh, were we supposed to?

wollen: Wir haben Christian eine Uhr geschenkt, aber er hat sie nicht gewollt.
We gave Christian a watch, but he didn't want it.

WB Activity 4

Warum hat Tanja Karate gemacht? Sie hat es gewollt.

5 Der Klassenclown. Ergänzen Sie die fehlenden Wörter! Benutzen Sie das Perfekt!

Lehrerin: Oliver! Du hast schon wieder einen dummen Streich gemacht! Du weisst doch, das ___ du nicht ___ (dürfen)!

Oliver: Natürlich ___ ich es nicht ___ (dürfen), aber es macht Spaß!

Lehrerin: Oliver! Kannst du dich nicht einmal richtig benehmen?

Oliver: Das ___ ich nie ___ (können), Frau Braun.

Lehrerin: Das geht nicht! Wenn ich immer machen würde, was mir Spaß macht, wo wären wir dann?

Oliver: Ich weiß es nicht, Frau Braun. Aber wenn ich nie gemacht hätte, was ich nicht ___ (sollen) hätte, wo wäre ich?

Lehrerin: Du wärest nicht beim Schuldirektor! Zu ihm sollst du aber jetzt! Nun, marsch!

Oliver: Aber, Frau Braun! Ich habe nur etwas Kleines, nichts Schlimmes gemacht. Nur ein bisschen jongliert. Ich ___ noch nie zum Direktor ___ (müssen).

Lehrerin: Aber jetzt!

Oliver: Bitte, Frau Braun! Ich werde so etwas nicht wieder machen. Letzte Woche, als Herr Schmidt in Mathe auf mich sauer war, saß ich eine Stunde auf dem Flur. Das ___ ich nicht ___ (mögen), aber so schlimm war es auch wieder nicht. Vielleicht gehe ich jetzt ein bisschen auf den Flur?

Lehrerin: Geh jetzt! Sonst werde ich ärgerlich.

Oliver: Oh, Frau Braun! Das ___ ich nicht ___ (wollen).

hast...gedurft, habe...gedurft, habe...gekonnt, gesollt, habe...gemusst, habe...gemocht, habe...gewollt

Modals: Double Infinitives

When you use modals in the present perfect, you use a special construction called the "double infinitive." That means the modal and what is called the "dependent infinitive" appear together in the infinitive at the end of the clause. In subordinate clauses, *haben* appears before the double infinitive.

Wir haben das Kind beruhigen müssen.
We had to calm the child.

Warum hast du das machen wollen?
Why did you want to do that?

Meine Mutter hat gesagt, dass sie das nie hat machen dürfen.
My mother said that she was never allowed to do that.

Stefan hat seine Hausaufgaben gleich nach der Klasse machen wollen.

WB Activities 5–6

Sie haben/Sie hat/Er hat gesagt, dass...
1. sie nur einen Dollar fürs Kino haben bezahlen müssen.
2. sie immer früh ins Bett haben gehen wollen.
3. sie ihre Zimmer immer gern haben aufräumen mögen.
4. sie immer nur gesund haben essen dürfen.

CD Track 7

6 *Was haben Ihre Eltern als Kind alles machen müssen? Was haben sie gesagt?*

Sie sind fünf Kilometer zur Schule gelaufen. (müssen)
Sie haben gesagt, dass sie fünf Kilometer zur Schule haben laufen müssen.

1. Sie haben nur einen Dollar fürs Kino bezahlt. (müssen)

2. Sie sind immer früh ins Bett gegangen. (wollen)

3. Sie haben ihre Zimmer immer gern aufgeräumt. (mögen)

4. Sie haben immer nur gesund gegessen. (dürfen)

5. Sie sind zu den Großeltern immer höflich gewesen. (müssen)

6. Sie sind am Wochenende immer früh aufgestanden. (wollen)

7. Meine Mutter hat immer gute Noten bekommen. (mögen)

8. Mein Vater hat gar nicht mit Freunden telefoniert. (wollen)

9. Meine Mutter hat in einem Zimmer mit vier Geschwistern geschlafen. (müssen)

10. Ihre Eltern haben sich nie um sie gesorgt. (müssen)

5. sie zu den Großeltern immer höflich haben sein müssen.

6. sie am Wochenende immer früh haben aufstehen wollen.

7. sie immer gute Noten hat bekommen mögen.

8. er gar nicht mit Freunden hat telefonieren wollen.

9. sie einem Zimmer mit vier Geschwistern hat schlafen müssen.

10. ihre Eltern sich nie um sie haben sorgen müssen.

Länder, Kantone und Provinzen

CD Track 8

Die Hansestädte Hamburg und Bremen

Mit der E-Mail

Robert Zimmerman, ein Amerikaner und Student des Schiffbaus°, sendet seinem Deutschlehrer Curt Eckers in Chicago eine E-Mail. Robert studiert dieses Jahr in Bremen an der Universität. Sein Lehrer hat ihm vor der Reise bei seiner Bewerbung° bei der Universität sehr geholfen. Jetzt will Robert ihm schreiben, wie es ihm geht und was er von Bremen hält.

Lieber Herr Eckers,

ich bin jetzt schon fast einen Monat in Bremen. Es geht mir gut und mein Deutsch wird auch immer besser. Am Anfang war ich oft müde°, weil man viel Energie braucht, um eine Fremdsprache zu sprechen, aber jetzt geht es schon besser. Deshalb schreibe ich Ihnen heute auch auf Deutsch.

Ich möchte Ihnen noch einmal dafür danken°, dass Sie mir von diesem Programm in Bremen erzählt haben. Die Stadt gefällt mir so gut! Ein Fluss, die Weser, verbindet die Stadt mit dem Meer. Ich war so erstaunt, als ich hier ankam und sah, dass Bremen nicht am Meer liegt. Dass so ein großer Hafen im Inland liegen kann, hätte ich mir nie gedacht!

Ich habe jeden Tag Klassen an der Uni hier. Dort habe ich viele nette Leute getroffen, mit denen ich am Abend und am Wochenende etwas mache. In einer Klasse habe ich viel über die Geschichte Bremens gelernt.

Bremens Geschichte beginnt schon im 9. Jahrhundert, der Zeit von Karl dem Großen. Aber da war Bremen wohl noch etwas kleiner und weniger wichtig. Friedrich Barbarossa hat Bremen dann zu einer freien Stadt gemacht. Das bedeutete für Bremen, dass die Einwohner keine Steuern bezahlen mussten und auch nicht mit dem Kaiser in den Krieg ziehen° mussten. Und wenn es in Bremen Probleme gab, dann sprachen die Führer° der Stadt mit dem Kaiser direkt und mussten nicht zuerst einen Fürsten oder König fragen. Das nächste Thema ist die Hanse°, weil wir über das 14. Jahrhundert in Bremen sprechen. Morgen schreibe ich Ihnen noch mehr. Viele Grüße!

Robert

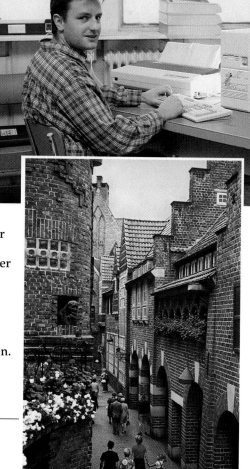

(*der Schiffbau* shipbuilding; *die Bewerbung* application; *müde* tired; *danken* to thank; *in den Krieg ziehen* to go to war; *der Führer* leader; *die Hanse* Hanseatic League)

Viele Touristen besuchen die Bremer Altstadt, besonders die Böttcherstraße.

CD
Track 9

7 *Was stimmt hier nicht?* Verbessern Sie den falschen Teil!

1. Robert studiert an der Universität Bremen Deutsch.
2. Robert kommt aus Bremen.
3. Robert schreibt an seinen Französischlehrer.
4. Bremen liegt an einem See.
5. Robert hat viele nette Leute bei der Arbeit getroffen.
6. Wenn es in Bremen Probleme gab, sprachen die Leute mit dem Fürsten.

1. Deutsch - Schiffbau
2. Bremen - Chicago
3. Französischlehrer - Deutschlehrer
4. See - Fluss
5. bei der Arbeit - an der Uni
6. mit dem Fürsten - mit dem Kaiser

Und noch mehr CD Track 10

Wir bleiben aber nicht nur im Klassenzimmer, um etwas über Geschichte zu lernen. Am Freitag waren wir im Rathaus von Bremen. Ich finde, dass das Rathaus eines der schönsten Gebäude der Stadt ist. Die Stadt Bremen hat ihre eigene Regierung°. Der Grund dafür ist, dass sie auch heute noch eine freie Stadt ist und selbst entscheiden° kann, was gut für die Stadt ist. Bremen ist eine Stadt, aber auch ein Bundesland.

Und am Sonntag war ich in Hamburg. Ich habe dort einen neuen Freund besucht, der mir die Stadt zeigen wollte. Hamburg ist eine der größten Städte Deutschlands und wie Bremen ein Bundesland. Auch in dieser Stadt stehen Schiffe im Mittelpunkt, wahrscheinlich schon seit der Zeit der Hanse, in der auch Hamburg eine wichtige Rolle spielte. Hamburg ist der wichtigste Hafen Deutschlands. In Hamburg kommen jeden Tag Waren aus aller Welt an. Wie Bremen liegt auch Hamburg an einem Fluss, an der Elbe. Aber trotzdem kann man in dieser Stadt viele moderne Firmen sehen, die zeigen, wie wichtig diese Stadt als Hafen ist. In Hamburg habe ich Schiffe aus aller Welt gesehen, die Waren von überall bringen.

Hafen in Hamburg

Jetzt will ich Ihnen aber noch von meinem Lieblingsfach an der Universität erzählen. Es hat natürlich mit alten Schiffen zu tun. Man hat hier im Oktober 1962 ein altes Schiff aus dem 14. Jahrhundert gefunden. Es ist eine Hanse-Kogge°. Man hat bis jetzt nicht gewusst, wie so ein Schiff genau aussieht, weil die Leute damals ohne Pläne gearbeitet haben. Man hatte Informationen aus alten Texten und von Bildern, aber man hatte nicht genug genaue Informationen, um das Schiff zu bauen. Aber jetzt kann man das alte Schiff als Modell nehmen. Bremen will es zum Wahrzeichen der Stadt machen. Nachdem die Stadt genug Geld gesammelt hatte, hat man mit dieser Aktion jetzt begonnen. Mit meiner Klasse kann ich daran teilnehmen. Wir benutzen altes Werkzeug. So dauert die Arbeit länger, vielleicht sogar mehrere Jahre, aber dann ist es wie in der guten alten Zeit!

Manchmal stelle ich mir vor, wie die Leute im Mittelalter so ein Schiff gebaut haben. Wie sie, machen wir die 10 000 Nägel°, die wir für das Schiff brauchen, mit der Hand. Sie können sich vorstellen, wie lange man dazu braucht.

Segelschiff im Bremer Hafen

Das ist alles für heute! Schreiben Sie mir bald! Ich freue mich immer über Ihre E-Mail.

Viele Grüße, Robert

WB Activities 7–8

emcp.com

(*die Regierung* government; *sich entscheiden* to decide; *die Hanse-Kogge* ship type of the Hanseatic League; *der Nagel* nail)

8 Beantworten Sie diese Fragen!

1. Wo waren die Studenten am Freitag?
2. Welche Stadt ist eine der größten Städte Deutschlands?
3. Wo liegt Hamburg?
4. Aus welchem Jahrhundert ist das Schiff, das man in Bremen gefunden hat?
5. Was tut die Stadt Bremen mit diesem alten Schiff?
6. Woran denkt Robert, wenn er an dem Schiff arbeitet?
7. Wie macht man die Nägel für das Schiff?
8. Worum bittet Robert Herrn Eckers am Ende?

1. Im Rathaus.
2. Hamburg.
3. An der Elbe.
4. Aus dem 14. Jahrhundert.
5. Sie macht es zum Wahrzeichen der Stadt.
6. Wie die Leute im Mittelalter Schiffe gebaut haben.
7. Mit der Hand.
8. Dass er ihm schreibt.

9 *Wie ist das Leben in einem Hafen?* Beschreiben Sie, was man an so einem Ort machen und sehen kann!

Wie ist das Leben in einem Hafen?

Im Hamburger Hafen ist immer viel Verkehr.

Wörter*und*
A u s d r ü c k e

MAKING COMMENTS AT A REUNION

Gut siehst du aus. You're looking good.
Du hast dich nicht verändert. You haven't changed.
Hast du gehört, dass sie geheiratet hat? Did you hear that she got married?
Erinnerst du dich nicht? Don't you remember?
Es gefällt mir hier als Austauschschülerin. I like it here as an exchange student.
Das hätte ich nie gedacht. I never would have thought it.
Wir haben einen Streich gespielt. We played a trick.

LEKTION B

Eine Stelle suchen

WB Activity 9

195

10 Was passt nicht im Kontext einer Stellensuche?

1. die Stelle   a. suchen   b. bekommen   c. zeichnen

2. die Stellenangebote   a. vereinbaren   b. lesen   c. finden

3. sich informieren   a. über die Stelle   b. über die Nachbarn
c. über die Firma

4. die Bewerbung   a. sich bewerben   b. sich schneiden
c. sich informieren

5. das Bewerbungs-   a. einen Termin vereinbaren   b. sich vorstellen
gespräch   c. die Hausaufgaben machen

6. die Bewerbungs-   a. ein Brief   b. ein Lebenslauf
unterlagen   c. ein Fernseher

7. die Stelle bekommen   a. traurig sein   b. sich freuen   c. Glück haben

8. beim Interview   a. sprechen   b. schlafen   c. zuhören

1. c
2. a
3. b
4. b
5. c
6. c
7. a
8. b

Ein Jobinterview

Bevor man zu seinem Jobinterview geht, bereitet man sich vor. Dazu holt man sich ein Informationsblatt vom Arbeitsamt darüber, was man vor und bei einem Interview alles machen oder nicht machen soll. Hier sind ein paar Tipps:

Man bereitet sich vor.

Man soll alles klar schreiben.

1. Bereiten Sie sich vor. Sammeln Sie Information über die Arbeitsstelle. Im Internet finden Sie sicher etwas oder sprechen Sie mit Leuten, die bei der Firma arbeiten. Dann können Sie konstruktive Fragen stellen.

2. Bewerbungsunterlagen soll man auf dem Computer schreiben. Ihr Brief soll klar und direkt sein. Es soll keine Fehler im Text geben.

3. Tragen Sie professionelle, aber bequeme Kleidung. Sonst sind Sie wegen Ihrer Kleidung nervös, dann fühlen Sie sich nicht wohl und können sich nicht genug auf das Interview konzentrieren.

Wichtig ist, professionell auszusehen.

4. Kommen Sie etwas zu früh. Wer zu spät kommt, macht einen schlechten Eindruck und sieht gestresst aus.

Der erste Eindruck ist sehr wichtig.

Etwas nervös zu sein, ist ganz normal.

5. Es ist kein Problem, wenn Sie am Anfang nervös sind. Das ist normal und es hilft Ihnen vielleicht, wenn Sie es sagen. Vergessen Sie nicht, sich vorzustellen, dann weiß der Interviewer Ihren Namen und kann sich vielleicht besser an Sie erinnern.

6. Dass Sie Fragen haben, zeigt, dass Sie interessiert sind und Initiative haben.

Man soll auch ein paar Fragen haben.

7. Versprechen Sie nicht mehr als Sie können. Niemand kann alles und es ist ganz normal, dass man manche Sachen lernen muss. Sagen Sie einfach, dass Sie das gern lernen werden.

Sagen Sie auch, was Sie lernen wollen.

8. Am Ende des Interviews soll man sich für das Interview bedanken. Es ist normal, wenn Sie fragen, wann und wie Sie von der Entscheidung des Interviewers hören werden.

Dann also: Viel Glück beim Interview!

WB Activity 10

Vielen Dank für das Interview!

Lektion B

11 Ergänzen Sie die fehlenden Wörter!

1. Mit einem ____ kann man sich besser vorbereiten.
2. Wenn man sich vor dem Interview informiert, kann man gute ___ stellen.
3. Das ____ hat Information über viele Firmen.
4. Bewerbungsunterlagen sollen ohne ____ sein.
5. Man soll ____ tragen, in der man sich wohl fühlt und professionell aussieht.
6.. Wenn man zu spät kommt, macht man keinen guten ___.
7. Am ____ des Interviews ist es ganz normal, wenn man nervös ist.
8. Wenn man Fragen stellt, zeigt man ____.
9. Am Ende bedankt man sich für das ____.

1. Informationsblatt
2. Fragen
3. Internet
4. Fehler
5. Kleidung
6. Eindruck
7. Anfang
8. Initiative
9. Interview

12 Was passt zusammen?

1. Fragen zeigen,
2. Wenn man sich gut vorbereitet,
3. Es ist besser zu früh
4. Wenn man zu spät kommt,
5. Wenn man etwas noch nicht kann,
6. Kleidung soll bequem und professionell sein,
7. Es ist O.K., wenn man nervös ist
8. Am Ende des Interviews kann man fragen

a. kann man bessere Fragen stellen.
b. wann man von dem Interviewer hören wird.
c. kann man das im Interview auch sagen.
d. dass man Initiative hat.
e. denn dann kann man sich auf das Interview konzentrieren.
f. und es sagt.
g. als zu spät zu kommen.
h. kann das einen schlechten Eindruck machen.

1d, 2a, 3g, 4h, 5c, 6e, 7f, 8b

13 Ihr Traumberuf. Schreiben Sie jetzt über Ihren Traumberuf: Was möchten Sie werden und warum?

Was möchten Sie denn werden?

Von einem Ort zum andern

Windjammer

Segeln wie vor 100 Jahren

Heutzutage ist eine lange Reise auf einem Schiff sehr teuer geworden. Aber vor dem Zeitalter° des Flugzeuges mussten Leute mit dem Schiff über die Meere fahren. Zum Beispiel fuhren Leute, die in früheren Jahrhunderten nach Amerika kamen, mit dem Schiff. Solche Reisen waren lang. Die meisten Leute haben heute nicht so viel Zeit und nicht so viel Geld, eine längere Reise mit dem Schiff zu machen. Nur im Urlaub benutzen sie Schiffe. Und manche Leute segeln als Hobby. Schiffe sind auch heute noch wichtig, weil sie Waren transportieren.

Man kann aber auch mit einem Schiff reisen, um etwas über sich zu lernen. Eine solche Aktion ist das Programm „Windjammer". Dieses Programm arbeitet mit Jugendlichen zwischen 16 und 21 Jahren und

versucht, in jeder Gruppe Leute aus verschiedenen Ländern zu haben. Zu jeder Gruppe gehören bis zu drei Behinderte°. Jedes Jahr bewerben sich viele Jugendliche um Plätze auf diesem Schiff. Man muss nichts über Schiffe oder das Meer wissen, um auf diesen Reisen mitfahren zu dürfen. Manchmal dauert eine Reise nur eine Woche, aber es gibt auch längere Reisen. Im Sommer fahren die Schiffe in die Ostsee und in die Nordsee. Im Winter fahren sie sogar ins Mittelmeer° oder in den Atlantik. Die Schiffe wie die „Nobile", die man für dieses Programm benutzt, können in die ganze Welt fahren.

Es gibt viele Gründe, warum dieses Programm für Jugendliche auf einem Segelschiff° stattfindet. Die Menschen auf einem Schiff müssen einander° helfen und voneinander lernen, weil keiner ohne den anderen leben kann. So verstehen sie, wie wichtig Teamwork ist. Zusammen lernen sie etwas über Segeln und Navigation, wie man ein Schiff putzt und wie man kocht. Wenn die Mannschaft nicht zusammenarbeitet, dann fährt das Schiff nicht oder es dauert länger, bis das Segeln gut funktioniert. Das Erlebnis auf dem Schiff soll den Jugendlichen helfen, ein positives Bild von sich selbst zu bekommen. Das Programm „Windjammer" steht unter dem Motto „Lernen mit Hand und Auge", eine Idee des amerikanischen „Outward Bound".

Jugendliche im Alter von 16 bis 21 machen oft mit.

Als die „Nobile" zum ersten Mal zu See fuhr, war keiner auf dem Segelschiff, der vorher ein Schiff wie sie gesegelt hatte; die Mannschaft brauchte zehn Tage, bis sie wusste, was sie zu tun hatte. Hier schreibt ein Teilnehmer über diese Reise auf der „Nobile:"

Auf dem Weg ins Mittelmeer hatten wir wunderschöne Tage auf dem Meer. In der Nacht konnten wir die Sterne° sehen. Die Sonne schien während der ganzen Reise. Das Meer war so weit und wir waren ganz allein. Es gab nur die Natur, das Schiff und uns. Bevor wir im Hafen ankamen, machten wir auf einer kleinen Insel eine Pause. Dort schwammen wir und lagen in der Sonne. Dann fuhren wir in den Hafen, wo wir eine Party machten, um unsere Reise zu feiern. Am Ende haben wir einander unsere Adressen gegeben, denn wir wollen uns alle wieder treffen!

(*das Zeitalter* age, era; *der Behinderte* person who is handicapped; *das Mittelmeer* Mediterranean Sea; *das Segelschiff* sailing ship; *einander* each other; *der Stern* star)

emcp.com

WB Activity 11

14 Was passt zusammen?

1. Schiffe sind auch heute noch wichtig,
2. Die jungen Leute nehmen an dem Programm Windjammer teil,
3. Die Leute fuhren mehr mit Schiffen,
4. Das Programm Windjammer ist für junge Leute,
5. Manche Reisen dauern eine Woche,
6. Die Menschen auf dem Schiff helfen einander,
7. Es war gut,
8. Am Ende kommen die Teilnehmer gern in den Hafen,

a. um etwas zu lernen.
b. denn keiner kann ohne den anderen leben.
c. die 16 bis 21 Jahre alt sind.
d. als es noch keine Flugzeuge gab.
e. wo sie eine Party machen.
f. weil sie Waren transportieren.
g. aber es gibt auch längere Reisen.
h. dass auf dieser Reise immer die Sonne schien.

1f, 2a, 3d, 4c, 5g, 6b, 7h, 8e

Willi bewirbt sich um eine Stelle°

Willi kocht sehr gut.

Willi: Guten Tag!

Interviewer: Guten Tag! Sie sind sicher für ein Bewerbungsgespräch° hier.

Willi: Stimmt!

Interviewer: Setzen Sie sich bitte! Dann können wir gleich beginnen.

Willi: Gut, vielen Dank.

Interviewer: Sagen Sie mir bitte zuerst, wie Sie heißen und wie alt Sie sind.

Willi: Ich heiße Willi Riezler und bin 18 Jahre alt.

Interviewer: Sind Sie schon einmal mit einem Schiff gefahren?

Willi: Ja, letztes Jahr waren meine Eltern und ich im Urlaub segeln. Wir sind von einer Insel Griechenlands° zur anderen gefahren.

Interviewer: Das ist gut, dann wissen Sie schon etwas über das Leben auf einem Segelschiff.

Willi: Ja, mein Vater macht das ganz toll. Aber ich möchte mehr selbst machen können. Ich möchte auch gern mit einem größeren Schiff fahren, denn das Boot meiner Eltern ist sehr klein.

Interviewer: Da die Leute auf der „Nobile" eng miteinander arbeiten, möchte ich gern wissen, ob Sie schon einmal etwas mit einem Team gemacht haben.

Willi möchte mit einem größeren Schiff fahren.

Willi: Ja, ich spiele in einem Fußballteam. Deshalb weiß ich, wie wichtig es ist, dass man nicht alles selbst machen kann oder soll, sondern mit der Mannschaft zusammenarbeiten muss.

Interviewer: Interessant! Erzählen Sie mir etwas mehr von sich selbst!

Willi: Ich habe viel Geduld°. Ich arbeite gern mit anderen Leuten und ich bin nicht faul°. Es macht mir nichts aus, wenn ich am Abend müde bin.

Interviewer: Gut! Gibt es eine Arbeit auf der „Nobile", die Sie besonders interessiert?

Willi: Eigentlich nicht, ich möchte alles lernen. Aber ich koche sehr gut. Vielleicht kann ich das tun?

Interviewer: Ja, wir brauchen einen Koch. Ich lasse Sie morgen wissen, ob Sie mit uns fahren können. Haben Sie Fragen für mich?

Willi: Ja, wohin geht denn die Reise?

Interviewer: Wir fahren dieses Mal in die Ostsee. Einer der Orte, den wir besuchen wollen, ist die alte Hansestadt Danzig. Interessiert Sie diese Gegend?

Willi: Ja, sehr! Sie rufen mich also morgen an?

Interviewer: Ja, ganz bestimmt. Ihre Telefonnummer habe ich schon. Auf Wiedersehen!

Willi: Auf Wiedersehen!

(*die Stelle* position; *das Bewerbungsgespräch* job interview; *Griechenland* Greece; *die Geduld* patience; *faul* lazy)

WB Activity 12

Track 16

15 Beantworten Sie die Fragen!

1. Wie alt ist Willi?
2. Wo war Willi letztes Jahr segeln?
3. Warum möchte Willi auf der „Nobile" arbeiten?
4. Was hat Willi beim Fußballspielen gelernt?
5. Was denkt Willi vom Arbeiten?
6. Was kann Willi besonders gut?
7. Wohin fährt die „Nobile" dieses Mal?
8. Warum ist Danzig eine interessante Stadt?
9. Was verspricht der Interviewer Willi?

1. 18 Jahre.
2. In Griechenland.
3. Er möchte auf einem größeren Schiff arbeiten.
4. Dass man nicht alles selbst machen soll oder kann.
5. Er ist nicht faul und arbeitet gern mit anderen Leuten.
6. Er kann besonders gut kochen.
7. Das Schiff fährt in die Ostsee.
8. Danzig war früher eine Hansestadt.
9. Der Interviewer verspricht, dass er ihn morgen anrufen wird.

Kapitel 6

ROLLENSPIEL

Arbeiten Sie mit einer anderen Person! Einer von Ihnen bewirbt sich um einen Ferienjob in einem Geschäft oder in einer Firma (entscheiden Sie zusammen, welches Geschäft oder welche Firma). Die zweite Person stellt die Fragen und entscheidet, ob sie der anderen Person den Job für den Sommer geben will. Viel Spaß und viel Glück!

SPRACHE

Modals: Narrative Past

Normally you use the narrative past for retelling a series of events, but many high-frequency verbs appear in the narrative past, even in conversational exchanges. The modals are in that group of high-frequency verbs, as well as *haben*, *sein*, *werden* and *wissen*.

Modals are irregular verbs, so you will need to learn their forms for the narrative past. Note that the narrative past forms do not have umlauts.

dürfen	*durfte*
können	*konnte*
mögen	*mochte*
müssen	*musste*
sollen	*sollte*
wollen	*wollte*

Here is *dürfen* as an example, but all the modals use the same endings for the narrative past.

ich	durfte	wir	durften
du	durftest	ihr	durftet
er, sie, es	durfte	sie	durften
Sie (sg. & pl.)	durften		

Tanja wollte gern Martin abholen.

WB Activities 13–14

Aki musste noch sein Bett machen.

Lektion B

203

16 *Willi bewirbt sich um eine Stelle.* Sagen Sie, was diese Leute alles vor, während und nach dem Interview wollten!

➤ Willis Eltern / dass Willi einen Job hat
Willis Eltern wollten, dass Willi einen Job hat.

1. Willis Eltern / dass Willi etwas über das Segeln lernt
2. Willi / sich um eine Stelle auf dem Schiff bewerben
3. Viele Jugendliche / auch auf dem Segelschiff arbeiten
4. Zwei Schulfreunde, Marina und Jürgen, / sich mit Willi um eine Stelle bewerben
5. Die drei Schulfreunde / sich am Hafen treffen
6. Der Interviewer / wissen, wie sie heißen und welche Jobs sie haben wollten
7. Willi / fragen, was für Jobs es auf dem Schiff gibt
8. Marina / etwas über Navigation lernen
9. Die anderen Leute auf dem Schiff / die drei Schulfreunde kennen lernen
10. Marina, Jürgen und Willi / sich in ein paar Tagen entscheiden

1. Willis Eltern wollten, dass Willi etwas über das Segeln lernt.
2. Willi wollte sich um eine Stelle auf dem Schiff bewerben.
3. Viele Jugendliche wollten auf dem Segelschiff arbeiten.
4. Zwei Schulfreunde, Marina und Jürgen, wollten sich mit Willi eine Stelle bewerben.
5. Die drei Schulfreunde wollten am Hafen treffen.
6. Der Interviewer wollte wissen, sie heißen und welche Jobs sie haben wollten.
7. Willi wollte fragen, was für Jobs es auf dem Schiff gibt.
8. Marina wollte etwas über Navigation lernen.

9. Die anderen Leute auf dem Schiff wollten die drei Schulfreunde kennen lernen.
10. Marina, Jürgen und Willi wollten sich in ein paar Tagen entscheiden.

17 *Schnitzeljagd! Welche Leute im Buch haben's gemacht?* Können Sie herausfinden, wer in diesem Buch diese Sachen gemacht hat? Wer die meisten Antworten am schnellsten findet, gewinnt!

➤ sich um eine Stelle auf einem Segelschiff bewerben wollen
Willi wollte sich um eine Stelle auf einem Segelschiff bewerben.

1. viele Gedichte schreiben sollen
2. am liebsten nach Budapest reisen wollen
3. vom Schiff in den Fluss springen müssen
4. große Feste machen mögen
5. von seinem Onkel seine Kunst lernen können
6. dieses Jahr als Debütantin auf den Opernball gehen dürfen
7. Spielzeugeisenbahnen sammeln mögen
8. Heinrich I. die Steuern nicht bezahlen wollen

1. Walther von der Vogelweide sollte viele Gedichte schreiben.
2. Anna wollte am liebsten nach Budapest reisen.
3. Heinrich IV. musste vom Schiff in den Fluss springen.
4. Friedrich Barbarossa mochte große Feste machen.
5. Hannes, der Straßenkünstler, konnte von seinem Onkel seine Kunst lernen.
6. Franziska durfte dieses Jahr als Debütantin auf den Opernball gehen.
7. Isabella Schneider mochte Spielzeugeisenbahnen sammeln.
8. Die Wikinger wollten Heinrich I. die Steuern nicht bezahlen.

MENSCHEN UND MÄCHTE

In der Stadt Lübeck gründete man die Hanse.

Die Hanse

1356 war ein sehr wichtiges Jahr in Deutschland, weil man in Lübeck die Hanse gründete°. Das war eine Gruppe von Kaufleuten° im Norden Deutschlands, die zusammen- arbeiten und ihre Handelsrechte° schützen wollten. Die Hanse war für den europäischen Handel° einer der wichtigsten Schritte°, so wie heute die Europäische Union. Zur Hanse gehörten fast 200 Städte in vielen Teilen Deutschlands. Einige dieser Städte waren an der Nord- und Ostsee, wie zum Beispiel Lübeck und Danzig, während andere an Flüssen lagen, wie zum Beispiel Köln, Bremen, Dortmund und Hamburg. Lübeck führte den Bund°, in dem alle zusammen mächtiger° und sicherer sein wollten.

Die Handelsrouten° der Hanse verbanden den Westen mit dem Norden und Osten Europas und öffneten° einen Weg zum Mittelmeer im Süden. Deutschland wurde durch diese Aktion das geographische

Das Holstentor ist ein Wahrzeichen der Stadt Lübeck.

Zentrum des Handels in der ganzen Welt. Die Hanse war größer und existierte länger als jede andere Gruppe von Städten in der europäischen Geschichte.

Was musste eine Stadt tun, um Mitglied in der Hanse zu werden? Als Bremen zum Beispiel zur Hanse gehören wollte, musste die Stadt vieles versprechen. Als Mitglied der Hanse musste Bremen allen ausländischen° Kaufleuten die gleichen Rechte° wie den Kaufleuten aus Bremen geben. Außerdem musste die Stadt gegen Piraten kämpfen und an Kriegen der Hanse teilnehmen.

Warum war es wichtig, im 14. Jahrhundert die Hanse zu gründen? Es gab ganz andere Rechte im Mittelalter. Zum Beispiel, wenn die Waren vom Wagen oder Pferd auf den Boden fielen, dann durften die Leute, die in der Stadt wohnten, alles nehmen und behalten°. Wenn ein Schiff in einem Gewitter an einem Strand landete, dann durften die Leute, denen der Strand gehörte, alles nehmen, was auf dem Strand lag. Die Waren waren dann für die Leute vom Schiff verloren.

Segelschiffe kommen noch heute ab und zu zur Hansestadt Hamburg.

Diese Regeln waren für Kaufleute sehr teuer und sie wollten dagegen kämpfen. Wenn das in Hansestädten passierte, konnten die Mitglieder ihre Waren behalten.

Die Hanse war auch für Kaufleute wichtig, weil sie etwas gegen die Piraten tat. Die Piraten aus dem Norden Europas machten das Meer gefährlich für den Handel. Ende des 14. Jahrhunderts lebten zwei der aktivsten Piraten, Clas Störtebeker und Godeke Michels. Die Hansestadt Hamburg entschied sich, mehrere Schiffe auf die Nordsee zu senden, um gegen die Piraten zu kämpfen. Im Jahr 1402 nahm man Störtebeker gefangen° und enthauptete ihn im Oktober in Hamburg. Das Gleiche passierte Godeke Michels zusammen mit 70 seiner Piraten. Als man im Jahr 1525 (auch in Hamburg) den dänischen Piraten Klaus Kniphof enthauptete, waren die Waren und die Menschen auf dem Meer für die Hansestädte wieder sicherer.

Auf ihren Fahrten benutzten die Kaufleute der Hanse ein Schiff, das sie selbst gebaut hatten. Es hieß die Hanse-Kogge und war ein großes Schiff, das 200 Tonnen oder 400 Menschen transportieren konnte. Es war besser als die Schiffe anderer Länder und half den Kaufleuten der Hanse noch mächtiger zu werden. Auf diesen Schiffen transportierten die Handelsleute viele verschiedene Waren.

Im 16. Jahrhundert kam das Ende der Hanse. Die Städte verloren an Macht, weil sich die Politik in Europa veränderte.

(*gründen* to found; *die Kaufleute* merchants; *das Handelsrecht* trading right; *der Handel* trade; *der Schritt* step; *der Bund* alliance; *mächtig* powerful; *die Handelsroute* trade route; *öffnen* to open; *ausländisch* foreign; *das Recht* law, right; *behalten* to keep; *gefangen nehmen* to capture)

18 Was passt hier zusammen?

1. Die Hanse war
2. Einige Städte der Hanse lagen am Meer,
3. Die Hanse war größer
4. Als Mitglied der Hanse
5. Wenn etwas auf den Boden fiel,
6. Die Piraten machten
7. Die Leute in Hamburg enthaupteten
8. Die Hanse gebrauchte ein Schiff,
9. Die Hanse transportierte
10. Im 16. Jahrhundert verlor

1e, 2h, 3a, 4b, 5c, 6f, 7g, 8d, 9i, 10j

a. als jede andere Gruppe von Städten in der europäischen Geschichte.
b. musste eine Stadt viel versprechen.
c. behielten es die Menschen in der Stadt.
d. das Hanse-Kogge hieß.
e. für den europäischen Handel ein wichtiger Schritt.
f. das Meer gefährlich.
g. viele Piraten.
h. aber andere lagen an Flüssen.
i. viele verschiedene Waren.
j. die Hanse an Einfluss.

SPRACHE

Modals: Present Subjunctive

The modal verbs are important for expressing wishes in German. Like *würde*, the modals can work with another verb in the infinitive to form the present subjunctive. The forms are based on the narrative past of the modals, plus an umlaut for all verbs except *wollen* and *sollen*.

Wenn ich nur nicht das Geschirr spülen müsste!	If only I didn't have to wash the dishes!
Wenn wir nur öfter ins Kino gehen dürften!	If only we were allowed to go to the movies more often!

Infinitive	Narrative Past	Present Subjunctive
dürfen	*durfte*	*dürfte*
können	*konnte*	*könnte*
mögen	*mochte*	*möchte*
müssen	*musste*	*müsste*
sollen	*sollte*	*sollte*
wollen	*wollte*	*wollte*

WB Activity 16

Note: Modals that have an umlaut in the infinitive will also have an umlaut in the present subjunctive.

19 Wie könnte mein Leben schöner und noch besser sein? Was würden Sie sich wünschen?

➤ zu einem Badeort gehen können
Wenn ich nur zu einem Badeort gehen könnte!

1. den ganzen Tag im Internet surfen dürfen
2. nicht Geige üben müssen
3. lange schlafen können
4. zu jeder Zeit telefonieren können
5. weniger Hausarbeit machen müssen
6. meine Verwandten nicht so oft besuchen sollen
7. mit Freunden ausgehen dürfen
8. nicht so viel auf meine Geschwister aufpassen müssen

Wenn ich nur...
1. den ganzen Tag im Internet surfen dürfte!
2. nicht Geige üben müsste!
3. lange schlafen könnte!
4. zu jeder Zeit telefonieren könnte!
5. weniger Hausarbeit machen müsste!
6. meine Verwandten nicht so oft besuchen sollte!
7. mit Freunden ausgehen dürfte!
8. nicht so viel auf meine Geschwister aufpassen müsste!

20 Wie wären Sie als Eltern? Was dürften Ihre Kinder machen?

Wenn sie wollten,...
1. dürften sie jede Nacht erst um zwölf Uhr ins Bett gehen.
2. könnten sie zu jeder Zeit Freunde einladen.
3. müssten sie den Rasen nicht mähen.
4. könnten sie mehr Taschengeld bekommen.
5. dürften sie jeden Tag Fastfood essen.
6. könnten sie unser Auto fahren.

➤ keine Hausaufgaben machen müssen
Wenn sie wollten, müssten sie keine Hausaufgaben machen.

1. jede Nacht erst um zwölf Uhr ins Bett gehen dürfen
2. zu jeder Zeit Freunde einladen können
3. den Rasen nicht mähen müssen
4. mehr Taschengeld bekommen können
5. jeden Tag Fastfood essen dürfen
6. unser Auto fahren können

Wenn Christian wollte, könnte er die Pizza auch allein backen.

Wenn Petra wollte, müsste sie das Kaninchen nicht für Tanja füttern.

SPRACHE

Modals: Past Subjunctive

For the past subjunctive with modals, you use *hätte* as the helping verb and the double infinitive construction.

Wenn ich mit Frank mehr Geduld gehabt hätte, hätten wir das Zimmer länger teilen können.	If I had had more patience with Frank, we could have shared the room longer.

WB Activity 17

21 ***Hand-in-Hand.* Frank und Jürgen sind Brüder und haben bisher ein Zimmer geteilt. Jetzt haben sie beide ein eigenes Zimmer bekommen, aber sie wissen nicht, ob sie das jetzt so gut finden. Eine Person arbeitet auf dieser Seite, die andere auf Seite 363 im Anhang. Versuchen Sie herauszufinden, was Jürgen und Frank alles anders hätten machen sollen!**

➤ *Person 1:* Was sagt Jürgen über das Zimmer?
Person 2: Jürgen sagt, Frank hätte ordentlicher sein können.

	Jürgen sagt:	Frank sagt:
Was sagt Jürgen/Frank über das Zimmer?	Frank / ordentlicher sein können	Jürgen / nicht so oft aufräumen sollen
Was sagt Jürgen/Frank über die Hausaufgaben?	Frank / sie eher machen müssen	Jürgen / sie immer in der Küche machen können
Was sagt Jürgen/Frank über das Essen im Zimmer?	Frank / in der Küche essen sollen	Jürgen / mitessen können
Was sagt Jürgen/Frank über den Lärm im Zimmer?	Frank / nicht so laute Musik spielen dürfen	Jürgen / etwas in die Ohren stecken sollen
Wie hätte Frank/Jürgen sich verändern können?	Frank / rücksichtsvoller sein sollen	Jürgen / nicht alles so eng sehen dürfen

Aus alt mach neu!

Diese Geschichte beginnt mit einer Frage.
Als Petras Klasse in Geschichte über die
Museen in Bremen und Bremerhaven
sprach, stellte Jana plötzlich die Frage:
„Was passiert mit alten Sachen, die kaputt
sind oder im Museum kaputt gehen?"
Rainer sagte: „Man wirft sie in den Müll."
Niemand lachte darüber. Da die Lehrerin,
Frau Vogt, und auch niemand anders das
wusste, rief Frau Vogt nach der Schule die
Museen in Bremen und Bremerhaven an
und stellte Janas Frage. In Bremerhaven
hatte Frau Vogt Glück. Herr Langbehn, der
Direktor des Museums, lud sie und ihre
Klasse zum Schifffahrtsmuseum ein. Er

Frau Modersohn näht alte Bücher wieder zusammen.

wollte ihnen am nächsten Montag die Werkstatt zeigen, wo die alten Sachen aus
dem Museum repariert und restauriert werden.

Endlich war es Montag und die Schüler und Frau Vogt trafen Herrn Langbehn am
Eingang des Museums. Im ersten Zimmer, das Herr Langbehn ihnen zeigte,
lernten die Jugendlichen Frau Modersohn kennen. Frau Modersohn arbeitet mit
alten Büchern. Wenn sie kaputt gehen, näht sie sie wieder zusammen° oder
macht einen neuen Einband° für sie, in den sie die Blätter° klebt.

(*zusammennähen* to sew together; *der Einband* book cover; *das Blatt* sheet [of paper])

22 Welches Wort passt hier? Benutzen Sie das Imperfekt!

1. Jana ___ eine Frage.
2. Frau Vogt ___ viele Museen __.
3. Frau Vogt ___ in Bremerhaven Glück.
4. Herr Langbehn ___ Frau Vogt und die Jugendlichen ___.
5. Frau Vogt und ihre Klasse ___ den Direktor am Eingang.
6. Frau Modersohn ___ die alten Bücher ___.
7. Frau Modersohn ____ die Blätter in einen neuen Einband.

1. stellte   4. lud...ein   7. klebte
2. rief...an   5. trafen
3. hatte   6. nähte...zusammen

Später trafen die Schüler Herrn Schmidt. Er baut Modelle für das Museum. Er zeigte ihnen das Schiff aus der Zeit des Zweiten Weltkrieges, an dem er gerade arbeitete. Karsten fragte Herrn Schmidt, was ihm am besten an seiner Arbeit gefällt. Herr Schmidt sagte: „Ich mag es, dass ich mit verschiedenen Materialien arbeiten kann. Ich benutze Holz, Metall, Plastik und Glas und ich mache alle Teile für die Modelle selbst. Das kann sehr schwer sein, weil ich manchmal keine Pläne habe. Dann arbeite ich nach einem Bild. Ich muss mir dann vorstellen, wie die Leute früher gedacht haben, wenn ich die einzelnen Teile baue und verbinde. Auf einem Bild kann man nicht alles sehen. Manchmal dauert es Monate oder Jahre, bis mein Modell so wie das Bild aussieht. Modellbau° ist aber nicht nur mein Beruf, sondern auch mein Hobby. Zu Hause baue ich am liebsten Modelle von alten Schiffen."

Herr Schmidt baut Modelle für das Museum.

Was für Materialien benutzt Herr Schmidt beim Modellbau?

Die letzte Person, mit der die Klasse sprach, war Herr Hardenberg. Er arbeitete mit alten Bildern. Die Jugendlichen waren erstaunt, wie viele Farben Herr Hardenberg hatte. Herr Hardenberg erklärte: „Bilder lassen sich gut restaurieren. Die Bilder, die ihr hier seht, werden aber bald wieder im Museum zu sehen sein. Ihr habt ja schon meine vielen Farben gesehen. Manche Farben muss ich selbst machen, weil es sie heute nicht mehr gibt. Das funktioniert oft sehr gut, auch wenn ich nicht genau das gleiche Material wie früher benutze." Bernd fragte Herrn Hardenberg, warum er hier im Museum arbeitete. Herr Hardenberg sagte: „Als Junge hatte ich zwei Hobbys: Malerei° und Chemie. In meiner Arbeit hier kann ich diese beiden Interessen gut verbinden. Ich arbeite mit Farben und ich muss wie in der Chemie wissen, mit welchen Materialien ich es zu tun habe."

Die Jugendlichen waren dann am Ende ihres Besuches. Sie sagten auf Wiedersehen zu Herrn Langbehn und dankten ihm für die Informationen. Als sie aus dem Museum kamen, sagte Rainer: „Hoffentlich hat Jana bald wieder so eine interessante Frage, dann können wir wieder einen Schulausflug° machen!"

Herr Hardenberg restauriert alte Bilder.   **WB** Activity 18

(*der Modellbau* model construction; *die Malerei* painting; *der Schulausflug* field trip)

23 Wovon spricht man hier?

1. Die Leute gehen dorthin, weil sie alte Dinge sehen möchten.
2. Das ist der Mann, der sagt, was im Museum passieren soll.
3. Das ist eine Reise, die ein Lehrer und die Schüler zusammen machen.
4. Das ist etwas, worin man lesen kann.
5. Das ist das, was man von einer Sache oder Person zeichnet.
6. Das ist ein großes Transportmittel, das über das Meer fährt.
7. Das ist etwas, was man in der Freizeit macht.

1. das Museum
2. der Direktor
3. der Schulausflug
4. das Buch
5. das Bild
6. das Schiff
7. das Hobby

24 *Was möchten Sie von Herrn Langbehn und seinem Museum wissen? Stellen Sie ihm ein paar Fragen!*

SPRACHE

wann and *ob*

Wann (when) and *ob* (if) are both subordinating conjunctions that introduce questions. *Wann* introduces information questions in subordinate clauses.

> *Wann kommt der Zug? - Wissen Sie, wann der Zug kommt?*

When you use a yes/no question in a subordinate clause, you use *ob*.

> *Kommt der Zug um zehn? - Wissen Sie, ob der Zug um zehn kommt?* **WB** Activity 19

25 *Wann* oder *ob*? Ergänzen Sie das richtige Wort! Lesen Sie beide Teile, bevor Sie sich entscheiden!

1. wann
2. ob
3. wann
4. ob
5. ob
6. wann

1. Weißt du, ___ Kai das Bewerbungsgespräch hat?
   Er hat es am Donnerstag.
2. Weißt du, ___ er Angst davor hat?
   Ja, ich glaube schon.
3. Weißt du, ___ er hören wird, ob er die Stelle bekommen hat?
   Nächste Woche.
4. Weißt du, ___ er sich bald entscheiden muss, wohin er reisen will?
   Ja, in zwei Wochen, meinte er.
5. Weißt du, ___ er eine Party danach macht?
   Ja, und er lädt uns alle ein.
6. Weißt du, ___ die Party ist?
   Ich glaube um sieben.

26 *Hast du gehört?* Sie sind auf dem Klassentreffen, aber es ist sehr laut und Sie können nicht gut hören. Fragen Sie noch einmal! Beginnen Sie mit „Hast du gehört,..."

➤ Wann haben Heidi und Herbert geheiratet?
  Hast du gehört, wann sie geheiratet haben?

1. Hat Regina geheiratet?
2. Ist Oliver noch ein Angeber?
3. Wann hat Julian seine Stelle bekommen?
4. Wann ist Silvia Rechtsanwältin geworden?
5. Haben Heidi und Herbert schon Kinder?
6. Wann fährt Linda wieder nach England?
7. Kommt Herr Ernst zum Klassentreffen?
8. Wann treffen wir uns wieder?

Hast du gehört,...

1. ob Regina geheiratet hat?
2. ob Oliver noch ein Angeber ist?
3. wann Julian seine Stelle bekommen hat?
4. wann Silvia Rechtsanwältin geworden ist?
5. ob Heidi und Herbert schon Kinder haben?
6. wann Linda wieder nach England fährt?
7. ob Herr Ernst zum Klassentreffen kommt?
8. wann wir uns wieder treffen?

Er weiß nicht, wann seine Freundin aus dem Geschäft wieder herauskommt.

Wörter *und*
A u s d r ü c k e

LOOKING FOR A JOB

die Suche search
  Stellenangebote lesen to read want ads
  sich informieren to become informed

die Bewerbung application
  sich bewerben to apply
  ein Bewerbungsgespräch vereinbaren to arrange for an interview

der Lebenslauf resume
der Bewerbungsbrief letter of application
die Bewerbungsunterlage application document

das Interview interview
  sich vorstellen to introduce onself
  Fragen stellen und beantworten to ask and answerquestions

EXTRA! EXTRA!

Der Erlkönig

Johann Wolfgang von Goethe

Johann Wolfgang von Goethe (1749–1832)

Johann Wolfgang von Goethe ist berühmt als einer der wichtigsten Dichter der deutschen Sprache. Er war ein Universalgenie, da er sich für alles und jedes interessierte. Er schrieb Gedichte, Romane, Dramen, philosophische und naturwissenschaftliche Texte. Sein berühmtestes Werk ist die Tragödie „Faust".

Über den Text

Das Gedicht „Der Erlkönig" ist eine Ballade — eine Gedichtform, in der oft geheimnisvolle oder mythische Personen oder Ereignisse dargestellt werden. Anders als viele Gedichte, in denen oft nur Atmosphäre und Stimmung beschrieben werden, erzählt eine Ballade eine Geschichte. Der Erlkönig, das Thema dieses Gedichtes, war der König der Elfen und wurde durch Goethes Gedicht in allen deutschsprachigen Ländern bekannt.

Vor dem Lesen

1. Goethe's poem uses tempo and rhythm in order to create mood. Read the first stanza aloud and explain how Goethe attempts to create an eerie atmosphere. What images does the rhythm conjure up for you?

2. There are four voices in the poem: the narrator, the father, the son and the *Erlkönig*. Goethe frames the poem with the narrator's statements. He also treats the *Erlkönig* differently by putting his dialog in quotation marks. Can you identify the other speakers and their statements? What mechanism does Goethe use to distinguish between the father's speech and the son's speech?

 Wer reitet so spät durch Nacht und Wind?
Es ist der Vater mit seinem Kind;
Er hat den Knaben wohl im Arm,
Er fasst ihn sicher, er hält ihn warm. —

Mein Sohn, was birgst du so bang dein Gesicht? —
Siehst, Vater, du den Erlkönig nicht?
Den Erlkönig mit Kron und Schweif? —
Mein Sohn, es ist ein Nebelstreif. —

„Du liebes Kind, komm, geht mit mir!
Gar schöne Spiele spiel ich mit dir;
Manch bunte Blumen sind an dem Strand;
Meine Mutter hat manch gülden Gewand."

Mein Vater, mein Vater, und hörst du nicht,
Was Erlkönig mir leise verspricht? —
Sei ruhig, bleibe ruhig, mein Kind!
In dürren Blättern säuselt der Wind. —

„Willst, feiner Knabe, du mit mir gehn?
Meine Töchter sollen dich warten schön;
Meine Töchter führen den nächtlichen Reihn
Und wiegen und tanzen und singen dich ein."

Mein Vater, mein Vater, und siehst du nicht dort
Erlkönigs Töchter am düstern Ort? —
Mein Sohn, mein Sohn, ich seh es genau;
Es scheinen die alten Weiden so grau. —

„Ich liebe dich, mich reizt deine schöne Gestalt;
Und bist du nicht willig, so brauch ich Gewalt."—
Mein Vater, mein Vater, jetzt fasst er mich an!
Erlkönig hat mir ein Leids getan! —

Dem Vater grauset's, er reitet geschwind,
Er hält in Armen das ächzende Kind,
Erreicht den Hof mit Mühe und Not;
In seinen Armen das Kind war tot.

Nach dem Lesen

1. Was meinen Sie? Was ist passiert, bevor das Gedicht beginnt? Warum reiten der Vater und der Sohn so spät bei Nacht? Warum sieht der Sohn den Erlkönig, aber der Vater ihn nicht?

2. Fassen Sie in sechs Sätzen zusammen, was in der Ballade passiert!

3. Sie wissen schon, dass Rhythmus und Ton sehr wichtig für dieses Gedicht sind. Versuchen Sie die Atmosphäre des Gedichtes als Geräusche wiederzugeben! Sie brauchen ein Pferd, den Wind, Bäume, ein krankes Kind und vielleicht auch den Erlkönig.

Endspiel

1. Sie haben in diesem Kapitel über die Hanse im Mittelalter gelesen. Heute spielt die Europäische Union eine ähnliche Rolle in Europa. Gehen Sie in die Bibliothek oder benutzen Sie einen Computer, um mehr Informationen über dieses Thema zu finden!

2. Regina mag Latein und Mathematik nicht besonders gern. Was ist das Fach, das Ihnen nicht so gut gefällt? Warum? Erzählen Sie auch von dem Fach, das Sie am liebsten haben! Erklären Sie, was Sie an diesem Fach mögen!

3. Sie und ein Freund/eine Freundin planen eine Reise nach Deutschland. Ihr Freund/Ihre Freundin will in die Berge fahren. Sie aber wollen an die Nordsee oder die Ostsee. Erklären Sie ihm/ihr, warum er sie mit Ihnen ans Meer fahren soll! Sagen Sie, was man dort alles machen kann!

4. Sie haben gerade einen Brief von einem alten Freund aus der Schule bekommen. Diese Person möchte wissen, was aus Ihnen geworden ist. Beantworten Sie diesen Brief! Schreiben Sie etwas über sich selbst!

5. Arbeiten Sie mit einer anderen Person! Machen Sie ein Bewerbungsgespräch! Einer von Ihnen hat eine offene Stelle und sucht eine Person, die für ihn oder sie arbeiten will. Fragen Sie, was die Person kann. Sagen Sie der anderen Person am Ende, ob die andere Person die Stelle bekommt! Die andere Person sucht Arbeit. Sie wollen viel über die Stelle wissen. Entscheiden Sie sich am Ende, ob Sie die Stelle wollen!

6. Arbeiten Sie mit der ganzen Klasse! Sie sind auf einer Party, auf der Sie niemanden kennen. Aber Sie möchten gern neue Leute kennen lernen. Sprechen Sie mit mindestens vier Leuten! Stellen Sie sich vor: Erzählen Sie, was Sie gern machen und welchen Beruf Sie haben! Fragen Sie aber die anderen Leute auch, wie sie heißen und welche Berufe und Hobbys sie haben!

WB Activity 20

TP

Vokabeln

der **Angeber,-** bragger, show-off *6A*

die **Arbeitsstelle,-n** workplace *6A*

arm poor *6A*

ausländisch foreign *6B*

die **Austauschschülerin,-nen** exchange student *6A*

beantworten to answer; *eine Frage beantworten* to answer a question *6B*

behalten *(behält, behielt, behalten)* to keep *6B*

behaupten to maintain *6A*

der **Behinderte,-n** person who is handicapped *6B*

die **Bewerbung,-en** application *6A*

der **Bewerbungsbrief,-e** letter of application *6B*

das **Bewerbungsgespräch,-e** job interview *6B*

die **Bewerbungsunterlage,-n** application document *6B*

das **Blatt,¨er** sheet [of paper] *6B*

der **Boden,¨** floor, ground *6A*

die **Bühne,-n** stage *6A*

der **Bund,¨e** alliance *6B*

die **Computerfirma,-en** computer company *6A*

damals at that time, back then *6A*

danken to thank *6A*

einander each other *6B*

der **Einband,¨e** book cover *6B*

der **Eindruck,¨e** impression *6B*

sich **entscheiden** *(entschied, entschieden)* to decide *6A*

faul lazy *6B*

der **Führer,-** leader *6A*

die **Geduld** patience *6B*

gefangen nehmen *(nimmt gefangen, nahm gefangen, gefangen genommen)* to capture *6B*

gestresst sein to be stressed *6B*

Griechenland Greece *6B*

gründen to found *6B*

der **Handel** trade *6B*

das **Handelsrecht,-e** trading right *6B*

die **Handelsroute,-n** trade route *6B*

die **Hanse** Hanseatic League *6A*

die **Hanse-Kogge** ship type of the Hanseatic League *6A*

hinten back; *ganz hinten* all the way in the back *6A*

das **Informationsblatt,¨er** information sheet *6B*

jonglieren to juggle *6A*

kaputt machen to break *6A*

die **Kaufleute** *(pl.)* merchants *6B*

die **Klassenbeste,-n** top of the class *6A*

die **Klassensprecherin,-nen** class representative *6A*

das **Klassentreffen,-** class reunion *6A*

der **Lebenslauf,¨e** resume *6B*

mächtig powerful *6B*

die **Malerei** painting *6B*

das **Mittelmeer** Mediterranean Sea *6B*

der **Mittelpunkt,-e** center (of attention) *6A*

der **Modellbau** model construction *6B*

müde tired *6A*

der **Nagel,¨** nail *6A*

öffnen to open *6B*

die **Praxis,-xen** (medical) practice *6A*

das **Recht,-e** law, right *6B*

die **Regierung,-en** government *6A*

der **Schiffbau** shipbuilding *6A*

der **Schritt,-e** step *6B*

der **Schulausflug,¨e** field trip *6B*

der **Schwamm,¨e** sponge *6A*

das **Segelschiff,-e** sailing ship *6B*

die **Stelle,-n** job, position *6B*

das **Stellenangebot,-e** job offer *6B*

der **Stern,-e** star *6B*

der **Streich,-e** prank *6A*

die **Suche** search *6B*

vereinbaren to arrange, agree (up)on *6B*

versprechen *(verspricht, versprach, versprochen)* to promise *6B*

wenigstens at least *6A*

das **Zeitalter,-** age, era *6B*

ziehen: in den Krieg ziehen *(zog, ist gezogen)* to go to war *6A*

zusammennähen to sew together *6B*

Was hältst du von dieser Malerei?

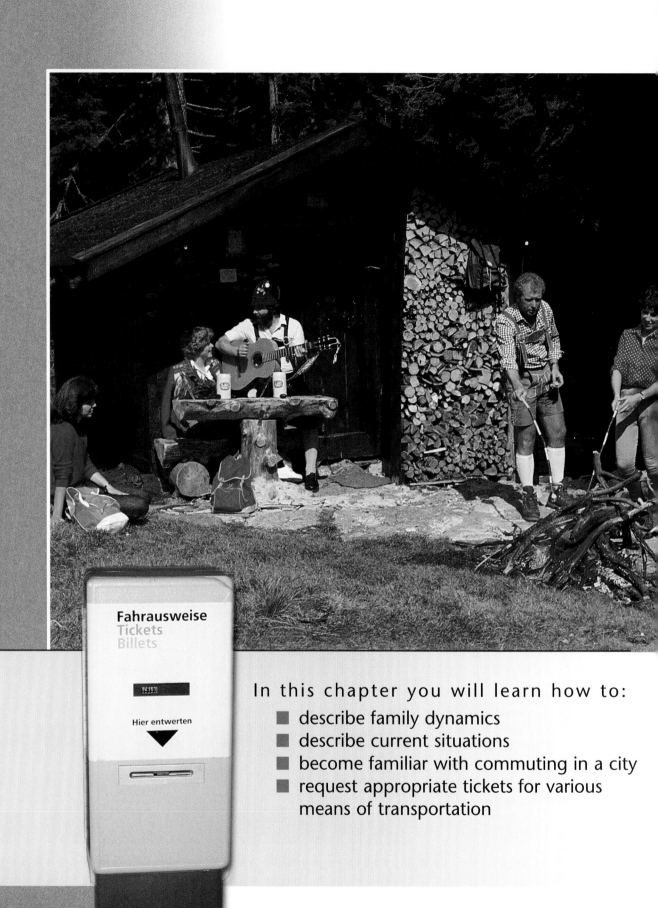

Fahrausweise
Tickets
Billets

94161

Hier entwerten

▼

In this chapter you will learn how to:

- describe family dynamics
- describe current situations
- become familiar with commuting in a city
- request appropriate tickets for various means of transportation

KAPITEL 7

Generationen

LEKTION A

Was passt zusammen?

1. das Märchen
2. der Wettkampf
3. die Nationalhymne
4. die Bildungssendung
5. die Schallplatte
6. die Mannschaft
7. der Plattenspieler
8. der Fernseher

a. ein Fernsehprogramm, von dem man etwas lernen kann
b. ein rundes Stück, das man vor Jahren in einem Musikgeschäft kaufen konnte
c. eine Geschichte von Leuten, die im wirklichen Leben nicht existieren
d. ein Apparat, auf dem man früher Musik abspielen konnte
e. ein Apparat, der oft im Wohnzimmer steht und auf dem man Filme und Nachrichten sehen kann
f. ein Spiel zwischen Mannschaften
g. ein Team, dass im Fußball aus elf Spielern besteht
h. ein Lied, das man vor einem internationalen Spiel hört

1c, 2f, 3h, 4a, 5b, 6g, 7d, 8e

Die Oma erzählt

Oma, wie war das, als du ein junges Mädchen warst?

Was zum Beispiel hattest du nicht?

Wir hatten keinen Fernseher, nur ein Radio.

Melanie: Oma, wie war das, als du ein junges Mädchen warst?

Oma: Als ich so alt wie du war, hatten wir vieles noch nicht, was heute ganz selbstverständlich ist. Kurz nach dem Zweiten Weltkrieg hatten die Leute ja nicht so viel.

Melanie: Was zum Beispiel hattest du nicht?

Oma:	Also wir hatten keinen Fernseher, nur ein Radio. Und meine Eltern hatten einen Plattenspieler und ein paar Schallplatten. Aber die wenigen, die sie hatten, haben sie immer wieder gespielt.
Melanie:	Hattest du wenigstens einen Plattenspieler für dich allein?
Oma:	Nein, der war zu teuer. Aber ich hatte zwei Märchenschallplatten, eine mit Hänsel und Gretel und die andere mit Schneewittchen. Die haben ich und meine Schwester immer angehört, wenn wir krank waren. Ich glaube, meine Mutter war immer ganz froh, wenn wir wieder gesund waren, denn dann musste sie nicht immer wieder die gleichen Geschichten hören.
Melanie:	Wann habt ihr denn endlich eueren ersten Fernseher bekommen?
Oma:	Das war 1954. Mein Vater hat ihn gekauft, weil er die Fußballweltmeisterschaft im Fernsehen sehen wollte. Manchmal hat er gesagt, das war die beste Entscheidung, die er je getroffen hat, denn so konnte er sehen, wie Deutschland gegen Ungarn gewann und Weltmeister wurde. Aber ich kann mich nicht an dieses Spiel erinnern, ich war noch zu klein.
Melanie:	Was hast du denn am liebsten gesehen, als du ein Kind warst?
Oma:	Ehrlich gesagt, fand ich das Fernsehen sehr langweilig. Es gab weniger Filme und Serien, dafür mehr Bildungssendungen, bei denen die Leute etwas lernen konnten. Und das war manchmal wie in der Schule, mit einem Lehrer, der viel und lange geredet hat, aber wenig gemacht hat. Und so viele Sender wie heute gab es auch nicht und um 24 Uhr war Schluss. Da spielte die Nationalhymne und dann war Pause bis zum nächsten Tag. Da habe ich lieber draußen gespielt, als im Zimmer vor dem Fernseher zu sitzen oder ich habe mir beim Lesen mein Fernsehen im Kopf gemacht.
Melanie:	Was du ja auch heute noch gern tust. Was hast du mit deinem Taschengeld gemacht?
Oma:	Nichts, weil ich kein Taschengeld bekommen habe. Aber am Sonntag haben mir meine Eltern immer 10 Pfennig gegeben und damit bin ich dann in die Bibliothek gegangen und habe mir Bücher ausgeliehen.
Melanie:	Oma, glaubst du, dass die Kinder es heute besser haben?
Oma:	Das weiß ich nicht. Sie haben vielleicht mehr, aber sie haben es sicher manchmal schwieriger, weil sie so viele Möglichkeiten haben.

WB Activity 3

2 Richtig oder falsch? Verbessern Sie die falschen Sätze!

1. Die Großmutter war vor dem Zweiten Weltkrieg ein Kind.
2. Die Eltern der Großmutter hatten zuerst ein Radio und einen Plattenspieler.
3. Melanies Großmutter hat auf Schallplatten Märchen gehört.
4. Die deutsche Mannschaft wurde 1954 der Eishockeyweltmeister.
5. Die Großmutter hat als Kind gern ferngesehen.
6. Man konnte damals 24 Stunden fernsehen.
7. Die Großmutter bekam kein Taschengeld von ihren Eltern.
8. Die Großmutter liest heute nicht mehr viel.
9. Die Großmutter denkt, dass das Leben der Kinder von heute nicht einfach ist.

1. falsch / vor dem Zweiten Weltkrieg - nach dem Zweiten Weltkrieg
2. richtig
3. richtig
4. falsch / Eishockey - Fußball
5. falsch / als Kind gern ferngesehen - sie fand das sehr langweilig
6. falsch / man konnte damals 24 Stunden fernsehen - um 24 Uhr war das Programm zu Ende
7. richtig
8. falsch / heute nicht mehr viel - sie liest auch heute noch viel
9. richtig

3 Was passt am besten von den Wörtern aus der Liste?

Bildungssendungen	Bibliothek	Fußballweltmeisterschaft
Möglichkeiten	Schallplatten	Serien
Taschengeld	Kopf	

1. Die Eltern der Großmutter hatten ein paar___.
2. Früher gab es im Fernsehen viele ___.
3. Der Vater der Großmutter hat für die ____ 1954 einen Fernseher gekauft.
4. Am Sonntag ist die Großmutter in die ___ gegangen und hat sich Bücher ausgeliehen.
5. Lesen ist für die Großmutter wie Fernsehen im ___.
6. Die Großmutter hat kein ____ bekommen.
7. Kinder haben heute viele ___.
8. Die Großmutter hat sich früher nicht so viele ___ und Filme angesehen.

1. Schallplatten
2. Bildungssendungen
3. Fußballweltmeisterschaft
4. Bibliothek
5. Kopf
6. Taschengeld
7. Möglichkeiten
8. Serien

Sieht er sich eine Bildungssendung an?

Allerlei

Probleme zwischen den Generationen

Probleme mit den Eltern? Welcher Jugendliche kennt sie nicht? Hier erzählen drei junge Leute davon.

Moni

Moni (18 Jahre): Die größten Probleme mit meinen Eltern haben mit meiner Kleidung zu tun. Besonders meine Mutter mag nicht, was ich trage. Sie will, dass ich öfter ein Kleid oder einen Rock trage. Meine Hosen sind ihr zu weit und meine T-Shirts und Pullover sind ihr zu lang. Auch kritisiert sie immer, dass ich fast nur schwarze Kleidung trage. Sie möchte, dass ich rot oder blau trage. Aber schwarz ist einfach meine Lieblingsfarbe. Und wenn ich dann die bunten Kleider nicht anziehe, die sie mir kauft, dann ärgert sie sich. Aber was sie schön findet, gefällt mir nicht.

Den größten Streit° aber hatten wir, als meine Freundin mir die Haare rosa gefärbt hat. Da hat mein Vater sehr geschrien. Ich durfte zwei Wochen nicht mit meinen Freunden ausgehen und Taschengeld habe ich auch nicht bekommen. Ich wäre froh, wenn meine Eltern verstehen würden, dass ich selbst entscheiden will, was ich anziehe.

Roland (15 Jahre): Ich habe in letzter Zeit große Probleme mit meinen Eltern. Alles fing damit an, dass ich meine Freunde Tobias und Michael kennen gelernt habe. Sie gehen mit mir in die Schule und wir spielen auch im gleichen Fußballteam. Sie sind meine Freunde, weil ich mit ihnen über alles sprechen kann. Sie verstehen mich. Aber meine Eltern mögen Tobias und Michael nicht. Sie sagen, dass die beiden einen schlechten Einfluss auf mich haben. Es stimmt ja, dass meine Noten in der Schule schlechter geworden sind, aber das hat nichts mit

Roland

meinen Freunden zu tun. Ich interessiere mich einfach nicht mehr dafür, was wir in der Schule machen müssen. Vieles hat einfach nichts mit mir oder meinen Interessen zu tun. Ich verstehe nicht, was meine Eltern gegen meine Freunde haben; sie kennen sie ja gar nicht. Jetzt wollen sie mir verbieten°, dass ich mich mit ihnen treffe. Ich bin aber wirklich alt genug, mir meine eigenen Freunde auszusuchen.

CD Track 6

Maria (17 Jahre): Ich habe immer wieder Probleme mit meinen Eltern, weil sie mich wie ein kleines Kind behandeln°. Ich darf nichts selbst entscheiden. Immer muss ich sie fragen, wenn ich etwas tun möchte. Und letztes Jahr haben sie mir nicht erlaubt°, mit meinen Freunden nach Italien zum Campen zu fahren. Das war ihnen zu gefährlich. Da musste ich dann zu Hause bleiben und etwas mit ihnen machen, während meine Freunde am Meer lagen. Außerdem streiten° wir uns in letzter Zeit oft, weil ich mit achtzehn den Führerschein machen möchte. Meine Eltern glauben, dass ich zu jung dafür bin. Dabei haben sie den Führerschein gemacht, als sie in meinem Alter waren. Ich verstehe ja, dass sie sich um mich sorgen. Bestimmt spielt auch eine Rolle, dass ich keine Geschwister habe. Wenn meine Eltern mehr Kinder als mich hätten, dann hätten sie nicht so viel Zeit für mich. Ich möchte, dass meine Eltern mir mehr vertrauen° und dass sie mich öfter fragen, was ich möchte.

(*der Streit* argument; *verbieten* to forbid; *behandeln* to treat; *sich erlauben* to allow; *sich streiten* to argue, quarrel; *vertrauen* to trust)

emcp.com

WB Activities 4–6

CD
Track 7

4 **Wer ist das? Das ist die Person, die...**

1. gern Auto fahren möchte.
2. rosa Haare hatte.
3. in der Schule nicht so gut ist.
4. gern mit Freunden ans Meer gefahren wäre.
5. keine Geschwister hat.
6. neue Freunde hat.
7. zwei Wochen kein Taschengeld bekommen hat.
8. gern lange Pullover trägt.
9. ihre Kleidung gern selbst kauft.

1. Maria
2. Moni
3. Roland
4. Maria
5. Maria
6. Roland
7. Moni
8. Moni
9. Moni

Wo geht's hier zum Strand am Meer?

Maria musste zu Hause bleiben, während ihre Freunde am Meer waren.

Lektion A

5 Von welchem Verb im Text ist hier die Rede?

entscheiden	kritisieren	verbieten
sich streiten	erlauben	sich sorgen

1. Wenn man einer anderen Person sagt, was sie falsch macht.
2. Wenn man sauer ist und mit sehr lauter Stimme spricht.
3. Wenn man aussuchen kann, was man tun will.
4. Wenn man einer anderen Person sagt, was sie nicht tun darf.
5. Wenn man einer anderen Person sagt, dass sie etwas tun kann.
6. Wenn man Angst um eine Person hat.

1. kritisieren
2. sich streiten
3. entscheiden
4. verbieten
5. erlauben
6. sich sorgen

6 Was sollen sie tun? Geben Sie Maria, Moni und Roland Rat, was sie wegen ihrer Probleme mit den Eltern tun können!

SPRACHE

Wo-compounds

You have already learned how to use *da*-compounds. In order to ask questions with verb/preposition combinations, you will need to use *wo*-compounds. Like *da*-compounds, *wo*-compounds refer to inanimate objects, whereas questions about people and animals are formed with a preposition plus a pronoun.

Worauf warten Sie? Auf den Bus.	What are you waiting for? For the bus.
Auf wen warten Sie? Auf meinen Sohn.	Whom are you waiting for? For my son.

WB Activities 7–8

Worauf warten diese Leute?

Kapitel 7

7 *Wissen Sie eine Lösung?* Lesen Sie den folgenden Text und beantworten Sie die Fragen dazu!

Julia H. (14 Jahre) schreibt an eine Jugendzeitschrift:

Ich verstehe mich mit meinem 12jährigen Bruder überhaupt nicht. Immer gibt es Streit. Sobald wir uns sehen, fängt der Streit an. Aber er benimmt sich auch bei meinen Freundinnen oft so doof — z.B. kritisiert er sie oder erzählt ihnen darüber, was ich über sie und die Schule gesagt habe. Ich ärgere mich dann furchtbar darüber, dass er ihnen so etwas erzählt. In der Schule ist er besser als ich und sagt oft bei unseren Verwandten, wie viel besser er ist. Ich würde gern mal mit ihm darüber sprechen, aber er fängt dann immer an zu schreien. Können Sie mir einen Tipp geben, wie wir besser miteinander auskommen können?

1. Worüber schreibt diese Person?
2. Mit wem versteht sie sich nicht?
3. Bei wem benimmt sich ihr Bruder oft doof?
4. Worüber erzählt er ihren Freundinnen?
5. Wem erzählt er, dass er besser in der Schule ist?
6. Was für einen Tipp möchte Julia bekommen?

1. Über ihre Probleme mit dem Bruder.
2. Mit ihrem Bruder.
3. Bei Julias Freundinnen.
4. Darüber, was sie über sie und die Schule sagt.
5. Den Verwandten.
6. Wie sie mit ihrem Bruder besser auskommen kann.

8 Ergänzen Sie jeden Satz mit dem fehlenden *Wo-Wort!*

1. ___ denkst du? An die Prüfung am Freitagnachmittag.
2. ___ interessierst du dich? Für die neuen Notebooks.
3. ___ hast du oft Probleme? Mit meinem alten Fahrrad.
4. ___ sorgst du dich? Um meinen nächsten Urlaub.
5. ___ lacht ihr? Über den Witz, den Hans gerade erzählt hat.
6. ___ suchst du? Nach einer Antwort auf diese Frage.
7. ___ nimmst du teil? An einer Wanderung in der Schweiz.
8. ___ bereitest du dich vor? Auf meinen Führerschein.
9. ___ grenzt euer Garten? An einen Wald.
10. ___ erinnerst du dich? An meine Jugend.

1. Woran
2. Wofür
3. Womit
4. Worum
5. Worüber
6. Wonach
7. Woran
8. Worauf
9. Woran
10. Woran

Woran nehmen die Leute teil?

CD
Track 9

9 Beantworten Sie die Fragen für sich und diskutieren Sie Ihre Antworten mit einer anderen Person in der Klasse! Vergessen Sie nicht, dass Ihre Antworten keine Personen oder Tiere sein können!

1. Worauf hoffen Sie?
2. Womit haben Sie die meisten Probleme?
3. Worauf freuen Sie sich am meisten?
4. Worüber müssen Sie oft schreiben?
5. Wovon träumen Sie manchmal?
6. Wofür interessieren Sie sich im Sommer?
7. Woran nehmen Sie nicht gern teil?
8. Worum sorgen Sie sich?

CD
Track 10

Länder, Kantone und Provinzen

Nordrhein-Westfalen

Nordrhein-Westfalen ist die Antwort auf die Frage, in welchem Bundesland die meisten Deutschen leben. Hier wohnen auf engstem Raum° 18 Millionen Menschen. Fast jeder vierte Mensch also, der in Deutschland lebt, wohnt in diesem Bundesland. Es liegt im Westen von Deutschland und grenzt an Belgien und die Niederlande im Westen, Niedersachsen im Norden und Nordosten, Hessen im Südosten und an Rheinland-Pfalz im Süden. Es liegt also ungefähr zwischen den Flüssen Rhein und Weser, Lippe und Sieg. Dieses Bundesland besteht aus zwei Teilen, dem Rheinland im Westen und Westfalen im Osten. Es ist sehr jung, da es zu den deutschen Bundesländer gehört, die nach dem Zweiten Weltkrieg gegründet wurden. Nordrhein-Westfalen ist heute fast 60 Jahre alt.

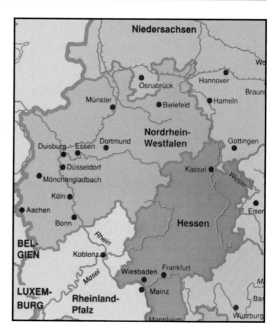

Was ist denn so besonders an diesem Land? Als Bundesland mit den meisten Menschen ist es auch das Land mit den größten Städten in einem Gebiet°, dem Ruhrgebiet. Und es ist das Land in Deutschland, in dem man früher Stahl° und Kohle produziert hatte. Es war also das industrielle Zentrum Deutschlands, wo es

Die alten Zechen, in denen man früher Kohle gefunden hatte, benutzt man heute anders.

Früher wurde im Ruhrgebiet Stahl und Kohle produziert.

schon sehr lange internationale Kulturen und Menschen aus vielen verschiedenen Ländern gibt. Vor fast einhundert Jahren kamen viele Leute aus Polen, und vor fünfzig Jahren viele aus Italien und Jugoslawien. Aber von der Kohle ist nicht mehr viel da und Stahl aus dem Ruhrgebiet ist international zu teuer. Die alten Zechen°, in denen man früher die Kohle gefunden hatte, benutzt man heute anders. In Duisburg, im Stadtteil Meiderich, beleuchtet° man sogar eine alte Zeche. Das sieht so interessant aus, dass viele Touristen kommen, um sie zu sehen.

(*der Raum* space; *das Gebiet* region; *der Stahl* steel; *die Zeche* coal mine; *beleuchten* to light up, illuminate)

10 *Was stimmt hier nicht?* Verbessern Sie den falschen Teil!

Track 11

1. Hessen liegt südwestlich von Nordrhein-Westfalen.
2. Nordrhein-Westfalen liegt zwischen drei Flüssen.
3. Nordrhein-Westfalen wurde vor zwei Jahren gegründet.
4. Vor neunzig Jahren kamen viele Leute aus Italien nach Nordrhein-Westfalen.
5. Der Stadtteil Meiderich ist in der Stadt Düsseldorf.

1. südwestlich - südöstlich
2. drei - vier
3. vor zwei Jahren - vor fast 60 Jahren
4. Italien - Polen
5. Düsseldorf - Duisburg

Die Leute arbeiten heute in neuen Industrien. Informationsmedien und Computertechnologien sind heute in den Großstädten und auch in den Firmen auf dem Land besonders wichtig. Vom Buchdruck° bis zum Desktop-Publishing gibt es viele Jobs in den Kommunikationstechnologien.

Informationsmedien sind heute besonders wichtig.

Wer Düsseldorf am Rhein besucht, der wird neben den 680 000 Einwohnern auch viele Firmen aus anderen Ländern finden, die in der Hauptstadt Nordrhein-Westfalens sitzen. Gleich neben Düsseldorf beginnt im Osten das Ruhrgebiet. Dort leben vier Millionen Menschen. Gelsenkirchen (320 000), Essen (650 000), Duisburg (530 000), Bochum (350 000) und Dortmund (590 000) sind Großstädte in dieser Gegend. Man fährt von einem Ende bis ans andere und denkt die ganze Zeit: „Mensch, hört diese Stadt denn nie auf?" Dabei fährt man durch viele kleinere Städte und von einer Großstadt in die nächste.

In den Städten von Nordrhein-Westfalen ist viel los, denn viele junge Leute leben hier. In Bochum gehen sie oft in die „Zeche". Es ist kein Zufall, dass dieses Zentrum für junge Leute „Zeche" heißt. Das Gebäude gehörte früher zu einer Zeche. Die „Zeche" ist ein Zentrum der Jugend und Kultur in Bochum, wo viele Bands spielen, viele Theater ihre Kunst zeigen und auch sonst viele Künstler° arbeiten. Einer von ihnen ist Herbert Grönemeyer, ein bekannter Musiker aus Nordrhein-Westfalen, der von der Geschichte Deutschlands und des Ruhrgebiets singt. Zwanzig Kilometer weiter östlich, in Dortmund, gehen die jungen Leute gern in die Westfalenhalle, um dort Musik von internationalen Bands zu hören. Sie wird viel besucht, denn jeden Tag ist da etwas los.

Düsseldorf, eine große Stadt in Nordrhein-Westfalen

Köln ist auch wegen seines Karnevals bekannt.

In den Städten Nordrhein-Westfalens gibt es trotz der Industrie und Wirtschaft° viel Wald, schöne Wiesen und große Parks. In Dortmund zum Beispiel sind 53% der Stadt grün. Außerdem gibt es viele Seen und Flüsse, die als Handelsrouten benutzt werden. Duisburg hat einen sehr großen Hafen. Der Hafen liegt so weit im Land, dass man über Flüsse zu ihm fährt. Er gehört trotzdem zu den größten Häfen in Europa.

Schalke 04 war schon ein paar Mal Deutscher Meister.

Köln am Rhein spielt auch eine sehr wichtige Rolle in Nordrhein-Westfalen. Von dort kann man mit dem Schiff nach Düsseldorf fahren und so eine Fahrt auf dem „Vater Rhein" genießen. Köln hat nicht nur den Kölner Dom°, sondern ist auch wegen seines Karnevals bekannt. Die Stadt hat fast eine Million Einwohner, sehr viele Museen und eine tolle Altstadt.

Fußball ist der beliebteste Sport in Nordrhein-Westfalen. Ein paar Klubs spielen in der Bundesliga. Borussia Dortmund 09 und Schalke 04 aus Gelsenkirchen zum Beispiel waren schon ein paar Mal Deutscher Meister. 1904 gründete man den Klub Schalke; der Klub ist fünf Jahre älter als Dortmunds Fußballklub. Bochum und Essen spielen in der Zweiten Liga. Man kann sagen, dass die Menschen in diesem Bundesland Fußballfans sind. Jeden Samstag sehen sie sich die Spiele ihrer Klubs an. Das hat Tradition.

(*der Buchdruck* book printing; *der Künstler* artist; *die Wirtschaft* economy; *der Dom* cathedral)

WB Activities 9–10   emcp.com

11 *Von welchem Ort ist hier die Rede?* Das ist die Stadt,...

CD Track 13

1. die die Hauptstadt Nordrhein-Westfalens ist.
2. in der es ein berühmtes Zentrum für junge Leute gibt.
3. die einen großen Hafen hat.
4. in der es einen berühmten Dom gibt.
5. die außer Bochum in der Zweiten Liga spielt.
6. deren Fußballteam 1904 gegründet wurde.
7. wo eine berühmte Konzerthalle steht.
8. in der fast eine Million Einwohner leben.

1. Düsseldorf
2. Bochum
3. Duisburg
4. Köln
5. Essen
6. Gelsenkirchen
7. Dortmund
8. Köln

Diese Stadt hat einen großen Hafen.

12 Was passt hier zusammen?

1. In diesem Bundesland leben
2. Nordrhein-Westfalen besteht
3. Im Ruhrgebiet hat man früher
4. Die Leute arbeiten heute
5. In Düsseldorf findet man
6. In der „Zeche" arbeiten
7. In der Westfalenhalle ist
8. Duisburg hat
9. In Köln kann
10. Jeden Samstag sehen sich die Fußballfans

a. viele Firmen aus anderen Ländern.
b. Kohle und Stahl produziert.
c. viele Künstler.
d. die Spiele ihrer Klubs an.
e. die meisten Leute in Deutschland.
f. jeden Abend etwas los.
g. in neuen Industrien.
h. aus zwei Teilen.
i. einen Hafen, der nicht am Meer liegt.
j. man auf dem Rhein fahren.

1e, 2h, 3b, 4g, 5a, 6c, 7f, 8i, 9j, 10d

SPRACHE

Passive Voice, Present Tense

The passive voice means that the subject of the sentence is not doing the action of the verb, but rather the action of the verb is being done to the subject of the sentence. The passive shifts the focus in the sentence from the doer of the action to the receiver of the action. That is one reason the passive voice is often used to describe a process. English uses *is/are being* + past participle to form passive sentences. Take, for example, the following sentence:

A new house is being built on our street.

In this sentence it is not important who is doing the building, but rather that a house is being built.

To form the passive voice in German, you use forms of *werden* plus the past participle of the verb.

Das Auto wird gewaschen.   The car is being washed.
Die Bücher werden gelesen.   The books are being read.

Although passive sentences do not need to indicate who performs the action of the verb, some passive sentences include an "agent." When there is an agent in the sentence, German uses the preposition *von* before it. Remember that *von* is followed by the dative case.

Das Haus wird von meinen Nachbarn restauriert.   The house is being restored by my neighbors.

 Activity 11

13 *Planen Sie!* **Was wird alles gemacht? Hier haben Sie drei Prozesse und verschiedene Sätze, die zu diesen Prozessen gehören. Bringen Sie die Sätze mit ihren Prozessen zusammen und schreiben Sie sie dann in der richtige Reihenfolge! Hier sind die drei Kategorien für Sie: (A) Party vorbereiten, (B) Aufsatz schreiben, (C) ein neues Auto suchen.**

1. Das beste Auto wird gekauft.   A: 6, 2, 3, 9
2. Das Essen wird gekocht.   B: 10, 11, 12, 4
3. Der Tisch wird gedeckt.   C: 7, 8, 5, 1
4. Die Sätze werden noch einmal gelesen.
5. Die Autos werden angesehen.
6. Die Gäste werden eingeladen.
7. Die Anzeigen in der Zeitung werden überprüft.
8. Die Verkäufer werden angerufen.
9. Die Kerzen werden auf den Tisch gestellt.
10. Ein Plan wird gemacht.
11. Informationen werden gesammelt.
12. Die Arbeit wird geschrieben.

Ein rotes Kleid wird anprobiert.

14 *Wie wird die Reise geplant?* **Ergänzen Sie die Formen von *werden* und die Partizipien!**

bitten	mähen	schicken	anrufen
packen	anfangen	fragen	waschen

➤ Am Anfang ___ über die Reise ___.
   Am Anfang wird über die Reise gesprochen.

1. Zuerst ___ jeder in der Familie ___, wohin er fahren will.
2. Ein Reisebüro ___ danach ___.
3. Broschüren von ein paar Pensionen ___ an die Familie ___.
4. Der Rasen ___ noch am Tag vor der Abreise ___.
5. Das Auto ___ auch schnell ___.
6. Die Nachbarn ___ ___, auf das Haus aufzupassen.
7. Die Koffer ___ am Abend vor der Abreise ___.
8. Die Reise ___ schon früh am Morgen ___.

Das Essen wird gebracht.

1. wird...gefragt
2. wird...angerufen
3. werden...geschickt
4. wird...gemäht
5. wird...gewaschen
6. werden gebeten
7. werden...gepackt
8. wird...angefangen

15 *Schreiben Sie jetzt, wie ein Prozess funktioniert! Es kann eine Idee aus der folgenden Liste ausgesucht werden, oder Sie können Ihre eigene Idee benutzen. Benutzen Sie das Passiv!*

ein Konzert mit der Band planen
ein Geburtstagsgeschenk kaufen
eine Reise vorbereiten
ein Abendessen zubereiten
einen Aufsatz schreiben

Eine Reisebroschüre wird gelesen.

Die Hausaufgaben werden gemacht.

Von den Ferien wird gesprochen.

Wörter *und*
A u s d r ü c k e

PAST AND PRESENT ACTIVITIES

Schallplatten spielen to play records
einen Plattenspieler haben to have a record
  player
Märchen erzählen to tell fairy tales
  Hänsel und Gretel Hansel and Gretel
  Schneewittchen Snow White
  Rotkäppchen Little Red Riding Hood
Taschengeld bekommen to get an allowance
Bücher ausleihen to check out books

TV-RELATED ITEMS

die Bildungssendung educational TV program
die Fernsehserie TV series
der Sender TV or radio station
die Fußballweltmeisterschaft soccer world
  championship
die Nationalhymne national anthem

LEKTION B

16 Von welcher Fahrkarte ist hier die Rede? Bestimmen Sie, welche Fahrkarte man in den folgenden Sätzen beschreibt. Mit dieser Fahrkarte kann man...

1. mehrere, aber nicht mehr als zehn, Strecken in der Stadt fahren.
2. mindestens vier Wochen von zu Hause zur Firma, hin und zurück fahren.
3. nicht hin und zurück fahren.
4. als Azubi sehr preiswert mit öffentlichen Verkehrsmitteln fahren.
5. nur einmal von einer Haltestelle zu einer anderen fahren.
6. nicht länger als einen Tag überall hinfahren.
7. als Erwachsener bis zu 24 Stunden in der Stadt herumfahren.

1. Streifenkarte
2. Kundenkarte Ausbildung
3. Einzelfahrkarte
4. Kundenkarte Ausbildung
5. Einzelfahrkarte
6. Tageskarte
7. Tageskarte

Eine Fahrkarte, bitte!

Dieter kauft Karten an einem Kiosk.

Wie viele Fahrten sind auf der Karte?

Dieter ist Student an der Uni in Bochum. Dies ist sein erstes Semester und er kennt die Stadt noch nicht so gut. Er will aber nicht mit dem Auto zur Uni fahren, denn Parken ist ein Problem. Deshalb kauft er heute Karten für die Straßenbahn an einem kleinen Kiosk in der Innenstadt.

Verkäuferin: Tag! Was darf es denn sein?

Dieter: Guten Tag! Ich brauche Karten für die Straßenbahn.

Verkäuferin: Möchten Sie Einzelfahrkarten?

Dieter: Gibt es etwas anderes?

Verkäuferin: Ja, Sie können auch eine Mehrfahrtkarte kaufen. Das ist praktischer und billiger für Sie, wenn Sie die Straßenbahn oft benutzen.

Dieter: Das wäre gut, weil ich bestimmt jeden Tag zur Uni fahren werde. Also, dann nehme ich eine Mehrfahrtkarte.

Verkäuferin: Wie viele Fahrten hätten Sie denn gern? Es gibt Streifenkarten mit 10 Fahrten oder mit 15 Fahrten. Sie können die Karte dann in der Straßenbahn einfach in den Entwerter stecken.

TN

Dieter: Ich nehme zuerst einmal eine mit 15 Fahrten. Das ist genug für die ersten Wochen. Ich wollte aber noch wissen, ob ich mit diesen Karten auch die U-Bahn und den Bus benutzen kann, weil die Straßenbahn nicht bis vor mein Haus fährt.

Verkäuferin: Ja, natürlich. Sie können damit alle drei Verkehrsmittel benutzen.

Dieter: Wie viel bekommen Sie von mir?

Er steckt die Karte in den Entwerter.

Verkäuferin: Das macht 15 Euro.

Dieter: Hier bitte.

Verkäuferin: Stimmt genau. Vielen Dank.

Dieter: Danke. Wiedersehen!

Verkäuferin: Wiedersehen! Schönen Tag noch!

WB Activity 14

17 *Eine Fahrkarte, bitte!* Was fehlt hier?

| Entwerter | Kiosk | Mehrfahrtkarten | Parken |
| Straßenbahn | Tag | Verkehrsmittel | Wochen |

1. Dieter will mit der Straßenbahn zur Uni fahren, weil ___ ein Problem ist.
2. Er kauft seine Karten an einem ___ in der Innenstadt.
3. ___ sind praktischer und billiger.
4. Dieter muss jeden ___ zur Uni fahren.
5. In der Straßenbahn kann man die Karten in den ___ stecken.
6. Mit einer Karte mit 15 Fahrten hat Dieter genug für die ersten ___.
7. Dieter kann mit seiner Karte auch nicht die Straßenbahn, sondern auch andere ___ benutzen.
8. Die ___ fährt nicht bis vor Dieters Haus.

1. Parken
2. Kiosk
3. Mehrfahrtkarten
4. Tag
5. Entwerter
6. Wochen
7. Verkehrsmittel
8. Straßenbahn

Manchmal kauft Dieter die Fahrkarten an einem Automaten.

Lektion B

237

Von einem Ort zum andern

Die Straßenbahn

Wer mit der Straßenbahn fahren möchte, braucht eine Fahrkarte.

Da viele Leute in Städten von einem Ort zum andern müssen, gibt es viele Verkehrsmittel. Zum Beispiel kann man die Straßenbahn, die U-Bahn oder den Bus nehmen. Die Straßenbahn ist eine Bahn, die durch die Straßen der Städte fährt. Am Morgen fahren die meisten Straßenbahnen alle fünf Minuten. Sie halten an jeder Haltestelle an, damit Leute einsteigen und andere aussteigen können. Wer mit der Straßenbahn und der U-Bahn fahren möchte, braucht eine Fahrkarte oder eine Mehrfahrtkarte mit mehreren Fahrten zum besseren Preis. Diese Karten kauft man an einem Kiosk oder in der Buchhandlung°. Eine kurze Fahrt in Berlin kostet zum Beispiel ein Euro zwanzig. Für eine lange Fahrt kann man auch zwei Euro zehn bezahlen. Dann darf man auch mit den Bussen weiterfahren, wenn die Straßenbahn nicht dahinfährt°, wohin

Steigt er in den Bus ein oder aus?

man möchte. Straßenbahnen können sehr viele Menschen zur Arbeit fahren und wieder nach Hause bringen. Diese Leute kaufen nicht jeden Tag eine Fahrkarte. Sie haben eine Monatskarte und fahren damit einen ganzen Monat zu einem bestimmten Preis. Meistens kostet eine Monatskarte ungefähr 50 Euro. Die Kinder haben Schülerkarten° für ein ganzes Jahr und brauchen meistens nichts dafür zu bezahlen. Die Stadt bezahlt für sie, denn sie will die Schüler sicher in die Schulen bringen.

Straßenbahnen gibt es in Berlin seit 1865, in Paris seit 1854 und in New York seit 1832. Das waren zuerst Straßenbahnen mit Pferden davor. Dann entwickelte° die deutsche Firma Siemens den ersten Elektromotor und benutzte ihn 1879 in Berlin in einer Straßenbahn.

In Großstädten kann man auch mit der U-Bahn fahren.

Seit dieser Zeit ist der Elektromotor die beste Lösung° für Straßenbahnen. Viele deutsche Großstädte haben Bahnen, die über und unter der Erde fahren. Es sind also Straßenbahnen und U-Bahnen. Das ist praktisch, denn U-Bahnen zu bauen ist besonders teuer. Da muss man viel Erde bewegen°, bis man unter der Erde eine Straße für die Bahn gebaut hat. Straßenbahnen brauchen nur den Platz in der Mitte der Straßen, den Strom° in der Oberleitung° und die Schienen° für die Räder.

(*die Buchhandlung* bookstore; *dahinfahren* to go there; *die Schülerkarte* ticket for school-age children; *entwickeln* to develop; *die Lösung* solution; *Erde bewegen* to move earth, ground; *der Strom* electricity, current; *die Oberleitung* overhead electric wire; *die Schiene* rail, track)

WB Activity 15   Kann man hier Fahrkarten kaufen?

18 *Wovon ist hier die Rede?* **Kombinieren Sie!**

1. der Bus   .
2. die Straßenbahn
3. die U-Bahn
4. die Monatskarte
5. die Mehrfahrtkarte
6. die Schülerkarte   .
7. die Schienen
8. der Strom
9. der Elektromotor
10. die Haltestelle

1e, 2h, 3g, 4c, 5a, 6i, 7b, 8j, 9d, 10f

a. Diese Fahrkarte kann man mehr als einmal benutzen.

b. Der Zug, die U-Bahn und die Straßenbahn fahren darauf.

c. Mit dieser Fahrkarte kann man 31 Tage fahren.

d. Man benutzte ihn zum ersten Mal in einer Straßenbahn.

e. Dieses Transportmittel fährt auf der Straße, hat Reifen und hat für viele Personen Platz.

f. Dort warten die Leute auf den Bus oder die Straßenbahn.

g. Dieses Transportmittel fährt unter der Erde und sieht wie ein Zug aus.

h. Dieses Transportmittel fährt auf der Straße auf Schienen.

i. Schüler und Schülerinnen haben diese Fahrkarten.

j. Man kann auch Elektrizität dazu sagen.

Sie werden mit dem Bus fahren.

ROLLENSPIEL

Arbeiten Sie mit einer anderen Person! Einer von Ihnen ist Tourist/Touristin in München. Sie brauchen nur eine Fahrkarte für eine Fahrt zum Deutschen Museum. Gehen Sie zu einer Buchhandlung und entscheiden Sie, welche Karte Sie kaufen wollen. Die zweite Person arbeitet in einer Buchhandlung. Verkaufen Sie dem Touristen/der Touristin eine Fahrkarte zum Museum! Erklären Sie ihm/ihr auch, dass es eine Mehrfahrtkarte oder eine Tageskarte für Touristen gibt und sie eigentlich für ihn/sie ganz praktisch wäre!

SPRACHE

Modals with the Passive, Present Tense

When you use the passive voice, you can also use modals to express when things should, must, and can happen.

Wann wird der Müll abgeholt? Er soll Montagvormittag abgeholt werden.

When is the garbage getting picked up? It's supposed to get picked up on Monday morning.

Modals in passive sentences move *werden* to the end of the sentence in its infinitive form. You will have to make the modal forms match the subject.

WB Activity 16

19 ***Hand-in-Hand*. Besuch kommt! Die Familie muss das Haus in Ordnung bringen und sie hat nur zwei Tage. Was muss alles an den beiden Tagen passieren? Eine Person arbeitet auf dieser Seite, die andere auf Seite 363 im Anhang.**

> Person 1: Was passiert am Freitag im Bad?
> Person 2: Der Spiegel muss geputzt werden.

Was passiert im/in der...	Bad	Kinderzimmer	Wohnzimmer	Küche	Garten
am Freitag	den Spiegel putzen	die Spielwaren aufräumen	staubsaugen	Lebensmittel in den Schrank tun	den Rasen mähen
am Samstagvormittag	die Badewanne sauber machen	den Schreibtisch aufräumen	Blumen auf den Tisch stellen	einen Kuchen backen	Stühle reparieren
am Samstagnachmittag	die Kinder baden	die Betten machen	mehr Stühle holen	Essen kochen	Gäste begrüßen

20 Beantworten Sie die Fragen!

➤ Wann wird die neue Brücke gebaut? (im Januar / sollen)
   Die neue Brücke soll im Januar gebaut werden.

1. Wo werden die Schallplatten gefunden? (im Keller / sollen)
2. Wo wird das Fest des Kaisers gefeiert? (in Mainz / sollen)
3. Wann wird die älteste Kirche der Stadt restauriert? (diesen Sommer / müssen)
4. Wann werden wir von der Party abgeholt? (um elf / müssen)
5. Wann werden die Zimmer aufgeräumt? (am Montag / können)
6. Von wem wird der Computer benutzt? (von allen / dürfen)
7. Wann werden die Noten gegeben? (nach der Prüfung / sollen)
8. Wann werden die CDs gespielt? (erst nach dem Abendessen / dürfen)

1. Die Schallplatten sollen im Keller gefunden werden.
2. Das Fest des Kaisers soll in Mainz gefeiert werden.
3. Die älteste Kirche der Stadt muss diesen Sommer restauriert werden.
4. Wir müssen um elf von der Party abgeholt werden.
5. Die Zimmer können am Montag aufgeräumt werden.
6. Der Computer darf von allen benutzt werden.
7. Die Noten sollen nach der Prüfung gegeben werden.
8. Die CDs dürfen erst nach dem Abendessen gespielt werden.

21 *Was muss gemacht werden?* Es ist das Ende des Schuljahres. Was muss im Klassenzimmer passieren, bevor die Schüler alle für den Sommer nach Hause gehen? Schreiben Sie, was alles passieren muss! Benutzen Sie das Passiv!

MENSCHEN UND MÄCHTE

CD
Track 19

Gutenberg und der Buchdruck

Steckbrief	
Name:	Johannes Gutenberg
Geburtstag:	um 1397 in Mainz
Todestag:	1468 in Mainz
Ehefrau:	unbekannt
Kinder:	unbekannt
Beruf:	Geschäftsmann°, Goldschmied°, Erfinder° des Buchdrucks
Wichtigster Tag:	der Tag, an dem er das erste Buch druckte°

Johannes Gutenberg

Für uns ist es heutzutage ganz normal, dass man preiswert Bücher kaufen kann und dass man auf unseren Computer-Monitoren schöne Buchstaben° sehen kann. All das ist möglich, weil der deutsche Goldschmied und Geschäftsmann Johannes Gutenberg die erste Buchpresse° erfand°. Damit hatte Gutenberg einen großen Einfluss auf die Geschichte des Buches und auf die modernen Informationsmedien.

Seit dem 12. Jahrhundert machte man Papier in Deutschland, eine Kunst, die über Arabien aus China nach Europa gekommen war. Man konnte bis zum 15. Jahrhundert aber noch keine Texte oder Bücher drucken. Alles, was man las, musste von Menschen mit der Hand geschrieben werden was sehr lange dauerte. Die meisten Texte werden für die Kirche von Mönchen° geschrieben. Im 15. Jahrhundert aber fing das Leben der Menschen an, sich sehr zu verändern. Jetzt schrieben nicht mehr nur Mönche, sondern auch andere Leute. Diese Leute konnten aber nicht schnell genug alles schreiben, was man für den Handel und zum Lesen brauchte.

Er drückt das Papier gegen die Buchstaben.

Die Gutenberg Bibel im Gutenberg-Museum in Mainz

Gutenberg war ein Geschäftsmann — er wollte viele Texte schneller produzieren, um Geld zu verdienen. Man brauchte in seiner Zeit einfach viel mehr Sachen zum Lesen. Einige Leute hatten in den Schulen Lesen und Schreiben gelernt und wollten etwas zu lesen haben. Andere, die mit der Hanse und dem Handel zu tun hatten, brauchten viele Dokumente dafür. Gutenberg wollte das Problem lösen; er verband die Technik seiner Zeit für Textilproduktion, Papiermachen und Weinpressen° und baute daraus die Buchpresse. Gutenbergs Erfindung° waren bewegliche° Buchstaben. Um einen Text zu drucken, brachte man Buchstaben aus Metall in eine Reihe, rollte Farbe über die Buchstaben und drückte das Papier gegen die Buchstaben. Innerhalb von 30 Jahren wurden immer mehr Texte in Europa gedruckt. Aus diesem Grunde hatten die europäischen Länder mehr Kontakt miteinander. Die Renaissance konnte beginnen. Mit seiner Erfindung schuf° Gutenberg das moderne „Information Age".

Weil Gutenbergs Zeit noch sehr religiös war, war sein wichtigstes Buch die Bibel auf Latein. Gutenberg druckte 300 „Gutenberg Bibeln", — das erste Buch, das mit einer Maschine produziert wurde und die erste Massenproduktion eines Textes — aber die Bibeln waren für die meisten Leute noch viel zu teuer. Eine Bibel kostete etwa so viel Geld, wie eine normale Person in drei Jahren verdiente.

Trotz seines Erfolgs hatte Gutenberg kein großes Glück. Er passte nicht gut auf sein Geld auf und verlor sein ganzes Geschäft. Seine Technik wurde bekannt und andere Leute bekamen das Geld für die Bibel, die Gutenberg gedruckt hatte.

Die Technik, die Gutenberg für den Buchdruck entwickelte, veränderte sich fast gar nicht bis in das 19. Jahrhundert. Dann kamen viele neue Erfindungen: „Linotype", eine mechanische Methode zu drucken, und die Schreibmaschine°. Im 20. Jahrhundert kamen die Kopiermaschine, die billig viele Kopien von einem Text machen kann, und der Computer, der Desktop-Publishing und Word-Processing für jeden möglich macht. Alle diese Methoden zu drucken wurden durch die Erfindung Johannes Gutenbergs von vor 500 Jahren möglich.

(*der Geschäftsmann* businessman; *der Goldschmied* goldsmith; *der Erfinder* inventor; *der Buchstabe* letter [of the alphabet]; *die Buchpresse* printing press; *erfinden* to invent; *der Mönch* monk; *die Weinpresse* winepress; *die Erfindung* invention; *beweglich* movable; *schaffen* to create; *die Schreibmaschine* typewriter)

WB Activities 17–18

22 Bringen Sie die Sätze in die richtige Reihenfolge!

___ 1. Die Buchpresse wird aus der Technik der Zeit entwickelt.

___ 2. Der Computer wird erfunden.   1d, 2h, 3e, 4f, 5g, 6c, 7a, 8b

___ 3. Die Gutenberg Bibeln werden gedruckt.

___ 4. Die „Linotype" wird erfunden.

___ 5. Die Kopiermaschine wird erfunden.

___ 6. Viele Dokumente werden für den Handel gebraucht.

___ 7. Papier wird nach Europa gebracht.

___ 8. Texte werden mit der Hand geschrieben.

CD Track 20

23 Beantworten Sie die Fragen!

1. Wie kam Papier nach Europa?

2. Was für Texte schrieben die Mönche?

3. Warum wollte Gutenberg die Buchpresse erfinden?

4. Woraus entwickelte Gutenberg die Buchpresse?

5. Wie lange dauerte es, bis der Buchdruck in ganz Europa benutzt wurde?

6. Was war Gutenbergs wichtigstes Buch?

7. Warum hatte Gutenberg kein großes Glück?

8. Welche neue Techniken im 19. und 20 Jahrhundert haben mit Gutenbergs Erfindung zu tun?

1. Über Arabien aus China.
2. Texte für die Kirche.
3. Um Geld zu verdienen.
4. Aus der Technik seiner Zeit.
5. Dreißig Jahre.
6. Die Bibel.
7. Er passte nicht gut auf sein Geld auf.
8. Linotype, die Schreibmaschine, die Kopiermaschine, der Computer.

Lektion B

Sprache

Infinitive Clauses with *zu* and *um...zu*

German has a kind of dependent clause that uses an infinitive form of the verb. These clauses are like clauses in English in which "to" appears in front of the verb. An infinitive clause must have the same subject as the main clause; that means the same person or thing needs to be doing both actions.

German uses *zu* in front of the verb in these clauses, or between the separable prefix and the main verb.

Es wäre schön, lange im Bett zu bleiben.	It would be nice to stay in bed a long time.
Es ist langweilig, ein Zimmer aufzuräumen.	It is boring to clean up a room.

German also uses *um* (in order to) to introduce infinitive clauses. Clauses with *um...zu* explain why a person is doing a certain action.

Er kaufte den Computer, um E-Mails zu schicken.	He bought the computer in order to send e-mails.
Sie setzte sich hin, um einen Brief zu schreiben.	She sat down in order to write a letter.

WB Activities 19–21

24 *Ergänzen Sie die Sätze! Benutzen Sie zu!*

Gisela: Ich habe doch keine Zeit, ___ (mich mit dir streiten). Warum versuchst du immer, ___ (einen Streit anfangen)? Es ist jetzt genug.

Frank: Das ist aber kein Grund, ___ (mit mir schreien)! Immer mit der Ruhe!

Gisela: Wie kann ich ruhig sein, wenn du dich so furchtbar benimmst? Es wäre schön, ___ (endlich etwas Ruhe haben).

Frank: Ruhe haben? Ha! Ich habe keine Lust, ___ (noch weiter darüber reden). Sieh zu, dass du früh ins Bett kommst, wenn du Ruhe brauchst!

Gisela: Das würde ich ja tun, wenn du versprechen würdest, ___ (mich in Ruhe lassen).

Frank: Ich verspreche, ___ (aufhören). Es wäre unfair, ___ (weitermachen).

mich mit dir zu streiten, einen Streit anzufangen, mit mir zu schreien, endlich etwas Ruhe zu haben, noch weiter darüber zu reden, mich in Ruhe zu lassen, aufzuhören, weiterzumachen

25 *Warum hat sich Renate das Mountainbike gewünscht?* *Formulieren Sie Gründe, um die Fragen zu beantworten und benutzen Sie um...zu!*

➤ Warum hat sich Renate das Mountainbike gewünscht? Sie wollte am schnellsten fahren.
Um am schnellsten zu fahren.

1. Warum kauften Renates Eltern das Fahrrad? Sie wollten Renate glücklich machen.
2. Warum trainierte Renate jeden Tag? Sie wollte gut fahren.
3. Warum fuhr Renate in einem Team? Sie wollte mit anderen fahren.
4. Warum trug Renate einen Helm? Sie wollte sich nicht wehtun.
5. Warum fuhr Renate den Berg so schnell hinunter? Sie wollte ein tolles Gefühl haben.
6. Warum las Renate die Mountainbike-Zeitschrift? Sie wollte sich über ihr neues Hobby informieren.
7. Warum wurde Renate Mitglied in dem Mountainbike-Klub? Sie wollte andere Jugendliche treffen.
8. Warum reparierte Renate ihr Rad so oft? Sie wollte Unfälle vermeiden.

1. Um Renate glücklich zu machen.
2. Um gut zu fahren.
3. Um mit anderen zu fahren.
4. Um sich nicht wehzutun.
5. Um ein tolles Gefühl zu haben.
6. Um sich über ihr neues Hobby zu informieren.
7. Um andere Jugendliche zu treffen.
8. Um Unfälle zu vermeiden.

26 *Kombinieren Sie!* Benutzen Sie zu-*Sätze!*

Das ist kein Grund,	mit mir	tanzen gehen
Es ist unhöflich,	mit offenem Mund	sich ärgern
Es wäre langweilig,	kein Wort davon	spazieren gehen
Es wäre schön,	heute Nachmittag	essen
Ich habe keine Lust,	ohne dich	sagen
Wir versprechen,	ganz allein	ins Konzert gehen

Es wäre schön, ein interessantes Buch zu finden.

Sie haben alle einen Grund, hier Geld zu holen.

Aktuelles

An der Pommesbude°

Die Kartoffel veränderte das Essen in Europa sehr, als sie aus Südamerika nach Europa kam. Das ist nun ungefähr 500 Jahre her. Im Jahr 1520 brachte der spanische Ritter Pizarro die ersten Kartoffeln von den Inkas in Südamerika nach Spanien. Seit dieser Zeit wurde die Kartoffel in Europa immer beliebter. In Deutschland gehört sie neben Brot und Kohl° zum einfachen Essen der kleinen Leute. Aus Belgien kam dann eine besonders fette Kartoffelspeise°. Die Kartoffeln werden lang geschnitten und ins Fett° geworfen. Nach etwa fünf Minuten werden die Pommes frites aus dem heißen Fett genommen und mit Salz gegessen oder auch mit Ketschup und Mayonnaise.

Pommesbuden gibt es überall.

Woher kamen die Kartoffeln vor vielen Jahren?

In Deutschland gibt es kleine Geschäfte, die an den Ecken der Straßen Pommes frites, Bratwürste und Limonade, Cola oder Bier verkaufen. Nicht selten sind es auch alte Verkaufswagen°, die man auch Pommesbuden nennt. Die Pommesbude ist die deutsche Antwort auf Fastfood. Die Pommes (wie man sie kurz nennt) sind immer schnell gemacht und werden oft mit einer Bratwurst gegessen. Oft stehen viele Leute vor der Pommesbude und warten, bis sie etwas bestellen können. Dann kann man dieses Gespräch hören:

Was essen die Deutschen gern?

Verkäuferin: Was darf's sein?

Käufer: Pommes mit Majo und eine Currywurst°.

Verkäuferin: Scharf° oder normal?

Käufer: Es kann etwas schärfer sein!

Verkäuferin: Was auf die Pommes?

Käufer: Nur Majo.

Die Verkäuferin tut jetzt etwas mehr Curry auf die Bratwurst. Sie legt die Pommes und die Bratwurst auf einen Teller, und tut die Mayonnaise auf die Pommes frites.

Pommes frites sind lang geschnittene Kartoffeln.

Verkäuferin: Und zum Trinken?

Käufer: Nichts, danke.

Verkäuferin: Das macht dann drei Euro fünfzig.

Der Käufer bezahlt und isst seine Pommes frites mit Mayonnaise und die Bratwurst mit Curry direkt an der Pommesbude. Oft verkaufen die Pommesbuden auch Frikadellen°. Sie werden mit Senf und einem Brötchen gegessen und kosten meistens fünfzig Cent weniger als Pommes mit Bratwurst. Eine Cola kostet etwa ein Euro und zehn Cent. Viele Leute trinken auch gern ein Bier zum Essen. Das kostet nur ein Euro achtzig. Die Pommesbuden gibt es besonders in Nordrhein-Westfalen, Niedersachsen und in Holland. Viele Deutsche finden, dass die holländischen Pommes die besten sind. Aber die Bratwürste müssen deutsche sein, denn die schmecken den meisten Leuten besonders gut!

WB Activity 22

(*die Pommesbude* mobile fast-food stand that sells french fries and bratwurst; *der Kohl* cabbage; *fett* greasy, fat; *die Kartoffelspeise* potato dish; *das Fett* fat; *der Verkaufswagen* mobile stand; *die Currywurst* curry sausage; *scharf* spicy, hot; *die Frikadelle* thick hamburger patty with spices)

Sie essen es gleich an der Pommesbude.

Was gibt's hier zu essen und zu trinken?

Lektion A

27 Ergänzen Sie die Sätze mit Wörtern aus dem Text!

1. Die ___ kam vor 500 Jahren aus Südamerika nach Europa.
2. Die Pommes frites werden in heißem ___ gekocht.
3. Viele Leute tun auf ihre Pommes frites Ketchup oder ___.
4. Die Pommesbuden stehen oft an den ___ der Straße.
5. Manchmal muss man an der Pommesbude lange warten, bis man ___ kann.
6. Frikadellen werden mit ___ und Brötchen gegessen.
7. Viele Leute essen am liebsten die ____ Pommes.
8. Die Bratwürste aber kommen aus ___.

1. Kartoffel   4. Ecken   7. holländischen
2. Fett   5. bestellen   8. Deutschland
3. Mayonnaise (Majo) 6. Senf

Auch ohne Ketchup schmecken die Pommes frites gut.

Woher kommen die Bratwürste?

Wörter und
A u s d r ü c k e

TICKETS AND RELATED ITEMS FOR PUBLIC TRANSPORTATION

die Einzelfahrkarte single ticket
die Streifenkarte ticket with several strips
die Tageskarte all-day ticket
die Kundenkarte Ausbildung customer ticket (during apprenticeship)
die Mehrfahrtkarte multiple-trip ticket
die Schülerkarte ticket for school-age students
die Karte in den Entwerter stecken to put the ticket into the ticket validator
auf Schienen fahren to run on tracks

Welches Verkehrsmittel fährt auf Schienen?

EXTRA! EXTRA!

Angelika Mechtel (1943–2000)

Angelika Mechtel wurde 1943 in Dresden geboren und starb im Februar 2000 in Köln. Das erste Buch von Angelika Mechtel *Gegen Eis und Flut* wurde 1963 veröffentlicht. Sie schrieb für Erwachsene, aber auch für Kinder. In diesen Büchern für junge Leser und Leserinnen geht es um Themen wie erste Beziehungen, aber auch Drogen und Ausländerfeindlichkeit. Und weil sie gern und viel gereist ist, kommen in ihren Büchern auch oft andere Kulturen vor. In *Flucht ins fremde Paradies* erzählt Mechtel über iranische Jugendliche in Deutschland und bringt so wichtige politische und soziale Ereignisse jungen Leuten näher.

Über den Text

In diesem Auszug aus dem Buch *Flucht ins fremde Paradies* wird ein sozialer Konflikt aus der Perspektive eines Kindes erzählt. Die beiden Geschwister Farideh und Freydoun kommen aus dem Iran nach Deutschland, während es in ihrem Land einen Krieg gibt. Ihre Eltern schicken sie nach Deutschland, damit die Kinder in Sicherheit sind. Das Buch beschreibt ihre Schwierigkeiten am Anfang, bis sie mit Hilfe von Freunden das oder wenigstens ihr Paradies entdecken.

Vor dem Lesen

1. Find information about Iran in the 1980s. You might use an encyclopedia or the Internet.
2. Imagine that you are living in a war-torn country and your parents decide to send you to a country where you can live with relatives in safety. Describe your feelings about having to leave your parents and your expectations about living in a foreign country.

Von Teheran nach Dubai. Von Dubai nach Athen. Von Athen nach Frankfurt.

Aber sie landeten nicht in Frankfurt. Die Maschine wurde wegen Nebel umgeleitet.

„Wo liegt Köln eigentlich?"

„Weiß ich nicht", antwortete Fraydoun.

„In Deutschland?"

„Glaube ich schon."

Hoffentlich nicht zu weit von Frankfurt entfernt! In Frankfurt wartete Onkel Hossein auf sie.

Eigentlich wollte sie nach Freydouns Hand greifen und sich festhalten. Aber dazu war sie zu stolz. Er hätte ihre Angst bemerkt.

Vielleicht geschieht ein Wunder? Vielleicht steht Onkel Hossein gar nicht in Frankfurt, sondern in Köln auf dem Flughafen und holt sie ab? Was geschieht überhaupt, wenn sie in Deutschland angekommen sind?

Eine Nacht, einen Tag und noch einmal einen Teil der Nacht war sie mit Freydoun in Flugzeugen und auf Flughäfen. Von Teheran nach Dubai. Von Dubai nach Athen. Von Athen nach Frankfurt. Nein. Von Athen nach Köln.

Wäre es nach ihr gegangen, sie wäre bei den Eltern in Teheran geblieben. Aber es ging nicht nach ihr.

Es geht darum, dass dort, wo sie herkommt, Krieg ist, und hier in Deutschland das Paradies sein soll. Oder so etwas Ähnliches.

Beim Abschied auf dem Flughafen in Teheran weinte sie. Mama nahm Farideh fest in die Arme. „Farideh", sagte sie, „du bist zwar noch klein. Aber nicht mehr so klein. Du wirst es schon schaffen! Pass auf Freydoun auf, ja?" Das flüsterte Mama so leise, dass weder Freydoun noch Papa es hören konnten.

Nein so klein bin ich wirklich nicht.

Papa sprach beim Abschied sehr leise und blickte sich immer wieder um, ärgerlich, als könnte ihnen jemand zuhören. „Du hast Freydoun dabei", sagte er, „er ist dein großer Bruder. Solange **ich** nicht bei dir bin, musst du tun, war **er** sagt, hörst du?

Sie hatte sich von Freydoun an die Hand nehmen lassen und ging mit ihm durch die Passkontrolle. Sie hörte, wie Freydoun dem Passbeamten und den Wachleuten mit den Maschinengewehren erzählte, sie fliegen zu Tante Elahe nach Dubai. Es war gelogen. Aber es war so abgemacht. Er musste lügen. Selbst die beiden

Rückflugtickets Teheran - Dubai - Teheran waren eine Lüge, eine, für die ihre Eltern viel Geld bezahlt hatten.

In Dubai wartete eine Frau auf sie. Sie gab Freydoun die beiden Flugtickets nach Athen. Diesmal waren es keine Rückflugtickets. Freydoun bezahlte mit amerikanischen Dollarscheinen, die er in den Schuhen versteckt hatte.

Sie kann stolz auf ihren großen Bruder sein. Feige ist er nie gewesen. Er träumt nur manchmal vor sich hin oder wird zum Schweiger. Aber immer dann, wenn es gilt, kann man sich auf Freydoun verlassen.

In Athen gab er den Rest des Geldes einem kleinen Iraner, der sie dafür in die Lufthansa-Maschine nach Frankfurt setzte.

Eine lange Reise und ein langer Weg.

„He! Schläfst du?" Freydoun schüttelte sie unsanft am Arm. „Wir landen gleich! Da sind schon die Landelichter. Guck mal raus!"

Mit einem kräftigen Stoß setze die Maschine auf der Rollbahn auf.

Es war Mittwoch, der 5. Januar 1988.

Nach dem Lesen

1. Benutzen Sie eine Karte von Süd-Europa oder das Internet, um die Städte in der Geschichte (Athen, Dubai, Frankfurt, Köln, Teheran) zu finden. In welchen Ländern liegen sie?

2. Diese Geschichte wird aus der Perspektive des Mädchens Farideh erzählt. Sie hört von ihren Eltern die folgenden Sachen, als sie sich am Flughafen verabschieden:

   Vater: Solange ich nicht bei dir bin, musst du tun, was er sagt, hörst du? Dann kann dir nichts passieren.

   Mutter: Pass auf Freydoun auf, ja?

   Die drei (Vater, Mutter und Farideh) sind in einer schwierigen Situation. Was sie sagen, ist nicht das, was sie denken und fühlen. Schreiben Sie auf, was jeder von ihnen fühlt und denkt! Diskutieren Sie Ihre Ideen in der Klasse!

3. Wie geht die Geschichte weiter? Was werden die beiden Geschwister auf dem Flughafen in Köln erleben? Denken Sie daran, was man auf einem Flughafen alles machen kann und muss.

Endspiel

1. Haben Sie auch Probleme mit Ihren Eltern oder Verwandten? Schreiben Sie darüber!

2. Sie bekommen Besuch von Verwandten. Ihre Tante und Ihr Onkel kommen mit Ihren beiden Cousinen Jessica (16) und Simone (17). Sie bleiben zwei Wochen bei Ihnen. Was machen Sie alles zusammen?

3. Was meinen Sie? Was wird die neue Erfindung sein, die das Leben der Menschen so sehr verändern wird wie die Buchpresse von Gutenberg? Was werden die neuen Erfindungen der Zukunft sein? Diskutieren Sie!

4. Welches Fastfood essen Sie am liebsten? Wie oft, wo und warum essen Sie Fastfood? Erzählen Sie!

5. Sie haben am Anfang des Kapitels von Monis, Rolands und Marias Problemen gelesen. Nehmen Sie die Position einer dieser drei Jugendlichen und beschreiben Sie, wie Sie das Problem oder die Probleme lösen würden?

6. Gehen Sie in die Bibliothek oder benutzen Sie einen Computer, um weitere Informationen über die Verbindung zwischen dem Buchdruck und der Renaissance zu finden! Schreiben Sie einen kurzen Bericht mit den Informationen, die Sie finden!

WB Activity 23
TP

Sie überlegt sich, worüber sie schreiben wird.

Man kann viele Informationen in einem Buchgeschäft finden.

Vokabeln

anhören to listen to 7A
ausleihen *(lieh aus, ausgeliehen)* to loan; *Bücher ausleihen* to check out books 7A
behandeln to treat 7A
beleuchten to light up, illuminate 7A
bewegen to move 7B
beweglich movable 7B
die **Bibliothek,-en** library 7A
die **Bildungssendung,-en** educational TV program 7A
der **Buchdruck** book printing 7A
die **Buchhandlung,-en** bookstore 1B
die **Buchpresse,-n** printing press 7B
der **Buchstabe,-n** letter [of the alphabet] 7B
die **Currywurst,¨e** curry sausage 7B
dahinfahren *(dahinfährt, fuhr dahin, ist dahingefahren)* to go there 7B
der **Dom,-e** cathedral; *der Kölner Dom* Cologne Cathedral 7A
die **Einzelfahrkarte,-n** single ticket 7B
der **Entwerter,-** ticket validator 7B
entwickeln to develop 7B
die **Erde** earth, ground 7B
erfinden *(erfand, erfunden)* to invent 7B
der **Erfinder,-** inventor 7B
die **Erfindung,-en** invention 7B
sich **erlauben** to allow 7A
die **Fernsehserie,-n** TV series 7A
fett fat, greasy 7B
das **Fett** fat 7B
die **Frikadelle,-n** thick hamburger patty with spices 7B
die **Fußballweltmeister-schaft,-en** soccer world championship 7A
das **Gebiet,-e** region 7A
der **Geschäftsmann,¨er** businessman 7B

der **Goldschmied,-e** goldsmith 7B
Hänsel und Gretel Hansel and Gretel 7A
immer wieder again and again, over and over 7A
innerhalb within, inside 7B
je ever 7A
die **Kartoffelspeise,-n** potato dish 7B
der **Kohl** cabbage 7B
die **Kundenkarte,-n** customer ticket 7B
der **Künstler,-** artist 7A
die **Lösung,-en** solution 7B
das **Märchen,-** fairy tale 7A
die **Mehrfahrtkarte,-n** multiple-trip ticket 7B
die **Monatskarte,-n** monthly ticket 7B
der **Mönch,-e** monk 7B
die **Nationalhymne,-n** national anthem 7A
die **Oberleitung,-en** overhead electric wire 7B
öffentlich public 7B
der **Pfennig,-** pfennig, penny 7A
der **Plattenspieler,-** record player 7A
die **Pommesbude,-n** mobile fast-food stand that sells french fries and bratwurst 7B
der **Raum, Räume** space, room 7A
reden to talk 7A
Rotkäppchen Little Red Riding Hood 7A
schaffen *(schuf, geschaffen)* to create 7B

die **Schallplatte,-n** LP record 7A
scharf spicy, hot 7B
die **Schiene,-n** rail, track; *auf Schienen fahren* to run on tracks 7B
der **Schluss,¨e** end, conclusion 7A
Schneewittchen Snow White 7A
die **Schreibmaschine,-n** typewriter 7B
die **Schülerkarte,-n** ticket for school-age children 7B
schwierig difficult 7A
selbstverständlich natural, obvious 7A
der **Sender,-** TV or radio station 7A
die **Serie,-n** series 7A
der **Stahl** steel 7A
der **Streifen,-** strip 7B
die **Streifenkarte,-n** ticket with several strips 7B
der **Streit,-e** argument 7A
sich **streiten** *(stritt, gestritten)* to argue, quarrel 7A
der **Strom** electricity, current 7B
die **Tageskarte,-n** all-day ticket 7B
das **Taschengeld** allowance 7A
verbieten *(verbot, verboten)* to forbid 7A
der **Verkaufswagen,-** mobile stand 7B
vertrauen to trust 7A
der **Vorort,-e** suburb 7B
der **Weltmeister,-** world champion 7A
die **Wirtschaft** economy 7A
die **Zeche,-n** coal mine 7A

Er sieht nach, dass die Buchpresse gut funktioniert.

In this chapter you will learn how to:
- talk about health and nutrition
- describe a project
- give advice on how to avoid stress
- discuss protective gear for various sports
- describe a process

KAPITEL 8

Gesundes Leben

LEKTION A

Gesundheit und Ernährung

98.6° F
110/70

die Gesundheit · gesund · die Krankheit · krank · fit · in Form sein

trainieren · der Körper · der Muskel · der Knochen · stark · dick

104.2° F
170/100

dünn · fett · gesunde Ernährung · das Vitamin · vitaminreich · vitaminarm

die Nahrungsmittelgruppe · bewusste Ernährung · sich ernähren · sich entspannen · das Fett · das Milchprodukt

89

die Diät

270

das Untergewicht · die Diät · das Übergewicht

1 Welches Adjektiv passt *nicht* zu diesem Wort?

1. Ernährung: fett, hoch, gesund, gut
2. Körper: stark, fit, erfolgreich, dünn
3. Übergewicht: dick, reich, fett, groß
4. Obst: höflich, frisch, gesund, vitaminreich
5. Fastfood: fett, schnell, arglos, ungesund

1. hoch
2. erfolgreich
3. reich
4. höflich
5. arglos

2 Welche Dialogteile gehören zusammen?

1. Hans, hast du heute schon gefrühstückt?
2. Ich laufe jeden Tag eine Stunde.
3. Ich habe nicht gewusst, dass du Vegetarierin bist.
4. Du siehst sehr gesund aus.
5. Ich möchte heute Fastfood essen.

1d, 2a, 3e, 4b, 5c

a. Ist das nicht für deine Knie sehr schlecht?
b. Ja, ich esse bewusster und treibe mehr Sport.
c. Das ist aber nicht gut für dich, zu viel Fett und zu wenig Vitamine.
d. Nein, ich habe heute Morgen keinen Hunger.
e. Ich esse schon seit drei Jahren kein Fleisch mehr.

3 *Was passt hier?* Welche Wörter passen in diese Kategorien: Süßwaren, Fastfood, Gemüse/Obst, Milchprodukte? Ein Wort passt in zwei Kategorien.

Süßwaren:
Schokolade, Keks, (Eis), Zucker
Fastfood:
Currywurst, Pommes frites, Hamburger, Frikadelle
Obst/Gemüse:
Apfel, Salat, Tomate, Blumenkohl
Milchprodukte:
Milch, Käse, Joghurt, (Eis)

Schokolade	Currywurst	Pommes frites	Hamburger
Apfel	Tomate	Keks	Frikadelle
Salat	Käse	Joghurt	Milch
Zucker	Eis	Blumenkohl	

In welche Kategorien passen diese Lebensmittel?

Mit Ketschup in die Schule

Was bringen denn die anderen mit?

Auf dem Weg
zur Schule kaufe ich auch noch Pommes frites.

Warum nimmst du Ketschup mit in die Schule?

Simone ist in der Küche und packt Essen in ihre Schultasche, als ihre Mutter ins Zimmer kommt.

Mutter: Simone, ich weiß, dass es früh am Morgen ist, aber warum nimmst du heute Ketschup mit in die Schule?

Simone: Mutti, wir machen doch gerade im Biologieunterricht dieses Projekt über gesundes Leben — wie wir uns fit halten können und was eine gesunde Ernährung ist. Da sollen wir alle unser Lieblingsessen mitbringen, damit wir es dann analysieren können. Dann ist die Frage, ob wir genug Vitamine bekommen, ob wir zu viel Fett essen, ob wir genug Milchprodukte essen und so weiter. Auf dem Weg zur Schule kaufe ich auch noch Pommes frites, dann weiß ich wenigstens, wie viel Fett da drin ist.

Mutter: Was bringen denn die anderen mit?

Simone: Ich weiß nur, dass Anita eine Currywurst untersuchen wollte und Heiko sich sehr dafür interessiert, was eigentlich in Hamburgern drin ist. Er analysiert Hamburger, weil sein Freund Christian glaubt, dass viel Fleisch ihn stark macht. Er möchte wie Arnold Schwarzenegger aussehen und große Muskeln haben.

Mutter: Was für ein tolles Projekt! Weißt du, warum ihr das Projekt macht?

Simone: Ja, ich glaube, weil einige Schüler Übergewicht haben. Andere sind zu dünn, manche wollen immer Diät machen und ernähren sich gar nicht gesund. Die Lehrer wollen, dass wir das Projekt als Klasse machen. Dann lernen wir alle uns bewusst zu ernähren, ohne dass sich eine Person als zu dick oder zu dünn fühlt.

Mutter: Hast du deshalb in der letzten Woche alles aufgeschrieben, was du wann gegessen hast?

Simone: Ja, das war für meinen Aufsatz über meine Essgewohnheiten. Die Ergebnisse haben wir gestern in der Klasse verglichen. Manche von uns essen viel Obst und Gemüse, während andere nur Fastfood für Essen halten. Ich liege so in der Mitte, weil Vati doch immer will, dass ich mein Gemüse esse.

Mutter: Und Recht hat er. Was habt ihr über die Getränke herausgefunden?

Simone: Wir alle trinken zu viel Limonade und zu wenig Wasser.

Mutter: Das passiert mir auch. Aber wenigstens trinkst du keinen Kaffee. Möchtest du etwas an deinen Essgewohnheiten ändern?

Simone: Ja, ich arbeite schon an einem Plan, in dem ich alle fünf Nahrungsmittelgruppen berücksichtige. Mein größtes Problem ist, außer zu viel Fett und Süßigkeiten, dass ich nicht genug Milch trinke. Vielleicht sollte ich einfach mehr Käse essen. Aber dann esse ich zu viel Fett. In den beiden wichtigsten Gruppen bin ich eigentlich sehr gut. Ich esse genug Gemüse und Obst und bei Brot, Nudeln und Reis muss ich eigentlich auch nichts ändern.

Mutter: Und wie ist es mit Fleisch, das du als Vegetarierin nicht isst?

Simone: Diese Nahrungsmittelgruppe ist ein bisschen komplizierter in meinem Plan. Aber die Biologielehrerin hat gesagt, dass Fisch auch zählt. Und ich muss versuchen, die Nährstoffe in den anderen Nahrungsmittelgruppen zu bekommen.

Mutter: Ich bin gespannt, was du heute alles herausfindest.

Simone: O je, es ist halb acht. Ich muss mich beeilen, Mutti. Ich sage dir heute Abend, was wirklich im Ketschup drin ist.

WB Activity 2

4 Beantworten Sie die Fragen!

1. Was sucht Simone im Kühlschrank?
2. Was kauft sie auf dem Weg zur Schule?
3. Wer bringt eine Currywurst in die Schule mit?
4. Worüber schreibt Simone einen Aufsatz?
5. Was soll Simone mehr trinken?
6. Wer sagt, dass Simone Gemüse essen soll?
7. Wovon trinkt Simone zu viel?
8. Was isst Simone überhaupt nicht?

1. Ketschup
2. Pommes frites
3. Anita
4. ihre Essgewohnheiten
5. Milch
6. ihr Vater
7. Limonade
8. Fleisch

Allerlei

Sabine

Stress vermeiden vor dem Abitur

Weil Tina und ihre Freunde in zwei Monaten Abitur machen, reden sie fast alle vom Stress. Da Tina ein Thema für die Schülerzeitung sucht, entscheidet sie sich, verschiedene Leute zu interviewen und darüber zu schreiben. Dies konnte man dann am Ende in der Schülerzeitung „Fettnäpfchen" lesen.

Wer in der Schule kennt ihn nicht, den Stress? Immer mehr von uns haben öfter viele Termine. Manchmal sind es schon mehr als in einen Tag passen. Da sind die Prüfungen in der Schule, Hausaufgaben, und dann soll man vielleicht auch noch Klavier üben, weil man morgen wieder einmal zum Klavierunterricht muss. Stress gibt es in vielen Situationen. Manchmal kann Stress auch positiv sein, weil man vielleicht unter Stress produktiv arbeitet. Aber man sollte nicht vergessen, dass zu viel Stress krank machen kann. Auf meinem Weg durch die Schule habe ich viele Schüler gefunden, denen es wie mir geht. Hier sind zwei Beispiele.

Sabine, eine Schülerin aus der 13a, hat mir erzählt, dass sie letztes Jahr mit Stress zu tun hatte, als sie hier in der Schule neu anfing.

„Alles war anders als an meiner alten Schule. Und plötzlich hatte ich Angst, dass ich nicht gut genug sein würde. Und da habe ich dann ganz viel gelernt. Natürlich hatte ich keine Zeit, Freunde zu finden. Das war schlimm! Ich habe mich oft allein gefühlt und es war niemand da, der mir helfen konnte. Ich war immer müde und hatte keine Energie, bis dann meine Mutter gemerkt° hat, dass ich zu viel Stress habe. Sie hat mir sehr geholfen. Wir haben einen richtigen Plan für meinen Tag gemacht und darin ist auch Zeit für meine Freizeit. Damit ich mit den Hausaufgaben fertig werde, habe ich jetzt Nachhilfestunden°. Inzwischen° habe ich auch schon Freunde in meiner neuen Klasse gefunden."

Sabine nimmt sich also jetzt Zeit für ihre Freizeit.

(*merken* to notice; *die Nachhilfestunde* private lesson; *inzwischen* in the meantime)

Track 3

Track 4

260

5 Beenden Sie die Sätze mit den passenden Wörtern aus dem Text!

1. Tina und ihre Freunde machen bald ihr ___.
2. Tina schreibt einen Artikel für die ___.
3. Dieses Mal schreibt sie über ___.
4. Für die Schülerzeitung interviewt sie verschiedene ___.
5. In der neuen Schule hatte Sabine keine ___.
6. Sie war immer müde und hatte keine ___.
7. Sabine plant jetzt auch ihre ___.
8. Um mit der vielen Arbeit fertig zu werden, hat Sabine jetzt ___.

1. Abitur
2. Schülerzeitung
3. Stress
4. Leute
5. Freunde (Zeit)
6. Energie
7. Freizeit
8. Nachhilfestunden

CD
Track 5

Christian aus der 13b schlägt eine andere Lösung für Stress vor. Für ihn begannen diese Probleme, nachdem sich seine Eltern scheiden ließen. Er lebt jetzt bei seiner Mutter. Weil sie allein waren, wollte er ihr so viel Freude wie möglich machen. Christian erklärt:

„Ich wollte einfach alles sehr gut machen. In der Schule wollte ich der Beste sein. Ich habe mir sehr viele Sorgen gemacht, um die Schule, meine Mutter und so. Ich konnte nicht mehr schlafen. Und obwohl ich viel gearbeitet habe, sind meine Noten in der Schule immer schlechter geworden. Dann bin ich krank geworden. Ich hatte eine Grippe°, die einfach nicht besser werden wollte. Da hat mein Arzt gemerkt, dass mit mir etwas nicht stimmt. Als ich ihm erzählt habe, dass ich mich immer nervös fühlte, hat er mir erklärt, dass ich Sport treiben soll. Ich habe angefangen, jeden Tag zu laufen oder Inline Skating zu machen. Es macht mir sehr viel Spaß. Auch wenn ich jetzt immer noch die gleichen Probleme habe, habe ich doch mehr Energie dafür."

Christian

Stress kann also auch wegen Beziehungen° zu anderen Personen entstehen°.

Unsere Schulärztin, Frau Dr. Peters, sieht auch mehr Zeichen von Stress bei Schülern. Sie hört immer öfter von Schülern, dass ihnen schlecht ist, dass ihr Kopf wehtut, dass sie nicht genug schlafen oder schlecht träumen. Viele sind müde oder aber fühlen sich aggressiv. Ich wollte wissen, was man bei zu viel Stress tun kann. Frau Dr. Peters schlägt vor:

„Wichtig ist, dass man seinen Tag plant. Man braucht Zeit für die Arbeit, aber es muss auch noch Zeit für Hobbys bleiben. Oft hilft es schon, wenn man nicht alles am gleichen Tag machen will. Schlafen Sie genug! Machen Sie nur eine Sache, nicht alles auf einmal! Versuchen Sie sich besser zu konzentrieren! Dann sind Sie schneller mit der ersten Sache fertig und können das nächste Projekt anfangen.

Die Schulärztin sieht auch mehr Zeichen von Stress bei Schülern.

Und manchmal hilft es auch schon, wenn Sie Ruhe haben. Also kein Radio, Fernsehen, keinen Computer, Walkman und so weiter, wenn Sie sich konzentrieren müssen! Außerdem ist es wichtig, dass Sie sich so richtig bewegen oder Sport treiben. Am besten wäre es, wenn Sie das mindestens einmal am Tag machen würden. Das ist gut für den Körper und bringt Sie auf andere Ideen."

Nach diesem guten Rat sei noch gesagt, dass die dreizehnte Klasse in nächster Zeit sicher viel Stress hat. Aber jetzt wissen wir ja, was wir tun können. Und Freizeit ist wichtig! Also Achtung, dass der Stress nicht die Jugend ruiniert.

(*die Grippe* flu; *die Beziehung* relationship; *entstehen* to develop)　　　**WB** Activities 3–4

CD
Track 6

6 *Richtig oder falsch?* **Wenn falsch, verbessern Sie den falschen Teil!**

1. Christian lebt bei seinem Vater.
2. Christians Noten in der Schule wurden immer besser.
3. Christians Arzt meint, dass er Sport treiben sollte.
4. Nach dem Sport hat er mehr Energie.
5. Frau Dr. Peters ist Zahnärztin.
6. Frau Dr. Peters sieht viele Schüler, die Stress haben.
7. Frau Dr. Peters meint, man sollte sich mindestens einmal in der Woche richtig bewegen.
8. Bei Stress ist es gut, wenn es viel Ruhe gibt.

1. falsch / Er lebt bei seiner Mutter.
2. falsch / Seine Noten wurden immer schlechter.
3. richtig
4. richtig
5. falsch / Sie ist Schulärztin.
6. richtig
7. falsch / Sie meint, man soll sich einmal am Tag bewegen.
8. richtig

7 *Welches Wort aus dem Text ist das?* **Lesen Sie die Definitionen und schreiben Sie dann, welches Wort aus dem Text beschrieben wird! Vergessen Sie den Artikel nicht!**

1. der Stress
2. die Schülerzeitung
3. die Freizeit
4. die Nachhilfestunde
5. die Note

1. Wenn man zu viel Arbeit und zu wenig Zeit hat.
2. Eine Zeitung, die von Schülern geplant und gemacht wird.
3. Die Zeit, in der man nicht arbeitet, sondern tut, was man will.
4. Eine Stunde nach der Schule, in der einem Schüler noch einmal alles erklärt wird.
5. Was der Schüler am Ende einer Klasse oder nach einer Prüfung vom Lehrer bekommt.

Bei vielem Stress geht er oft in die Bibliothek und sucht sich etwas zum Lesen aus.

Kapitel 8

Spielen Sie Rollen! Arbeiten Sie mit einer anderen Person! Die erste Person will gerade die Schokolade essen, die sie letzte Woche zum Geburtstag bekommen hat. Sie freut sich wirklich auf die Schokolade nach einem Tag voller Stress. Und außerdem ist es ihre Lieblingsschokolade. Aber die Schokolade ist weg, weil die zweite Person sie gegessen hat. Die erste Person fragt die zweite Person, warum sie das getan hat. Als die zweite Person merkt, dass die erste Person nicht sehr froh ist, dass die Schokolade weg ist, gibt sie ihr verschiedene Antworten.

SPRACHE

Passive Voice, Narrative Past

In the last chapter you learned how to use the passive voice in the present tense. You can also use the passive in the narrative past. This is a form you will encounter often in reading.

To form the narrative past of the passive, use *werden* in the narrative past plus the past participle of the main verb.

ich	*wurde gefragt*	wir	*wurden gefragt*
du	*wurdest gefragt*	ihr	*wurdet gefragt*
er, sie, es	*wurde gefragt*	sie	*wurden gefragt*
Sie (sg. and pl.)	*wurden gefragt*		

Wurden Sie nicht gefragt? — Weren't you asked?

Das Haus wurde in drei Monaten gebaut. — The house was built in three months.

WB Activities 5–6

Die Videoserie wurde von vielen Teilnehmern vorbereitet.

Die Dialoge wurden vorher gut geübt.

8

Vervollständigen Sie die Sätze! **Benutzen Sie das Passiv mit den Verben aus der Liste! Ein Verb steht schon im Beispiel.**

drucken	schreiben	krönen	singen	gründen
retten	enthaupten	nehmen	finden	

➡ Karl der Große ___ zum Kaiser ___.
Karl der Große wurde zum Kaiser gekrönt.

1. Die Hanse ___ 1356 ___.
2. Klaus Kniephof ___ 1526 ___.
3. Die erste Bibel ___ von Gutenberg ___.
4. Heinrich IV. ___ von Graf Eckbert ___.
5. Die Hanse-Kogge ___ im Jahr 1962 ___.
6. Dichtungen ___ von Walther von der Vogelweide ___.
7. Störtebeker ___ im Jahr 1402 gefangen ___.
8. Texte ___ von Mönchen bis zum 15. Jahrhundert ___.

1. wurde...gegründet
2. wurde...enthauptet
3. wurde...gedruckt
4. wurde...gerettet
5. wurde...gefunden
6. wurden...gesungen
7. wurde...genommen
8. wurden...geschrieben

9

Die Geschichte des Aspirins. **Beantworten Sie diese Fragen! Sie brauchen nicht jedes Wort zu verstehen, aber ein Wort wird Ihnen helfen: „herstellen" heißt „produzieren" oder „machen".**

Aspirin, oder besser die Acetylsalicylsäure, war die erste Medizin, die durch Synthese im Labor hergestellt werden konnte. Das Mittel wurde 1853 von dem Franzosen Charles Gerhardt von der Universität Montpellier entdeckt, aber keine praktische Anwendung konnte gefunden werden. 1893 wurde das Mittel von Felix Hoffmann, einem Chemiker bei Bayer, wiederentdeckt. 1899 wurde das Mittel im Labor der Firma Bayer hergestellt und unter dem Namen „Aspirin" verkauft. Nach dem Ersten Weltkrieg wurde die Marke „Aspirin" an die Gewinner Frankreich, England und die USA abgegeben. Deshalb gibt es in Amerika „Aspirin" oder „Bayer Aspirin".

1. Von wem wurde Acetylsalicylsäure entdeckt?
2. Wie konnte Aspirin im Labor hergestellt werden?
3. Von wem wurde das Mittel wiederentdeckt?
4. In welchem Labor wurde „Aspirin" zuerst hergestellt?
5. Wann kam „Aspirin" nach Frankreich, England und in die USA?
6. Unter welchem Namen wird die Medizin in Amerika verkauft?

1. Von Charles Gerhardt.
2. Durch Synthese.
3. Von Felix Hoffmann.
4. Im Labor der Firma Bayer.
5. Nach dem Ersten Weltkrieg.
6. „Aspirin" oder „Bayer Aspirin."

10

Wann wurden verschiedene Medikamente entdeckt, erfunden, isoliert? Schreiben Sie diese Sätze und dann wissen Sie es! Benutzen Sie das Passiv im Imperfekt!

Track 7

➤ Aspirin / 1853 / Charles Gerhardt / entdecken
Aspirin wurde 1853 von Charles Gerhardt entdeckt.

1. Das Insulin / 1921 / Paulesco / entdecken
2. Vitamine *(pl.)* / 1910 / Funk / isolieren
3. Das Penizillin / 1928 / Sir Alexander Fleming / entdecken
4. Das Kokain / 1844 / Merck / isolieren
5. Die Endorphine *(pl.)* / 1975 / J. Jughes / entdecken
6. Tabletten *(pl.)* / 1850 / Miahle / erfinden
7. Die Anti-Baby Pille / 1954 / Gregory Pincus und John Rock / erfinden
8. Das Morphin / 1804 / Derosne, Sequin und Sertürner / isolieren

1. Das Insulin wurde 1921 von Paulesco entdeckt.
2. Vitamine wurden 1910 von Funk isoliert.
3. Das Penizillin wurde 1928 von Sir Alexander Fleming entdeckt.
4. Das Kokain wurde 1844 von Merck isoliert.
5. Die Endorphine wurden 1975 von J. Jughes entdeckt.
6. Tabletten wurden 1850 von Miahle erfunden.
7. Die Anti-Baby Pille wurde 1954 von Gregory Pincus und John Rock erfunden.
8. Das Morphin wurde 1804 von Derosne, Sequin und Sertürner isoliert.

Länder, Kantone und Provinzen

Track 8

Der Harz

Der Harz liegt genau in der Mitte von Deutschland und auch von Europa. Deshalb gingen schon vor tausend Jahren Handelsrouten von Norden nach Süden und von Osten nach Westen durch dieses Gebiet. In den Bergen fanden die Arbeiter Silber° und Kohle. Das Holz der Wälder haben viele Holzschnitzer° für Figuren von Kobolden° und Hexen° genommen. Es gibt viele Geschichten über Kobolde und Hexen, die aus dem Harz kommen. Dort sollen sich die Hexen jedes Jahr auf einem Berg, dem Brocken, treffen. Hans Christian Andersen, Johann Wolfgang von Goethe, Novalis, Heinrich Heine, alle diese Dichter kamen in den Harz und ließen sich von den wilden Bergen und den Wäldern inspirieren. Heinrich Heine schrieb vor 160 Jahren sogar einen Text „Die Harzreise" über diese Gegend.

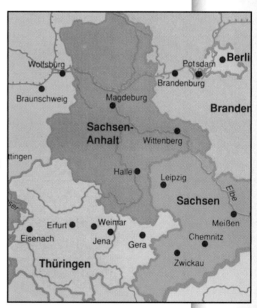

Der Harz ist ein Gebiet mit vielen Wäldern, Bergen, Flüssen und Seen, das zwischen den Städten Osterode am Harz im Westen und Hettstadt im Osten, Quedlinburg im Norden und Sangerhausen im Süden liegt. Von 1948 bis 1989 lag der größte Teil des Harzes in der DDR, aber heute sind die beiden Teile wieder vereinigt.

Der Harz ist ein Gebiet mit vielen Wäldern, Bergen, Flüssen und Seen.

Im Harz gibt's viele Heilbäder.

Wer in den Harz fährt, möchten Sie wissen? Das sind Touristen, die gern Urlaub in einer schönen Landschaft machen wollen. Andere Leute kommen, um die Kurorte zu besuchen. In den vielen Bädern°, die es im Harz gibt, kann man vieles für die Gesundheit tun. In Bad Gandersheim gibt es ein Moorheilbad°. Bad Harzberg hat salzhaltige° Quellen. Und Bad Lauterbach ist seit 1803 ein Kneipp-Heilbad°. Das Wasser im Harz ist also besonders frisch und gesund für die Leute. Viele Menschen mit kranken Atemwegen° kommen auch in den Harz, weil die Luft hier so gut ist. Bad Sachsa, zum Beispiel, ist einer von vielen heilklimatischen° Kurorten im Harz.

(*das Silber* silver; *der Holzschnitzer* wood carver; *der Kobold* gremlin, imp; *die Hexe* witch; *das Bad* spa; *das Moorheilbad* spa specializing in mud packs; *salzhaltig* salty; *das Kneipp-Heilbad* spa using Sebastian Kneipp's treatments; *der Atemweg* respiratory tract; *heilklimatisch* climate conducive to healing)

CD
Track 9

11 Wovon/Von wem ist hier die Rede?

1. Sie fuhren in den Harz, um sich inspirieren zu lassen.
2. Diese Stadt liegt im Westen des Harzes.
3. Er lag 41 Jahre in der DDR.
4. Sie fahren in den Harz, um die schöne Landschaft zu sehen.
5. Der Ort hat salzhaltige Quellen.
6. Es ist ein heilklimatischer Kurort.

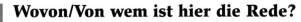

1. Dichter.
2. Osterode.
3. Der größte Teil des Harzes.
4. Touristen.
5. Bad Harzberg.
6. Bad Sachsa.

Kapitel 8

Es gibt viele Legenden über den Harz. Besonders bekannt sind die Walpurgisnacht und die Hexenfeste. Die Walpurgisnacht ist die Nacht vom 30. April zum 1. Mai. Da treffen sich in den Städten des Harzes die Menschen und feiern große Feste. Nach der Legende sollen sich alle Hexen auf dem Brocken treffen. Dann brennt dort ein großes Feuer und alle Hexen singen und tanzen, bis der Morgen kommt.

Die Walpurgisnacht wird im Harz noch heute gefeiert.

Die Hexen nennen den Brocken den Blocksberg. Er ist der höchste Berg im Harz und 1 142 Meter hoch. Der Nachbarberg heißt Wurmberg und ist um 171 Meter niedriger°. Die Hexen üben in der Walpurgisnacht das Besenreiten° vom Wurmberg und zum Blocksberg und zurück. Die jungen Hexen müssen zeigen, was sie können. Eine Hexe ist nur wert, Hexe genannt zu werden, wenn sie die Tests auf dem Blocksberg schafft. Die Kunst der Hexen gehört zu den Märchen und Geschichten, die fast jeder Deutsche vom Harz und von seinen Bergen gehört hat. Es gibt auch viele neue Geschichten, wie zum Beispiel die von Bibi Blocksberg, einer jungen Hexe, die immer wieder Probleme mit den alten Hexen hat.

Ahmad spielt mit einem Vogel auf der Hand; die Puppe von Bibi Blocksberg hängt an der Tür.

Die Holzschnitzerin Walburga Mast arbeitet viel mit diesen Figuren aus der Welt der Harzgeschichten. Sie hat Vögel und Hexen gemacht und eine Puppe° von Bibi Blocksberg, der jungen Hexe. Diese Puppe hängt° an der Tür, während ihr Mann, Ahmad Mast, mit einem Vogel auf der Hand spielt. Walburga und Ahmad wohnen jetzt in Quedlinburg. Diese Stadt ist berühmt für die 1 200 Fachwerkhäuser°, die dort in den letzten sechs Jahrhunderten gebaut wurden. Hier gab es schon immer Holzschnitzer, die mit dem Holz aus dem Harz gearbeitet haben. Der berühmteste deutsche Holzschnitzer war Tilman Riemenschneider aus Osterode im Harz. Er hat viele Stücke für Kirchen geschnitzt° und ist bekannt, weil seine Figuren so lebendig aussehen. Das war vor 500 Jahren. Heute ist diese Tradition immer noch lebendig, wie wir an Walburga und ihren Holzarbeiten sehen. Besonders gern macht sie Masken, die in der Walpurgisnacht gebraucht werden.

Tilman Riemenschneider hat viele Figuren geschnitzt.

(*niedrig* low; *das Besenreiten* broomstick riding; *die Puppe* puppet, doll; *hängen* to hang; *das Fachwerkhaus* half-timber house; *schnitzen* to carve)

WB Activities 7–8

emcp.com

Track 11

1. falsch / Sie ist die
   Nacht vom 30. April
   zum 1. Mai.
2. richtig
3. falsch / Der Brocken
   ist der höchste Berg.
4. falsch / Sie üben das
   Besenreiten.
5. falsch / Sie ist
   Holzschnitzerin.
6. richtig
7. falsch / Er war
   Holzschnitzer vor
   500 Jahren.
8. richtig

12 *Richtig oder falsch?* Wenn der Satz falsch ist, verbessern Sie den falschen Teil!

1. Die Walpurgisnacht ist die Nacht vom 1. zum 2. Mai.
2. Nach der Legende treffen sich die Hexen in der Walpurgisnacht.
3. Der höchste Berg im Harz ist der Wurmberg.
4. In der Walpurgisnacht üben die Hexen das Springen von einem Berg zum anderen.
5. Walburga Mast ist eine Hexe, die bei der Walpurgisnacht mitmacht.
6. Walburga Mast lebt mit ihrem Mann in Quedlinburg.
7. Tilman Riemenschneider ist heute Holzschnitzer im Harz.
8. Die Tradition des Holzschnitzens ist noch lebendig im Harz.

13 *Was passt hier zusammen?* Verbinden Sie die Teile!

1. Viele Handelsrouten führten
2. Die Kobolde und die Berggeister kommen
3. Heinrich Heine schrieb
4. Zum Harz gehören
5. Viele Touristen machen
6. In der Walpurgisnacht feiern
7. Bibi Blocksberg hat Probleme
8. Der Mann der Holzschnitzerin spielt

a. über seine Reise im Harz.
b. die Hexen ein Fest.
c. mit den älteren Hexen.
d. viele Wälder, Berge, Flüsse und Seen.
e. schon in alter Zeit durch den Harz.
f. mit einem Vogel.
g. in der schönen Harzer Landschaft Urlaub.
h. aus dem Harz.

1e, 2h, 3a, 4d, 5g, 6b, 7c, 8f

SPRACHE

Passive Voice with Modals, Narrative Past

In the last chapter you learned how to form the passive voice with modals in the present tense. When you describe processes that happened in the past, you will need to use the modals in the narrative past.

Neue Medikamente mussten entwickelt werden.	New medicines had to be developed.
Letztes Jahr sollte unsere neue Schule gebaut werden.	Last year our new school was supposed to be built.

In subordinate clauses, the modal will appear as the last element.

Er meinte, dass der alte Wagen repariert werden musste.	He thought that the old car had to be repaired.

WB Activities 9–10

14 *Interview mit der Bürgermeisterin einer Bio-Stadt.* **Ergänzen Sie die Sätze mit Modalverben (im Imperfekt), Partizipien und *werden*! Ein paar Wörter werden Sie nicht kennen, aber im Kontext wird Ihnen bestimmt alles klar.**

➤ Wie ___ das ___ ___ (sollen / machen)?
Wie sollte das gemacht werden?

Interviewerin: Sehr geehrte Frau Bürgermeisterin, wie hat Ihre Stadt den ersten Preis als Bio-Stadt der Bundesrepublik gewonnen?

Bürgermeisterin: Ah, das war gar nicht so schwer. Es ___ nur ___ ___ (müssen / diskutieren), was wir wollten und dann haben wir es gemacht.

Interviewerin: Und was wollten Sie eigentlich?

Bürgermeisterin: Es ___ gesünder ___ ___ (sollen / leben)! Weniger Autos ___ ___ ___ (dürfen / fahren). Um das zu schaffen, ___ mehr mit dem Fahrrad ___ ___ (müssen / fahren). Und deshalb ___ neue Radwege ___ ___ (müssen / planen). So ___ etwas für die Umwelt ___ ___ (können / machen) und neue, moderne Verkehrsmittel wurden entwickelt, damit die Menschen schnell und bequem zur Arbeit kommen konnten. Und das haben wir geschafft!

Interviewerin: War das alles?

Bürgermeisterin: Natürlich nicht. Dann musste etwas mit dem Müll passieren. Weniger Müll ___ ___ ___ (sollen / produzieren). Nur Mehrwegflaschen ___ ___ ___ (dürfen / verkaufen). Und in jeder Familie ___ eine Bio-Tonne ___ ___ (müssen / benutzen). Recyclen ___ freiwillig ___ ___ (sollen / machen). Aber manchmal musste die Stadt auch ein bisschen aufpassen, dass die Bürger auch alles wirklich machten!

Interviewerin: Und gibt es etwas Anderes, was Sie noch wollten?

Bürgermeisterin: Ich wollte, dass die Bürger und Bürgerinnen unserer Stadt auf ihre Stadt stolz sind. Und dabei waren wir auch erfolgreich, weil jede Person in der Stadt an diesem Plan mitgearbeitet hat.

Interviewerin: Herzlichen Glückwunsch zu Ihrem großen Erfolg! Meinen die Bürger, dass weitere Phasen ___ ___ ___ (sollen / diskutieren)?

<table>
<tr><td>Bürgermeisterin:</td><td>Ja, selbstverständlich. Aber wir wollen erst diesen Erfolg genießen. Ich hoffe, Ihre Leser und Leserinnen bekommen selbst Ideen und machen auch so etwas in ihrer Stadt.</td></tr>
<tr><td>Interviewerin:</td><td>Ja, das hoffe ich auch. Vielen Dank für das Gespräch!</td></tr>
<tr><td>Bürgermeisterin:</td><td>Bitte. Und auf Wiedersehen!</td></tr>
</table>

musste diskutiert werden, sollte gelebt werden, durften gefahren werden, musste gefahren werden, mussten geplant werden, konnte gemacht werden, sollte produziert werden, durften verkauft werden, musste benutzt werden, sollte gemacht werden, diskutiert werden sollten

15 ***Eine Reise in den Harz!*** **Was musste vor der Abreise alles getan werden? Benutzen Sie Imperfekt!**

☛ Die Reise / planen
Die Reise musste geplant werden.

1. Die Koffer / packen
2. Die Katze / bringen / zu den Nachbarn
3. Der Schlüssel / geben / der Tante
4. Ein Regenmantel / kaufen
5. Die Sonnenbrillen / finden
6. Ein Buch über den Harz / lesen
7. Ein paar E-Mails / senden
8. Das Auto / reparieren

[Answers printed in left margin:]

1. Die Koffer mussten gepackt werden.
2. Die Katze musste zu den Nachbarn gebracht werden.
3. Der Schlüssel musste der Tante gegeben werden.
4. Ein Regenmantel musste gekauft werden.
5. Die Sonnenbrillen mussten gefunden werden.
6. Ein Buch über den Harz musste gelesen werden.
7. Ein paar E-Mails mussten gesendet werden.
8. Das Auto musste repariert werden.

Die Reise musste geplant werden.

Wörter *und*

A u s d r ü c k e

HEALTH AND NUTRITION

die Gesundheit health
die Krankheit sickness
der Knochen bone
dick fat
dünn thin
gesunde/bewusste Ernährung
    healthy/conscious nutrition
das Vitamin vitamin

vitaminreich rich in vitamins
vitaminarm poor/low in vitamins
die Nahrungsmittelgruppe food group
sich ernähren to nourish
die Diät diet
das Untergewicht underweight
das Übergewicht overweight
die Essgewohnheit eating habit
Ergebnisse vergleichen to compare results
der Nährstoff nutrient

LEKTION B

Schutz für den Sport

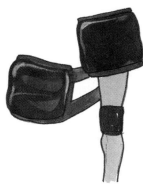
der Knieschutz

der Ellenbogenschutz

der Schutz für
das Handgelenk

die Handschuhe

der Helm

die Schutzmaske

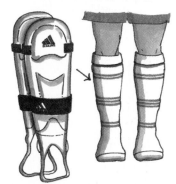
der Schienbeinschutz

der Mundschutz

das Polster

der Gesichtsschutz

16 Welche Schutzgeräte sind wichtig für diese Sportart?

> ☞ Eishockey
> der Mundschutz, die Schutzmaske, der Schienbeinschutz, die Polster,
> die Handschuhe

1. Basketball
2. Fußball
3. amerikanischer Fußball
4. Volleyball
5. Inline Skating
6. Skateboarding

1. der Knieschutz, der Ellenbogenschutz
2. der Schienbeinschutz, die Polster, die Handschuhe (für den Torwart)
3. Schutz für das Handgelenk, der Helm, die Handschuhe, der Ellenbogenschutz, die Schutzmaske, der Schienbeinschutz, der Mundschutz, der Gesichtsschutz, die Polster
4. die Handschuhe, Schutz für das Handgelenk, der Knieschutz, der Ellenbogenschutz
5. der Knieschutz, der Ellenbogenschutz, der Helm, die Polster, der Schutz für das Handgelenk
6. der Helm, der Ellenbogenschutz, die Handschuhe, der Schutz für das Handgelenk

17 *Welche Sportart ist am gefährlichsten für den Körper? Warum? Schreiben Sie darüber!*

CD
Track 14

Von einem Ort zum andern

Inline Skating

In deutschsprachigen Ländern wird Inline Skating immer beliebter. Dieser Sport begann 1980 in den USA. In Deutschland gibt es heute über zwei Millionen Menschen, die diesen Sport treiben und jedes Jahr werden es mehr. Viele Leute mögen diesen Sport, weil man schnell überall hinkommt. Für manche Leute sind Inline Skates also schon fast mehr wie ein Verkehrsmittel als etwas für die Freizeit. Außerdem ist Inline Skating gut für den Körper, besonders für die Beine, den Bauch und den Rücken°.

Aber die Geschwindigkeit° macht auch Probleme. Viele Unfälle passieren, weil man zu schnell fährt. Oft passiert das Leuten, die gerade mit diesem Sport beginnen. Vor allem das Stoppen kann am Anfang schwierig sein. In vielen Orten gibt es jetzt Kurse°, in denen man wichtige Elemente des Inline Skating

Viele Leute mögen Inline Skating, weil man schnell überall hinkommt.

lernen kann. Das ist besonders gut für Leute, die keinen ähnlichen Sport können, wie zum Beispiel Schlittschuh laufen oder Skateboarding. In einem Kurs kann der Lehrer oder die Lehrerin erklären und zeigen, was wichtig ist.

Protektoren sind bei Inline Skating besonders wichtig.

Außerdem kann man hier erfahren°, welche Schuhe für Anfänger gut sind. Weil dieser Sport immer beliebter wird, gibt es auch immer mehr Waren für Inline Skating. Das macht es schwer, den richtigen Schuh für Anfänger zu finden. Die wichtigste Regel ist, dass der Schuh bequem sein muss. Er soll nicht zu groß oder zu klein sein. Man braucht aber auch noch Protektoren, bevor man fahren kann. Ein Helm ist besonders wichtig, aber auch die Knie, Ellenbogen° und Handgelenke sollen geschützt werden.

Ein anderer Vorteil° beim Inline Skating ist, dass man mit diesen Schuhen auf Rädern überall hinkommt. Viele Leute fahren mit ihren Skates nicht nur in der Freizeit, sondern benutzen sie auch, um von einem Ort zum andern zu kommen. Wenn man mit den Skates in die Schule oder zur Arbeit fährt, hat man kein Problem, einen Parkplatz° zu finden.

Am Anfang aber sollte man nicht auf der Straße oder dem Bürgersteig fahren. Da gibt es zu viele Leute und anderes, was für einen Inline Skater gefährlich sein könnte. Deshalb ist es besser, auf einem leeren Parkplatz oder in einem Skatepark zu üben, wo man viel Platz hat.

(*der Rücken* back; *die Geschwindigkeit* speed; *der Kurs* course; *erfahren* to find out; *der Ellenbogen* elbow; *der Vorteil* advantage; *der Parkplatz* parking lot)

CD Track 15

18 *Richtig oder falsch?* **Verbessern Sie die falschen Sätze!**

1. Inline Skating hat in Deutschland begonnen.
2. Über zwei Millionen Deutsche fahren Inline Skates.
3. Inline Skating ist gut für den Rücken und die Arme.
4. Viele Unfälle passieren, weil die Leute zu langsam fahren.
5. Der Schuh für Anfänger soll zu groß sein.
6. Man braucht Protektoren, bevor man fährt.
7. Auf der Straße zu fahren kann für einen Inline Skater gefährlich sein.
8. Ein Anfänger soll da üben, wo es viel Platz gibt.

1. falsch / in Deutschland – in den USA
2. richtig
3. falsch / Rücken, Arme – Beine, Bauch, Rücken
4. falsch / zu langsam – zu schnell
5. falsch / zu groß – nicht zu groß oder zu klein
6. richtig
7. richtig
8. richtig

Frank Kramer erzählt

Wir haben mit Frank Kramer gesprochen, der in Innsbruck eine Schule für Inline Skating hat.

Reporterin: Herr Kramer, wie alt sind die meisten Ihrer Schüler und Schülerinnen?

Frank Kramer: Das ist schwer zu sagen. Die Leute in meinen Kursen sind vielleicht so zwischen 15 und 25 Jahre alt. Aber es kommen auch immer mehr ältere Leute, die sich für diesen Sport interessieren. Inline Skating ist eigentlich ein Sport für jedes Alter.

Reporterin: Was machen die Leute denn in Ihren Kursen?

Mit wem spricht die Reporterin?

Frank Kramer: Zuerst füllen sie einen Fragebogen aus°, damit ich einige Informationen über sie habe. Zum Beispiel, wie lange sie schon fahren, ob sie sich beim Fahren schon einmal wehgetan haben, wo sie am liebsten fahren und so weiter.

Reporterin: Warum haben Sie mit Ihren Kursen angefangen?

Frank Kramer: Weil ich selbst sehr gern Inline Skating fahre. Deshalb wollte ich das dann auch unterrichten. Außerdem finden mehr und mehr Leute, dass es gut ist, wenn man wenigstens am Anfang ein paar Klassen hat. Dann kann man schneller mehr und es lassen sich Unfälle vermeiden, die beim Inline Skating gefährlich sein können.

Reporterin: Welche Verletzungen° sehen Sie am öftesten?

Frank Kramer: Vor allem Verletzungen an den Knien, Händen und am Kopf.

Reporterin: Können diese Unfälle vermieden werden?

Frank Kramer: Oft nicht, aber man kann etwas tun, damit sie nicht so schlimm sind. Man sollte zum Beispiel immer Protektoren tragen. Und ich zeige meinen Schülern, wie man fallen kann und sich nicht sehr wehtut.

Reporterin:	Was ärgert Sie am meisten an manchen Inline Skatern?
Frank Kramer:	Dass sie so tun, als ob sie allein auf der Welt wären. Wie in jedem Sport muss man auch hier seine Grenzen kennen, damit es für einen selbst und andere nicht gefährlich ist.
Reporterin:	Was empfehlen° Sie einem Inline Skater, der gerade angefangen hat?
Frank Kramer:	Keine Angst und den Helm nicht vergessen!
Reporterin:	Vielen Dank für das Gespräch, Herr Kramer.
Frank Kramer:	Bitte.

(*einen Fragebogen ausfüllen* to fill out a questionnaire; *die Verletzung* injury; *empfehlen* to recommend)

WB Activity 12

19 Was passt zusammen?

1. Franz Kramer ist die Person,
2. In Franz Kramers Kurse kommen Leute,
3. Die Leute, die in die Kurse kommen,
4. Franz Kramer hat mit seinen Kursen angefangen,
5. Wenn man am Anfang ein paar Klassen hat,
6. Man sieht beim Inline Skating oft
7. Wenn man Protektoren benutzt,
8. Franz Kramer meint,

a. kann man schneller mehr.
b. die eine Schule für Inline Skating hat.
c. dass Inline Skater ihre Grenzen kennen müssen.
d. die sich für Inline Skating interessieren.
e. weil er selbst gern Inline Skating fährt.
f. kann man manchmal Verletzungen vermeiden.
g. Verletzungen an den Knien, Händen und am Kopf.
h. müssen einen Fragebogen ausfüllen.

1b, 2d, 3h, 4e, 5a, 6g, 7f, 8c

Was kann man mit Protektoren vermeiden?

20 *Fragebogen.* **Arbeiten Sie in Gruppen! Einer von Ihnen bekommt den Fragebogen, den Frank Kramer benutzt. Stellen Sie den anderen Leuten in Ihrer Gruppe die Fragen über Inline Skating! Machen Sie sich Notizen über die Information, die Sie bekommen! Am Ende können Sie dann alle zusammen dem Rest der Klasse erzählen, was Ihre Gruppe über diesen Sport gesagt hat.**

FRAGEBOGEN ÜBER INLINE SKATING

Wie viele Stunden Sport treiben
Sie während der Woche?
☐ Stunden

Wie viele Stunden fahren Sie Inline
Skating während der Woche?
(April-Oktober)
☐ Stunden

Seit wann fahren Sie Inline?
☐ Monate

Wie haben Sie etwas über diesen
Sport erfahren?
○ Freunde
○ Bekannte
○ Schule
○ Medien
○ Straße
○ Urlaub
○ Sonstiges

Wie gut fahren Sie?
○ Anfänger
○ Fortgeschrittener
○ Profi

Wie viel haben Sie für Ihre Inline
Skates ausgegeben?
☐

Wie viel haben Sie für andere
Ausrüstung ausgegeben?
☐

Wo haben Sie Ihre Skates gekauft?
○ Sportgeschäft
○ Kaufhaus
○ Sonstiges

Hat man Ihnen beim Kauf Rat
gegeben?
○ Ja
○ Nein

Haben Sie die Skates vor dem
Kauf ausprobiert?
○ Ja
○ Nein

Wo fahren Sie am meisten?
○ Straße
○ Parkplatz
○ Schulhof
○ Skate-Park
○ Fußgängerzone
○ Sonstiges

Wie oft sind Sie bisher gefallen?
○ 0 mal
○ 1-4 mal
○ 5-10 mal
○ 11-20 mal
○ über 20 mal

Haben Sie sich dabei verletzt?
○ Ja
○ Nein

Falls ja, wo haben Sie sich verletzt?
- ○ Keine Verletzung
- ○ Finger
- ○ Arm
- ○ Fuß
- ○ Bein
- ○ Knie
- ○ Sonstiges

Wurde die Verletzung behandelt?
- ○ Ja
- ○ Nein

Falls ja, von wem wurde sie behandelt?
- ○ Hausarzt
- ○ Krankenhaus
- ○ Familie
- ○ Orthopäde
- ○ Chirurg

Denken Sie über mögliche Verletzungen nach?
- ○ Ja
- ○ Nein

Wie hoch, meinen Sie, ist das Risiko einer Verletzung?
- ○ sehr hoch
- ○ hoch
- ○ weniger hoch
- ○ nicht hoch
- ○ gar nicht hoch

Die Information hat ihnen Auskunft gegeben, was man in Köln alles machen kann.

SPRACHE

Relative Pronouns *was* and *wo*

So far you have learned how to use relative pronouns that refer back to specific nouns. To refer back to something that is indefinite (*alles, etwas, nichts, viel[es], wenig[es]*), or superlatives like *das Beste, das Schönste*, you use the relative pronoun *was*. This relative pronoun is also used to refer back to an entire clause.

Das ist etwas, was ich nie verstehen werde.	That's something (that) I'll never understand.
Das war das Schönste, was ich im Leben gesehen habe.	That was the most beautiful thing (that) I've seen in my life.
Sie würde gern mitgehen, was mich glücklich macht.	She would like to go along, which makes me happy.

The relative pronoun *wo* can be used to refer to a place or location.

Das ist der Ort, wo ich deinen Vater kennen lernte.	That's the place where I met your father.

WB Activities 13–14

21 Ergänzen Sie die Dialoge mit den Relativpronomen *was* oder *wo*!

1. was, was   2. was, wo   4. wo, was
3. was, was   5. was, was

1. Was ist das Schlimmste, ___ du erlebt hast?

   Oh, ich weiß nicht. Ich müsste mir zuerst überlegen, ___ das sein könnte.

2. Weißt du etwas, ___ wir heute machen könnten?

   Wie wäre es mit dem Café, ___ wir uns das letzte Mal getroffen haben?

3. Es gibt nichts, ___ ich heute machen will.

   Ich weiß viel, ___ dir Spaß machen würde.

4. Sollen wir zu dem Haus fahren, ___ Fritz früher gewohnt hat?

   Warum sollten wir dahinfahren? Das wäre das Langweiligste, ___ wir machen könnten.

5. Ist das Alles, ___ du haben willst?

   Ja, aber leider gibt es vieles, ___ ich nie bekommen werde.

22 *Abspecken* (dieting). Welches Relativpronomen wäre das Beste? Ergänzen Sie die Sätze! Hier müssen Sie alle Relativpronomen benutzen, nicht nur *was* und *wo*!

➤ Ich muss abspecken, ___. (mir / nicht / gefallen)
Ich muss abspecken, was mir nicht gefällt.

1. Abspecken ist eine Aktion, ___. (viel Arbeit / machen)
2. Gesund essen ist aber etwas Gutes, ___. (Spaß machen / können)
3. Zu viel Fett essen ist etwas, ___. (ich / vermeiden / wollen)
4. Leider sind Pommes frites mein Lieblingsessen, ___. (nicht so gesund / sein)
5. Vielleicht kennst du ein Restaurant, ___. (wir / gesund / essen / können)
6. Ungesund ist auch die Currywurst, ___. (ich / immer / an der Pommesbude / bestellen)
7. Es gibt eine neue Pommesbude, ___. (wir / gern / kaufen / Pommes frites und Currywurst)
8. Morgen muss ich anfangen, gesünder zu essen, ___. (ich / nicht gern / wollen)

1. die viel Arbeit macht
2. was Spaß machen kann
3. was ich vermeiden will
4. was/das nicht so gesund ist
5. wo wir gesund essen können
6. die ich immer an der Pommesbude bestelle
7. wo wir gern Pommes frites und Currywurst kaufen
8. was ich nicht gern will

MENSCHEN UND MÄCHTE Track 17

Paracelsus und die moderne Medizin

Steckbrief

Name:	Paracelsus
Geburtstag:	11.11.(?) 1493 in Einsiedeln, Schweiz
Todestag:	24. 9. 1551 in Salzburg, Österreich
Ehefrau:	unbekannt
Kinder:	unbekannt
Beruf:	Arzt, Naturforscher°
Wichtigster Tag:	der Tag, am dem er die ersten Medikamente aus Mineralien isolierte

Philippus Aureolus Paracelsus — sein wirklicher Name war Theophrastus Bombastus von Hohenheim — wurde ein Jahr nach Kolumbus' Schifffahrt° nach Amerika geboren. Von seinem Vater lernte er viel über Medizin, Alchemie und Heilkunde°. Mit vierzehn zog er von zu Hause weg und ging von einem Ort zum andern. Von London ging er zum Balkan, von Italien nach Deutschland, von der Schweiz nach Österreich. Wahrscheinlich arbeitete er in vielen Städten als Arzt und Chirurg°, denn dies war die Zeit vieler Kriege in Europa und es gab viele Verwundete°. Er arbeitete auch an Universitäten, aber er hatte nie eine sichere Stelle.

Paracelsus lebte zur Zeit der Renaissance in Europa. Andere große und berühmte Leute dieser Zeit sind der Künstler und Naturforscher Leonardo da Vinci, der Astronom Nikolas Kopernikus, der Kirchenreformer° Martin Luther, und der Gelehrte° Eramus von Rotterdam. Wegen seiner revolutionären Ideen in der Medizin wurde Paracelsus oft der „Luther der Medizin" genannt.

Die Renaissance ist berühmt als der Anfang der modernen Zeit. Man hatte angefangen, das Wissen° der Griechen und der Römer wiederzuentdecken°. Texte in Latein und Griechisch über die Medizin und die Naturwissenschaften wurden ins Deutsche übersetzt. In der Medizin waren die Wissenschaftler° aus Arabien besonders wichtig und ihre Texte wurden deshalb auch viel übersetzt. Für viele Wissenschaftler war diese Wiederentdeckung° des alten Wissens so interessant wie die Entdeckung° der Neuen Welt durch Kolumbus.

Durch Gutenbergs Buchdruck konnten viele solcher Bücher mit diesen alten und neuen Ideen in ganz Europa gedruckt werden und so bekannt werden. Nachdem die ersten Buchdrucker die antiken° Bücher druckten, fingen sie dann mit den Büchern der neuen Wissenschaftler an. 1571, zum Beispiel, kam das erste deutsche Handbuch für Bauern auf den Markt; 1578 konnte man ein Buch von Adamus Lonicerus über Kräuter° kaufen.

Paracelsus selbst schrieb über 200 Bücher, viele über die Probleme in der Medizin seiner Zeit. Eines seiner interessantesten Bücher war über die Krankheiten der Leute in den Zechen. Paracelsus' „Von der Bergsucht oder Bergkranckheiten drey Bücher" war damit das erste Buch über eine Krankheit, die man von seinem Beruf bekommen konnte. Eines seiner berühmtesten Bücher, „Grosse Wundartzney" (1536) handelt von der Behandlung von Schießpulverwunden° — wahrscheinlich wusste Paracelsus so viel darüber, weil er so viele Verwundete aus den Kriegen seiner Zeit behandeln musste. Er schrieb auch über seelische° Krankheiten. Und in seinem Buch „Über die Medizin" schrieb er darüber, wie man gesund mit der Natur leben kann und muss. Er war also einer der ersten Öko-Ärzte°.

Erasmus von Rotterdam

Paracelsus war so revolutionär wie Martin Luther. Luther hatte die lateinische Bibel ins Deutsche übersetzt, damit jeder Mensch sie lesen konnte. Er wollte auch die Kirche reformieren. Wie Luther schrieb Paracelsus seine Bücher auf Deutsch anstatt auf Latein. Das war etwas, was die anderen Ärzte seiner Zeit gar nicht gut fanden. Sie dachten, dass Bücher über Medizin auf Latein geschrieben werden sollten. Dazu sprach Paracelsus in seinen Büchern auch noch gegen die Medizin der Griechen und Römer; so wie Luther die Kirche wollte Paracelsus also die alte Medizin reformieren. Paracelsus war für die Idee, Mineralien und Metalle als Medikamente zu benutzen, während die alte Medizin fast nur Pflanzen° als Medizin gesehen hatte. Gegen Krankheiten gebrauchte er aber auch einfache, einheimische° Heilmittel°, weil er glaubte, dass jedes Land seine eigenen Heilkräuter° hat, die am besten gegen die Krankheiten in dem Land funktionieren.

Paracelsus ist eigentlich auch der Begründer° der „Chemotherapie", weil er Mineralien und Metalle als Medizin benutzte. Er ist auch Begründer der „Iatrochemie", dem Teil der Chemie, in dem man Medikamente herstellt°. Paracelsus' Interesse an der Verbindung zwischen Chemie und Medizin hatte sich bis Mitte des 17. Jahrhunderts über ganz Europa verbreitet°. Sogar heute sind Wissenschaftler von seinen Ideen fasziniert und hatten deshalb zu seinem 500. Geburtstag (1993) eine Konferenz in Washington, D.C.

(*der Naturforscher* natural scientist; *die Schifffahrt* voyage; *die Heilkunde* healing art; *der Chirurg* surgeon; *der Verwundete* wounded; *der Kirchenreformer* religious reformer; *der Gelehrte* scholar; *das Wissen* knowledge; *wiederentdecken* to rediscover; *der Wissenschaftler* scientist; *die Wiederentdeckung* rediscovery; *die Entdeckung* discovery; *antik* classical, ancient; *das Kraut* herb; *die Schießpulverwunde* gunpowder wound; *seelisch* psychological; *der Öko-Arzt* doctor working with natural methods; *die Pflanze* plant; *einheimisch* local, indigenous; *das Heilmittel* remedy; *das Heilkraut* therapeutic herb; *der Begründer* founder; *herstellen* to produce; *sich verbreiten* to spread)

WB Activities 15–16

23 Beantworten Sie diese Fragen!

1. Wann wurde Paracelsus geboren?
2. Welche anderen berühmten Leute lebten zu derselben Zeit wie Paracelsus?
3. Was beginnt mit der Renaissance?
4. Worüber hat Paracelsus geschrieben?
5. Warum war Paracelsus so revolutionär wie Martin Luther?
6. Warum wusste Paracelsus viel über Schießpulverwunden?
7. Wovon ist Paracelsus der Begründer?
8. Wie zeigt sich das Interesse der modernen Wissenschaftler für Paracelsus' Ideen?

1. Ein Jahr nach Kolumbus' Schifffahrt nach Amerika (1493).
2. Leonardo da Vinci, Nikolas Kopernikus, Martin Luther, Erasmus von Rotterdam.
3. Die moderne Zeit.
4. Über die Probleme in der Medizin seiner Zeit.
5. Er schrieb seine Texte auf Deutsch und er wollte die Medizin reformieren.
6. Weil er so viele Verwundete aus den Kriegen seiner Zeit behandeln musste.
7. Von der „Chemotherapie" und von der „Iatrochemie".
8. Sie hatten eine Konferenz zu seinem 500. Geburtstag.

24 Ergänzen Sie die Sätze!

1. Von seinem Vater lernte Paracelsus viel über ___, ___ und ___.
2. Paracelsus war ___ und ___ und arbeitete an vielen Universitäten.
3. In der Renaissance entdeckte man das Wissen der ___ und ___ wieder.
4. Parcelsus sah eine Verbindung zwischen ___ und ___.
5. Paracelsus wollte ___ und ___ als Medikamente benutzen.

1. Medizin, Alchemie, Heilkunde
2. Arzt, Chirurg
3. Griechen, Römer
4. Medizin, Chemie
5. Mineralien, Metalle

SPRACHE

The Genitive

The genitive is a case used to show possession in German. There are two ways to show possession. One way is to add -s to a proper noun (*Uwes Kassettenrekorder, Maythes Bruder, Manuels Freunde*). Nouns that end with -s, -ß, -x or -z add only an apostrophe (*Fritz' Pommes frites, Marx' Ideen, Kolumbus' Schifffahrt*).

Sabine sitzt auf dem Pferd des Bauern.

Another way to form the genitive is to use special forms of definite and indefinite articles in front of the noun. This method is equivalent to English expressions with "of."

Das ist die Erfindung des Goldschmieds Gutenberg.

That is the invention of the goldsmith Gutenberg.

Das sind die neusten Ideen der Erfinder.

Those are the newest ideas of the inventors.

Generally, an -es is added to one-syllable masculine and neuter nouns, while an -s is added to masculine and neuter nouns with two or more syllables. No ending is added to feminine and plural nouns.

Note: When one-syllable masculine or neuter nouns are part of compound nouns, -es is often added *(Berggeist - Berggeistes).* For additional information, you may wish to refer to the chart in the back of this book.

If you want to ask questions about who owns an item, use the question word *wessen* (whose).

Wessen Buch ist das? Das ist das Buch meines Biologielehrers.

Whose book is that? That's the book of my biology teacher.

WB Activities 17–18

Track 19

25 *Wem gehört was?* Beantworten Sie die Fragen!

➤ Wem gehört der Diamant? (die Dame)
Das ist der Diamant der Dame.

1. Wem gehört die Tasche? (die Austauschschülerin)
2. Wem gehört die Sonnenbrille? (der Badegast)
3. Wem gehören die Bücher? (der Erfinder)
4. Wem gehört das Mountainbike? (die Österreicherin)
5. Wem gehört das Motorrad? (der Lehrer)
6. Wem gehört der Helm? (der Fahrer)
7. Wem gehören die Gräber? (die Römer)
8. Wem gehört die Krone? (der Kaiser)

Das ist / sind...
1. die Tasche der Austauschschülerin.
2. die Sonnenbrille des Badegastes.
3. die Bücher des Erfinders.
4. das Mountainbike der Österreicherin.
5. das Motorrad des Lehrers.
6. der Helm des Fahrers.
7. die Gräber der Römer.
8. die Krone des Kaisers.

Track 20

26 Wem gehört das?

➤ Paul / Problem
Pauls Problem

1. Hans / Haus
2. Rainer / Knieschutz
3. Heinz / Rad
4. Harald / Werkzeug
5. Kai / Kuchen
6. Franz / Fehler
7. Dora / Drachen
8. Petra / Plan

1. Hans' Haus
2. Rainers Knieschutz
3. Heinz' Rad
4. Haralds Werkzeug
5. Kais Kuchen
6. Franz' Fehler
7. Doras Drachen
8. Petras Plan

27 Kombinieren Sie!

Der Stress	meiner Mutter	finde ich	ganz toll
Die Ideen	meiner Freundin	sind	jedes Jahr statt
Die Feste	der Schüler	finden	sehr lustig
Die Kleider	der Klasse	ist	revolutionär
Das Projekt	der Einwohner		sehr groß

Rollstuhlbasketball

Siegfried Bayer spielt jeden Donnerstag Basketball. Zusammen mit seinem Freund Markus hat er vor vier Jahren ein Team gegründet. Siegfried erzählt, wie der Club gegründet wurde: „Vor meinem Unfall habe ich viel Sport getrieben. Ich bin viel Ski gelaufen und habe oft Tennis gespielt. Nach meinem Unfall war das nicht mehr möglich, weil ich seit dieser Zeit in einem Rollstuhl° sitze. Aber ich wollte trotzdem fit bleiben. An der Uni habe ich dann im Büro für Behinderte Studenten gearbeitet. Und da habe ich Markus getroffen. Er und ich haben uns sofort gut verstanden, weil wir beide große Basketballfans sind.

Eines Tages, als im Büro nicht so viel los war, haben wir dann auf dem Internet eine Seite über Rollstuhlbasketball gefunden. Wir waren ganz erstaunt, wie viele Teams es in Deutschland und Europa gibt. Die Web-Seite zeigte ein Team aus der Schweiz, das von sich selbst erzählt hat. Außerdem gab es auch viele Bilder von den Spielern. Das hat uns sehr gefallen. Wir wollten unbedingt mehr über diesen Sport wissen. Und so haben wir uns auf dem Internet und mit Büchern informiert, wie sich dieser Sport entwickelt hat.

Rollstuhlbasketball kommt eigentlich aus den USA. Dort haben behinderte Soldaten nach dem Koreakrieg° die ersten Teams gegründet. Damals waren die Spielfelder° kleiner und die Körbe niedriger. Heute ist das aber anders. Rollstuhl- und NBA-Felder sind jetzt fast gleich. Da sind Markus und ich dann auf die Idee gekommen, unseren eigenen Klub zu gründen. Wir haben mit allen unseren Freunden geredet und die haben es dann ihren Freunden erzählt und bald hatten wir genug Leute für ein Team. Viele sind wie Markus und ich von der Uni, aber manche sind Schüler und manche arbeiten auch schon. Alle wollten mehr Sport treiben, weil sie den ganzen Tag im Stuhl sitzen. Und das geht in einem Team oft leichter, weil dann Leute da sind, die einen motivieren.

Am Anfang hatte ich Schwierigkeiten°, weil ich den Rollstuhl lenken° und den Ball werfen oder fangen musste. Außerdem musste ich erst einmal wieder Muskeln aufbauen°. Ich bin auch ein paar Mal umgefallen° oder mit jemandem zusammengestoßen°. Aber als ich die Bälle dann immer öfter in den Korb traf, war ich doch etwas stolz. Und jetzt könnte ich mir mein Leben ohne Basketball und das Team nicht mehr vorstellen. Wir haben auch das Team, über das wir am Anfang auf dem Internet gelesen haben, letzten Herbst kennen gelernt. Wir haben gegen sie verloren, aber wir treffen uns bald wieder und dann läuft die Sache hoffentlich anders."

(*der Rollstuhl* wheelchair; *der Koreakrieg* Korean War; *das Spielfeld* playing field, court; *die Schwierigkeit* difficulty; *lenken* to steer; *aufbauen* to rebuild; *umfallen* to fall down, tip over; *zusammenstoßen* to collide)

WB Activity 19

emcp.com

Rollstuhlbasketball kommt eigentlich aus den USA.

28 Was passiert wann? Bringen Sie die Sätze in die richtige Reihenfolge!

1f, 2c, 3h, 4d, 5a, 6b, 7g, 8e

___1. Markus und Siegfried gründen ein Basketballteam für Behinderte.

___2. Markus arbeitet an der Uni im Büro für Behinderte Studenten.

___3. Markus und Siegfried werden noch einmal gegen die Schweizer spielen.

___4. Markus und Siegfried finden auf dem Internet Information über Rollstuhlbasketball.

___5. Siegfried spielt Tennis und läuft Ski.

___6. Siegfried hat einen Unfall.

___7. Siegfried wirft immer mehr Bälle in den Korb.

___8. Siegfried und Markus erzählen allen ihren Freunden von ihrer Idee, einen Club zu gründen.

29 Wovon spricht man hier? Vergessen Sie nicht, den Artikel zu benutzen!

1. Das ist ein Sport, bei dem man Bälle in Körbe wirft.

2. Das ist ein Sport, bei dem man einen Schläger benutzt und einen kleinen Ball über das Netz schlägt.

3. Das sind Leute, die an der Universität studieren.

4. Das sind Seiten auf dem Internet, die für etwas Werbung machen.

5. Das ist ein Stuhl mit Rädern, den manche Behinderte benutzen.

6. Das ist eine Person, die an einem Krieg teilnimmt.

7. Das ist etwas, wo man versucht, den Ball hineinzuwerfen.

8. Das ist ein anderes Wort für Mannschaft.

1. der Basketba
2. das Tennis
3. die Studenter
4. die Web-Seit
5. der Rollstuhl
6. der Soldat
7. der Korb
8. das Team

Wörter und
A u s d r ü c k e

PROTECTIVE SPORTS GEAR

der Knieschutz kneepads
der Ellenbogenschutz elbow pads
der Schutz für das Handgelenk wrist guard
die Schutzmaske face protector
der Schienbeinschutz shin guards
der Mundschutz mouth guard
der Gesichtsschutz face guard
das Polster pad

SPORTS RELATED ITEMS

der Rücken back
die Geschwindigkeit speed
der Vorteil advantage
die Verletzung injury

EXTRA! EXTRA!

An den Rollstuhl gefesselt — Leben aus einer anderen Perspektive

Über den Autor

Dieser Text ist aus dem Internet. Bei solchen Texten weiß man oft nichts oder wenig über den Autor, weil jeder auf dem Internet schreiben kann. Wir wissen nur, dass Ivan Jung Dirk G. für die Zeitung „auspuff" interviewt hat.

Über den Text

In diesem Text wird die Geschichte von Dirk G. aus zwei Perspektiven erzählt. Zum Teil erzählt Dirk selbst von seinem Unfall und seinem Leben im Rollstuhl. Die zweite Perspektive des Textes ist die von Ivan Jung. Er ist der Erzähler. Ein Erzähler spricht von der Hauptperson in der Geschichte und nicht von sich selbst. Er hat Dirk besucht und ihn über sein Leben im Rollstuhl interviewt.

Vor dem Lesen

1. The text can be divided into three major sections: the accident, life after the accident and Dirk's plans for the future. Before reading for details, scan the text to see if you can identify the start and end of each section.

2. A personal narrative voices an opinion or a perspective that is not necessarily held by everyone. Why do you think the author of the text decided to choose this technique?

Als Dirk im Sommer 1984 mit seinen Freunden beschloss, die Ferien an der Algarve zu verbringen, konnte er natürlich nicht ahnen, welch unglückliches Ende diese Reise für ihn nehmen würde. Gleich nach dem Frühstück gingen die Jugendlichen wie jeden Tag an den Strand. Nachdem sie die Strandmontur angelegt hatten, war es Dirk, der es besonders eilig hatte, sich im kühlen Nass des Atlantiks abzukühlen. Er nahm Anlauf und sprang der nächstbesten Welle entgegen. Doch statt den jugendlichen Erfrischungsdrang des damals Siebzehnjährigen zu erwidern, ließ sie ihn mit dem Kopf auf den sandigen Meeresboden aufstoßen. Die Folge war ein Bruch des fünften Halswirbels. Als Dirks Freunde bemerkten, dass etwas nicht zu stimmen schien, eilten sie zu ihm hin, fischten ihn aus dem Wasser und alarmierten Rettungskräfte.

Insgesamt verbrachte er zehn Monate im Hospital. Wie ging es nach zehn Monaten Krankenhaus weiter? — „Nach der Entlassung wohnte ich bei meinen Eltern, deren Wohnung provisorisch auf den Rollstuhl eingerichtet wurde. Nach Abschluss der höheren Handelsschule absolvierte ich eine kaufmännische Lehre."

Jetzt wohnt Dirk allein und besucht die Universität. Dirk muss sich über viele Dinge Gedanken machen: Wie komme ich zur Uni? Sind Hörsäle behindertengerecht? Kann ich meine Wohnung behalten? Vor zwei Jahren nahm er ein Studium der Betriebswirtschaft an der Fachhochschule in Wiesbaden auf. „Die bauen sich doch schon im Studium ihre Ellenbogengesellschaft auf. Mich hatten sie als einzigen Rollstuhlfahrer lediglich geduldet. Außerdem gab es in den Hörsälen keine Einrichtungen für Behinderte. Ich hatte nur Platz direkt neben der Tür und musste auf dem Schoß schreiben."

Nach vier Semestern wechselte er zum Fach Sozialwesen, wo die Voraussetzungen etwas günstiger sind. Es wird mehr an Tischen gearbeitet als Vorlesungen besucht. Doch auch hier ist ein reibungsloses Studium nicht möglich. Schuld daran ist die Unflexibilität der Fahrdienste. Fast ständig sind sie ausgebucht, sodass man seine Termine frühzeitig bekannt geben muss, um einen Platz zu bekommen. Stundenpläne werden aber kurzfristig geändert und praktische Übungen wie Rollenspiele spontan verabredet. Außerdem stehen Behinderten maximal zehn Fahrten pro Monat frei, also fünf Hin- und Rückfahrten. Doch Dirk lässt sich nicht bremsen: „Wenn die Barrieren in den Köpfen fallen, dann fallen auch Treppen."

Nach dem Lesen

1. In diesem Text gibt es immer wieder Passagen, in denen Dirks Gedanken und Ideen im Dialogstil wiedergegeben werden. Was für einen Effekt haben diese Teile des Textes auf den Leser?

2. Beschreiben Sie einen Tag, den Dirk an der Uni verbringt. Was muss er alles machen und wie lange dauert alles?

Endspiel

1. Benutzen Sie das Internet, um mehr Information über Kurorte in Deutschland zu finden!

2. Sie haben in der Schülerzeitung über Stress gelesen. Schreiben Sie einen Leserbrief darüber, wann Sie Stress haben und was Sie dagegen tun!

3. Spielen Sie Rollen! Sie brauchen vier Leute. Eine Person hat gerade den Essensplan für Hans, Franz und Arnold gemacht und stellt ihn den drei Freunden jetzt vor. Die drei, die den neuen Plan machen sollen, sagen ihre Meinungen dazu. Wie finden die drei ihren Essensplan? Diskutieren Sie!

4. Sie kennen sicherlich die „normale" Essenspyramide. Jetzt dürfen Sie bestimmen, wie die Pyramide aussehen soll. Malen Sie Ihre Pyramide mit Ihren Nahrungsmittelgruppen!

5. Gehen Sie in die Bibliothek oder benutzen Sie das Interent, um mehr Information über Paracelsus zu finden! Diesen Text können Sie auch auf Englisch schreiben.

WB Activities 20–21

Vokabeln

antik classical, ancient *8B*

der **Atemweg,-e** respiratory tract *8A*

aufbauen to rebuild, to erect *8B*

ausfüllen to fill out *8B*

das **Bad,-̈er** spa *8A*

der **Begründer,-** founder *8B*

berücksichtigen to consider *8A*

das **Besenreiten** broomstick riding *8A*

bewusst conscious *8A*

die **Beziehung,-en** relationship *8A*

der **Chirurg,-en** surgeon *8B*

das **Fachwerkhaus,-̈er** half-timbered house *8A*

die **Diät** diet *8A*

dick thick, fat *8A*

drin (colloquial for *darin*) in there *8A*

dünn thin *8A*

einheimisch local, indigenous *8B*

der **Ellenbogen,-** elbow *8B*

der **Ellenbogenschutz** elbow pads *8B*

empfehlen (*empfiehlt, empfahl, empfohlen*) to recommend *8B*

die **Entdeckung,-en** discovery *8B*

entstehen (*entstand, ist entstanden*) to develop *8A*

erfahren (*erfährt, erfuhr, erfahren*) to find out *8B*

das **Ergebnis,-se** result *8A*

sich **ernähren** to nourish, feed *8A*

die **Ernährung** nutrition *8A*

fit: fit sein to be fit *8A*

der **Fragebogen,-** questionnaire *8B*

der **Gelehrte,-n** scholar *8B*

die **Geschwindigkeit,-en** speed *8B*

der **Gesichtsschutz** face guard *8B*

die **Grippe** flu *8A*

das **Handgelenk,-e** wrist *8B*

hängen (*hing, gehangen*) to hang *8A*

heilklimatisch climate conducive to healing *8A*

das **Heilkraut,-̈er** therapeutic herb *8B*

die **Heilkunde** healing art *8B*

das **Heilmittel,-** remedy *8B*

herstellen to produce *8B*

die **Hexe,-n** witch *8A*

der **Holzschnitzer,-** wood carver *8A*

der **Kirchenreformer,-** religious reformer *8B*

das **Kneipp-Heilbad,-̈er** spa using Sebastian Kneipp's treatments *8A*

der **Knieschutz** kneepads *8B*

der **Knochen,-** bone *8A*

der **Kobold,-e** gremlin, imp *8A*

der **Koreakrieg** Korean War *8B*

die **Krankheit,-en** sickness *8A*

das **Kraut,-̈er** herb *8B*

der **Kurs,-e** course *8B*

lenken to steer *8B*

merken to notice *8A*

das **Milchprodukt,-e** milk product *8A*

das **Moorheilbad,-̈er** spa specializing in mud packs *8A*

der **Mundschutz** mouth guard *8B*

die **Nachhilfestunde,-n** private lesson *8A*

der **Nährstoff,-e** nutrient *8A*

die **Nahrungsmittelgruppe,-n** food group *8A*

der **Naturforscher,-** natural scientist *8B*

niedrig low *8A*

die **Nudel,-n** noodle *8A*

der **Öko-Arzt,-̈e** doctor working with natural methods *8B*

der **Parkplatz,-̈e** parking lot *8B*

die **Pflanze,-n** plant *8B*

das **Polster,-** pad *8B*

die **Puppe,-n** puppet, doll *8A*

der **Reis** rice *8A*

der **Rollstuhl,-̈e** wheelchair *8B*

der **Rücken,-** back *8B*

salzhaltig salty *8A*

der **Schienbeinschutz** shin guards *8B*

die **Schießpulverwunde,-n** gunpowder wound *8B*

die **Schifffahrt,-en** voyage *8B*

schnitzen to carve *8A*

der **Schutz** protection *8B*

die **Schutzmaske,-n** face protector *8B*

die **Schwierigkeit,-en** difficulty *8B*

seelisch psychological *8B*

das **Silber** silver *8A*

das **Spielfeld,-er** playing field, court *8B*

das **Übergewicht** overweight *8A*

umfallen (*fällt um, fiel um, ist umgefallen*) to fall down, tip over *8B*

das **Untergewicht** underweight *8A*

die **Vegetarierin,-nen** vegetarian *8A*

sich **verbreiten** to spread *8B*

vergleichen (*verglich, verglichen*) to compare *8A*

die **Verletzung,-en** injury *8B*

der **Verwundete,-n** wounded *8B*

das **Vitamin,-e** vitamin *8A*

vitaminarm poor/low in vitamins *8A*

vitaminreich rich in vitamins *8A*

der **Vorteil,-e** advantage *8B*

wiederentdecken to rediscover *8B*

die **Wiederentdeckung,-en** rediscovery *8B*

das **Wissen** knowledge *8B*

der **Wissenschaftler,-** scientist *8B*

zählen to count *8A*

zusammenstoßen (*stößt zusammen, stieß zusammen, ist zusammengestoßen*) to collide *8B*

In this chapter you will learn how to:

- describe landscapes
- make predictions
- talk about airport arrival and departure details
- describe personal items
- discuss currencies

KAPITEL 9

Die Nachbarn in Europa

LEKTION A

Landschaften und Klima

die Sonne · das Gebirge · der Gipfel · steil · der Berg · der Schnee · das Tal · die Lawine · der Wald · das Waldsterben · der Baum · die Ebene · flach · der Fluss · das Moor · der Sumpf · das Ufer · der See · das Klima · kalt · die Hitze · heiß · der Regen · die Überschwemmung · warm · die Wüste · die Küste · der Ozon · das Meer

1 *In jedem Satz fehlt ein Nomen!* **Ergänzen Sie die Sätze!**

Berg	Wiese	Wald	Gipfel
Insel	Küste	Tal	Park

1. In der Stadt gibt es einen schönen ___ mit grünen Wiesen und einem See.
2. Rostock liegt an der ___ der Ostsee.
3. Ein breites ___ liegt zwischen den Bergen.
4. Von einem hohen ___ sehen die Dörfer sehr klein aus.
5. Eine ___ liegt im Meer.
6. Im ___ stehen viele Bäume.
7. Der ___ ist der höchste Teil eines Berges.
8. Auf der ____ stehen viele Blumen.

1. Park
2. Küste
3. Tal
4. Berg
5. Insel
6. Wald
7. Gipfel
8. Wiese

2 **Was hat nichts mit Wasser zu tun?**

1. der Fluss
2. das Gebäude
3. das Ufer
4. der Sumpf
5. der Strand
6. die Gegend
7. der Hafen
8. die Wüste
9. die Insel

Answers: 2, 6, 8

Benutzen Sie die Wörter von oben und beschreiben Sie diese Fotos!

3 Wetterbericht aus Deutschlands Nachbarland. Sehen Sie sich den Wetterbericht von Kopenhagen an und beantworten Sie die Fragen!

Wetter - Kopenhagen

Heute

17° 22:50 CEST Mi	heiter	Maximal 21° Minimal 14°	Luftfeuchtigkeit: 82% Wind: SW/5 km/h Sichtweite: unbegrenzt Taupunkt: 14° Luftdruck: Unbekannt Sonnenaufgang: 4:58 Sonnenuntergang 21:32

<-10 -10 -5 0 5 10 15 20 25 30 35+

Do	Fr	Sa	So
vereinzelte Gewitter Maximal 22 Minimal 15	Regen / Donner Maximal 20 Minimal 14	Schauer Maximal 20 Minimal 14	vereinzelte Schauer Maximal 22 Minimal 15

1. Wie stark ist der Wind heute?
2. Regnet es heute?
3. Um wie viel Uhr geht die Sonne unter?
4. Wie warm wird es am Freitag werden?
5. Von welchem Tag ist diese Wettervorhersage?
6. Wird es in den nächsten Tagen regnen?
7. An welchen der nächsten Tage wird die minimale Temperatur 14 Grad sein?
8. In welchem Land liegt Kopenhagen?

1. 5 km/h (Kilometer die Stunde)
2. Nein, es ist heiter.
3. Um 21 Uhr 32.
4. 20 Grad.
5. Vom Mittwoch.
6. Ja.
7. Am Freitag und Samstag.
8. In Dänemark.

Wie ist das Wetter in diesen Fotos?

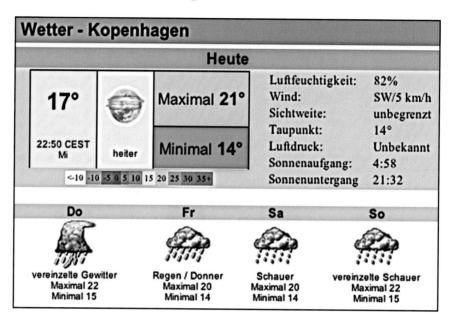

Klassenfahrt

Pauline

Christoph

Sie planen ihre Klassenfahrt.

Andrea

Die vier Klassensprecher der 10a müssen ihre Klassenfahrt im April planen. Sie können eines von den folgenden vier Ländern aussuchen: Dänemark, Italien, England oder Frankreich.

     Andrea: Also ich bin für Italien. Da ist es auch im April schon oft warm und vielleicht können wir sogar schwimmen gehen.

     Franz: Ach nein. Auf Italien habe ich keine Lust. Da fahre ich im Sommer immer mit meinen Eltern hin, so dass ich das langsam langweilig finde.

     Christoph: Mir geht es so wie Franz. Könnten wir nicht nach England fahren? Da können wir uns auch alle verständigen, weil wir schon seit Jahren Englisch lernen.

     Pauline: Nein, ich denke, England geht nicht. Das Land ist sehr teuer und wenn wir dann auch noch Euro in Pfund umtauschen müssen, dann verlieren wir noch mehr. Wenn wir in einem EU-Land bleiben, sparen wir vielleicht ein paar Euro und können dann um so mehr ausgeben. Wie wäre es mit Frankreich oder Dänemark?

     Franz: Ich bin für Südfrankreich, denn im April könnte Dänemark noch sehr kalt sein. Und ich würde wirklich gern in der Sonne liegen.

     Christoph: Gute Idee! Da fällt mir ein, ich habe gestern im Internet etwas über einen tollen Ort in den Pyrenäen gelesen.

An den Namen erinnere ich mich im Moment leider nicht. Wir könnten dort campen und dann am Tag ganz viel in der Natur machen. Zum Beispiel kann man da klettern und auch wandern. Und am Abend sitzen wir um ein Feuer und erzählen uns Gruselgeschichten.

Andrea: Das klingt ganz toll. Christoph, kannst du für das Treffen morgen diese Web-Seite finden, so dass wir den anderen in der Klasse zeigen können, was du dir vorstellst?

Franz: Lass mich das nur machen! Bis morgen finde ich die Web-Seite bestimmt wieder.

Andrea: Dann können wir unseren Plan morgen mit der ganzen Klasse diskutieren.

Pauline: Klingt gut. Machen wir das so!

WB Activity 3

CD
Track 3

4 *Wer sagt was?* **Diese Person/Diese Personen...**

1. schlägt Dänemark für die Klassenfahrt vor.
2. denkt, dass England zu teuer ist.
3. waren schon oft in Italien.
4. sucht bis morgen eine Web-Seite.
5. würde auf der Klassenfahrt gern schwimmen gehen.
6. findet Dänemark zu kalt im April.
7. schlägt England vor.
8. fragt, ob jemand etwas im Internet nachsehen kann.

1. Pauline
2. Pauline
3. Franz und Christoph
4. Franz
5. Andrea
6. Franz
7. Christoph
8. Andrea

CD
Track 4

Allerlei

Junge Leute in der EU°

Anegret, 19 Jahre, aus Dänemark

Anegret studiert an der Uni in Kopenhagen Energie- und Umwelttechnik. Sie denkt, dass diese Arbeit in der EU immer wichtiger werden wird, weil die EU-Mitglieder zusammenarbeiten müssen, um Lösungen für Probleme wie Waldsterben zu finden und andere Naturkatastrophen wie Überschwemmungen und Lawinen zu verhindern°. Deshalb studiert Anegret auch Deutsch, so dass sie sich dann in der Zukunft in ihrem Beruf besser verständigen kann. Weil der Standard für den Umweltschutz in Dänemark besonders hoch ist, hofft sie, dass das kleine Land nördlich von Deutschland in diesem Bereich° ein Vorbild für die ganze EU sein wird.

Jennie, 20 Jahre, aus Österreich   Track 5

Jennie ist in Innsbruck zu Hause, aber sie studiert zur Zeit in Schweden. Die junge Frau will Übersetzerin° werden. Ihr Studium im Ausland wird durch ein besonderes Programm finanziert. Damit ist es viel leichter geworden, in anderen europäischen Ländern zu studieren. Schwedisch und Spanisch sind die beiden Sprachen, die Jennie lernt. „Spanisch ist eine Weltsprache und Schwedisch lerne ich, weil meine Mutter aus Schweden kommt und ich mich gern mit meinen Verwandten° unterhalten möchte." Letztes Jahr hat sie in Spanien Ferien gemacht und sie spart im Moment auf eine große Reise in südamerikanische Länder.

Marco, 17 Jahre, aus Portugal   Track 6

Marco geht noch in Lissabon aufs Gymnasium. Er spricht außer portugiesisch auch spanisch und ein bisschen französisch. Er findet es wichtig, so viele Sprachen wie möglich zu können, denn dann kann man mehr verdienen. Das ist wichtig für Marcos Zukunft, weil seine Eltern eine Fabrik° haben, die Computer produziert und in viele europäische Länder exportiert. Marco will später einmal in dieser Fabrik arbeiten. Aber bis dann hat er noch ein paar Jahre Zeit. Er ist schon heute neugierig°, wie sich die EU bis dann verändert hat.

Nik, 18 Jahre, aus Griechenland CD Track 7

Nik wurde in Tessaloniki geboren. Aber als er zwei Jahre alt war, gingen seine Eltern nach Deutschland, weil sein Vater dort eine Stelle gefunden hatte. Er und seine Eltern wohnten zuerst in Bayreuth, aber zogen dann nach Nürnberg, wo sie auch heute noch leben. Nach dem Ende der Hauptschule hat Nik hier eine Lehre als Automechaniker angefangen. Er weiß noch nicht, ob er später in Deutschland oder in Griechenland arbeiten wird, aber mit der EU ist das viel leichter für ihn geworden. Er spricht auf jeden Fall gut Deutsch und Griechisch. Und weil er in den Sommerferien und bei Familientreffen seine Verwandten in Griechenland besucht hat, fühlt er sich auch dort wohl und kennt sich auch in dieser Kultur gut aus.

(*die EU [Europäische Union]* European Union; *verhindern* to prevent; *der Bereich* field; *die Übersetzerin* translator; *der Verwandte* relative; *die Fabrik* factory; *neugierig* curious)

WB Activity 4

5 *Was fehlt hier?* Ergänzen Sie die Sätze mit Wörtern aus der Liste!

Portugal	Übersetzerin	Verwandten	Umweltschutz
Lehre	Weltsprache	Vorbild	Griechenland
Urlaub	Deutsch	Fabrik	Mutter

1. Anegret interessiert sich sehr für ___.
2. Sie glaubt, dass Dänemark in diesem Bereich ein ___ für die ganze EU ist.
3. Sie lernt ____, weil sie dann besser mit anderen Leuten in der EU zusammenarbeiten kann.
4. Jennie will ___ werden.
5. Sie lernt Spanisch, weil diese Sprache eine _____ ist.
6. Ihre ___ kam aus Schweden.
7. Letztes Jahr hat sie in Spanien ____ gemacht.
8. Marco kommt aus ___.
9. Seine Eltern besitzen eine ___.
10. Nik macht eine ____ als Automechaniker.
11. Er besucht in den Sommerferien seine ___ in Griechenland.
12. Er weiß noch nicht, ob er später in ___ oder Deutschland leben möchte.

1. Umweltschutz
2. Vorbild
3. Deutsch
4. Übersetzerin
5. Weltsprache
6. Mutter
7. Urlaub
8. Portugal
9. Fabrik
10. Lehre
11. Verwandten
12. Griechenland

6 Was passt zusammen?

1. Jennie fährt oft nach Schweden,
2. Anegret will daran arbeiten,
3. Weil Umweltschutz in Dänemark sehr wichtig ist,
4. Anegret will der Umwelt helfen,
5. Marco hat noch einige Jahre Zeit,
6. Er lernt Sprachen,
7. Man kann leichter in anderen Ländern studieren,
8. Jennie lernt Spanisch,
9. Seit Nik mit der Hauptschule fertig ist,
10. Nik fährt im Sommer nach Griechenland,

a. Lösungen für Umwelt-katastrophen zu finden.
b. seit es das Erasmusprogramm gibt.
c. ist das Land in diesem Bereich ein Vorbild für die EU.
d. arbeitet er als Automechaniker.
e. aber sie kann auch Schwedisch.
f. weil sie ihre Verwandten besuchen möchte.
g. bis er in der Fabrik seiner Eltern arbeiten kann.
h. wo seine Verwandten wohnen.
i. um besser Geschäfte machen zu können.
j. indem sie Energie- und Umwelttechnik studiert.

1f, 2a, 3c, 4j, 5g, 6i, 7b, 8e, 9d, 10h

SPRACHE

Uses of *werden*

Werden is an extremely important verb in German. In previous chapters you have been using *werden* to form the passive. This use requires *werden* (in present or narrative past) and a past participle.

Die Lösung wird gefunden.	The solution is being found.
Die Verwandten werden besucht.	The relatives are being visited.

You have also learned how to use *werden* to form the future tense. This use requires *werden* in the present tense and an infinitive.

Ich werde bald mit diesem Projekt fertig sein.	I will soon be finished with this project.

As you know the future tense is used in German only when there is no specific mention of when an event will occur. In cases where a time adverb is used, German usually prefers the present tense.

Ich fahre nächsten Sommer nach Österreich.	I'll travel to Austria next summer.
Wir kommen am Dienstag.	We'll come on Tuesday.

Finally, *werden* is used as what is called a "full verb." That means it is not used to indicate a voice (passive) or a tense (future), but as *to become*. *Werden* can be used in all the tenses as a full verb.

Ich werde immer müde, wenn ich zu viel arbeite.	I always become (get) tired when I work too much.
Sie wurde Politikerin.	She became a politician.
Bist du krank geworden?	Did you become (get) sick?

> **Remember!**
> *werden* + infinitive = future *(Wir werden nächte Woche in die Ferien fahren.)*
> *werden* + past participle = passive *(Wann wird das Essen gekocht?)*
> *werden* alone = to become, get *(Bestimmt wird Monika Ärztin.)*

Heidelberg wird von vielen Touristen besucht.

WB Activities 5–7

Track 8

7 *Die Zukunft Europas!* Bevor der Euro im Jahr 2002 kam, wussten die Europäer wirklich nicht richtig, wie sich das Leben mit dieser neuen Währung ändern würde. Damals sprach man oft über die Zukunft. Benutzen Sie das Futur!

 Man / benutzen / keine DM
Man wird keine DM benutzen.

1. Viele Europäer / brauchen / im Urlaub / nur eine Währung
2. Die DM / kommen / ins Museum
3. Europa / haben / wirtschaftlichen Erfolg
4. Die Firmen / zusammenarbeiten / leichter
5. Die Preise / werden / einfacher
6. Die Banken / umtauschen / alle DM in Euros
7. Die Leute / bekommen / neues Geld
8. Die Regierung / drucken / neue Euros

1. Viele Europäer werden im Urlaub nur eine Währung brauchen.
2. Die DM wird ins Museum kommen.
3. Europa wird wirtschaftlichen Erfolg haben.
4. Die Firmen werden leichter zusammenarbeiten.
5. Die Preise werden einfacher werden.
6. Die Banken werden alle DM in Euros umtauschen.
7. Die Leute werden neues Geld bekommen.
8. Die Regierung wird neue Euros drucken.

Track 9

8 *Was wird auf einer Wanderung gemacht?* Benutzen Sie Passiv!

 eine Wanderkarte ansehen
Eine Wanderkarte wird angesehen.

1. Wege beschreiben
2. Vögel sehen
3. Kräuter sammeln
4. eine Jacke tragen
5. Fotos machen
6. Sonnenschutzcreme benutzen
7. ein Picknick essen
8. alles aufräumen

1. Wege werden beschrieben.
2. Vögel werden gesehen.
3. Kräuter werden gesammelt.
4. Eine Jacke wird getragen.
5. Fotos werden gemacht.
6. Sonnenschutzcreme wird benutzt.
7. Ein Picknick wird gegessen.
8. Alles wird aufgeräumt.

Ein Stadtplan wird angesehen.

werden...fahren, werden...transportiert, werden, wird...vorbereitet, werden...gebracht,
werden...besichtigen, werden...essen, machen wird, werde...schreiben

9 *Kevin erzählt Harry von seinem Urlaub im Herbst.* Setzen Sie die richtige Form von *werden* ein! In dieser Übung brauchen Sie Passiv, Futur und *werden* als Vollverb.

Also, wir ___ im Herbst nach Italien ___ (fahren). Zuerst aber müssen wir
noch unsere Koffer packen. Sie ___ mit dem Zug ___ (transportieren). Dann
müssen wir sie nicht tragen. Wenn wir alles, was wir mitnehmen wollen,
einpacken, dann ___ sie sicher schwer (werden). Sobald wir in Rom
ankommen, gehen wir ins Hotel. Ein Zimmer ___ für uns ___ (vorbereiten).
Unsere schweren Koffer ___ hoffentlich ins Zimmer ___ (bringen). Wir ___
in Rom viele alte Gebäude ___ (besichtigen). Wir ___ auch viele Pizzas ___
(essen), was sicher noch mehr Spaß ___ ___ (machen). Ich ___ dir bestimmt
auch eine Ansichtskarte ___ (schreiben)!

Auf dem Bahnsteig wird gewartet.

Kevin wird mit dem Zug nach Italien gefahren.

CD Track 10

Länder, Kantone und Provinzen

Straßburg

Nachdem die Schüler in der Klasse über den Euro
gesprochen haben, gab der Geschichtslehrer ihnen eine
Hausaufgabe. Die Schüler mussten in die Bibliothek oder
ins Netz gehen, um Informationen über die wichtigsten
Städte der Europäischen Union, Brüssel und Straßburg,
zu finden. Dann sollten sie in Gruppen von drei einen
Aufsatz darüber schreiben. Hier sind die Notizen°, die
Hans, Franz und Arnold über Straßburg gesammelt
haben.

Straßburg

Thema 1: Warum Straßburg für die EU wichtig ist

A. <u>Sitz°</u> des Europäischen Parlaments, (626 Abgeordnete° aus allen Ländern der EU)

Wie viele Abgeordnete sind im Europäischen Parlament?

<u>Mitglieder</u>: alle Länder der EU: Österreich, Belgien, Dänemark, Deutschland, Finnland, Frankreich, Griechenland, Irland, Italien, Luxemburg, die Niederlande, Portugal, Spanien, Schweden, Großbritannien, Polen, Ungarn, Slowenien, die Slowakei, Litauen, Tschechien, Estland, Lettland, Zypern und Malta.

B. Seit Ende des Zweiten Weltkrieges <u>Sitz des Europarates°</u>

<u>39 Mitglieder</u>: Albanien, Andorra, Belgien, Bulgarien, Dänemark, Deutschland, Estland, Finnland, Frankreich, Griechenland, Großbritannien, Irland, Island, Italien, Lettland, Liechtenstein, Litauen, Luxemburg, Malta, Mazedonien, Moldawien, die Niederlande, Norwegen, Österreich, Polen, Portugal, Rumänien, Russland, San Marino, die Slowakei, Slowenien, Spanien, Schweden, die Schweiz, die Tschechische Republik, die Türkei, Ungarn, die Ukraine, Zypern

<u>Aufgaben des Rates:</u>
- den Frieden° und die Demokratie in Europa zu fördern
- das europäische Kulturgut° zu erhalten
- Menschenrechte° zu schützen
- Arbeit an sozialen Problemen wie Integration der Arbeiter aus Nicht-EU-Ländern, Einfluss der neuen Technologien auf das Privatleben, Terrorismus, Drogenhandel°, Kriminalität

C. <u>Sitz des europäischen Gerichtshofes° für Menschenrechte</u> (Gerichtshof für den Europarat)

<u>Aufgabe des Gerichtshofes:</u>
Menschenrechte in allen Ländern der EU zu schützen

Mann!—Straßburg spielt eine große Rolle in der EU! Wusste ich gar nicht.

(*die Notiz* note; *der Sitz* seat; *der Abgeordnete* delegate; *der Europarat* Council of Europe; *der Frieden* peace; *das Kulturgut* cultural heritage; *das Menschenrecht* human right; *der Drogenhandel* drug traffic; *der Gerichtshof* court)

10 **Was meinen Sie?** Hier haben Sie verschiedene Aktivitäten. Zu welcher Aufgabe des Europarates gehören sie: a. Frieden und Demokratie, b. das europäische Kulturgut, c. Menschenrechte oder d. Arbeit an sozialen Problemen?

1. Ein Krieg gegen ein anderes Land wird begonnen.
2. Der Kölner Dom wird restauriert.   1a, 2b, 3d, 4d, 5d, 6c, 7a, 8a, 9c, 10b
3. Der Kokainhandel wird gestoppt.
4. Die Rolle des Internets im modernen Leben wird untersucht.
5. Jobs von türkischen Arbeitern in Dänemark werden diskutiert.
6. Zeitungen werden in einem Land verboten.
7. Gefährliche und revolutionäre Leute werden gefangen genommen.
8. Ein Flugzeug wird entführt.
9. Leute werden in einem Krieg getötet.
10. Bilder werden aus einem Museum in Prag illegal herausgenommen und verkauft.

CD
Track 11

Thema 2: Die Geschichte Straßburgs und die Verbindung zu Deutschland

A. Liegt am Oberrhein° im Elsass.
B. Vom römischen General Drusus als Fort gegründet — Teil der 50 Forts, die zwischen 12 und 16 v. Chr.° von den Römern am Rhein zwischen Holland und der Schweiz gebaut wurden
C. Lange Geschichte deutsch↔französisch ab 842: Freistadt im Reich von den Enkelsöhnen von Karl dem Großen → deutsch
1681: französische Soldaten erobern die Stadt; wird Hauptstadt vom Elsass → französisch
1871: Krieg zwischen Preußen und Frankreich → deutsch
1918: nach dem Ersten Weltkrieg zurück an Frankreich → französisch
1940: Nazis nehmen Straßburg: französisch durfte nicht gesprochen werden, das Barett durfte nicht getragen werden → wieder deutsch
1945: zurück an Frankreich

Straßburg gehört heute zu Frankreich.

Kein Wunder, dass die Leute dort deutsch und französisch sprechen. Was für ein Hin und Her°!

(*der Oberrhein* Upper Rhine; *v. Chr. [vor Christus]* B.C.; *das Hin und Her* back and forth)

11 *Richtig oder falsch?* **Wenn etwas falsch ist, verbessern Sie es!**

1. Straßburg wurde von Deutschen gegründet.
2. Die Römer bauten Forts am Rhein.
3. Im Jahr 842 war Straßburg französisch.
4. Im Jahr 1681 eroberten deutsche Soldaten Straßburg.
5. Im Krieg zwischen Preußen und Frankreich kam Straßburg zurück an Frankreich.
6. Straßburg ist jetzt die Hauptstadt vom Elsass.
7. Die Leute in Straßburg sprechen heute nur französisch.

1. falsch / Vom römischen General Drusus.
2. richtig
3. falsch / Straßburg war deutsch.
4. falsch / Französische Soldaten eroberten Straßburg im Jahr 1681.
5. falsch / Straßburg kam nach Deutschland zurück.
6. richtig
7. falsch / Sie sprechen deutsch und französisch.

Thema 3: Wichtige Leute, die in Straßburg lebten

Goethe

Gottfried von Straßburg. Dichter im Mittelalter. Schrieb (um 1200) eines der wichtigsten Werke° des Mittelalters „Tristan und Isolde", die Liebesgeschichte° von Tristan und Isolde.

Erwin de Steinbach. Einer der wichtigsten Architekten des Mittelalters. Verantwortlich für° die Verbreitung° der gotischen Architektur in Europa. Arbeitete 1275 an den Plänen für den Dom in Straßburg, eine lebenslange° Arbeit.

Johannes Gutenberg. Erfinder des Buchdrucks. Lebte von 1431 bis 1444 in Straßburg. Entwickelte wahrscheinlich 1440 hier die Buchpresse. Straßburg wird danach eine der wichtigsten Städte in Europa für den Buchdruck.

Johann Wolfgang von Goethe. Einer der wichtigsten Dichter der deutschen Sprache. Ging 1770 nach Straßburg, um sein Studium zu Ende zu bringen. War so begeistert von° Steinbachs Dom, dass er ihn fast jeden Tag besuchte und sogar ein Essay über die deutsche Architektur schrieb. Wegen Goethes Interesse an Erwin de Steinbach und dem Dom bekam die gotische Architektur in Europa viel Respekt.

Schweitzer

Albert Schweitzer. Arzt und Gewinner des Friedensnobelpreises° 1952. Schweitzer kam aus Kaysersberg im Elsass. Er spielte Orgel° und gab viele Konzerte in Straßburg im Dom.

Goethe war wirklich überall! Und Gutenberg in Straßburg? Wahrscheinlich wollten alle dahin, weil es eine ganz tolle Stadt ist. Und so viel Geschichte.

WB Activity 8

(*das Werk* work; *die Liebesgeschichte* love story; *verantwortlich für* responsible for; *die Verbreitung* spreading, dissemination; *lebenslang* lifelong; *begeistert von* enthusiastic about; *der Friedensnobelpreis* Nobel Peace Prize; *die Orgel* organ [musical instrument])

12 *Wer war das? Diese Person...*

1. arbeitete sein Leben lang an einem Projekt.
2. arbeitete für den Frieden.
3. lebte zur gleichen Zeit wie Walther von der Vogelweide.
4. druckte die ersten Bücher.
5. schrieb einen Essay über den Dom von Straßburg.
6. machte Musik im Dom von Straßburg.
7. studierte in Straßburg.
8. machte eine wichtige Erfindung in Straßburg.
9. begeisterte Goethe mit seiner Arbeit.
10. schrieb ein berühmtes Werk über einen Mann, eine Frau und ihre Liebe.

CD Track 14

1. Erwin de Steinbach
2. Albert Schweitzer
3. Gottfried von Straßburg
4. Johannes Gutenberg
5. Johann Wolfgang von Goethe
6. Albert Schweitzer
7. Johann Wolfgang von Goethe
8. Johannes Gutenberg
9. Erwin de Steinbach
10. Gottfried von Straßburg

13 *Der Anfang eines Aufsatzes.* **Hier ist der Anfang von dem Aufsatz über Straßburg, den Hans, Franz und Arnold geschrieben haben. Schreiben Sie noch mindestens fünfzehn Sätze!**

Viele Leute wissen gar nicht, dass Straßburg politisch gesehen die eigentliche Hauptstadt Europas ist. In Straßburg sitzen viele der wichtigsten Organisationen für die Politik der EU. Nach dem Zweiten Weltkrieg formte man in Straßburg den Europarat für den Frieden und die Demokratie in Europa. Seit der Zeit arbeitet der Rat daran, Menschenrechte zu fördern und das europäische Kulturgut zu erhalten. Außerdem untersucht er auch soziale Probleme wie die Integration fremder Arbeiter, den Einfluss der neuen Technologien auf das Privatleben, Terrorismus, Drogenhandel und Kriminalität. Heute hat die EU 39 Mitglieder...

Straßburg ist der Sitz des Europäischen Parlaments.

Auch in Straßburg versucht man, das europäische Kulturgut zu erhalten.

Andreas und Sabine besuchen Daniel
am Mittag bei seiner Arbeit.

SPRACHE

Word Order of Adverbials

When you include adverbials in a
sentence, they occur in a special
order. Consider this sentence in
English: *I went shopping with my
mother yesterday.* If, however, you
said *With my mother I went yesterday
shopping,* the sentence would sound very odd indeed. That is because we have
word order rules that prescribe where elements go in a sentence. German also
has word order rules for such elements. Unlike English, time elements come
before place elements in German.

Ich fahre am Montag in die Stadt.	I'm going downtown on Monday.
Wir treffen uns um neun vor dem Theater. Willst du mich dann dort treffen?	We're meeting in front of the theater at nine. Do you want to meet me there then?

Notice that these adverbial elements are often more than one word and can be
phrases with prepositions. If you have two time expressions *(um neun, am
Dienstag),* the more general precedes the more specific.

Ich muss am Dienstag um neun arbeiten.	I have to work at nine on Tuesday.
Es wäre schön, wenn ich diesen Monat jede Woche Urlaub hätte.	It would be nice if I had vacation every week this month.

WB Activity 9

14 Was? Wann? Wo? Bilden Sie Sätze mit den einzelnen Wörtern. Sie müssen die Wörter in die richtige Reihenfolge bringen. Fangen Sie mit dem Subjekt des Satzes an!

➤ um halb zwei / abfliegen / Familie Richter / nach Zürich
Familie Richter fliegt um halb zwei nach Zürich ab.

1. zu Hause / lernen / Katja / am Dienstagvormittag
2. abfahren / am Bahnhof / Hannes / um drei Uhr
3. Alex / im Schwimmbad / am Montag / sich ausruhen
4. in seinem Zimmer / jeden Tag / fernsehen / Kevin
5. im Internet / Patrick / sich informieren / einmal im Monat
6. bei ihrer Oma / jeden Sonntagnachmittag / sich langweilen / Martina
7. losfahren / Antje / auf ihrem Motorrad / am Abend
8. Sophie / im Konzert / singen / um 20 Uhr

1. Katja lernt am Dienstagvormittag zu Hause.
2. Hannes fährt um drei Uhr am Bahnhof ab.
3. Alex ruht sich am Montag im Schwimmbad aus.
4. Kevin sieht jeden Tag in seinem Zimmer fern.
5. Patrick informiert sich einmal im Monat im Internet.
6. Martina langweilt sich jeden Sonntagnachmittag bei ihrer Oma.
7. Antje fährt am Abend auf ihrem Motorrad los.
8. Sophie singt um 20 Uhr im Konzert.

Kapitel 9

15 ***Was machen Sie wann?*** **Benutzen Sie die folgende Information und bilden Sie Sätze! Benutzen Sie verschiedene Zeitelemente!**

➤ mit dem Rad fahren
Ich fahre jeden Morgen um halb acht mit meinem Rad in die Schule.

1. sich mit Freunden treffen
2. Hausaufgaben machen
3. Sport treiben
4. in die Ferien fahren
5. Geburtstag feiern
6. ins Kino gehen
7. Freunde besuchen
8. etwas Geld verdienen

16 **Kombinieren Sie!**

Daniel, Zehra und Sabine wollen am Sonnabendvormittag zu einem Bauernhof fahren.

TN

Ich	fahren	heute	in der Stadt	Blumen
Unser Nachbar	brauchen	vor einer Woche	im Wohnzimmer	eine Brille
Frau Kumber	suchen	gestern	in der Schule	meine Mutter
Du	einkaufen	letztes Jahr	nach Berlin	die Kinder

Wörter*und*
A u s d r ü c k e

LANDSCAPES

das Gebirge mountains
der Gipfel summit, peak
die Lawine avalanche
das Tal valley
die Ebene plain
das Moor swamp
der Sumpf marsh, swamp
die Wüste desert
die Überschwemmung flooding
die Küste coast
das Waldsterben dying of forests

CLIMATE AND WEATHER

das Klima climate
der Ozon ozone
der Regen rain
die Hitze heat

LEKTION B

17 Wovon spricht man hier? Geben Sie das Wort und seinen Artikel an!

CD
Track 17

1. der Reisepass
2. die Gepäckausgabe
3. der Schalter
4. die Startbahn
5. die Passkontrolle
6. der Check-in
7. der Zoll

➤ Da sitzen viele Leute vor dem Flug.
die Wartehalle

1. Den braucht man, wenn man ins Ausland fliegen will.
2. Nach der Ankunft holt man dort die Koffer ab.
3. Da erhalten die Leute ihre Bordkarten.
4. Von da fliegt ein Flugzeug ab, nachdem es den Flugsteig verlassen hat.
5. Dort muss man den Reisepass zeigen, um ins Land einzureisen.
6. Dort zeigt man den Flugschein und die Bordkarte, bevor man ins Flugzeug einsteigt.
7. Dort muss man hingehen, wenn man etwas zu verzollen hat.

Von einem Ort zum andern

CD
Track 18

Fliegen

In einem Lied heißt es, dass die Freiheit°
über den Wolken° keine Grenzen kennt.
Vielleicht wollten die Menschen deshalb
schon immer fliegen können. Schon Leonardo
da Vinci zeichnete° im 16. Jahrhundert
Modelle von Hubschraubern°. Und viele
Leute kennen die Geschichte von Ikarus, der
mit seinen Flügeln° zu nah an die Sonne kam
und ins Meer fiel. Im Zeitalter der modernen
Technik ist es auch immer mehr Leuten
möglich, mit einem Flugzeug zu reisen. Mit

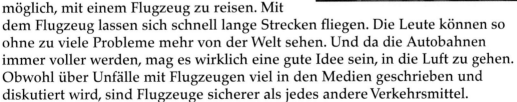

dem Flugzeug lassen sich schnell lange Strecken fliegen. Die Leute können so
ohne zu viele Probleme mehr von der Welt sehen. Und da die Autobahnen
immer voller werden, mag es wirklich eine gute Idee sein, in die Luft zu gehen.
Obwohl über Unfälle mit Flugzeugen viel in den Medien geschrieben und
diskutiert wird, sind Flugzeuge sicherer als jedes andere Verkehrsmittel.

Nicht alle Leute reisen gern mit dem Flugzeug. Manchmal ist es schwierig, weil
man im Flugzeug durch verschiedene Zeitzonen reist. Dann kann es sein, dass
man am Morgen irgendwo ankommt, aber der Körper denkt, dass es Nacht ist.
Man will schlafen, aber auch die neue Umgebung ansehen und Leute treffen. Es
dauert meistens ein paar Tage, bis man sich an die neue Zeit gewöhnt° hat.
Manche Leute finden das Fliegen ganz einfach langweilig, weil man nur sitzen,
essen, trinken und schlafen kann. Die einzige° Unterhaltung ist oft ein Film oder
die Person, die neben einem sitzt.

Wie finden manche Leute das Fliegen?

Bald steigen die Fluggäste aus.

Wenn man am Flughafen aus dem Flugzeug aussteigt, ist die Reise aber noch nicht vorüber. Zuerst muss man durch die Passkontrolle. In den deutschsprachigen Ländern gibt es meistens zwei Schalter: einen für die Leute, die aus den EU-Ländern kommen und dann einen Schalter für die Leute aus anderen Ländern. Nachdem man seinen Reisepass gezeigt hat, kann man das Gepäck abholen. Mit dem Gepäck muss man dann noch durch den Zoll. Natürlich kann es sein, dass der Koffer oder die Tasche von einem Flughafen zum andern verloren gegangen° ist . Dann geht man zum Gepäckdienst°. Dort muss man ein Formular° ausfüllen, in dem man beschreibt, wie der Koffer aussieht. Meistens wird das Gepäck schnell gefunden. Dann wird es dem Fluggast nach Hause oder ins Hotel gebracht. Endlich ist es so weit. Man ist wirklich angekommen und kann die Leute treffen, die gekommen sind, um einen vom Flughafen abzuholen.

(*die Freiheit* freedom; *die Wolke* cloud; *zeichnen* to draw, sketch; *der Hubschrauber* helicopter; *der Flügel* wing; *sich gewöhnen an* to get used to; *einzig* only; *verloren gehen* to get lost; *der Gepäckdienst* lost and found baggage service; *das Formular* form)

WB Activity 11

18 Ergänzen Sie das fehlende Verb!

| abholen | ausfüllen | fliegen | gehen |
| reisen | schlafen | zeigen | bringen |

1. reisen
2. fliegen
3. schlafen
4. gehen
5. zeigen
6. holen
7. ausfüllen
8. bringen

1. Für viele Leute ist es heutzutage möglich, mit dem Flugzeug oder dem Zug in andere Länder zu ___.
2. Mit dem Flugzeug ist es möglich, lange Strecken zu ___.
3. Im Flugzeug kann man nur sitzen, essen, trinken und ___.
4. Wenn man angekommen ist, muss man durch die Passkontrolle ___.
5. Bei der Passkontrolle ist es wichtig, den Reisepass zu ___.
6. Nach der Passkontrolle ist es normal, das Gepäck zu ___.
7. Wenn das Gepäck verloren gegangen ist, muss man beim Gepäckdienst ein Formular ___.
8. Dann muss der Gepäckdienst das Gepäck direkt zum Hotel oder zum Haus ___.

Beim Gepäckdienst

Angestellte: Guten Tag! Kann ich Ihnen helfen?

Fluggast: Guten Tag! Ich habe meinen Koffer verloren.

Angestellte: Ja, da sind Sie an der richtigen Stelle. Ich brauche einige Informationen von Ihnen. Wie heißen Sie?

Fluggast: Dieter Hildebrandt.

Angestellte: Woher sind Sie gekommen?

Fluggast: Ich komme direkt aus Frankfurt am Main.

Angestellte: Mit welchem Flug?

Fluggast: Lufthansa, Flugnummer 32.

Angestellte: Wie sieht Ihr Koffer denn aus?

Fluggast: Mein Koffer ist braun, dunkelbraun und mittelgroß.

Angestellte: Steht Ihr Name auf dem Koffer?

Fluggast: Nein, das habe ich ganz vergessen.

Angestellte: Daran sollten Sie aber nächstes Mal denken, denn Ihr Name auf dem Koffer macht eine Suche viel leichter.

Fluggast: Nach dieser Reise vergesse ich es bestimmt nicht wieder!

Angestellte: Gut. Können Sie mir Ihre Adresse in Berlin geben? Dann kann Ihr Koffer dorthin gebracht werden, wenn wir ihn finden. Und wenn es Probleme geben sollte, kann ich Sie dort anrufen.

Fluggast: Meine Anschrift ist Rathenauplatz 2. Telefonnummer 56 78 64. Wie lange dauert es normalerweise, bis Sie Gepäck finden?

Angestellte: Machen Sie sich keine Sorgen! Sie haben Ihren Koffer sicher heute Abend wieder.

Fluggast: Hoffentlich! Sonst muss ich morgen erst einmal einkaufen gehen.

Angestellte: Ich werde tun, was ich kann. Auf Wiedersehen!

Fluggast: Gut. Auf Wiedersehen!

Steht Ihr Name auf dem Koffer?

Dieter Hildebrandt ist ohne seinen Koffer in Berlin angekommen.

WB Activities 12–15

19 *Stimmt's oder stimmt's nicht?* **Schreiben Sie richtig oder falsch und verbessern Sie die falschen Sätze.**

1. Der Fluggast heißt Dieter Hilfinger.
2. Er kommt direkt aus Berlin.
3. Er ist mit der Lufthansa geflogen.
4. Er ist mit dem Flug 32 aus Frankfurt geflogen.
5. Er hat einen schwarzen Koffer verloren.
6. Sein Name steht auf dem Koffer.
7. Er ist jetzt in Berlin.
8. Sie finden seinen Koffer bis morgen.

1. falsch / Hilfinger - Hildebrandt
2. falsch / Berlin - Frankfurt
3. richtig
4. richtig
5. falsch / schwarz - braun, dunkelbraun
6. falsch / Sein Name steht nicht auf dem Koffer.
7. richtig
8. falsch / bis morgen - bis heute Abend

ROLLENSPIEL

Jetzt sind Sie an der Reihe! Arbeiten Sie mit einer zweiten Person! Eine Person arbeitet im Flughafen im Gepäckdienst. Die zweite Person spielt einen Fluggast, der heute noch zu einer wichtigen Party muss. Leider ist die schöne, teuere Kleidung für diese Party im Koffer, der verloren gegangen ist. Wie kann dieser Person geholfen werden?

SPRACHE

Passive Voice with the Subject *es*

So far, you have learned how to form passive sentences with grammatical subjects. There is also a special type of passive sentence that uses what is called an "impersonal subject," the pronoun *es* (it). You will encounter these passive sentences frequently on signs, in instructions and other impersonal situations. These passives are often equivalent to the English expression "They say...." There is, of course, no real "they." The sentence simply means you heard this information somewhere. The same thing happens in impersonal passives in German. These types of passive use the singular pronoun *es*, *werden* and the past participle.

Es wird gesagt, dass es heute Abend regnet.	They say it will rain tonight.
Es wurde erzählt, dass er krank ist.	It was mentioned that he is ill.

These kinds of passive sentences are also used for impersonal sentences when an activity is stressed, but not the people doing it, as in these sentences:

Es wird heute Abend getanzt.	There will be dancing tonight.
Es wird in letzter Zeit viel über gesundes Essen diskutiert.	There has been a lot of discussing about healthy eating lately.

WB Activity 16

20 Was wird heute Abend auf der Party gemacht?

➤ eine Geschichte erzählen
Es wird heute Abend eine Geschichte erzählt.

1. Musik hören
2. singen
3. Gitarre spielen
4. viel essen
5. Monopoly spielen
6. über Freunde und Bekannte diskutieren
7. ein Fotoalbum ansehen
8. spät nach Hause gehen

Es wird heute Abend...
1. Musik gehört.
2. gesungen.
3. Gitarre gespielt.
4. viel gegessen.
5. Monopoly gespielt.
6. über Freunde und Bekannte diskutiert.
7. ein Fotoalbum angesehen.
8. spät nach Hause gegangen.

21 *Jetzt sind Sie an der Reihe!* Was wird alles in der Schule gemacht? Hier sind ein paar Verben und Ausdrücke zur Auswahl. Schreiben Sie mindestens fünf Sätze!

lernen Sport treiben *einen Aufsatz schreiben*

lachen eine Fremdsprache sprechen **nach Hause fahren**

Freunde treffen

einen Roman lesen **lesen**

Pause machen *Streiche spielen*

rennen

Es wird eine Prüfung geschrieben.

Es wird gelesen.

Menschen und Mächte

Johannes Kepler und die Bewegung der Planeten

Steckbrief
Name: Johannes Kepler
Geburtstag: 27. Dezember 1571 in Weil der Stadt, Deutschland
Todestag: 15. November 1630 in Regensburg, Deutschland
Ehefrauen: Barbara Müller; Susanne Reuttinger
Kinder: mit Barbara, drei Kinder; mit Susanne, sechs Kinder
Beruf: Astronom
Wichtigster Tag: der Tag, an dem er die Gesetze der Planetenbahnen° entdeckte

Johannes Kepler

Wissen Sie, wer den ersten Sciencefictionroman schrieb? Wer das Fernrohr° zu dem modernen Teleskop entwickelte? Wer den Einfluss des Mondes° auf die Meere entdeckte? Wer zeigte, wie sich die Planeten um die Sonne bewegen? All das tat der deutsche Astronom Johannes Kepler.

Johannes Keplers Leben war voll von Problemen. Er wurde zwei Monate zu früh geboren und hatte als Kind viele Krankheiten. Als Erwachsener konnte er deshalb nur sehr schlecht sehen. Er verstand sich nicht gut mit seinen Eltern und wohnte einige Jahre bei seinen Großeltern. Außerdem war Kepler (wie Albert Einstein) schlecht in der Schule. Trotzdem studierte er. Nachdem Kepler an der Universität fertig war, wurde er Professor für Mathematik in Graz, in der österreichischen Provinz Steiermark. Es war aber die Zeit der Gegenreformation°. Im Jahr 1600 musste Kepler deshalb Graz verlassen, weil er evangelisch° war und die Stadt Graz katholisch bleiben sollte. Solche Probleme hatte Kepler sein ganzes Leben lang. Er verdiente als Astronom nicht genug Geld und musste deshalb oft Horoskope schreiben. Trotz der Probleme in seinem Leben machte Kepler viele wichtige Entdeckungen, die das Bild der Welt und unseres Planetensystems auf immer veränderten.

Mit der Renaissance kam das Interesse an antikem Wissen. Leute wie Erasmus von Rotterdam, Nikolaus Kopernikus, Albrecht Dürer und Tilman Riemenschneider hatten großen Einfluss auf das Zeitalter. Zu Keplers Zeit, 100 Jahre später, wollte man die Welt objektiv verstehen. Viele neue Entwicklungen hatten mit der Astronomie zu tun. Der griechische Astronom Ptolemäus hatte viele Jahrhunderte vorher gemeint, dass sich die Sonne um die Erde dreht.

Das nannte man das geozentrische System. Während der Renaissance wollte Kopernikus 1543 zeigen, dass die Erde sich um die Sonne bewegt. Das nannte er das heliozentrische System. Zu Keplers Zeiten gab es zwei andere Astronomen, Galileo Galilei in Italien und Tycho Brahe in Prag, die Kopernikus' Ideen beweisen° wollten. In Italien entwickelte Galileo ein Fernrohr, um die Planeten, Sterne, und die Sonne klarer zu sehen. Tycho Brahe versuchte schon vor der Entwicklung des Teleskops das heliozentrische System zu beweisen.

(*die Planetenbahn* planetary orbit; *das Fernrohr* [primitive] telescope; *der Mond* moon; *die Gegenreformation* Counter Reformation; *evangelisch* Protestant; *beweisen* to prove)

Globus aus dem Jahr 1584

22 *Von wem ist hier die Rede?* Das ist die Person, die...

 Track 23

1. Barbara Müller
2. Johannes Kepler
3. Albert Einstein
4. Johannes Kepler
5. Ptolemäus
6. Nikolaus Kopernikus
7. Galileo Galilei
8. Tycho Brahe

1. mit Kepler zuerst verheiratet war.
2. zu früh geboren wurde.
3. wie Kepler schlecht in der Schule war.
4. in Graz an der Universität arbeitete.
5. glaubte, dass sich die Sonne um die Erde dreht.
6. glaubte, dass sich die Erde um die Sonne dreht.
7. in Italien als Astronom arbeitete.
8. versuchte, ohne Teleskop das heliozentrische System zu beweisen.

Track 24

Weil er an der Universität so viel Talent als Mathematiker zeigte, wurde Kepler von Tycho Brahe eingeladen, mit ihm zusammenzuarbeiten. Brahe wollte, dass Kepler die Planetenbahn des Mars untersucht. Kepler sagte, er würde die Planetenbahn in neun Tagen entdecken, aber er brauchte dann neun Jahre dafür! Als Brahe starb, nahm Kepler Brahes Notizen und arbeitete weiter an den Planetenbahnen.

Nach Brahes Tod wurde Kepler Kaiserlicher Hofmathematiker° in Prag, die wichtigste Stelle für einen Mathematiker in ganz Europa. In dieser Zeit wurden viele wichtige Werke von Kepler gedruckt. Im Jahr 1604 verbreitete er in „Astronomia pars Optica" die moderne Erklärung°, wie das Auge funktioniert. In seinem Buch „Dioptik" (1611) schrieb er mehr darüber und benutzte viele Begriffe° wie Linse und Prisma, die heute noch gebraucht werden.

Kepler wurde Kaiserlicher Hofmathematiker in Prag.

Im Jahr 1609 veröffentlichte° er das Buch „Astronomia Nova" („Die neue Astronomie"), in dem er die ersten zwei „Keplerschen Gesetze" beschrieb°. Durch das zweite Gesetz konnte er erklären, welchen Einfluss der Mond auf die Fluten° im Meer hatte. Kepler entwickelte im ganzen drei Gesetze, die erklären, dass die Planetenbahnen elliptisch sind und wie die Planeten sich um die Sonne bewegen.

Als Kepler 1610 von Galileos Entdeckungen mit dem Fernrohr erfuhr, baute er sein eigenes, das „Keplersche Fernrohr". Durch seine frühere Arbeit mit dem Auge wusste er viel über Linsen. Er konnte eine Linse entwickeln, mit der man mehr Sachen größer sehen konnte. Mit seinem astronomischen Fernrohr entdeckte er vier Satelliten um den Planeten Jupiter. Andere Astronomen konnten wegen Keplers Fernrohr weiterarbeiten. Im Jahr 1611, zum Beispiel, entdeckte dann Galileo mit Hilfe vom Keplerschen Fernrohr Sonnenflecken°.

Wie Paracelsus' Entdeckungen wurden Keplers Ideen von vielen Wissenschaftlern seines Zeitalters nicht gern gesehen. Sie ignorierten sein zweites Gesetz fast 80 Jahre lang. Aus den Keplerschen Gesetzen der Planetenbewegung konnte aber Sir Isaac Newton 1687 sein Gesetz der Gravitation entwickeln.

(*der Kaiserliche Hofmathematiker* imperial court mathematician; *die Erklärung* explanation; *der Begriff* concept; *veröffentlichen* to publish; *die Flut* flood, tide; *der Sonnenfleck* sunspot)

WB Activities 17–18

Track 25

23 ***Von wem ist hier die Rede? Wer...?***

1. hatte großen Einfluss während der Renaissance
2. entwickelte die Idee des geozentrischen Systems
3. entwickelte die Idee des heliozentrischen Systems
4. war ein wichtiger Astronom in Italien
5. lud Kepler nach Prag ein
6. entdeckte die Sonnenflecken
7. entdeckte vier Satelliten um Jupiter
8. entwickelte das Gesetz der Gravitation

1. Erasmus von Rotterdam, Nikolaus Kopernikus, Albrecht Dürer und Tilman Riemenschneider
2. Ptolemäus
3. Nikolaus Kopernikus
4. Galileo Galilei
5. Tycho Brahe
6. Galileo Galilei
7. Johannes Kepler
8. Sir Isaac Newton

Schon während Keplers Zeit stand Prag im Mittelpunkt Europas.

Kapitel 9

24 Bringen Sie die Sätze zusammen!

1. Durch Keplers Arbeit mit Linsen wurde
2. Keplers Leben war
3. Kepler musste 1600
4. Zu Keplers Zeit wollte man
5. Es war ein wichtiges Ziel der Wissenschaftler
6. Galileo Galilei und Tycho Brahe wollten
7. Kepler erklärte in seinen Büchern,
8. Kepler entwickelte das Fernrohr

a. die Welt objektiv verstehen können.
b. Graz verlassen.
c. zu dem modernen Teleskop.
d. nicht immer leicht.
e. wie sich die Planeten um die Sonne bewegen.
f. das heliozentrische System beweisen.
g. das Fernrohr weiterentwickelt.
h. zu verstehen, wie das Planetensystem funktioniert.

1g, 2d, 3b, 4a, 5h, 6f, 7e, 8c

25 *Was meinen Sie?* Welche Leute und Wissenschaftler waren wichtig für Keplers Arbeit? Warum?

SPRACHE

-ung Nouns from Verbs

If you add *-ung* to the base form of a verb, you create a feminine noun that means the outcome or product of the verbal action (*retten* to save, *die Rettung* salvation; *isolieren* to isolate, *die Isolierung* isolation). This kind of word formation is very useful to understand because it can expand your vocabulary immensely and improve your reading ability.

Note: Occasionally an additional consonant is added to the infinitive, as *hoffen - Hoffnung*.

Die Aufführung der Wiener Philharmoniker

WB Activity 19

26 Was *fehlt?* Ergänzen Sie die fehlenden Formen und erraten Sie, was das Substantiv bedeutet!

	Verb	*Substantiv*	*Was bedeutet das Substantiv?*
1.	___	Ernährung	nutrition
2.	lüften	___	___
3.	verbreiten	___	___
4.	warnen	___	___
5.	___	Bewegung	___
6.	___	Erholung	___
7.	spezialisieren	___	___
8.	___	Gründung	___

1. ernähren
2. Lüftung, *ventilation*
3. Verbreitung, *expansion*
4. Warnung, *warning*
5. bewegen, *movement*
6. erholen, *recuperation*
7. Spezialisierung, *specialization*
8. gründen, *founding*

27 Ergänzen Sie jeden Satz mit dem passenden Substantiv!

➤ Die Bewegung der Planeten wurde entdeckt. Das war eine wichtige ___.
Entdeckung

1. Das Haus wurde restauriert. Sehen Sie sich mal die ___ an!
2. Wir wurden überrascht. Das war eine große ___ .
3. Wir wurden gestört. Es war eine dumme ___ .
4. Der Text wurde übersetzt. Es ist eine lange ___ .
5. Uns wurde es erklärt. Es war eine gute ___ .
6. Die Stadt wurde geplündert. Die Einwohner sprachen lange danach von der ___ .
7. Der Tisch wurde reserviert. Die ___ war für sieben Uhr.
8. Heinrich IV. wurde gerettet. Seine Mutter freute sich über seine ___ .

1. Restaurierung
2. Überraschung
3. Störung
4. Übersetzung
5. Erklärung
6. Plünderung
7. Reservierung
8. Rettung

Zu einer gesunden Ernährung gehört auch Obst.

Eine Brücke ist eine Überquerung des Flusses.

28 *Die DDR und die BRD.* **Wie viel wissen Sie über die jüngste Geschichte Deutschlands? Benutzen Sie diese Verben als -ung Substantive, um die Geschichte zu erzählen! Das erste -ung Wort steht schon für Sie da.**

entdecken	wiedervereinigen	teilen
erfahren	regieren	hoffen

Die *Teilung* Deutschlands in die BRD und die DDR hatte viele Jahre lang Konsequenzen für die Politik in Europa und das Leben der Leute. Die Situation führte zu vielen unglücklichen Jahren, aber die Leute hatten ihre ___ nicht aufgegeben. Die __ der Länder passierte 1989. Dann machte man auch bald die ___, dass der DDR-Staat viele politische Gegner *(opponents)* auf Listen geschrieben hatte. Man konnte wieder gut schlafen und die Teilung in zwei Staaten hatte ein Ende. Viele Leute werden ihre ___ unter der DDR-___ nie vergessen.   Hoffnung(en), Wiedervereinigung, Entdeckung, Erfahrung(en), Regierung

*Aktuelles*

CD
Track 26

Die einheitliche° Währung mit vielen Gesichtern

Am 1. Januar 2002 haben viele Länder in der EU eine neue Währung bekommen: den Euro. Es ist das erste Mal in der Geschichte Europas, dass man in vielen Mitgliedsländern° mit dem gleichen Geld bezahlen kann. Vorher musste man im Ausland seine Landeswährung° in die Währung des anderen Landes umtauschen. Zum Beispiel, wenn ein Deutscher nach Frankreich reiste, musste er seine D-Mark in Francs umtauschen. Mit den Euroscheinen° und Euromünzen ist alles viel einfacher. Aber viele Euroländer waren traurig, ihre alten eigenen Scheine und Münzen zu verlieren und die einheitlichen Euros zu benutzen. Nur keine Panik! Eine tolle Lösung wurde gefunden: auf der Vorderseite° der Euromünzen ist das Motiv° in ganz Europa gleich (eine Karte von Europa), aber die Rückseite konnten die Länder individuell gestalten°. Die nationale Seite hat immer die 12 Sterne der EU-Fahne und das Jahr der Prägung°. Jetzt gibt es 96 verschiedene Euromünzen.

Es gibt Euroscheine (5, 10, 20, 50, 100, 200 und 500 Euro), aber sie sind alle in ganz Europa einheitlich. Von den Euromünzen gibt es die kupferfarbenen° 1-, 2- und 5-Cent Stücke, die messingfarbenen° 10-, 20- und 50-Cent und die 1- und 2-Euro Stücke, die zweifarbig° sind. Einige Länder haben für die Rückseite jeder Münze ein anderes Bild (Griechenland, Italien und Österreich), einige haben nur ein

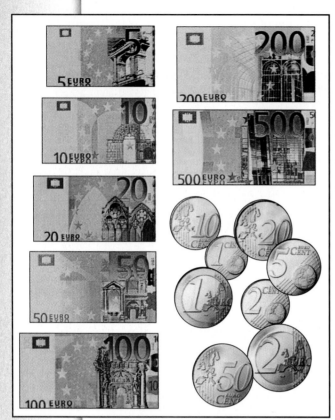

Motiv (Belgien und Irland) und andere haben nur drei verschiedene Motive (Deutschland, Finnland, Frankreich, Portugal und Spanien).

Welche Designs die Länder gewählt° haben, zeigt, was sie in ihrer eigenen Kultur wichtig finden. Ein beliebtes Motiv ist das der berühmten Personen: Die Niederlande haben zum Beispiel ihre Königin Beatrix auf allen Münzen; die Belgier haben sich für ein Porträt von ihrem König Albert II. entschieden und Luxemburgs Münzen zeigen den Großherzog Henri. Spaniens 1- und 2-Euro Münzen haben ein Porträt ihres Königs Juan Carlos I. Andere Länder benutzen berühmte Personen aus der Vergangenheit°: auf Österreichs 1-Euro-Münze ist der Komponist Wolfgang Amadeus Mozart. Die spanischen 10-, 20- und 50-Cent Stücke zeigen Miguel de Cervantes, den Vater der spanischen Literatur, und auf Italiens 2-Euro Münze kann man den großen italienischen Dichter Dante sehen.

Andere Motive sind wichtige Denkmäler und Architektur in den verschiedenen Ländern, wie zum Beispiel das Brandenburger Tor in Berlin auf den deutschen Münzen, das Colosseum in Rom auf den italienisches 5-Cent, die Kathedrale in Santiago de Compostela in Spanien und der gotische Stephansdom in der österreichischen Hauptstadt Wien. Einige Länder haben nationale Symbole für ihre Münzen benutzt: in Irland ist die Harfe° — das Wappen° Irlands — auf allen Münzen. Auf den portugiesischen Münzen ist Filigran° — von den historischen Siegeln° des Gründers° des portugiesischen Reiches — zu sehen. Die Franzosen benutzen einen Baum als Symbol der Fruchtbarkeit° des Landes. Auf den griechischen 1- und 2-Euros findet man eine Eule°, das Symbol der Weisheit° und einen Stier°, ein Symbol für den Gott Zeus. Die Österreicher haben auf ihren 1-, 2- und 5-Cent Stücken Blumen aus den Alpen.

Ob die Geldstücke interessante Personen, wichtige Denkmäler oder nationale Symbole darstellen°, man kann all diese Münzen in vielen EU-Ländern benutzen, um einen Kaffee zu bezahlen oder ein Auto zu kaufen. In den nächsten Jahren werden mehr Länder in Europa Mitglieder der Europäischen Union sein und ihre eigenen Designs für ihre Euromünzen entwerfen. Dann wird es noch mehr verschiedene Münzen geben.

emcp.com

(*einheitlich* unified, standardized; *das Mitgliedsland* member country; *die Landeswährung* national currency; *der Euroschein* euro banknote; *die Vorderseite* front side; *das Motiv* motif; *gestalten* to design; *die Prägung* coinage; *kupferfarben* copper-colored; *messingfarben* brass-colored; *zweifarbig* two-colored; *wählen* to select, choose; *die Vergangenheit* past; *die Harfe* harp; *das Wappen* coat of arms; *das Filigran* filigree; *das Siegel* seal; *der Gründer* founder; *die Fruchtbarkeit* fertility; *die Eule* owl; *die Weisheit* wisdom; *der Stier* ox, bull; *darstellen* to portray, to depict)

WB Activity 20

29 Beantworten Sie die Fragen.!

1. Wann wurde der Euro das Geld in vielen Ländern der EU?
2. Welche Euroscheine gibt es?
3. Wie viele Sorten Euromünzen gibt es?
4. Wie sehen die 1-, 2-, und 5- Cent Münzen aus?
5. Welche Seite der Münzen durften die Länder individuell gestalten?
6. Was für Motive haben die Niederlande auf ihren Münzen?
7. Welches Land hat Mozart auf einer Münze?

1. 1. Januar 2002
2. 5, 10, 20, 50, 100, 200, 500
3. 8
4. Sie sind kupferfarben.
5. die Rückseite
6 Königin Beatrix
7. Österreich

30 Informieren Sie sich, welche anderen Länder Mitglied in der EU werden wollen!

31 Finden Sie auf dem Internet die Beschreibung der Münze eines Landes, das Sie besonders interessiert!

Beim Check-in

Das Flugzeug ist auf dem Weg zur Startbahn.

Wörter und Ausdrücke

DEPARTURE AND ARRIVAL AT AIRPORT

die Wartehalle waiting room
die Startbahn runway
der Check-in check-in
die Passkontrolle passport control
die Gepäckausgabe baggage claim
der Zoll customs
der Hubschrauber helicopter

der Gepäckdienst lost and found baggage service
Nichts zu verzollen. Nothing to declare.
ein Formular ausfüllen to fill out a form
Gepäck verloren gehen baggage getting lost

Fair Play mit der Natur

Über den Text

Dieser Text ist eine Mischung aus Infotext und Appell. Das heißt der Text will seine Leser informieren und ihnen sagen, was sie in einer bestimmten Situation tun sollen.

Vor dem Lesen

1. Before you start reading think about the impact sports might have on the environment. Which ones do you think are especially hard on the environment? Make a list of rules for athletes detailing things they should not do to the environment.

2. Since this text is somewhat challenging, start with the part of the text that is most accessible to you. In *Fair Play mit der Natur,* the lists might be a good starting point. On the basis of the lists, make some assumptions about what dangers sports pose to the environment.

Ein Bericht der Föderation der Natur- und Nationalparks Europas

Wie schön, mit einem Drachen durch die Luft zu schweben. Ganz toll, mit einem Kanu über das Wasser zu gleiten oder eine Radwanderung durch den Wald zu machen. Der Sport wird immer wichtiger in unserer freizeitorientierten Gesellschaft. Die Zahlen sprechen eine deutliche Sprache: Fast jeder dritte Bundesbürger treibt regelmäßig Sport. Nicht selten bringt der Sport Konflikte mit Umwelt- und Naturschutz. Und viele neuartige Sportarten wie Mountainbiking, Surfen oder Drachenfliegen können Natur und Landschaft stark beanspruchen.

Auch Mountainbiking kann Natur und Landschaft stark beanspruchen.

Sport ist Mord—so wurde früher oft gesagt, aber inzwischen hat sich die Meinung verändert. Mit zunehmendem Wohlstand und vermehrter Freizeit treiben immer mehr Leute Sport. Das Gesundheitsbewusstsein ist in den letzten Jahren größer geworden. Man denkt mehr an gesündere Ernährung, sorgt sich um das Herz-Kreislauf-System und bewegt sich viel in der frischen Luft. Immer mehr junge, aber auch ältere Menschen werden aktiv. Nur wer über ökologische Auswirkungen seiner Freizeit- und Sportaktivitäten Bescheid weiß, kann sich richtig verhalten.

In den letzten Jahren kamen immer wieder neue Sportarten in Mode: Surfen, Freiklettern, Drachenfliegen, Skateboarding, River-Rafting, Mountainbike-Fahren. Der Kontakt mit der Natur ist bei diesen Sportarten so groß, dass sich falsches Verhalten negativ auswirkt. Sie wissen ja: Die Natur braucht uns Menschen nicht—wir aber die Natur, um unser Leben lebenswert zu erhalten. Pflanzen und Tiere werden es Ihnen danken, wenn Sie umweltbewusst Sport treiben.

Was sind die Gefahren für die Natur und die Umwelt bei verschiedenen Sportarten? Die meisten Probleme haben mit den Pflanzen und mit den Tieren in den Sportgebieten zu tun. Wir geben hier zwei Beispiele:

Immer mehr junge Menschen werden aktiv.

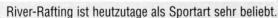

River-Rafting ist heutzutage als Sportart sehr beliebt.

Skisport

Das Problem bei Skisport ist hauptsächlich für Pflanzen. Die Natur brauchte Millionen von Jahren, um zum Beispiel die Alpen mit ihrer unendlichen Tier- und Pflanzenwelt zu formen. Heute ist in weiten Teilen der Gebirgswelt das natürliche Gleichgewicht gestört. Jeder, der seinen Urlaub in den Bergen plant, will dort unberührte Natur erleben und genießen. Aber das wollen Tausende andere auch. Der starke Tourismus in den Bergen führte dazu, dass empfindliche Ökosysteme gefährdet sind. Bergbahnen und Skipisten haben Schneisen in

Der Skisport stört auch die Natur.

gewachsene Natur gepflügt. Viele Touristen lassen ihren Müll einfach liegen. Die Vegetation reagiert ganz empfindlich, wenn sich weitere Störungen einstellen, beispielsweise das Abholzen der Bergwälder, um noch einen Lift oder eine Seilbahn zu bauen. Ohne die Wälder an den Berghängen gelangen die Schnee- und Geröll-Lawinen ungehindert ins Tal. Die Folgen: In den letzten Jahren ist die Lawinengefahr stark gestiegen, das Hochwasser im Frühling, wenn der Schnee schmilzt, ist gewaltiger, und Lebensraum von Pflanzen und Tieren wurde vernichtet. Und wenn Leute Ski laufen, wo kein Weg ist, machen sie oft die zarten Pflanzen und Bäume unter dem Schnee kaputt.

Wo kein Weg ist, machen Skiläufer oft die zarten Pflanzen und Bäume unter dem Schnee kaputt.

Um diese Probleme zu vermeiden, empfehlen wir die folgenden Regeln für Skifahrer:

1. Fahren Sie nur Ski bei geschlossener Schneedecke.
2. Halten Sie sich an markierte Loipen, Pisten oder bezeichnete Routen.
3. Vermeiden Sie Lärm. Die geplagten Tiere danken es Ihnen.
4. Unterlassen Sie Skilaufen bei Dämmerung und in der Nacht. Dann werden die Tiere nicht gestört.
5. Lassen Sie beim Skisport Ihren Hund zu Hause.
6. Nehmen Sie Ihren Müll mit nach Hause.
7. Fahren Sie zum Skisport mit öffentlichen Verkehrsmitteln.

Drachenfliegen

Heißluftballons, Segel- und Drachenfliegen sind beliebte Sportarten für Sportler, die umweltbewusst sein wollen. Es gibt bei diesen Sportarten keine Geruchs- oder Lärmbelästigung und die Leute, die diese Sportarten ausüben, verstehen sich als besonders umweltfreundlich. Aber ihr Sport kann die Tierwelt sehr unglücklich machen.

Mit einem Heißluftballon zu fahren macht viel Spaß.

Beim Drachenfliegen hängt die Umweltfreundlichkeit allein vom Flugverhalten des Piloten ab. Die Tierwelt ist auch dann beunruhigt, wenn dieser „fremde Vogel" geräuschlos durch die Luft gleitet. Das ist für viele Tiere so, als würde sich ein Raubvogel auf sie stürzen, noch dazu ein viel größerer. Für Greif- und Raubvögel sind Drachenflieger Konkurrenz. Die Vögel denken, sie müssten ihre Babys schützen und den

Welche Sportart treiben diese Leute?

fremden Vogel angreifen. Einige Vögel legen gar keine Eier, wenn sie gestört werden. Werden die Tiere auch den Winter über in der Ruhepause gestört, ist eine normale Eierproduktion im Frühling nicht mehr möglich.

Um diese Probleme zu vermeiden, empfehlen wir die folgenden Regeln für Drachenflieger:

1. Fliegen Sie nicht zu niedrig. Lassen Sie genug Abstand vom Boden.
2. Besonders im Frühling und im Sommer sollen Sie Rücksicht auf junge Tiere nehmen.
3. Landen Sie nicht auf ungemähten Wiesen und nicht auf abgeernteten Feldern. Landen Sie nur auf den vorgesehenen Landeplätzen.
4. Bauen Sie Ihren Drachen nicht im hohen Gras zusammen. Sonst zertreten Sie zu viele Pflanzen und können Tiere erschrecken, die dort wohnen.

Wir hoffen, Sie werden sich als sportbegeisterter Umweltschützer oder umweltbewusster Sportler das nächste Mal überlegen, wie Sie Ihren Sport noch umweltgerechter ausüben können. Kein Mensch möchte Ihnen Ihr Freizeitvergnügen nehmen, aber Rücksicht auf Tiere und Pflanzen, auf die erhaltenswerte Natur, kann uns allen schon viel helfen.

Nach dem Lesen

1. Machen Sie eine neue Liste mit Regeln für andere Sportarten, wie zum Beispiel Kanufahren und Mountainbiking.
5. In „Fair Play mit der Natur" wird der Einfluss von Sportarten auf die Natur beschrieben. Welche Konsequenzen haben Sportarten wie Skateboarding, die vor allem in der Stadt getrieben werden? Finden Sie diese Sportarten besser? Warum oder warum nicht?
3. Diskutieren Sie in der Klasse die Vor- und Nachteile dieser und anderer neuer Sportarten. Finden Sie einen Kompromiss zwischen Naturschutz und Fitness!

Endspiel

1. Gehen Sie in die Bibliothek oder benutzen Sie das Internet, um weitere Informationen über Straßburg zu finden! Schreiben Sie eine kurze Beschreibung von dieser Stadt und erklären Sie, wie wichtig Straßburg für Europa ist!

2. Wo wohnen Sie? Beschreiben Sie die Landschaft um Sie herum!

3. Ein Rollenspiel für zwei: Der Gepäckdienst bringt Ihren Koffer, aber es ist nicht der richtige. Die eine Person erklärt, dass es der falsche Koffer ist. Die andere Person entschuldigt sich und versucht mehr Informationen zu bekommen, um den richtigen Koffer zu finden.

4. Entwerfen Sie Ihre eigene Euromünze! Wie sieht sie aus? Machen Sie eine Zeichnung und schreiben Sie darüber, warum Sie dieses Motiv benutzt haben.

5. Stellen Sie sich vor, dass man in zehn Jahren auf dem Mars leben kann. Wie wird das Leben dort sein? Diskutieren Sie darüber!

TP **WB** Activity 21

Für viele bedeutet ein Flughafen viel Stress.

Sieht Ihre Landschaft so aus?

Vokabeln

der **Abgeordnete,-n** delegate *9A*
begeistert von enthusiastic about *9A*

der **Begriff,-e** concept *9B*

der **Bereich,-e** field *9A*
beweisen (*bewies, bewiesen*) to prove *9B*

der **Check-in** check-in (counter) *9B*

darstellen to portray, depict *9B*

der **Drogenhandel** drug traffic *9A*

die **Ebene,-n** plain *9A*
einfallen (*fällt ein, fiel ein, ist eingefallen*) to occur *9A*
einheitlich unified, standardized *9B*
einzig only *9B*

die **Erklärung,-en** explanation *9B*

die **EU (Europäische Union)** European Union *9A*

die **Eule,-n** owl *9B*

der **Europarat** Council of Europe *9A*

der **Euroschein,-e** euro banknote *9B*
evangelisch Protestant *9B*

die **Fabrik,-en** factory *9A*

das **Fernrohr,-e** (primitive) telescope *9B*

das **Filigran,-e** filigree *9B*

der **Flügel,-** wing *9B*

die **Flut,-en** flood, tide *9B*

das **Formular,-e** form *9B*

die **Freiheit** freedom *9B*

der **Frieden** peace *9A*

der **Friedensnobelpreis** Nobel Peace Prize *9A*

die **Fruchtbarkeit** fertility *9B*

das **Gebirge,-** mountains *9A*

die **Gegenreformation** Counter Reformation *9B*

die **Gepäckausgabe** baggage claim *9B*

der **Gepäckdienst** lost and found baggage service *9B*

der **Gerichtshof,-̈e** court *9A*
gestalten to design *9B*

sich **gewöhnen an** to get used to *9B*

der **Gipfel,-** summit, peak *9A*

der **Gründer,-** founder *9B*

die **Gruselgeschichte,-n** spooky story *9A*

die **Harfe,-n** harp *9B*

das **Hin und Her** back and forth *9A*

die **Hitze** heat *9A*

der **Hubschrauber,-** helicopter *9B*

der **Kaiserliche Hofmathematiker** imperial court mathematician *9B*

das **Klima,-s** climate *9A*

das **Kulturgut,-̈er** cultural heritage *9A*
kupferfarben copper-colored *9B*

die **Küste,-n** coast *9A*

die **Landeswährung,-en** national currency *9B*

die **Lawine,-n** avalanche *9A*
lebenslang lifelong *9A*

die **Liebesgeschichte,-n** love story *9A*

das **Menschenrecht,-e** human right *9A*
messingfarben brass-colored *9B*

das **Mitgliedsland,-̈er** member country *9B*

der **Mond,-e** moon *9B*

das **Moor,-e** swamp *9A*

das **Motiv,-e** motif *9B*
neugierig curious *9A*

die **Notiz,-en** note *9A*

der **Oberrhein** Upper Rhine *9A*

die **Orgel,-n** organ [musical instrument]) *9A*

der **Ozon** ozone *9A*

die **Passkontrolle,-n** passport control *9B*

die **Planetenbahn,-en** planetary orbit *9B*

die **Prägung,-en** coinage *9B*

die **Pyrenäen** Pyrenees (mountain chain between France and Spain) *9A*

der **Regen** rain *9A*

das **Siegel,-** seal *9B*

der **Sitz,-e** seat *9A*

der **Sonnenfleck,-en** sunspot *9B*

die **Startbahn,-en** runway *9B*

der **Stier,-e** ox, bull *9B*

der **Sumpf,-̈e** marsh, swamp *9A*

das **Tal,-̈er** valley *9A*

das **Treffen,-** meeting *9A*

die **Überschwemmung,-en** flood(ing) *9A*

die **Übersetzerin,-nen** translator *9A*
umtauschen to exchange *9A*
v. Chr. (vor Christus) B.C. *9A*
verantwortlich für responsible for *9A*

die **Verbreitung,-en** spreading, dissemination *9A*

die **Vergangenheit** past *9B*
verhindern to prevent *9A*
verloren gehen to get lost *9B*
veröffentlichen to publish *9B*

sich **verständigen** to make oneself understood, communicate *9A*

der **Verwandte,-n** relative *9A*
verzollen to pay duty; *nichts zu verzollen* nothing to declare *9B*

die **Vorderseite,-n** front side *9B*
wählen to select, choose *9B*

das **Waldsterben** dying out of forests *9A*

das **Wappen,-** coat of arms *9B*

die **Wartehalle,-n** waiting room *9B*

die **Weisheit** wisdom *9B*

das **Werk,-e** work *9A*

die **Wolke,-n** cloud *9B*

die **Wüste,-n** desert *9A*
zeichnen to draw, sketch *9B*

der **Zoll** customs *9B*
zweifarbig two-colored *9B*

Gegen Vertreibung! Die Straße gehört allen!

Übergriffe bitte melden unter Düsseldorf: 92 16 284

Duisburg: 35 01 80

Ludwigshafenerstraße 33 d 40226 Düsseldorf

fiftyfifty
Das Straßenmagazin

In this chapter you will learn how to:
- discuss an election and a campaign
- describe social issues
- express opinions about relationships
- discuss contemporary technologies
- compare cultural trends over time

KAPITEL 10

Beziehungen

WB Activity 1

Kapitel 10

1 Welche Wörter passen zu welchem Thema?

die Debatte	der Wahlzettel	der Wahlsieg
der Sieg	das Wahllokal	die Debatte
wählen	der Gewinner	debattieren
Fragen beantworten	sich entscheiden	gewinnen
sich vorbereiten	ausfüllen	diskutieren
reden	das Plakat	aussuchen

die Debatte: Fragen beantworten, reden, debattieren, diskutieren, sich vorbereiten
der Wahlzettel: wählen, das Wahllokal, ausfüllen, aussuchen
der Wahlsieg: der Sieg, der Gewinner, gewinnen

Die Wahl des Schulsprechers

CD Track 2

Wen will Christoph wählen?

Was hält Andrea von den Kandidaten?

Christoph und Andrea unterhalten sich über die Schulsprecherwahl.

Christoph und Andrea unterhalten sich über die Kandidaten für die Schulsprecherwahl am nächsten Tag.

Christoph: Andrea, hast du dich schon entschieden, wen du morgen wählen willst?

Andrea: Nein, ich mag eigentlich keinen der drei Kandidaten.

Christoph: Auch Thomas Luhn nicht?

Andrea: Nein, den finde ich einfach zu langweilig. Er hat keine guten Ideen und seine Wahlplakate finde ich wirklich zu dumm. Oder gefällt dir der Slogan: „Wählt mich, weil ich ich bin"?

Christoph: Da hast du Recht, kreativ ist das sicher nicht. Ich mag eigentlich Lucas Schöneck ganz gern. Der hat gute Ideen und macht auch immer etwas. Erinnerst du dich an die Demonstration für eine längere Klassenreise nach Berlin, die er letztes Jahr organisiert hat? Ich finde, da hat er gezeigt, dass er was für die Schüler und Schülerinnen tun will und konstruktive Lösungen hat.

Andrea: Aber in der Diskussion mit den anderen Kandidaten hat er nicht so gut abgeschnitten. Er ist ein bisschen schüchtern. Thomas und auch Bernd waren besser. Thomas war lustiger und Bernd kann gut diskutieren; auch wenn er keine so guten Ideen hat, kann er andere doch gut überzeugen.

Christoph: Ich denke, ich bleibe bei Lucas. Er hat am meisten Potential. Und wenn ich ihn wähle, dann ist er schon eine Stimme näher an einem Wahlsieg.

Andrea: Für was will er sich denn einsetzen?

Christoph: Für Nachhilfestunden für Schüler und Schülerinnen, die sich privat keine leisten können, für mehr Mitbestimmung der Schüler, wenn es um Sachen wie Klassenfahrten und Ausflüge geht und er will auch eine Anlaufstelle für Schüler und Schülerinnen haben, wo sie hingehen können, wenn sie Probleme mit anderen Schülern und Schülerinnen oder auch mit Lehrern und Lehrerinnen haben. Und er will sich auch um mehr Parkplätze für Fahrräder kümmern.

Andrea: Nicht schlecht. Für was ist denn Bernd?

Christoph: Ich kann mich nicht so genau erinnern. Aber er hat viel über das Essen und Trinken gesprochen, das wir in der Pause kaufen können.

Andrea: Klug. Er will seinen Wahlkampf also über den Magen gewinnen. Aber ich glaube, ich stimme wie du für Lucas. Wann ist die Wahl denn?

Christoph: Um zehn Uhr morgen Vormittag kannst du deinen Wahlzettel ausfüllen.

Andrea: Bis dann!

Christoph: Tschüs!

WB Activity 2

Worüber sprechen Christoph und Andrea?

Kapitel 10

2 Was fehlt hier?

1. Andrea und Christoph unterhalten sich über die Kandidaten für die ___.

2. Andrea mag keinen der drei ___.

3. Thomas Luhns ___ findet Andrea dumm.

4. Lucas hat letztes Jahr eine ___ organisiert.

5. Alle drei Kandidaten haben an einer ___ teilgenommen.

6. Lucas will eine ___ für Schüler und Schülerinnen mit Problemen haben.

7. ___ sind ein wichtiges Thema in Bernds Wahlkampf.

8. Andrea will wissen, wann die ___ ist.

1. Schulsprecherwahl
2. Kandidaten
3. Slogan
4. Demonstration
5. Diskussion
6. Anlaufstelle
7. Essen und Trinken
8. Wahl

Seit ungefähr drei Jahren hat Andreas kein Zuhause mehr.

Allerlei   CD Track 3

Soziale Aktionen

Warum engagieren sich° manche Leute politisch? Warum arbeiten sie daran, etwas an ihrer Umwelt zu verändern? Was motiviert solche Menschen? Viele Leute fühlen sich verantwortlich dafür, was um sie passiert. Andere kennen jemanden, der mit einem Problem zu tun hat oder sie haben selbst dieses Problem. Und da ihnen sonst niemand hilft, helfen sie sich selbst.

Zu dieser letzten Gruppe gehört Andreas. Er ist ein junger Mann, der in Köln auf der Straße lebt. Er ist heute 20 Jahre alt und hat seit ungefähr drei Jahren kein Zuhause° mehr. Als er 17 war, lief er von zu Hause weg. Er hatte mit seiner Familie in einem kleinen Dorf in der Nähe von Köln gelebt, bis sich seine Mutter und sein Vater hatten scheiden lassen°. Mit dem neuen Freund der Mutter hatte Andreas immer Streit. Da hielt er es dann nicht mehr aus° und lief weg. Bald hatte er kein Geld mehr und musste seine wenigen Sachen verkaufen. Deshalb musste er dann Leute auf der Straße

Manfred gründete eine Zeitung über Obdachlose.

um Geld bitten, wenn er essen wollte. Das war sehr schwer für ihn. Am schlimmsten aber war, dass er allein war. Er fühlte sich mit seinen Problemen isoliert, weil er niemanden hatte, dem er vertrauen konnte. Bis er dann Manfred, 30 Jahre, kennen lernte. Manfred war auch obdachlos°, aber im Unterschied zu Andreas hatte er sich ein soziales Netz von Leuten schaffen können.

Manfred wollte aber auch etwas für Obdachlose° unternehmen. Deshalb gründete er die Zeitung „fiftyfifty". Das ist eine Zeitung, die von Obdachlosen über Obdachlose gemacht wird. Sie soll helfen, dass andere Leute von den Anliegen° dieser sozialen Gruppe erfahren. Außerdem gibt es in der Zeitung praktische Tipps für Obdachlose. Zum Beispiel waren in der letzten Zeitung Werbungen°, wo man sehr preiswert Kleidung einkaufen kann. Manchmal steht darin, wo es kostenloses Essen gibt. Die Zeitung macht auch größere Aktionen, um Geld für Obdachlose zu bekommen. Man kann Bücher oder Kalender zum Thema Obdachlose kaufen.

Andreas sagt, dass sein Leben jetzt anders ist, nachdem Manfred ihm die Telefonnummer von „fiftyfifty" gegeben hat. Seit dieser Zeit holt er jeden Monat seine Zeitungen ab und verkauft sie auf der Straße. Andreas verdient mit der Zeitung Geld, weil die Hälfte° des Preises ihm gehört. Durch seine Arbeit für die Zeitung hat er aber auch Leute kennen gelernt, die die gleichen Probleme haben wie er und er kann mit Leuten diskutieren, die sich für seine Situation interessieren. Es gefällt ihm, dass er wieder irgendwo dazu gehört. Manchmal denkt er, dass „fiftyfifty" sein neues Zuhause ist. Er möchte, dass Obdachlose nicht einfach als Schmarotzer° gesehen werden, die nicht arbeiten wollen. Deshalb sollen sich die Leute durch „fiftyfifty" besser über das Leben von Obdachlosen informieren können. Er denkt, dass „fiftyfifty" so wichtig ist wie das Geld, das die Obdachlosen bekommen. Mit dieser Zeitung können er und seine Freunde auf die Meinung der Leute Einfluss haben.

(*sich engagieren* to engage, be active; *das Zuhause* home; *sich scheiden lassen* to get a divorce; *aushalten* to tolerate; *obdachlos* homeless; *der Obdachlose* homeless [person]; *das Anliegen* concern; *die Werbung* advertising; *die Hälfte* half; *der Schmarotzer* parasite)

WB Activity 3

┐ Setzen Sie die Sätze in die richtige Reihenfolge!
3
___ 1. Andreas verkauft Zeitungen.

___ 2. Andreas lebt in der Nähe von Köln.

___ 3. Andreas läuft von zu Hause weg.

___ 4. Andreas verkauft seine Sachen.

___ 5. Andreas streitet sich mit dem Freund der Mutter.

___ 6. Andreas' Eltern lassen sich scheiden.

___ 7. Andreas bekommt von Manfred die Telefonnummer von „fiftyfifty".

___ 8. Andreas ist glücklich, dass er für „fiftyfifty" arbeitet.

___ 9. Andreas fühlt sich isoliert.

___ 10. Andreas lernt Manfred kennen.   1i, 2a, 3d, 4e, 5c, 6b, 7h, 8j, 9f, 10g

4 Beantworten Sie die Fragen!

1. Wie alt ist Andreas?
2. Wie alt war Andreas, als er von zu Hause weglief?
3. Was tat Andreas, als er kein Geld mehr hatte?
4. Was war für Andreas am schlimmsten, als er auf der Straße lebte?
5. Warum gründete Manfred „fiftyfifty"?
6. Wie verdient Andreas Geld, seit er für „fiftyfifty" arbeitet?
7. Wo verkauft Andreas die Zeitung?
8. Was ist „fiftyfifty" für Andreas?

1. 20 Jahre.
2. 17 Jahre.
3. Er verkaufte seine Sachen und bat andere Leute um Geld.
4. Dass er sich isoliert fühlte.
5. Weil er etwas für die Obdachlosen tun wollte.
6. Er bekommt die Hälfte des Preises.
7. Auf der Straße.
8. Sein neues Zuhause.

Viele Obdachlose wollen von anderen Menschen akzeptiert werden.

SPRACHE

Past Perfect

When you want to indicate that a past event is further back in time than another past event, you use the past perfect. Past perfect provides a way to sequence events in the past.

The past perfect looks very much like the present perfect, except that you use the narrative past of *haben (hatte)* or *sein (war)*. You will also need the past participle of the main verb.

Weil wir schon im November ein Haus in Stralsund gekauft hatten, konnten wir im Dezember nach Deutschland umziehen. Because we had already bought a house in Stralsund in November, we could move to Germany in December.

Bevor wir das teuerste Fahrrad kauften, hatten wir mehrere ausprobiert.
Before we bought the most expensive bicycle, we had tried out several.

Nachdem wir telefoniert hatten, trafen wir uns um sieben in der Stadt.
After we had talked on the phone, we met downtown at seven.

Because past perfect is used to sequence events, you cannot use this tense alone. The past perfect is generally used together with the narrative past.

Obdachlose gewinnen wieder Kontakt zu anderen Menschen.

WB Activities 4–5

1. ...aber ich hatte schon wieder meinen Namen nicht darauf geschrieben.
2. ...nachdem sie es gewogen hatte.
3. ...hatte ich eine Zeitschrift gekauft.
4. ...nachdem ich zum Flugsteig gegangen war.
5. ...sobald die Flugbegleiter alles vorbereitet hatten.
6. ...nachdem wir gegessen hatten.
7. ...weil die Winde sehr gut gewesen waren.
8. ...aber sie hatten meinen Koffer verloren.
9. ...hatte ich lange bei der Gepäckausgabe gewartet.
10. ...dass man ihn in eine andere Stadt geschickt hatte.

5 *Mein Koffer ist verloren gegangen!* Ergänzen Sie die Sätze!

▶ Ich kaufte einen neuen Koffer, nachdem / mein alter Koffer / verloren gehen
Ich kaufte einen neuen Koffer, nachdem mein alter Koffer verloren gegangen war.

1. Ich stand am Schalter und gab mein Gepäck ab, aber / ich / schon wieder / meinen Namen / nicht darauf schreiben
2. Die Angestellte nahm mein Gepäck, nachdem / sie / es / wiegen
3. Bevor ich zum Flugsteig ging, ich / eine Zeitschrift / kaufen
4. Ich wartete noch eine halbe Stunde, nachdem / ich / zum Flugsteig / gehen
5. Wir stiegen ins Flugzeug, sobald / die Flugbegleiter / alles / vorbereiten
6. Wir sahen einen Film, nachdem / wir / essen
7. Wir landeten schon um 13 Uhr, weil / die Winde / sehr gut / sein
8. Ich wollte mein Gepäck abholen, aber / sie / meinen Koffer / verlieren
9. Bevor ich zum Gepäckdienst ging, ich / lange bei der Gepäckausgabe / warten
10. Beim Gepäckdienst sagte man mir, dass / man / ihn / in eine andere Stadt / schicken

Die meisten Leute, die mit dem Zug fahren, tragen ihr eigenes Gepäck. Dann geht es nicht verloren.

6 *Warum sah Marianne so traurig aus?* Benutzen Sie die Ideen, um zu erklären, was Marianne für Erfahrungen gemacht hat!

▶ Warum sah Marianne nervös aus?
Sie sah nervös aus, weil sie ihre Hausaufgaben zu Hause vergessen hatte.

die Matheprüfung bestehen
gestern Hausaufgaben nicht machen
ihr Freund sie zu einer Party einladen

sehr spät ins Bett gehen
einen schönen Tag haben
Streit mit ihrem Freund haben

1. Warum sah Marianne so traurig aus?
2. Warum sah Marianne zwei Stunden später so glücklich aus?
3. Warum sah Marianne am nächsten Morgen so müde aus?
4. Warum sah Marianne in der Schule unglücklich aus?
5. Warum sah Marianne nach der Schule froh aus?
6. Warum sah Marianne am Abend so zufrieden aus?

1. Sie sah so traurig aus, weil sie Streit mit ihrem Freund gehabt hatte.
2. Sie sah zwei Stunden später so glücklich aus, weil ihr Freund sie zu einer Party eingeladen hatte.
3. Sie sah am nächsten Morgen so müde aus, weil sie sehr spät ins Bett gegangen war.
4. Sie sah in der Schule unglücklich aus, weil sie gestern ihre Hausaufgaben nicht gemacht hatte.
5. Sie sah nach der Schule froh aus, weil sie die Matheprüfung bestanden hatte.
6. Sie sah am Abend so zufrieden aus, weil sie einen schönen Tag gehabt hatte.

7 *Was musste zuerst passieren?* Schreiben Sie, was passiert war, bevor das andere passieren konnte.

➤ Wir fuhren weg.
Wir waren ins Auto gestiegen.

➤ Heinz fuhr auf seinem Skateboard.
Er war vorher darauf gestiegen.

1. Wir gingen ins Theater.
2. Laura spielte am Computer.
3. Maximilian und Vanessa trafen sich an der Pommesbude.
4. Lukas kaufte ein Skateboard.
5. Sarah besuchte Daniel.
6. Tobias räumte sein Zimmer auf.
7. Lisa verbat Dominik, sie anzurufen.
8. Felix schrieb seinen Namen auf seinen Koffer.

1. Wir hatten vorher im Restaurant gegessen.
2. Sie hatte ihre Hausaufgaben gemacht.
3. Sie hatten vorher miteinander telefoniert.
4. Er hatte die Skateboards von seinen Freunden schon ausprobiert.
5. Sie hatte ihm ein Geschenk gekauft.
6. Seine Mutter hatte die Fenster sauber gemacht.
7. Sie hatten sich gestritten.
8. Er hatte ihn schon ein paar Mal verloren.

Laura spielte
am Computer.

CD Track 5

Länder, Kantone und Provinzen

Die UNESCO Welterbestätten° in Deutschland

Ob die Pyramiden in Ägypten, die Ruinen der Akropolis in Athen, die Altstadt von Bamberg, der Tower von London oder der kanadische Nationalpark Wood Buffalo—solche Kulturleistungen° und Naturphänomene sind einzigartig° und sollten geschützt werden. Das meint die UNESCO (United Nations Educational Scientific and Cultural Organization = Organisation der Vereinten Nationen für Erziehung, Wissenschaft und Kultur). Deshalb will sie diese Sachen, die einen „außergewöhnlich universellen Wert°" haben, erhalten und schützen. Seit der „Konvention zum Schutz des kulturellen und natürlichen Erbes° der Welt" im Jahr 1972 führt die UNESCO deshalb die Welterbeliste° mit wichtigen Plätzen und Naturlandschaften in der ganzen Welt.

Im Jahr 2002 hatte Deutschland 27 Stätten° auf der Welterbeliste. Die meisten sind Kulturerbestätten°, weil es in Deutschland viele historisch wichtige Stätten gibt. Viele dieser Orte kennen Sie schon aus diesem Buch: den Dom in Aachen, den Dom in Speyer, die Porta Nigra in Trier, den Dom in Köln, die Stadt Quedlinburg im Harz und die Innenstadt der Hansestadt Lübeck.

<TN>

Dom in Speyer

Köln und der Dom

Quedlinburg

Hildesheim mit
dem Dom im
Hintergrund

Es gibt noch viele andere, wie zum
Beispiel die Altstadt von Bamberg, den
Dom in Hildesheim, „Die Wies" Kirche
in Bayern, die Würzburger Residenz
und die Gärten und Parks von
Sanssouci in Berlin. Diese Plätze und
Gebäude kamen auf die Liste, weil sie
in der Architektur, der Kunst oder der

Würzburger Residenz (Schloss Marienberg)

Technik besonders wichtig sind. Andere, wie zum Beispiel das Haus von Martin
Luther, spielten eine große Rolle in der Entwicklung° von Ideen. Und dann gibt
es auch noch andere Stätten, wie zum Beispiel die Fossiliengrube° in Messel, die
zu der Gruppe der Naturdenkmäler gehören.

(*die Welterbestätte* World Heritage site; *die Kulturleistung* cultural accomplishment; *einzigartig* unique;
der außergewöhnlich universelle Wert exceptional universal value; *das Erbe* heritage; *die Welterbeliste*
World Heritage list; *die Stätte* place, site; *die Kulturerbestätte* cultural heritage site; *die Entwicklung*
development; *die Fossiliengrube* fossil pit)

8 *Richtig oder falsch?* **Wenn falsch, verbessern Sie den falschen Teil!**

1. UNESCO meint, dass man Kulturleistungen und Naturphänomene schützen soll.
2. „Die Konvention zum Schutz des kulturellen und natürlichen Erbes der Welt" gibt es seit dem Jahr 1987.
3. 2002 gab es in Deutschland 27 Stätten auf der Liste.
4. Deutschland hat mehr Naturdenkmäler als Kulturerbestätten.
5. Eine Stätte muss in der Naturwissenschaft besonders wichtig sein, um auf die Liste zu kommen.

1. richtig
2. falsch / Die Konvention war im Jahr 1972.
3. richtig
4. falsch / Deutschland hat mehr Kulturerbestätten.
5. falsch / Eine Stätte muss in Architektur, Kunst oder Technik besonders wichtig sein, um auf die Liste zu kommen.

CD Track 7

Weil es so viele verschiedene Stätten in Deutschland gibt, können wir nur eine kleine Auswahl anbieten. Hier wird etwas aus dem Mittelalter, etwas aus der Natur, etwas aus der Architektur und Kunst und etwas aus der Welt der Technik vorgestellt.

Maulbronn (kam 1993 auf die Liste der Kulturdenkmäler): Dieses Kloster in der Nähe von Karlsruhe wurde in die Welterbeliste aufgenommen, weil es das besterhaltenste° mittelalterliche Kloster nördlich der Alpen ist. Elsässer Mönche hatten das Kloster im Jahr 1147 gegründet. Sie blieben 390 Jahre dort. Im Jahr 1556 machte man aus dem Gebäude eine Internatsschule°, wo der junge Astronom Johannes Kepler, der romantische Dichter Friedrich Hölderlin und der Schriftsteller Hermann Hesse lernten.

Fossiliengrube Messel (kam 1995 auf die Liste der Naturdenkmäler): In einer Grube° nicht weit von Darmstadt sind Fossilien, die über 49 Millionen Jahre alt sind. Die Fossilien sind aus dem Zeitalter des Eozäns° (vor 57 bis 36 Millionen Jahren), als sich die Säugetiere° entwickelten. Es gibt keine andere Stelle in der ganzen Welt mit so vielen einzigartigen Entdeckungen wie hier. Eine der interessantesten Entdeckungen aus der Grube ist ein Ameisenbär°. Das ist etwas ganz Besonderes, denn Ameisenbären gibt es heute nicht mehr in Europa. Jetzt fragen die Wissenschaftler: Gab es etwa noch vor 50 Millionen Jahren eine Verbindung zwischen Südamerika und Afrika? Die Grube in Messel ist auch ein gutes Beispiel dafür, wie wichtig die Welterbe-Aktion der UNESCO ist — Wissenschaftler erkannten die große Bedeutung° der Grube, aber anstatt den Ort zu schützen und zu erhalten, wollte die Stadtregierung aus der Grube einen Müllberg° machen! 1990 stoppten Bürger den Plan. Seit 20 Jahren arbeiten Wissenschaftler in der Grube und finden immer wieder wichtige Fossilien.

Das Bauhaus wurde in Dessau nach Plänen von Walter Gropius gebaut.

In Weimar gibt's nicht nur die Bauhausstätte, sondern auch das Nationaltheater mit dem Goethe-Schiller Denkmal.

Die historische Stadt Goslar gehört auch zu den UNESCO Welterbestätten.

Bauhausstätten° in Weimar und Dessau (kamen 1996 auf die Liste der Kulturdenkmäler): Das Bauhaus war eine Schule für Kunst und Architektur, die sehr innovativ war. 1925/26 wurde in Dessau das Bauhausgebäude nach Plänen des bekannten Architekten Walter Gropius gebaut. Danach wurde die Schule berühmt wegen der vielen wichtigen internationalen Künstler und Maler, die dort zusammenarbeiteten, wie Paul Klee, Wassily Kandinsky, Lyonel Feininger, Oskar Schlemmer und Laszlo Moholy-Nagy. Architekten und Künstler aus dem Bauhaus begannen die „Moderne Bewegung" und spielten dadurch eine große Rolle in der Entwicklung der Kunst und Architektur im 20. Jahrhundert.

Erzbergwerk° Rammelsberg und die Stadt Goslar (kamen 1992 auf die Liste der Kulturdenkmäler): Der Rammelsberg, eines der wichtigsten Erzbergwerke der Welt, hat die deutsche Geschichte stark beeinflusst. Hier hatte man vor tausend Jahren viel Silber gefunden. Das brachte wirtschaftliche und politische Macht. Es führte dazu, dass Goslar Kaiserstadt wurde. Über tausend Jahre existierte der Bergbau°, der hier auf die Wirtschaft und die soziale Entwicklung Goslars und der Region einen großen Einfluss hatte. Das Erzbergwerk Rammelsberg ist der erste technische Ort in Deutschland, der auf die Welterbeliste kam. Die UNESCO sagte, es ist ein „Meisterstück menschlichen Erfindungsgeistes°," ein Denkmal der Arbeit, Technik und Industrie.

Deutschland hat viele andere Stätten auf der Liste und es werden immer mehr. Jedes Jahr gibt es weltweit° viele Bewerbungen für diese Liste, denn viele Länder wollen ihre Kultur- und Naturdenkmäler schützen und erhalten.

(*besterhalten* best-preserved; *die Internatsschule* boarding school; *die Grube* pit; *das Eozän* Eocene period; *das Säugetier* mammal; *der Ameisenbär* anteater; *die Bedeutung* significance, meaning; *der Müllberg* garbage dump; *die Bauhausstätte* site of the *Bauhaus*; *das Erzbergwerk* ore mine; *der Bergbau* mining; *der Erfindungsgeist* ingenuity; *weltweit* worldwide)

WB Activities 6–7

9   *Wovon ist hier die Rede?* Das ist der Ort...

1. der eine Kaiserstadt war.
2. der in der Nähe von Darmstadt ist.
3. der in der Nähe von Karlsruhe ist.
4. wo es ein Gebäude von Walter Gropius gibt.
5. wo Kepler in die Schule ging.
6. wo man einen Müllberg haben wollte.
7. wo man Silber entdeckt hatte.
8. wo viele wichtige Maler, Künstler und Architekten des 19. und 20. Jahrhunderts arbeiteten.

1. Goslar
2. Fossiliengrube Messel
3. Maulbronn
4. Dessau
5. Maulbronn
6. Fossiliengrube Messel
7. Rammelsberg
8. Bauhausstätten Weimar und Dessau

CD Track 8

10   *Was meinen Sie?* Welche anderen Stätten in Deutschland, Österreich oder der Schweiz würden Sie für die Liste vorschlagen? Warum?

Wörter *und* A u s d r ü c k e

TALKING ABOUT CAMPAIGNING AND RELATED ISSUES

die Wahl election
der Wahlzettel ballot
der Wahlkampf election campaign
das Wahlplakat campaign poster
das Wahllokal polling station
der Wahlsieg election victory
das Wahlprogramm election platform
die Wahlurne ballot box
der Slogan slogan
der Kandidat candidate
die Debatte debate
die Stimme voice, vote
der Schulsprecher student representative
die Schulsprecherwahl election for student representative
die Mitbestimmung codetermination
die Anlaufstelle counseling center
wählen to elect, vote
kandidieren to run (for office)
debattieren to debate
sich engagieren to engage, be active
sich leisten können to be able to afford

Keine Ahnung. I haven't the faintest idea.
Ich finde das dumm. I think it's dumb.
Er hat nicht gut abgeschnitten. He didn't do well.
Er ist schüchtern. He is shy.
Für was will er sich einsetzen? What is he advocating?

Die Schüler sind nicht schüchtern, denn sie machen alle mit.

LEKTION B

Zwischenmenschliches

FAMILIE

Eltern
Geschwister: Bruder, Schwester
Verwandte: Tante, Onkel
Großeltern: Oma, Opa

lieben
sorgen für
aufpassen auf
verantwortlich für

FREUNDE/FEINDE*

Bekannte
Schulfreunde
Freund/ Freundin
Freundschaft*/ romantische Liebe
bester Freund

sich verstehen
diskutieren
sich kennen
erzählen
sich vertrauen

Beziehungen

GLEICHGESINNTE*

soziales/politisches Engagement*
Hobbys
Interessen
Meinungen

sich verstehen
sich engagieren

ARBEITSKOLLEGEN

Boss/Chef
Mitarbeiter*
Kollege

verlässlich*
verantwortlich für
pünktlich
fleißig*

11 *Raten Sie!* Ein paar Wörter (mit * auf Seite 340) kennen Sie noch nicht. Hier sind ihre Bedeutungen. Können Sie raten, welche Definition zu welchem Wort gehört?

1. Feinde
2. Freundschaft
3. Mitarbeiter
4. verlässlich
5. fleißig
6. Gleichgesinnte
7. soziales/politisches Engagement

1. Personen, die gegen andere kämpfen.
2. Die Beziehung zu einem Freund oder einer Freundin.
3. Eine Person, mit dem man zusammenarbeitet.
4. Man kann dieser Person vertrauen, dass sie ihre Arbeit tut.
5. Wenn man gern, gut und viel arbeitet.
6. Personen, die die gleichen Interessen haben oder ähnlich denken.
7. Wenn man etwas für seine Umgebung oder seine Umwelt tut. Wenn man die Welt besser machen will.

12 **Ergänzen Sie jeden Satz mit einem Wort, das sinnvoll ist!**

1. Chef
2. Freunde
3. Bekannte
4. Kollegen
5. Interessen
6. Verwandte
7. Gleichgesinnte
8. Beziehung

Beziehung	Bekannte	Freunde	Gleichgesinnte
Kollegen	Interessen	Verwandte	Chef

1. Herr Wolter leitet die Firma. Er ist der ___.
2. Rainer kennt Maria schon lange und sie machen viel zusammen. Sie sind gute ___.
3. Hans kennt Regina nicht so gut. Sie ist eine ___.
4. Du arbeitest in einer großen Firma und hast viele ___.
5. Als Teenager hatte ich viele ___, z.B. Sport, Schach spielen und Briefmarken sammeln.
6. Zu Weihnachten kommt immer die ganze Familie zusammen. Ich habe sehr viele ___.
7. Hans arbeitet für Greenpeace. Viele ___ arbeiten mit ihm.
8. Sie mögen sich. Sie haben eine gute ___.

13 *Schreiben Sie etwas über Ihre Familie, Freunde oder Verwandte!* Benutzen Sie in Ihrer Beschreibung Vokabeln, die Sie gelernt haben! Ihre Beschreibung sollte auch Ihre Beziehungen zu den verschiedenen Personen erklären.

Welche Beziehung hat Christoph zu Petra?

Lektion B

Meine Freunde im Internet

Was für einen Chat?

Was machen Renate und Karsten im
Internet-Café?

Es heißt „Mensch
ärgere dich nicht!"

Renate und Karsten sitzen im Internet-Café und besprechen ihre Erfahrungen in
der virtuellen Welt.

Renate: Du Karsten, ich muss dir von dem neuen Chat erzählen, den ich
diese Woche entdeckt habe.

Karsten: Was für einen?

Renate: Es heißt „Mensch, ärgere dich nicht!" und alle Teilnehmer
erzählen von ihren zwischenmenschlichen Problemen. Wir
schreiben über gute und kaputte Beziehungen. Klingt vielleicht
doof, aber es sind viele Gleichgesinnte dabei. Wir alle ärgern uns
über andere in unserer Klasse, oder über Arbeitskollegen, oder
über Familie und Freunde.

Karsten: Warum ärgert ihr euch? Und warum redest du lieber mit
virtuellen Freunden im Chat, anstatt mit den echten Menschen,
über die du dich ärgerst?

Renate: Verstehst du nicht, dass es manchmal viel besser ist, wenn man
sich nicht kennt? Da ist man viel freier und kann seine Meinung
sagen, ohne sich sofort doof zu fühlen. Manchmal kann ich nicht
einmal mit meiner besten Freundin über meine Probleme mit
Bekannten und Schulfreunden reden.

Karsten: Ja, das Problem kenne ich schon. Ich habe einmal meinem besten Freund von meiner großen Liebe erzählt und es kam dabei heraus, dass er auch in das Mädchen verknallt war! Das war eine dumme Situation.

Renate: Na, siehst du! Das kann im Chat nicht passieren, denn keiner kennt deine große Liebe und dein bester Freund ist wahrscheinlich nicht zur gleichen Zeit im gleichen Chatraum. Im Chat kann man sich vertrauen und vieles erzählen, weil man anonym ist—keiner weiß, wer hinter einem online Namen steckt.

Karsten: Stimmt. Das hat bestimmt Vorteile, aber ich bin für echte, nicht virtuelle, Freunde und Bekannte, mit denen man über seine Interessen und Hobbys sprechen kann.

Renate: Du bist so altmodisch! Ich diskutiere meine Interessen und Hobbys mit den Gleichgesinnten im Internet: wir interessieren uns für Computer, das Internet und Beziehungen! Wir sagen unsere Meinungen ganz offen. Was will man mehr?

Karsten Ich gebe es auf. Das nächste Mal, wenn ich mit dir reden will, logge ich ein und rede mit dir im Chatraum. Dann nimmst du mich vielleicht ernst.

Renate: Das kann dauern!

WB Activity 10

Was meint Renate, was man alles im Chatraum machen kann?

14 ***Ergänzen Sie diese Sätze!* Schreiben Sie alle Wörter groß. Wenn Sie fertig sind, bilden die Anfangsbuchstaben ein englisches Wort aus dem Text.**

1. Renate hat einen neuen ___ entdeckt.
2. Der neue Chat ___ „Mensch, ärgere dich nicht."
3. Manche in dem Chat ärgern sich über Klassenkameraden oder ___, Familie und Freunde.
4. Alle ___ im Chat erzählen von ihren zwischenmenschlichen Problemen.
5. ___ ist vom Chat begeistert.
6. Weil man im Chat anonym ist, weiß keiner, wer hinter einem ___ steckt.
7. Man kann im Chat seine Meinung sagen, ___ sich doof zu fühlen.
8. Karsten und sein Freund waren in das gleiche ___ verknallt.

1. **C**HAT
2. **H**EISST
3. **A**RBEITSKOLLEGEN
4. **T**EILNEHMER
5. **R**ENATE
6. **O**NLINE NAMEN
7. **O**HNE
8. **M**ÄDCHEN

Von einem Ort zum andern

Das Internet

Wer kennt es noch nicht, das Internet? Es ist das neuste und weitreichendste°
Informationsmedium dieses Jahrhunderts. Ganz anderes als mit der Bahn oder
mit dem Auto rast man auf der Datenautobahn von einem Ort zum andern.
Durch das Internet kann man zu Orten, die man sonst im Leben nie erreicht°
hätte. Und man kann sich mit Leuten unterhalten, die in den entferntesten Ecken
der Welt sitzen. Mitte 1996 benutzten ungefähr 50 Millionen Menschen weltweit
das Internet. Im Jahr 2003 waren es 650 Millionen.

Das Internet ist dafür verantwortlich, dass sich ein ganz neues Vokabular
entwickelt hat. Viele der Wörter kommen aus der englischen Sprache, wie diese
Liste zeigt:

Browser: Computerprogramme, die den Zugang zum World Wide Web
(WWW) ermöglichen

Chat: nettes Gespräch mit anderen Internet-Teilnehmern

E-Mail: Abkürzung für *Electronic Mail* (elektronische Post), die zwischen
einzelnen Computern verschickt werden kann, die über ein Netzwerk
(z.B. das Internet) verbunden sind. Notwendig ist eine E-Mail-Adresse.

File: Computerdatei

Intranet: Ein mit Hilfe der Internet-Technologie aufgebautes internes
Netzwerk, z.B. in Firmen

MUD: Abkürzung für *Multi User Dungeon*, ein textbasiertes Online-Rollen-
und Abenteuerspiel

Netiquette: Benimmregeln im Internet

Server: Rechner, auf dessen Dateien andere Computer zurückgreifen
können

World Wide Web (WWW): Dienst, der mit einem benutzerfreundlichen
Bildschirmaufbau die Nutzung des Internets erleichtert

Für viele Leute macht das Internet es möglich, sich mit anderen Leuten zu
unterhalten. Alex Gsell, zum Beispiel, nimmt an vielen MUDs und Chats teil und
findet die Leute in seiner Usergroup viel netter als die Leute in der Schule. „Wir
haben gemeinsame Interessen und verstehen uns," meint er. „Man kann sich
unterhalten und hin- und herschreiben. Manchmal merke ich gar nicht, wie lange
ich vor dem Computer sitze. Bis meine Mutter dann sagt, dass sie den Computer
benutzen will. Dann muss ich ausloggen. Es wäre so schön, wenn wir zwei
Computer hätten!"

Für andere Leute ist das Internet auch eine Möglichkeit, die neusten Informationen zu finden und Recherchen° zu machen. Barbara Schmidt und Hannelore Jensen arbeiten an einem Buch über die moderne deutsche Kultur. Hannelore meint: „Wir hätten dieses Projekt ohne das Internet nie fertig machen können. Jeden Tag holten wir uns neue Informationen über die verschiedensten Themen: Sport, Politik, Kultur, die neusten Trends, einfach alles. Viele deutsche Städte haben auch ihre eigenen Homepages mit vielen Links zu anderen Informationen."

„Wir hätten dieses Projekt ohne das Internet nie fertig machen können."

Barbara sagt dazu: „Ja, das Internet hat unser Leben und unsere Arbeit bestimmt viel leichter gemacht. Und wir haben auch selbst viel gelernt."

Für andere Leute ist das Internet einfach ein großes Spielzeug oder ein Einkaufszentrum im Cyberspace. Im Jahr 2000 wurden schon Waren im Wert von ungefähr 250 Milliarden° Dollar über das Internet verkauft.

Vielleicht ist das Wichtigste am Internet die Demokratisierung des Gedankenaustausches°. Jeder kann an jedem Gespräch und Chat teilnehmen, jeder kommt an die Informationen, die er sucht, jeder kann sich informieren. Das ist wahrscheinlich das, was für das 21. Jahrhundert noch wichtiger werden wird.

(*weitreichend* far-reaching; *erreichen* to reach; *die Recherche* research; *die Milliarde* billion; *der Gedankenaustausch* exchange of ideas)

WB Activity 11

15 Welches Verb passt hier am besten?

ausloggen	benutzen	machen	erreichen
teilnehmen	unterhalten	verkaufen	informieren

1. Mit dem Internet kann man Leute ___, die man sonst nie kennen gelernt hätte.
2. Im Jahr 2003 ___ schon 650 Millionen Leute das Internet.
3. Das World Wide Web soll es leichter ___, das Internet zu benutzen.
4. Manche Leute benutzen das Internet auch, weil sie sich mit anderen Leuten ___wollen.
5. Man kann an verschiedenen MUDs und Chats ___, wenn man will.
6. Wenn seine Mutter den Computer braucht, muss Alex ___.
7. Weil das Internet so viel Information bietet, kann man sich hier gut und leicht ___.
8. Aber das Internet ist auch für die Wirtschaft wichtig, weil man dort alles kaufen und ___ kann.

1. erreichen
2. benutzten
3. machen
4. unterhalten
5. teilnehmen
6. ausloggen
7. informieren
8. verkaufen

Surfen

Bärbel und Anne besprechen ihre Hausaufgabe für morgen.

Bärbel: Komm, Anne, jetzt wird gearbeitet! Wir müssen endlich mit unserer Hausaufgabe für morgen anfangen.

Anne: Ach ja, du wolltest mir zeigen, wie man das Netz benutzt. Wir müssen ja noch Informationen über Kulturerbestätten in den deutschsprachigen Ländern suchen. Sonst werden wir mit diesem Projekt nie fertig!

Bärbel: Also, du fängst damit an, dass du die Verbindung zum Server herstellst. Dann nimmst du einen Browser. Lass uns den eingebauten° Browser nehmen. Manchmal versuche ich es mit dem deutschen Browser, aber dann habe ich oft nicht so gute Ergebnisse.

Anne: O.K., was tippe ich ein?

Bärbel: Tipp mal „Weltkulturerbe Deutschland" und klick dann auf „go"!

Anne: Das dauert aber lange, bis etwas kommt!

Bärbel: Nur etwas Geduld! Warte mal bis du siehst, was wir alles bekommen! In der Bibliothek hätte das mit Büchern alles viel länger gedauert.

Anne: Sieh da: 19 Ergebnisse zu unserem Thema! Was machen wir jetzt?

Bärbel: Fang einfach oben in der Liste an und klick zwei Mal auf einen Titel! Wahrscheinlich sind die ersten in der Liste die besten. Und wenn wir schon einmal da sind, können wir über die Links auch noch andere Web-Seiten besuchen.

Anne: Ich habe wirklich nicht gewusst, dass es so viele Informationen auf dem Netz gibt. Und die tollen Bilder! Können wir das drucken?

Bärbel: Na klar! Du brauchst nur „print" zu suchen, darauf zu klicken und schon hast du es.

Anne: Ja, vielleicht könnte das Internet auch unser Projekt schreiben.

Bärbel: Leider ist es noch nicht so weit. Das müssen wir noch selbst machen.

(*eingebaut* built-in)

WB Activity 12

16 Was passt zusammen?

1. Anne und Bärbel benutzen den Computer,
2. Anne will wissen,
3. Bärbel sagt,
4. Anne tippt „Weltkulturerbe" ein
5. Manchmal dauert es lange,
6. Man findet sicher etwas,
7. Da der Computer keine Arbeiten schreibt,
8. Um ein Bild zu drucken,

a. dass man zuerst eine Verbindung zum Server herstellen muss.
b. wenn man Geduld hat.
c. weil sie Hausaufgaben haben.
d. wie man das Internet benutzt.
e. bis man etwas auf dem Internet findet.
f. muss man nur auf „print" klicken.
g. und klickt dann auf „go".
h. müssen Anne und Bärbel das selbst tun.

1c, 2d, 3a, 4g, 5e, 6b, 7h, 8f

ROLLENSPIEL

Arbeiten Sie mit einer anderen Person! Eine Person ist schon eine Stunde auf dem Netz und sucht gute Preise für CDs bei E-Bay. Die andere Person muss Recherchen für die Schule machen. Diskutieren Sie, wer jetzt den Computer benutzen darf: die Person, die Musik sucht oder die Person, die Recherchen für die Schule machen muss. Geben Sie Ihre Gründe!

SPRACHE

Past Perfect with Modals

When you use modals in the past perfect, you use the double infinitive construction. Modals always use *hatten* as their helping verb to form the past perfect. Remember that the helping verb precedes the double infinitive in subordinate clauses.

Bevor wir essen konnten, hatten wir den Tisch sauber machen müssen.	Before we could eat we had to clean the table.
Ich wusste nicht, dass er dahin hatte fahren sollen.	I didn't know he was supposed to drive there.

WB Activities 13–14

Christoph wusste nicht, dass Hasan Basketball hatte spielen wollen.

Lektion B

17 *Hand-in-Hand.* **Was hatte passieren müssen? Siegfried formte sein Rollstuhlbasketballteam, aber er musste vieles machen, damit alles gut ging. Diskutieren Sie mit einer anderen Person darüber, was hatte passieren müssen! Denken Sie daran, wo das Verb sein muss! Eine Person arbeitet auf dieser Seite, die andere auf Seite 364 im Anhang.**

➤ *Person 1:* Was hatte passieren müssen, bevor Siegfried seine
Mannschaft formen konnte?

Person 2: Er hatte viele Freunde überzeugen müssen.

bevor	
Siegfried konnte seine Mannschaft formen.	er: viele Freunde überzeugen müssen
Sie konnten ihr erstes Spiel spielen.	sie: die Regeln lernen müssen
Sie trainierten für das Spiel.	Siegfried: einen Trainer finden müssen
Sie spielten das erste Spiel.	sie: ein Spielfeld suchen müssen
Das Spiel begann.	die Spieler: sich konzentrieren sollen
Sie hatten viele Punkte.	sie: viele Körbe schießen müssen
Der Abend war vorbei.	die Spieler: ihren Sieg feiern wollen
Sie spielten gegen eine andere Mannschaft.	sie: mehr üben müssen
Der Sommer kam.	Siegfried und die anderen: andere Teams kennen lernen wollen

18 *Schreiben Sie die Sätze nach dem Beispiel!* **Benutzen Sie die Informationen aus** *Hand-in-Hand!*

➤ Bevor Siegfried seine Mannschaft formen konnte, hatte er viele
Freunde überzeugen müssen.

Bevor Petra die Demonstration organisieren konnte,
hatte sie ihre Freunde überzeugen müssen.

Bevor Hasan Angelikas Fahrrad reparieren konnte,
hatten beide mit einem Fahrer mitfahren müssen.

19 *Streit ums Putzen!* Schreiben Sie die Sätze!

1. Als Kind musste ich immer putzen, wenn / meine Schwester / nicht / wollen / sauber machen
2. Das fand ich unfair, weil / ich / auch nicht / wollen / arbeiten
3. Wir konnten erst essen, nachdem / wir / den Tisch / müssen / decken
4. Unsere Eltern wurden dann sauer, wenn / wir / die Arbeit / nicht / wollen / machen
5. Sie sagten dann, dass wir / unsere Arbeit / am Nachmittag / sollen / machen
6. Wir mussten alles am nächsten Morgen machen, wenn / wir / unsere Arbeit / am Nachmittag / nicht / können / machen
7. Es gab immer Streit, wenn / meine Schwester und ich / unsere Zimmer / nicht / wollen / aufräumen
8. Aber Streit gab es nur, wenn / meine Schwester und ich / keine guten Kinder / wollen / sein

1. ...wenn meine Schwester nicht hatte sauber machen wollen.
2. ...weil ich auch nicht hatte arbeiten wollen.
3. ...nachdem wir den Tisch hatten decken müssen.
4. ...wenn wir die Arbeit nicht hatten machen wollen.
5. ...dass wir unsere Arbeit am Nachmittag hatten machen sollen.
6. ...wenn wir unsere Arbeit am Nachmittag nicht hatten machen können.
7. ...wenn meine Schwester und ich unsere Zimmer nicht hatten aufräumen wollen.
8. ...wenn meine Schwester und ich keine guten Kinder hatten sein wollen.

CD Track 13

MENSCHEN UND MÄCHTE

Fortschritt°?

Der Mensch hat schon immer versucht, sich das Leben einfacher zu machen. Einige Erfindungen und Entdeckungen sollten den Alltag° leichter machen; andere wurden entwickelt, damit man besser und schneller Information austauschen kann. Noch weitere Entwicklungen sollten die Grenzen des menschlichen° Erfahrungshorizonts° erweitern° und über die Erde hinaus reichen°. Wenn man sich die technischen Fortschritte des 20. Jahrhunderts ansieht, fragt man sich oft, wo dies enden soll, denn einige Wissenschaftler behaupten, man hat in sonst keinem anderen Jahrhundert so viele große Fortschritte gemacht wie im 20. Jahrhundert.

Man braucht sich nur anzusehen, wie sich die Technik im 20. Jahrhundert entwickelt hat, um zu verstehen, wie sehr der Mensch sich fortbewegen° möchte. Im 19. Jahrhundert hat man Pferdekutschen° und die Eisenbahn benutzt; im 20. Jahrhundert kamen die ersten Automobile und man konnte ohne Fahrplan in sein eigenes Auto steigen und von einem Ort zum andern reisen.

Im Deutschen Museum (München) kann man alte und neue Flugzeuge bewundern, die man im Laufe des 20. Jahrhunderts gebaut hat.

Lektion A

349

Eines der ersten Fernsehgeräte der Welt von 1935.

Ein Fernsprecher (Telefon) aus dem Jahr 1920.

Ein elektrischer Fernschreiber (Telex) aus dem Jahr 1928.

Aber man wollte nicht nur auf der Erde bleiben; schon im Jahre 1900 gab es die ersten Zeppeline° (Erfinder: Graf Ferdinand von Zeppelin). Kurz darauf entwickelten Orville und Wilbur Wright 1903 das erste Flugzeug. Im Jahre 1930 entwickelten Erfinder den Düsenflugzeugmotor°; fast 40 Jahre später landeten die ersten Menschen auf dem Mond.

Wenn die Menschen sich nicht von einem Ort zum anderen bewegen können, wollen und müssen sie trotzdem Freunde, Familie und Kollegen erreichen können. Im 20. Jahrhundert gab es viele technische Erfindungen und Entwicklungen, um diesen Kontakt zu ermöglichen°. Was mit Telegraf und Telefon im 19. Jahrhundert begonnen hatte, entwickelte sich im 20. Jahrhundert zum „Informationszeitalter." Viele Technologien wurden entwickelt, um den schnelleren Austausch° von Informationen zu ermöglichen: 1916 gab es die ersten Radios, die verschiedene Sender empfangen° konnten; 1919 wurde das Kurzwellen-Radio° erfunden; 1923 der erste Fernseher; in den 80er Jahren gab es die ersten PCs und 1990 das World Wide Web.

Auf dem Gebiet „Unterhaltungsmedien°" haben die Technologien im 20. Jahrhundert große Fortschritte gemacht: am Anfang des Jahrhunderts mussten die Menschen aus dem Haus gehen, um einen Film zu sehen oder ein Konzert zu hören. Aber schon 1929 konnte man im eigenen Auto Radio hören. Mit den ersten Stereoplatten° 1933 konnte man Konzerte in den eigenen vier Wänden hören. Später, in den 60er Jahren, konnte man Musik auf Audiokassetten und CDs kaufen und die Musik nicht nur zu Hause, sondern überall mit Walkmans und „persönlichen" CD-Spielern herumtragen. Aber die Menschen wollten ihre Unterhaltung° nicht nur hören, sondern auch sehen. Seit 1940, mit den ersten Farbfernsehern°, brauchte man nicht mehr von zu Hause weg, um sich mit beweglichen Figuren zu amüsieren°. 1963 kam die erste Videodisc, 1971 der erste Videorekorder; 1995 gab es die ersten DVDs. Und mit dem Anfang des

Heimcomputers° kamen auch viele neue Medien ins Haus: 1962 gab es das erste Computervideospiel, zehn Jahre später das erste Videospiel. Im 20. Jahrhundert wollte der Mensch sich fortbewegen, aber nicht wenn es um Unterhaltung geht: er genießt seine Lieblingsfilme und Lieblingsmusik lieber zu Hause.

Nicht zuletzt gibt es viele Fortschritte, die den Alltag leichter machen. Ab 1902 konnte man sein Haus mit einer Klimaanlage° von Willis Carrier kühler machen und sein Essen aus dem Kühlschrank holen, ohne es selbst zuzubereiten, nachdem Clarence Birdseye 1923 die erste Tiefkühlkost° entwickelte. Man braucht einen Kuchen zum Geburtstag? Warum nicht einfach die Backmischung° für einen Kuchen aus der Packung nehmen, wie es 1949 möglich wurde. Und brauchen Sie schnell Geld? Seit 1968 gibt es ATMs; so dass Sie nicht zur Bank gehen müssen, um Geld zu bekommen.

Viele Leute begrüßen diese Erfindungen und glauben, dass sie ihr Leben einfacher und besser machen und dass der Mensch die Grenzen sprengen° kann—und soll. Andere Menschen bedauern°, dass sie den Kontakt zu anderen Menschen verlieren. Viele haben Angst, dass die Menschen bald nur in einer virtuellen Welt leben und keinen Kontakt zu anderen realen Menschen suchen werden. Andere sorgen sich, dass die technologischen Fortschritte unsere Umwelt kaputt machen und der Natur schaden, zu viel Müll produzieren und nicht wichtig für ein gutes Leben sind. Ganz gleich° wie man zu bestimmten Entwicklungen und Erfindungen steht, eins ist klar: der Mensch wird sich weiter entwickeln und seine Umwelt dabei verändern.

(*der Fortschritt* progress; *der Alltag* everyday life; *menschlich* human; *der Erfahrungshorizont* realm of experience; *erweitern* to expand; *hinausreichen* to extend beyond; *sich fortbewegen* to move from one place to another; *die Pferdekutsche* horse-drawn carriage; *der Zeppelin* blimp; *der Düsenflugzeugmotor* jet engine motor; *ermöglichen* to make possible; *der Austausch* exchange; *empfangen* to receive; *das Kurzwellen-Radio* short-wave radio; *die Unterhaltungsmedien* entertainment media; *die Stereoplatte* LP (long-playing record); *der Farbfernseher* color TV set; *sich amüsieren* to amuse oneself; *der Heimcomputer* home computer; *die Unterhaltung* entertainment; *die Klimaanlage* air conditioning; *die Tiefkühlkost* frozen food; *die Backmischung* cake mix; *sprengen* to explode, disperse; *bedauern* to regret; *ganz gleich* no matter)

WB Activity 15

20 *Was ist das?* Das ist eine Erfindung, mit der man...

CD Track 14

1. auf Schienen fährt.
2. Nachrichten und Musik hören, aber nicht sehen kann.
3. seine Musik überall mitnehmen kann.
4. das Kino ins Haus bringen kann.
5. Nachrichten, Musik, und andere Sendungen sehen und hören kann.
6. sich auf vier Rädern fortbewegen kann.
7. ins Internet kommt.
8. eine andere Person anrufen kann.

1. die Eisenbahn
2. das Radio
3. der Walkman
4. der Videorekorder
5. der Fernseher
6. das Auto
7. das World Wide Web
8. das Telefon

21 *Erfinden Sie etwas Neues!* Wie funktioniert diese neue Erfindung und wer benutzt sie? Wie macht sie das Leben einfacher? Schreiben Sie darüber! Ihre Erfindung braucht auch einen Namen!

SPRACHE

Subordinate Clauses with Question Words

You have learned many ways to introduce subordinate clauses: with subordinating conjunctions, with relative pronouns, and with *als, wenn* and *wann*. You can also introduce subordinate clauses with question words like *wer (wen, wem), wie, wie lange, was, wo* and *warum*.

Ich weiß nicht, wo wir uns treffen.	I don't know where we are meeting.
Hast du gehört, wer die neue Klassensprecherin ist?	Have you heard who the new class representative is?

Remember that the conjugated verb appears at the end of the subordinate clause.

WB Activity 16

Track 15

22 *Hast du gesagt...?* Es ist sehr laut und Sie hören nicht so genau, was Ihre Freunde sagen. Fragen Sie noch einmal!

Hast du gesagt,...?
1. wie der neue Schüler heißt
2. wer heute Nachmittag vorbeikommen soll
3. wann wir die nächste Prüfung haben
4. was ich für Anita habe kaufen sollen
5. warum wir heute Abend nicht ins Kino dürfen
6. wem wir am Wochenende helfen wollen
7. wen Monika bitten will, beim Wahlkampf zu helfen
8. wie lange wir noch arbeiten müssen

➤ Wann kommt der Zug?
   Hast du gesagt, wann der Zug kommt?

1. Wie heißt der neue Schüler?
2. Wer soll heute Nachmittag vorbeikommen?
3. Wann haben wir die nächste Prüfung?
4. Was habe ich für Anita kaufen sollen?
5. Warum dürfen wir heute Abend nicht ins Kino?
6. Wem wollen wir am Wochenende helfen?
7. Wen will Monika bitten, beim Wahlkampf zu helfen?
8. Wie lange müssen wir noch arbeiten?

Der Lehrer hat gesagt, wie die Schüler das Matheproblem lösen können.

Kombinieren Sie!

Wir sollen fragen	wo	die Party dauern soll
Wer weiß	wer	eingeladen wurde
Hast du gesagt	wie lange	die Party ist
Weißt du	wann	wir die Party feiern werden
Ich weiß nicht	wem	ich helfen kann
Hast du gehört	wen	wir zur Party mitnehmen müssen

SPRACHE

Past Participles as Adjectives

You have learned how to form past participles to create the present perfect and the past perfect tenses. Sometimes participles are also used as adjectives. They often correspond to English adjectives that end in -ed.

schnitzen - geschnitzt: Die geschnitzte Uhr war sehr schön.	The carved clock was very pretty.
beleuchten - beleuchtet: An den beleuchteten Wänden hingen schöne Bilder.	Lovely pictures hung on the illuminated walls.

As adjectives, these words must have adjective endings.

WB Activity 17

Was passt? Bilden Sie zuerst das Partizip und vergessen Sie die Adjektivendungen nicht!

➤ Der ___ Koffer wird nach Hause gebracht. (abholen)
  Der abgeholte Koffer wird nach Hause gebracht.

1. Die ___ Demonstration von den Obdachlosen war sehr erfolgreich. (organisieren)
2. Der Straßenkünstler stand vor vielen ___ Leuten. (faszinieren)
3. Sie lesen die ___ Formulare. (ausfüllen)
4. ___ Wähler stellen viele Fragen bei einer Debatte. (informieren)
5. Wegen Gutenbergs Buchpresse gab es die ersten ___ Bücher. (drucken)
6. Er reparierte die ___ Kette. (verrosten)
7. Romeo und Julia hatten eine ___ Liebe. (verbieten)
8. Jeder braucht eine ___ Person. (vertrauen)

1. organisierte
2. faszinierten
3. ausgefüllten
4. Informierte
5. gedruckten
6. verrostete
7. verbotene
8. vertraute

25 *Das Leben eines Reporters.* **Helfen Sie, die Geschichte des Reporters zu schreiben! Die erste Antwort steht schon für Sie da. Vergessen Sie die Adjektivendungen nicht!**

Der Reporter musste früh aufstehen, um sein Hemd zu bügeln. Jetzt stand er da in seinem frisch *gebügelten* Hemd. Er hatte viel zu berichten. Heute wurden drei Piraten *enthauptet*, und er berichtet besonders gern von ___ Piraten! Sie hatten ein Dorf *geplündert*, aber ihr Schiff war danach *gesunken*. Der Reporter war im Dorf und sah die ___ Häuser und das ___ Schiff. Einige Leute hatten ein Kind vor den Piraten *gerettet*. Er interviewte das ___

Kind und fragte es, wie es war, von den Piraten entführt zu werden. Das Kind sagte, dass es sehr spannend gewesen war.

Nach dem Gespräch musste der Reporter dann in die Stadt, um das Rathaus zu sehen. Es wurde gerade *restauriert*. Das ___ Gebäude sah sehr schön aus. Bei der Restaurierung hatte man alte Ritterkleidung und alte Bücher von Walther von der Vogelweide *entdeckt*! (Stellen Sie sich vor!) Die ___ Sachen mussten ins Museum gebracht werden. Der Reporter

ging auch schnell zum Museum. Im Museum wurden die Rittersachen schön blank *poliert*. Er machte ein Bild von den frisch ___ Sachen und wollte dann seinen Bericht für die Zeitung schreiben. Aber zuerst musste er seinen Film *entwickeln*. Mit dem ___ Film und seinen tollen Eindrücken konnte er bestimmt einen spannenden Bericht schreiben. Er hatte sich nie bei seiner Arbeit *gelangweilt*, denn ein ___ Reporter ist kein guter Reporter.

gebügelten, enthaupteten, geplünderten, gesunkene, gerettete, restaurierte, entdeckten, polierten, entwickelten, gelangweilter

Track 16

Studienprogramme°

Es gibt viele verschiedene Arten von Beziehungen: zwischen Familienmitgliedern, zwischen Freunden, Bekannten und Kollegen. Wie ist es aber, wenn man ins Ausland geht und eine ganz neue Gruppe von Menschen kennen lernt, die eine Fremdsprache sprechen, die andere Traditionen haben, die in einer ganz fremden Kultur leben? Das machen Schüler und Schülerinnen, Studenten und Studentinnen, die ins Ausland fahren und an einem Studienprogramm teilnehmen. Warum lernt man denn eine Fremdsprache, wenn man die Kultur des Landes nicht erleben° will?

Wir möchten hier ein Programm beschreiben, das schon seit 30 Jahren existiert.

Kapitel 10

Es ist das Studienprogramm, das die St. Cloud State Universität aus Minnesota in der Stadt Ingolstadt in Bayern hat. Jedes Jahr fahren zwischen 15 und 20 junge Leute auf ein Semester nach Deutschland. Alle haben vier Jahre oder länger Deutsch in der Schule oder an der Uni gelernt und wollen sehen, was sie können.

Nach jedem Programm treffen sich die Studenten, um eine Party zu machen und um über ihre Erfahrungen zu sprechen. Hier erzählen einige Studenten von ihren Gefühlen vor und nach der Reise.

Track 17

Heidi: Mann, ich hatte richtig Angst, bevor wir gefahren sind! Vor unserer Reise bin ich nie geflogen, bin noch nie von zu Hause weg gewesen. Ich wusste, dass ich meine Familie und meinen Freund sehr vermissen° würde. Aber ich hatte so eine tolle Deutschlehrerin in der Schule und wollte unbedingt mein Deutsch verbessern°. Fünf Monate sind doch nicht so lang, dachte ich mir. Am Ende hatte ich das Gefühl, als wenn die fünf Monate fünf Wochen gewesen wären! Ich habe so viel erlebt, gesehen, gemacht! Ich habe mich verändert und bin jetzt viel weltoffener° und selbstsicherer°, weil ich etwas getan habe, wovor ich Angst hatte. Und ich habe es gut geschafft! Jetzt habe ich einen tollen Job, weil ich sagen konnte, dass ich diese Erfahrungen im Ausland gemacht hatte.

Track 18

Thomas: Ja, ich hatte ähnliche Erfahrungen wie Heidi. Ich werde den ersten Abend im Hotel Anker nie vergessen. Alles war anders! Die Betten, die Türen, die Fenster, und, und, und! Wir mussten aber am nächsten Tag früh aufstehen, weil wir im Rathaus vom Bürgermeister begrüßt werden sollten. Die Lehrer haben wir auch getroffen. Ich hatte ein bisschen Panik, weil ich nicht so schnell alles verstehen und sagen konnte. Aber das hatte nicht lange gedauert und meine Gastfamilie° war so toll! Sie haben mir bei den Hausaufgaben geholfen und haben mich immer mitgenommen, wenn sie einen Ausflug oder eine Reise gemacht haben. So brauchte ich selbst nicht viel Geld auszugeben und konnte trotzdem viel sehen.

Maggie: Tja, mein größtes Problem war auch schnell

Track 19

mitzukommen. Obwohl ich eine sehr gute Schülerin war und auch an der Uni viel Deutsch gelernt habe, hatte ich am Anfang das Gefühl, als wenn ich kein Deutsch konnte. Die Lehrer haben uns aber viel geholfen. Sie haben uns gezeigt, wie man sich verständigen kann, auch wenn man nicht perfekt spricht oder schreibt. Und wie soll man perfekt werden, wenn man nicht übt und versucht?

Lektion A

Das ist das Beste an so einem Programm—man muss ins Wasser springen und schwimmen! Am Anfang habe ich oft zu Hause angerufen und viele E-Mails an Leute in St. Cloud geschickt, weil ich Heimweh° hatte. Aber bald hatten wir deutsche Bekannte und irgendwie ist die Zeit dann sehr schnell vergangen. Als ich wieder nach Hause kam, hatte ich dann Heimweh nach Deutschland.

CD Track 20

Pete: Ich will Deutschlehrer werden und ich muss die Kultur und die Sprache gut kennen. Was mich am meisten überraschte° war die Beziehung zu meiner Gastfamilie. Wir haben so eine schöne Zeit zusammen verbracht und wir haben uns so gut verstanden. Wenn ich dieses Jahr heirate, kommt meine Gastfamilie zur Hochzeit. Letztes Jahr waren sie auch hier, weil eine frühere Gasttochter ein Baby bekommen hatte und die Gastfamilie bei der Taufe dabei war. Das sind Freundschaften fürs Leben. Es ist meine zweite Familie, die immer für mich da ist. Das habe ich nicht gewusst, dass so etwas möglich ist, aber ich bin sehr glücklich darüber.

Zur Taufe gibt es...

...einen Taufkuchen.

CD Track 21

Tina: Die Ausflüge haben mir am besten gefallen, denn wir haben Sachen gesehen, die der normale Mensch nicht zu sehen bekommt, auch nicht als Tourist. Ich studiere Journalismus und fand die Reise in die neuen Bundesländer toll, aber die Besuche beim Radiosender° und bei der Zeitung waren für mich am interessantesten. Auch der Besuch bei Audi, wo sie die Autos bauen, fand ich toll. Ich habe vor, einen Zeitungsartikel für unsere Stadtzeitung darüber zu schreiben, und auch über Amy, eine andere Person aus unsere Gruppe. Sie machte am Ende des Programms ein Praktikum bei Audi und hat jetzt Interviews bei Ford und Porsche. Wer hätte das gedacht? Amy in einem Porsche!? Sie fuhr sonst immer einen alten Chevy!

Fast alle Leute, die an einem Studienprogramm teilnehmen, kommen immer wieder auf das gleiche Thema zu sprechen: Beziehungen. Viele von ihnen finden in dieser Zeit viele Freunde. Da ist zuerst einmal die Gruppe, mit der man auf diese Reise geht und mit der man viele Abenteuer° erlebt. Und dann kommen noch die Leute dazu, die man während des Aufenthaltes in Deutschland kennen lernt. Wie wichtig diese Beziehungen sind, kann man daran sehen, dass noch Jahre später die amerikanischen Studenten ihre Gastfamilien in Deutschland besuchen und dass auch die Gastfamilien in die USA reisen, um das Land ihrer Gäste kennen zu lernen.

(*das Studienprogramm* study (abroad) program; *erleben* to experience; *vermissen* to miss; *verbessern* to improve; *weltoffen* open-minded; *selbstsicher* self-assured; *die Gastfamilie* host family; *das Heimweh* homesickness; *überraschen* to surprise; *der Radiosender* radio station; *das Abenteuer* adventure)

WB Activity 18

26 Wer sagt, dass er/sie...?

1. am Anfang oft zu Hause angerufen hatte
2. die Ausflüge am besten gefunden hat
3. die erste Nacht im Hotel nicht vergessen wird
4. die Gastfamilie als zweite Familie sieht
5. in der Zeit in Europa viel weltoffener geworden ist
6. in der Schule sehr gut war
7. dieses Jahr Besuch von der Gastfamilie bekommen wird
8. jetzt wegen der Auslandserfahrung einen tollen Job hat
9. nie im Leben geflogen war, bevor er/sie nach Deutschland reiste
10. viele Ausflüge und Reisen mit seiner/ihrer Gastfamilie machte

1. Maggie
2. Tina
3. Thomas
4. Pete
5. Heidi
6. Maggie
7. Pete
8. Heidi
9. Heidi
10. Thomas

Wörter und Ausdrücke

RELATIONSHIPS AT SCHOOL AND WORK

das Zwischenmenschliche interpersonal (matters)
der Feind enemy
die Freundschaft friendship
der Gleichgesinnte like-minded, person of the same convictions
der Mitarbeiter coworker, colleague
das Engagement engagement, commitment
verlässlich dependable
fleißig industrious

altmodisch old-fashioned
verknallt sein to have a crush on
aufgeben (*gibt auf, gab auf, aufgegeben*) to give up
jemanden ernst nehmen to take someone seriously

USING THE INTERNET

der Chat chat
virtuell virtual
einloggen to log in

Das Märchen vom kleinen Herrn Moritz, der eine Glatze kriegte

Wolf Biermann

Wolf Biermann (1936–)

Wolf Biermann wurde 1936 in Hamburg geboren. Er zog 1953 in die DDR. Er ist ein bekannter Liedermacher, der die Verhältnisse in der DDR analysierte. 1974 musste er die DDR verlassen, weil die Regierung ihn zu kritisch fand. Viele Leute in Ost- und Westdeutschland protestierten dagegen, dass Biermann nicht mehr in der DDR leben durfte. Heute lebt er wieder in Hamburg.

Über den Text

Dieses Märchen ist ein Teil einer längeren Geschichte über die Figur des Herrn Moritz. Als Märchen erzählt es von fantastischen Ereignissen. Es ist auch ein sozialkritischer Text, der versucht, Probleme in der Gesellschaft zu diskutieren.

Vor dem Lesen

1. Some of the characteristics of fairy tales are their stock characters and clear gender roles. Do you think Biermann's socially critical fairy tale will contain similar type characters and roles? Why or why not?

2. This story takes place in Berlin, where the winters are often long, cold and gray. How do you imagine the climate affects people's moods? How might that serve as a starting point of a fairy tale?

Es war einmal ein kleiner älterer Herr, der hieß Herr Moritz und hatte sehr große Schuhe und einen schwarzen Mantel dazu und einen langen Regenschirmstock, und damit ging er oft spazieren.

Als nun der lange Winter kam, der längste Winter auf der Welt in Berlin, da wurden die Menschen allmählich böse. Und die Hunde bellten vor Wut über die Kälte schon gar nicht mehr, sondern zitterten nur noch und klapperten mit den Zähnen vor Kälte, und das sah auch sehr böse aus.

An einem solchen kalten Schneetag ging Herr Moritz mit seinem blauen Hut spazieren, und er dachte: „Wie böse die Menschen alle sind, es wird höchste Zeit, dass wieder Sommer wird und Blumen wachsen."

Und als er so durch die schimpfenden Leute in der Markthalle ging, wuchsen ihm ganz schnell und ganz viel Krokusse, Tulpen und Maiglöckchen und Rosen und Nelken, auch Löwenzahn und Margeriten auf dem Kopf. Er merkte es aber erst gar nicht, und dabei war schon längst sein Hut vom Kopf hochgegangen, weil die Blumen immer mehr wurden und auch immer länger.

Da blieb vor ihm eine Frau stehen und sagte: „Oh, Ihnen wachsen aber schöne Blumen auf dem Kopf!" „Mir Blumen auf dem Kopf!" sagte Herr Moritz, „so was gibt es gar nicht!" „Doch! Schauen Sie hier in das Schaufenster. Sie können sich darin spiegeln. Darf ich eine Blume abpflücken?"

Und Herr Moritz sah im Schaufensterspiegelbild, dass wirklich Blumen auf seinem Kopf wuchsen, bunte und große, vielerlei Art, und er sagte: „Aber bitte, wenn Sie eine wollen..."

„Ich möchte gerne eine kleine Rose", sagte die Frau und pflückte sich eine. „Und ich eine Nelke für meinen Bruder", sagte ein kleines Mädchen, und Herr Moritz bückte sich, damit das Mädchen ihm auf den Kopf langen konnte. Er brauchte sich aber nicht so sehr tief zu bücken, denn er war etwas kleiner als andere Männer. Und viele Leute kamen und brachen sich Blumen vom Kopf des kleinen Herrn Moritz, und es tat ihm nicht weh, und die Blumen wuchsen immer gleich nach, und es kribbelte so schön am Kopf, als ob ihn jemand freundlich streichelte, und Herr Moritz war froh, dass er den Leuten mitten im kalten Winter Blumen geben konnte. Immer mehr Menschen kamen zusammen und lachten und wunderten sich und brachen sich Blumen vom Kopf des kleinen Herrn Moritz und keiner, der eine Blume erwischt hatte, sagte an diesem Tag noch ein böses Wort.

Aber da kam auf einmal auch der Polizist Max Kunkel. Max Kunkel war schon seit zehn Jahren in der Markthalle als Markthallenpolizist tätig, aber so was hatte er noch nicht gesehen! Mann mit Blumen auf dem Kopf! Er drängelte sich durch die vielen lauten Menschen, und als er vor dem kleinen Herrn Moritz stand, schrie er: „Wo gibt's denn so was! Blumen auf dem Kopf, mein Herr! Zeigen Sie doch mal bitte sofort Ihren Personalausweis!"

Und der kleine Herr Moritz suchte und suchte und sagte verzweifelt: „Ich habe ihn doch immer bei mir gehabt, ich hab ihn doch in der Tasche gehabt!" Und je mehr er suchte, um so mehr verschwanden die Blumen auf seinem Kopf. „Aha", sagte der Polizist Max Kunkel. „Blumen auf dem Kopf haben Sie, aber keinen Ausweis in der Tasche!" Und Herr Moritz suchte ängstlicher seinen Ausweis und war ganz rot vor Verlegenheit, und je mehr er suchte — auch im Jackenfutter —, um so mehr schrumpften die Blumen zusammen, und der Hut ging allmählich wieder runter auf den Kopf!

In seiner Verzweiflung nahm Herr Moritz seinen Hut ab, und siehe da, unter dem Hut lag in der abgegriffenen Gummihülle der Personalausweis. Aber was noch!?

Die Haare waren alle weg! Kein Haar mehr auf dem Kopf hatte der kleine Herr Moritz. Er strich sich verlegen über den kahlen Kopf und setzte dann schnell den Hut drauf.

„Na, da ist ja der Ausweis", sagte der Polizist Max Kunkel freundlich, „und Blumen haben Sie ja wohl auch nicht mehr auf dem Kopf, wie?!

„Nein...", sagte Herr Moritz und steckte schnell seinen Ausweis ein und lief, so schnell man auf den glatten Straßen laufen konnte, nach Hause. Dort stand er lange vor dem Spiegel und sagte zu sich: „Jetzt hast du eine Glatze, Herr Moritz!"

Nach dem Lesen

1. Zwei wichtige Elemente im Text sind die Blumen auf dem Kopf von Herrn Moritz und der Polizist. Beide sind Metaphern. Das ist ein Stilmittel, in dem eine Wort für etwas benutzt wird, was nicht gesagt werden kann oder soll. Ein Beispiel wäre „Nerven aus Stahl". Für was stehen die Blumen und der Polizist? Welche Beziehung gibt es zwischen diesen beiden Metaphern?

2. Schreiben Sie die Geschichte neu! Verwenden Sie die Perspektive von einer dieser Personen: einer Person, die eine Blume von Herrn Moritz bekommt; dem Polizisten oder einer anderen Person auf dem Markt, die Blumen verkauft.

3. Dieser Text lässt sich gut in Bilder verwandeln. Zeichnen Sie die wichtigsten Szenen mit Herrn Moritz!

Endspiel

1. Gehen Sie in die Bibliothek oder benutzen Sie das Internet und finden Sie mehr Informationen über die Welterbestätten in Deutschland, Österreich oder der Schweiz! Schreiben Sie darüber!

2. Sie stehen vor der Jahrhundertwende in das 22. Jahrhundert! Sie treffen jemanden, der sich sehr für das 20. Jahrhundert interessiert. Erklären Sie ihm oder ihr, wie man in dieser Zeit gelebt hatte!

3. Engagieren Sie sich sozial oder politisch? Wenn ja, wie und warum? Wenn nein, warum nicht?

4. Wie hat das Internet Ihr Leben beeinflusst? Hat es für Sie Vorteile oder Nachteile gebracht? Schreiben Sie oder diskutieren Sie darüber!

5. Arbeiten Sie mit einem Partner/einer Partnerin! Eine Person ist ein Student/eine Studentin aus den USA, der/die dieses Jahr als Austauschstudent(in) in Österreich verbringt. Die zweite Person ist Teil der Gastfamilie. Lernen Sie sich kennen!

Vokabeln

das **Abenteuer,-** adventure *10B*
abschneiden *(schnitt ab, abgeschnitten)* to do well *10A*
die **Ahnung** hunch, idea; *Keine Ahnung.* I haven't the faintest idea. *10A*
der **Alltag** everyday life *10B*
altmodisch old-fashioned *10B*
der **Ameisenbär,-en** anteater *10A*
sich **amüsieren** to amuse oneself *10B*
die **Anlaufstelle,-n** counseling center *10A*
das **Anliegen,-** concern *10A*
aufgeben *(gibt auf, gab auf, aufgegeben)* to give up *10B*
aushalten *(hält aus, hielt aus, ausgehalten)* to tolerate *10A*
der **Austausch** exchange *10B*
die **Backmischung,-en** cake mix *10B*
die **Bauhausstätte,-n** site of the *Bauhaus 10A*
bedauern to regret *10B*
die **Bedeutung,-en** significance, meaning *10A*
der **Bergbau** mining *10A*
besterhalten best-preserved *10A*
die **Debatte,-n** debate *10A*
debattieren to debate *10A*
dumm dumb, stupid *10A*
der **Düsenflugzeugmotor,-en** jet engine motor *10B*
eingebaut built-in *10B*
sich **einsetzen** to advocate, do one's utmost *10A*
einzigartig unique *10A*
empfangen *(empfängt, empfing, empfangen)* to receive *10B*
das **Engagement,-s** engagement, commitment *10B*
sich **engagieren** to engage, be active I*10A*
die **Entwicklung,-en** development *10A*
das **Eozän** Eocene period *10A*
das **Erbe** heritage, inheritance *10A*
der **Erfahrungshorizont** realm of experience *10B*
der **Erfindungsgeist** ingenuity *10A*
erleben to experience *10B*
ermöglichen to make possible *10B*
ernst serious; *ernst nehmen* to take seriously *10B*
erreichen to reach *10B*
erweitern to expand *10B*
das **Erzbergwerk,-e** ore mine *10A*

der **Farbfernseher,-** color TV set *10B*
der **Feind,-e** enemy *10B*
fleißig industrious *10B*
sich **fortbewegen** to move from one place to another *10B*
der **Fortschritt,-e** progress *10B*
die **Fossiliengrube,-n** fossil pit *10A*
die **Freundschaft,-en** friendship *10B*
ganz quite; *ganz gleich* no matter *10B*
die **Gastfamilie,-n** host family *10B*
der **Gedankenaustausch** exchange of ideas *10B*
der **Gleichgesinnte,-n** like-minded, person of the same convictions *10B*
die **Grube,-n** pit *10A*
der **Grüne,-n** environmentalist (party in Germany) *10A*
die **Hälfte,-n** half *10A*
der **Heimcomputer,-** home computer *10B*
das **Heimweh** homesickness *10B*
hinausreichen to extend beyond *10B*
die **Internatsschule,-n** boarding school *10B*
der **Kandidat,-en** candidate *10A*
kandidieren to run (for office) *10A*
die **Klimaanlage,-n** air conditioning *10B*
die **Kulturerbestätte,-n** cultural heritage site *10A*
die **Kulturleistung,-en** cultural accomplishment *10A*
das **Kurzwellen-Radio,-s** short-wave radio *10B*
sich **leisten** to afford *10A*
menschlich human *10B*
die **Milliarde,-n** billion *10A*
der **Mitarbeiter,-** coworker, colleague *10B*
die **Mitbestimmung** codetermination *10A*
der **Müllberg,-e** garbage dump *10A*
obdachlos homeless *10A*
der **Obdachlose,-n** homeless (person) *10A*
die **Pferdekutsche,-n** horse-drawn carriage *10B*
der **Radiosender,-** radio station *10B*
die **Recherche,-n** research *10B*
das **Säugetier,-e** mammal *10A*

sich **scheiden lassen** to get a divorce *10A*
der **Schmarotzer,-** parasite *10A*
schüchtern shy *10A*
der **Schulsprecher,-** student representative *10A*
die **Schulsprecherwahl,-en** election for student representative *10A*
selbstsicher self-assured *10B*
der **Slogan,-s** slogan *10A*
sprengen to explode, disperse *10B*
die **Stätte,-n** place, site *10A*
die **Stereoplatte,-n** LP (long-playing record) *10B*
die **Stimme,-n** voice, vote *10A*
das **Studienprogramm,-e** study (abroad) program *10B*
die **Tiefkühlkost** frozen food *10B*
überraschen to surprise *10B*
die **Unterhaltung,-en** entertainment *10B*
die **Unterhaltungsmedien** entertainment media *10B*
verbessern to improve *10B*
verknallt sein to have a crush on *10B*
verlässlich dependable *10B*
vermissen to miss *10B*
die **Wahl,-en** election *10A*
wählen to elect, vote *10A*
der **Wahlkampf,-̈e** election campaign *10A*
das **Wahllokal,-e** polling station *10A*
das **Wahlplakat,-e** campaign poster *10A*
das **Wahlprogramm,-e** election platform *10A*
der **Wahlsieg,-e** election victory *10A*
die **Wahlurne,-n** ballot box *10A*
der **Wahlzettel,-** ballot *10A*
weitreichend far-reaching *10B*
die **Welterbeliste,-n** World Heritage list *10A*
die **Welterbestätte,-n** World Heritage site *10A*
weltoffen open-minded *10B*
weltweit worldwide *10A*
die **Werbung,-en** advertising *10A*
der **Wert,-e** value; *der außergewöhnlich universelle Wert* exceptional universal value *10A*
der **Zeppelin,-e** blimp *10B*
das **Zuhause** home *10A*
das **Zwischenmenschliche** interpersonal (matters) *10B*

Kapitel 1 *(page 9)*

➤ *Person 1:* Warum lebt Melanie Dupont in Trier?
➤ *Person 2:* Melanie Dupont lebt in Trier, weil sie hier Französisch unterrichtet.

	Melanie Dupont	Ingrid Schwarz	Rudolf Polasky
Warum lebt er/sie in Trier?	Sie unterrichtet hier Französisch.		Er kann hier mit Computern arbeiten.
Warum geht er/sie einkaufen?		Sie sucht ein Geburtstagsgeschenk für ihren Mann.	
Warum lernt er/sie Sprachen?			Er findet Sprachen wichtig.
Warum geht er/sie nach Hause?	Sie möchte fernsehen.		

Kapitel 2 *(page 41)*

➤ *Person 1:* Was hat Frau Schröder am Donnerstag gemacht?
 Person 2: Sie hat ein Buch gesucht.

➤ *Person 2:* Was hast du am Morgen gemacht?
 Person 1: Ich habe gefrühstückt.

	Thomas	Christine	Frau Schröder	Herr und Frau Ebert	du
Was hat er/sie (haben sie) am Morgen gemacht?			Haare kämmen	Radio hören	
Was hat er/sie (haben sie) am Donnerstag gemacht?	eine Spielzeugeisenbahn bauen		ein Buch suchen		
Was hat er/sie (haben sie) am Wochenende gemacht?		viel träumen	ein Bild malen		

Kapitel 6 *(page 209)*

> ✒ *Person 1:* Was sagt Jürgen über das Zimmer?
> ✒ *Person 2:* Jürgen sagt, Frank hätte ordentlicher sein können.

	Jürgen sagt:	Frank sagt:
Was sagt Jürgen/Frank über das Zimmer?	Frank / ordentlicher sein können	Jürgen / nicht so oft aufräumen sollen
Was sagt Jürgen/Frank über die Hausaufgaben?	Frank / sie eher machen müssen	
Was sagt Jürgen/Frank über das Essen im Zimmer?		Jürgen / mitessen können
Was sagt Jürgen/Frank über den Lärm im Zimmer?		Jürgen / etwas in die Ohren stecken sollen
Wie hätte Frank/Jürgen sich verändern können?	Frank / rücksichtsvoller sein sollen	

Kapitel 7 *(page 240)*

> ✒ *Person 1:* Was passiert am Freitag im Bad?
> ✒ *Person 2:* Der Spiegel muss geputzt werden.

Was passiert im/in der...	Bad	Kinderzimmer	Wohnzimmer	Küche	Garten
am Freitag	den Spiegel putzen			Lebensmittel in den Schrank tun	den Rasen mähen
am Samstagvormittag		den Schreibtisch aufräumen			
am Samstagnachmittag	die Kinder baden		mehr Stühle holen	Essen kochen	

Kapitel 10 *(page 348)*

➤ *Person 1:* Was hatte passieren müssen, bevor Siegfried
seine Mannschaft formen konnte?

➤ *Person 2:* Er hatte viele Freunde überzeugen müssen.

bevor	
Siegfried konnte seine Mannschaft formen.	er: viele Freunde überzeugen müssen
Sie konnten ihr erstes Spiel spielen.	sie: die Regeln lernen müssen
Sie trainierten für das Spiel.	Siegfried: einen Trainer finden müssen
Sie spielten das erste Spiel.	
Das Spiel begann.	die Spieler: sich konzentrieren sollen
Sie hatten viele Punkte.	
Der Abend war vorbei.	
Sie spielten gegen eine andere Mannschaft.	sie: mehr üben müssen
Der Sommer kam.	

Personal Pronouns

SINGULAR	Nominative	Accusative	Dative
1st person	ich	mich	mir
2nd person	du	dich	dir
3rd person	er	ihn	ihm
	sie	sie	ihr
	es	es	ihm

PLURAL	Nominative	Accusative	Dative
1st person	wir	uns	uns
2nd person	ihr	euch	euch
3rd person	sie	sie	ihnen
formal form (singular or plural)	Sie	Sie	Ihnen

Reflexive Pronouns

Singular		Accusative	Dative
1st person	(ich)	mich	mir
2nd person	(du)	dich	dir
3rd person	(er) (sie) (es)	sich	sich

Plural		Accusative	Dative
1st person	(wir)	uns	uns
2nd person	(ihr)	euch	euch
3rd person	(sie)	sich	sich
formal form (singular or plural)	(Sie)	sich	sich

Definite Article

	Singular			Plural
	Masculine	**Feminine**	**Neuter**	
Nominative	der	die	das	die
Accusative	den	die	das	die
Dative	dem	der	dem	den
Genitive	des	der	des	der

Indefinite Article

	Singular			Plural
	Masculine	**Feminine**	**Neuter**	
Nominative	ein	eine	ein	keine
Accusative	einen	eine	ein	keine
Dative	einem	einer	einem	keinen
Genitive	eines	einer	eines	keiner

The word *kein* and the possessive adjectives (*mein, dein, sein, ihr, unser, euer, Ihr*) take the same endings as the indefinite article.

der-words

	Singular			Plural
	Masculine	**Feminine**	**Neuter**	
Nominative	dieser	diese	dieses	diese
Accusative	diesen	diese	dieses	diese
Dative	diesem	dieser	diesem	diesen
Genitive	dieses	dieser	dieses	dieser

Other *der*-words are *welcher, jeder, solcher, mancher, derselbe*.

Relative Pronouns

	Singular			Plural
	Masculine	**Feminine**	**Neuter**	
Nominative	der	die	das	die
Accusative	den	die	das	die
Dative	dem	der	dem	denen
Genitive	dessen	deren	dessen	deren

Demonstrative Pronouns

	Singular			Plural
	Masculine	**Feminine**	**Neuter**	
Nominative	der	die	das	die
Accusative	den	die	das	die
Dative	dem	der	dem	denen

Question Words: *Wer? Was?*

Nominative	wer	was
Accusative	wen	was
Dative	wem	
Genitive	wessen	

Adjectives after *der*-words

	Singular			Plural
	Masculine	**Feminine**	**Neuter**	
Nominative	-e	-e	-e	-en
Accusative	-en	-e	-e	-en
Dative	-en	-en	-en	-en
Genitive	-en	-en	-en	-en

	Singular			Plural
	Masculine	**Feminine**	**Neuter**	
Nominative	der alte Film	die nette Dame	das neue Haus	die guten Schüler
Accusative	den alten Film	die nette Dame	das neue Haus	die guten Schüler
Dative	dem alten Film	der netten Dame	dem neuen Haus	den guten Schülern
Genitive	des alten Filmes	der netten Dame	des neuen Hauses	der guten Schüler

The following words expressing quantity can be used only in the plural with their corresponding adjective endings for *der*-words: *alle, beide.*

Adjectives after *ein*-words

	Singular			Plural
	Masculine	**Feminine**	**Neuter**	
Nominative	-er	-e	-es	-en
Accusative	-en	-e	-es	-en
Dative	-en	-en	-en	-en
Genitive	-en	-en	-en	-en

	Singular			Plural
	Masculine	**Feminine**	**Neuter**	
Nominative	ein alt*er* Film	eine nett*e* Dame	ein neu*es* Haus	keine gut*en* Schüler
Accusative	einen alt*en* Film	eine nett*e* Dame	ein neu*es* Haus	keine gut*en* Schüler
Dative	einem alt*en* Film	einer nett*en* Dame	einem neu*en* Haus	keinen gut*en* Schülern
Genitive	eines alt*en* Filmes	einer nett*en* Dame	eines neu*en* Hauses	keiner gut*en* Schüler

The following words expressing quantity can be used only in the plural: *andere, ein paar, einige, viele, wenige.* Adjectives following these words take the ending -*e* (nominative, accusative) or -*en* (dative).

Adjective Endings for Adjectives Not Preceded by Articles

	Singular			Plural
	Masculine	**Feminine**	**Neuter**	
Nominative	alt*er* Freund	rot*e* Bluse	neu*es* Auto	klein*e* Kinder
Accusative	alt*en* Freund	rot*e* Bluse	neu*es* Auto	klein*e* Kinder
Dative	alt*em* Freund	rot*er* Bluse	neu*em* Auto	klein*en* Kindern
Genitive	alt*en* Freundes	rot*er* Bluse	neu*en* Autos	klein*er* Kinder

Comparison of Adjectives and Adverbs

Adjective/Adverb	schnell	warm	gut	hoch	gern
Comparative	schneller-	wärmer-	besser-	höher-	lieber
Superlative	schnellst-	wärmst-	best-	höchst-	liebst-

Note that *lieber* and *gern* cannot take an adjective ending.

Plural of Nouns

	Singular	Plural
no change	das Zimmer	die Zimmer
add umlaut	die Mutter	die Mütter
add -n, -en, or -nen	die Ecke	die Ecken
	der Herr	die Herren
	die Freundin	die Freundinnen
add -e	der Tag	die Tage
add ⸚e	die Stadt	die Städte
add ⸚er	das Buch	die Bücher
	das Fach	die Fächer
add -s (adopted foreign words)	das Café	die Cafés
	das Büro	die Büros

Prepositions

Dative	Accusative	Dative or Accusative	Genitive
aus	durch	an	anstatt
außer	für	auf	trotz
bei	gegen	hinter	während
mit	ohne	in	wegen
nach	um	neben	
seit		über	
von		unter	
zu		vor	
		zwischen	

Inverted Word Order

1. Formation of questions beginning with the verb
   Spielst du heute Fußball?

2. Formation of questions beginning with a question word
   Wohin gehen Sie heute Nachmittag?

3. Command forms
   Hab keine Angst!
   Lauft schnell!
   Passen Sie auf!
   Gehen wir!

4. Sentences beginning with a part other than the subject
   Am Sonntag fahren wir zu meiner Tante.

Word Order of Dative and Accusative Noun Objects and Pronouns

Er gibt	dem Fluggast	eine Bordkarte.
Er gibt	ihm	eine Bordkarte.
Er gibt	sie	dem Fluggast.
Er gibt	sie	ihm.

Word Order When Using Conjunctions and Relative Pronouns

1. Coordinating conjunctions

   Ich möchte bleiben, aber ich habe keine Zeit.

2. Subordinating conjunctions

   Wir gehen ins Restaurant, weil wir Hunger haben.

   Weil wir Hunger haben, gehen wir ins Restaurant.

3. Relative pronouns

   Die Frau, die ins Auto einsteigt, ist meine Mutter.

   Wer ist der Mann, den du getroffen hast?

Conjunctions

Coordinating	Subordinating	
aber	als	obgleich
denn	bevor	obwohl
oder	bis	seitdem
sondern	da	sobald
und	damit	solange
	dass	während
	ehe	weil
	nachdem	wenn
	ob	

Verbs Followed by Dative

antworten	to answer
folgen	to follow
gefallen	to like
gehören	to belong
glauben	to believe
gratulieren	to congratulate
helfen	to help
passen	to fit
schmecken	to taste

Gabi hilft ihrer Mutter.
Ich gratuliere ihm zum Geburtstag.

The verb *glauben* may take either the dative or accusative case. If used with a person, the dative follows *(Ich glaube ihm)*. If used with an object, the accusative is used *(Ich glaube das nicht)*.

Verbs with Prepositions Followed by Accusative

sich beklagen über	to complain about
bitten um	to ask for, request
danken für	to thank for
denken an	to think of
sich erinnern an	to remember (about)
sich freuen auf	to look forward to
grenzen an	to border on
sich interessieren für	to be interested in
sich kümmern um	to take care of
lachen über	to laugh about
schreiben über	to write about
sich sorgen um	to be concerned about
sprechen über	to speak about
sich vorbereiten auf	to prepare for
warten auf	to wait for

Verbs with Prepositions Followed by Dative

bestehen aus	to consist of
erzählen von	to tell about
halten von	to think of
sprechen mit	to speak with
suchen nach	to search for
teilnehmen an	to participate in
träumen von	to dream about

Regular Verb Forms — Present Tense

	gehen	finden	heißen	arbeiten
ich	gehe	finde	heiße	arbeite
du	gehst	findest	heißt	arbeitest
er, sie, es	geht	findet	heißt	arbeitet
wir	gehen	finden	heißen	arbeiten
ihr	geht	findet	heißt	arbeitet
sie, Sie	gehen	finden	heißen	arbeiten

Irregular Verb Forms — Present Tense

	haben	sein	wissen	werden
ich	habe	bin	weiß	werde
du	hast	bist	weißt	wirst
er, sie, es	hat	ist	weiß	wird
wir	haben	sind	wissen	werden
ihr	habt	seid	wisst	werdet
sie, Sie	haben	sind	wissen	werden

Verbs with Stem Vowel Change — Present Tense

	ä to *a*	*e* to *i*	*e* to *ie*
ich	fahre	spreche	sehe
du	fährst	sprichst	siehst
er, sie, es	fährt	spricht	sieht
wir	fahren	sprechen	sehen
ihr	fahrt	sprecht	seht
sie, Sie	fahren	sprechen	sehen

Imperative/Command Forms

	gehen	warten	sein	haben
Familiar (singular)	Geh!	Warte!	Sei!	Hab!
Familiar (plural)	Geht!	Wartet!	Seid!	Habt!
Formal (singular/plural)	Gehen Sie!	Warten Sie!	Seien Sie!	Haben Sie!
Wir-form (Let's...)	Gehen wir!	Warten wir!	Seien wir!	Haben wir!

Modal Auxiliaries

	dürfen	können	mögen	müssen	sollen	wollen
ich	darf	kann	mag	muss	soll	will
du	darfst	kannst	magst	musst	sollst	willst
er, sie, es	darf	kann	mag	muss	soll	will
wir	dürfen	können	mögen	müssen	sollen	wollen
ihr	dürft	könnt	mögt	müsst	sollt	wollt
sie, Sie	dürfen	können	mögen	müssen	sollen	wollen

The narrative past forms and the past participles are:

dürfen: durfte, gedurft
können: konnte, gekonnt
mögen: mochte, gemocht
müssen: musste, gemusst
sollen: sollte, gesollt
wollen: wollte, gewollt

present	Darfst du das machen?
past	Durftest du das machen?
present perfect	Hast du das machen dürfen?
past perfect	Hattest du das machen dürfen?

Future tense (*werden* + infinitive)

ich	werde
du	wirst
er, sie, es	wird
wir	werden
ihr	werdet
sie, Sie	werden

Sie werden bald abfahren.
Wirst du das Zimmer aufräumen?

Note: Besides the future tense, *werden* is also used with the passive voice (*Wann wird das Essen gekocht?*) and as a full verb (*Gisela wird Lehrerin*).

Past Tense (Narrative Past Tense)

	Regular Verbs		Irregular Verbs				
	sagen	**arbeiten**	**kommen**	**gehen**	**fahren**	**haben**	**sein**
ich	sagte	arbeitete	kam	ging	fuhr	hatte	war
du	sagtest	arbeitetest	kamst	gingst	fuhrst	hattest	warst
er, sie, es	sagte	arbeitete	kam	ging	fuhr	hatte	war
wir	sagten	arbeiteten	kamen	gingen	fuhren	hatten	waren
ihr	sagtet	arbeitetet	kamt	gingt	fuhrt	hattet	wart
sie, Sie	sagten	arbeiteten	kamen	gingen	fuhren	hatten	waren

Present Perfect Tense

regular verbs: *haben* or *sein* + past participle (*ge* + 3rd person singular)
Sie hat gefragt.
Hast du etwas gesagt?
Wohin ist Heike gereist?

irregular verbs: *haben* or *sein* + past participle
Ich habe das Brot gegessen.
Wir sind dorthin gefahren.

Past Perfect Tense

Past tense of *haben* or *sein* plus past participle
Hattest du den Brief geholt?
Wart ihr zu Hause gewesen?

Passive Voice

present	*Das Buch wird gelesen.*
past	*Das Buch wurde gelesen.*
present perfect	*Das Buch ist gelesen worden.*

When using modals, the passive in the present, past and present perfect is formed as follows:

Das Buch muss gelesen werden.
Das Buch musste gelesen werden.
Das Buch hat gelesen werden müssen.

Present Subjunctive II: Polite Requests and Wishes

	werden	**haben**	**sein**
ich	würde	hätte	wäre
du	würdest	hättest	wärest
er, sie, es	würde	hätte	wäre
wir	würden	hätten	wären
ihr	würdet	hättet	wäret
sie, Sie	würden	hätten	wären

Irregular Verbs

The following list contains the irregular verbs used in *Deutsch Aktuell 1, 2* and *3*. Verbs with separable or inseparable prefixes are not included in this list if the basic verb form has already been introduced in the textbook (example: *kommen, ankommen*). Verbs with stem vowel changes as well as those constructed with a form of *sein* have also been indicated.

Infinitive	Stem Vowel Change	Past	Past Participle	Meaning
abbiegen		bog ab	ist abgebogen	to turn (to)
abbrechen	bricht ab	brach ab	abgebrochen	to break down
backen	bäckt (*also:* backt)	backte	gebacken	to bake
beginnen		begann	begonnen	to begin
bekommen		bekam	bekommen	to get, receive
beweisen		bewies	bewiesen	to prove
bewerben	bewirbt	bewarb	beworben	to apply (for a job)
bieten		bot	geboten	to offer
bitten		bat	gebeten	to ask
bleiben		blieb	ist geblieben	to stay, remain
brennen		brannte	gebrannt	to burn
bringen		brachte	gebracht	to bring
denken		dachte	gedacht	to think
dürfen	darf	durfte	gedurft	may, to be permitted to
einladen	lädt ein	lud ein	eingeladen	to invite
entscheiden		entschied	entschieden	to decide
entstehen		entstand	ist entstanden	to develop, originate
erfahren	erfährt	erfuhr	erfahren	to learn from a person
essen	isst	aß	gegessen	to eat
fahren	fährt	fuhr	ist gefahren	to drive
fallen	fällt	fiel	gefallen	to fall
fangen	fängt	fing	gefangen	to catch
finden		fand	gefunden	to find
fliegen		flog	ist geflogen	to fly
fließen		floss	ist geflossen	to flow, run
fressen	frisst	fraß	gefressen	to eat (for animals)
geben	gibt	gab	gegeben	to give
gefallen	gefällt	gefiel	gefallen	to like
gehen		ging	ist gegangen	to go
genießen		genoss	genossen	to enjoy
gewinnen		gewann	gewonnen	to win
haben	hat	hatte	gehabt	to have
halten	hält	hielt	gehalten	to hold
hängen		hing	gehangen	to hang
heben		hob	gehoben	to lift, raise

Infinitive	Stem Vowel Change	Past	Past Participle	Meaning
heißen		hieß	geheißen	to be called
helfen	hilft	half	geholfen	to help
kennen		kannte	gekannt	to know (person)
klingen		klang	geklungen	to sound
kommen		kam	ist gekommen	to come
können	kann	konnte	gekonnt	to be able to, can
lassen	lässt	ließ	gelassen	to let, leave
laufen	läuft	lief	ist gelaufen	to run, walk
leihen		lieh	geliehen	to loan, lend
lesen	liest	las	gelesen	to read
liegen		lag	gelegen	to lie, be located
mögen	mag	mochte	gemocht	to like
müssen	muss	musste	gemusst	to have to, must
nehmen	nimmt	nahm	genommen	to take
nennen		nannte	genannt	to name, call
reiten		ritt	ist geritten	to ride (horseback)
rufen		rief	gerufen	to call
schaffen		schuf	geschaffen	to create
scheinen		schien	geschienen	to shine
schieben		schob	geschoben	to push
schießen		schoss	geschossen	to shoot
schneiden		schnitt	geschnitten	to cut
schreiben		schrieb	geschrieben	to write
schreien		schrie	geschrien	to scream
schwimmen		schwamm	ist geschwommen	to swim
sehen	sieht	sah	gesehen	to see
sein	ist	war	ist gewesen	to be
singen		sang	gesungen	to sing
sitzen		saß	gesessen	to sit
sprechen	spricht	sprach	gesprochen	to speak, talk
springen		sprang	ist gesprungen	to jump
stehen		stand	gestanden	to stand
steigen		stieg	ist gestiegen	to climb
sterben	stirbt	starb	ist gestorben	to die
stinken		stank	gestunken	to stink
stoßen	stößt	stieß	gestoßen	to push
streiten		stritt	gestritten	to fight, argue
tragen	trägt	trug	getragen	to carry
treffen	trifft	traf	getroffen	to meet
treiben		trieb	getrieben	to do (sports)
treten	tritt	trat	getreten	to pedal, kick
trinken		trank	getrunken	to drink
tun		tat	getan	to do

Infinitive	Stem Vowel Change	Past	Past Participle	Meaning
unterstreichen		unterstrich	unterstrichen	to underline
verbinden		verband	verbunden	to connect
vergessen	vergisst	vergaß	vergessen	to forget
verlieren		verlor	verloren	to lose
vermeiden		vermied	vermieden	to avoid
verstehen		verstand	verstanden	to understand
wachsen	wächst	wuchs	ist gewachsen	to grow
waschen	wäscht	wusch	gewaschen	to wash
werden	wird	wurde	ist geworden	to become, be
werfen	wirft	warf	geworfen	to throw
wiegen		wog	gewogen	to weigh
wissen	weiß	wusste	gewusst	to know
ziehen		zog	gezogen	to move

All the words introduced in *Deutsch Aktuell 1, 2* and *3* have been summarized in this section. The numbers following the meaning of individual words or phrases indicate the particular chapter in which they appear for the first time. For cases in which there is more than one meaning for a word or a phrase and it appeared in different chapters, both chapter numbers are listed. Words and expressions that were introduced in *Deutsch Aktuell 1* and *2* do not have a number after them. Words preceded by an asterisk (*) are cognates or easily recognizable words that were not listed in the chapter vocabulary of this textbook but are listed in this section for reference.

All nouns have been indicated with the respective articles and plural forms. Verbs with stem vowel change, as well as past and present perfect forms of irregular verbs, are listed in the grammar summary as well as in this vocabulary section.

A

ab as of 2; *ab und zu* once in a while

abbiegen (*bog ab, abgebogen*) to turn (to)

abbrechen (*bricht ab, brach ab, abgebrochen*) to break down

der **Abend,-e** evening; *heute Abend* this evening; *am Abend* in the evening

das **Abendessen** supper, dinner

das **Abenteuer,-** adventure 10

aber but

abfahren (*fährt ab, fuhr ab, ist abgefahren*) to depart, leave

die **Abfahrt,-en** departure

abfliegen (*flog ab, ist abgeflogen*) to take off (plane)

der **Abflug,-̈e** departure (flight)

abgeben (*gibt ab, gab ab, abgegeben*) to give up, relinquish 3

der **Abgeordnete,-n** delegate 9

abholen to pick up

das **Abitur** final examination (*Gymnasium*)

abräumen to clear (table)

der **Abreisetag,-e** day of departure 1

abschneiden: gut abschneiden (*schnitt ab, abgeschnitten*) to do well 10

der **Absender,-** sender

abstellen to leave (a vehicle); to turn off 4

das **Abteil,-e** compartment 1

die **Abteilung,-en** department

ach ja oh yes

acht eight

die **Achterbahn,-en** roller coaster

die **Achtung** attention 2

achtzehn eighteen

achtzig eighty

die **Adresse,-n** address

Afrika Africa 1A

* **aggressiv** aggressive 4

* **ähnlich** similar

die **Ahnung** hunch, idea; *Keine Ahnung.* I haven't the faintest idea. 10

die **Aktentasche,-n** briefcase

*die **Aktion,-en** action 6

* **aktiv** active 3

aktuell current, up-to-date

*die **Alchemie** alchemy 8

alle all; *alle zwölf Minuten* every twelve minutes

allein alone

alleinstehend single, unmarried 3

alles everything; *Das ist alles.* That's all.

der **Alltag** everyday life 10

die **Alpen** (pl.) Alps

als when; than; *Da ist mehr Platz als vorher.* There is more room than before.

also so; *Also, was ist dein Geschenk?* So, what is your present?

alt old

das **Alter** age

altmodisch old-fashioned 10

die **Altstadt,-̈e** old town

der **Ameisenbär,-en** anteater 10

Amerika America

die **Ampel,-n** traffic light 2

sich **amüsieren** to amuse oneself 10

an at, on, to

* **analysieren** to analyze 8

anbieten (*bietet an, bot an, angeboten*) to offer

das **Andenken,-** souvenir 5

andere other; *etwas anderes* something else

andererseits on the other hand

sich **ändern** to change

der **Anfang,-̈e** start, beginning

anfangen (*fängt an, fing an, angefangen*) to start, begin

der **Anfänger,-** beginner

angeben (*gibt an, gab an, angegeben*) to indicate

der **Angeber,-** bragger, show-off 6

das **Angebot,-e** offer

angehen (*ging an, ist angegangen*) to concern

angenehm pleasant

angeschwemmt washed ashore 2

die **Angestellte,-n** employee (female)

die **Angst** fear; *Keine Angst!* Don't be afraid!

anhaben (*hat an, hatte an, angehabt*) to have on, wear

anhalten (*hält an, hielt an, angehalten*) to stop

anhören to listen to 7

anklicken to click on

ankommen (*kam an, ist angekommen*) to arrive; *auf deinen Geschmack ankommen* to depend on your taste

die **Ankunft,-̈e** arrival
der **Anlass,-̈e** occasion
die **Anlaufstelle,-n** counseling center 10
das **Anliegen,-** concern 10
    anmachen to start (motor) 4
die **Anmeldung,-en** registration 4
*die **Annalen** (pl.) annals 3
    annehmen (*nimmt an, nahm an, angenommen*) to accept 4
*   **anonym** anonymous 10
    anrufen (*rief an, angerufen*) to call (on the phone)
sich **anschnallen** to buckle up, tighten one's harness
    anschreiben (*schrieb an, angeschrieben*) to sell on credit, charge 3
sich **ansehen** (*sieht an, sah an, angesehen*) to look at
die **Ansichtskarte,-n** picture postcard
    anstatt instead of
    antik classical, ancient 8
die **Antwort,-en** answer
die **Anweisung,-en** instruction; direction 4
die **Anzeige,-n** ad 2
sich **anziehen** (*zog an, angezogen*) to get dressed
der **Anzug,-̈e** suit
der **Apfel,-̈** apple
der **Apfelkuchen,-** apple cake
der **Apfelsaft** apple juice
die **Apfelsine,-n** orange
der **Apotheker,-** pharmacist
der **Appetit** appetite; *Guten Appetit!* Enjoy your meal!
der **April** April
der **Äquator** equator 1
*   **Arabien** Arabia 7
die **Arbeit,-en** work
    arbeiten to work
das **Arbeitsamt,-̈er** employment office
die **Arbeitslosigkeit** unemployment

die **Arbeitsstelle,-n** workplace 6
*der **Architekt,-en** architect 5
*die **Architektur,-en** architecture 9
das **Archiv,-e** archive
    ärgern to annoy 3
    arglos unsuspecting 3
    arm poor 6
der **Arm,-e** arm
das **Armaturenbrett,-er** dashboard 4
*das **Arrangement,-s** arrangement (musical) 4
die **Art,-en** kind 5
der **Artikel,-** article
der **Arzt,-̈e** doctor, physician
    Asien Asia 1
*der **Astronom,-en** astronomer 8
*die **Astronomie** astronomy 9
*   **astronomisch** astronomical 9
der **Atemweg,-e** respiratory tract 8
der **Atlantik** Atlantic Ocean 1
*die **Attraktion,-en** attraction 3
    Au! Ouch!
    auch also, too
*die **Audiokassette,-n** audiocassette 10
    auf on, on top of
    aufbauen to rebuild, to erect 8
der **Aufenthalt,-e** stay
*   **aufführen** to perform
die **Aufführung,-en** performance
    aufgeben (*gibt auf, gab auf, aufgegeben*) to give up 10
    aufhören to stop, quit
    auflegen to put on
    aufmachen to open
die **Aufnahme,-n** recording
    aufnehmen (*nimmt auf, nahm auf, aufgenommen*) to record
    aufpassen to pay attention, watch out
    aufräumen to clean up (room)
    aufregend exciting
der **Aufsatz,-̈e** essay, composition
    aufschreiben (*schrieb auf, aufgeschrieben*) to write down

    aufsetzen to put on
    aufstehen (*stand auf, aufgestanden*) to get up
    auftauchen to appear, show up
    aufwachen to wake up
das **Auge,-n** eye
der **Augenarzt,-̈e** ophthalmologist
der **August** August
    aus from, out of
die **Ausbildung** training
der **Ausbildungsplatz,-̈e** training place
das **Ausdauertraining** endurance training
    außer besides, except
    außerdem besides
    außerhalb outside
    ausfallen (*fällt aus, fiel aus, ist ausgefallen*) to turn out
der **Ausflug,-̈e** excursion, trip
    ausfüllen to fill out 8
    ausgeben (*gibt aus, gab aus, ausgegeben*) to spend (money)
    ausgehen (*ging aus, ist ausgegangen*) to go out; to turn out
    aushalten (*hält aus, hielt aus, ausgehalten*) to tolerate 10
sich **auskennen** *kannte aus, ausgekannt*) to know one's way around
    auskommen (*kam aus, ist ausgekommen*) to get along
die **Auskunft,-̈e** information
das **Ausland** foreign countries
*der **Ausländer,-** foreigner
    ausländisch foreign 6
der **Auslandssender,-** foreign (radio) station
    ausleihen (*lieh aus, ausgeliehen*) to loan; *Bücher ausleihen* to check out books 7
*   **ausloggen** to log out 10
    ausmachen to make a difference
    ausmisten to clean out (barn)
    ausprobieren to try out, test
die **Ausrüstung,-en** equipment

aussehen *(sieht aus, sah aus, ausgesehen)* to look, appear

aussteigen *(stieg aus, ist ausgestiegen)* to get off

sich **aussuchen** to choose, select

der **Austausch** exchange 10

austauschen to exchange 10

die **Austauschschülerin,-nen** exchange student (female) 6

Australien Australia 1

die **Auswahl** selection, choice; *eine Auswahl an* a selection of

auswechseln to change 3

das **Auto,-s** car

die **Autobahn,-en** German freeway

der **Autofahrer,-** car driver 2

die **Autofirma,-men** automobile dealership

der **Automat,-en** automat, (vending) machine

*das **Automobil,-e** automobile 10

der **Azubi,-s** apprentice

B

der **Bach,-̈e** creek

backen *(bäckt, backte, gebacken)* to bake

der **Bäcker,-** baker, bakery

die **Bäckerei,-en** bakery

die **Backmischung,-en** cake mix 10

das **Bad,-̈er** bath 4; spa 8; *ein Bad nehmen* to take a bath 4

der **Badegast,-̈e** tourist at a seaside or beach resort 2

baden to bathe 1

der **Badeort,-e** town by the sea 2

die **Badewanne,-n** bathtub

das **Badezimmer,-** bathroom

die **Bahn,-en** railroad, train 1

der **Bahnhof,-̈e** train station

der **Bahnsteig,-e** platform 1

bald soon

*der **Balkan** Balkan Peninsula 8

der **Ball,-̈e** ball

die **Banane,-n** banana

die **Band,-s** band

*der **Bandleader,-** band leader 4

die **Bank,-en** bank

die **Bank,-̈e** bench

bar cash

*das **Barett,-e** beret 9

*die **Basis** basis 9

der **Basketball,-̈e** basketball

basteln to do crafts

die **Batterie,-n** battery

der **Bauch,-̈e** stomach

die **Bauchschmerzen** (pl.) stomachache

* **bauen** to build

der **Bauer,-n** farmer 1

der **Bauernhof,-̈e** farm

die **Bauhausstätte,-n** site of the *Bauhaus* 10

der **Baum, Bäume** tree

Bayern Bavaria

beantworten to answer; *eine Frage beantworten* to answer a question 6

sich **bedanken** to thank

bedauern to regret 10

bedeuten to mean; *es bedeutet mir viel* it means a lot to me

die **Bedeutung,-en** significance, meaning 10

bedienen to wait on, serve; *sich bedienen* to help oneself

*die **Bedingung,-en** condition

sich **beeilen** to hurry

beeinflussen to influence 2

die **Beerdigung,-en** funeral 1

begeistert von enthusiastic about 9

beginnen to begin

der **Begriff,-e** concept 9

der **Begründer,-** founder 8

begrüßen to greet

behalten *(behält, behielt, behalten)* to keep 6

behandeln to treat 7

behaupten to maintain 6

der **Behinderte,-n** person who is handicapped 6

bei at, near, with; *bei uns bleiben* to stay with us

beibringen *(brachte bei, beigebracht)* to teach; *hat mir als Kind...beigebracht* taught me as a child

beide both

beige beige

die **Beilage,-n** side dish

das **Bein,-e** leg

das **Beispiel,-e** example; *wie zum Beispiel* as for example

bekannt well known

sich **beklagen über** to complain about

bekommen *(bekam, bekommen)* to get, receive

belegt covered; *belegte Brote* sandwiches 2

beleuchten to light up, illuminate 7

Belgien Belgium

* **beliebt** popular

bemerken to notice

sich **benehmen** *(benimmt, benahm, benommen)* to behave 3

das **Benehmen** behavior

benutzen to use

das **Benzin** gasoline, fuel

die **Benzinuhr,-en** gas gauge 4

bequem comfortable

der **Bereich,-e** field 9

bereit ready 2

*der **Berg,-e** mountain

der **Bergbau** mining 10

der **Bergstiefel,-** hiking boot 5

berücksichtigen to consider 8

der **Beruf,-e** occupation

die **Berufsschule,-n** vocational school

beruhigen to calm down 3

berühmt famous 5

berühren to touch

bescheiden modest 3

* **beschrieben** described

das **Besenreiten** broomstick riding 8

besichtigen to visit, view

der **Besitzer,-** owner

besonders especially; *etwas Besonderes* something special

besorgt worried 3

besser better

bestehen *(bestand, bestanden)* to pass; *eine Prüfung bestehen* to pass an exam; *bestehen aus* to consist of 5

bestellen to order

besterhalten best-preserved 10

bestimmen to determine
bestimmt definitely, for sure, certain(ly)
die Bestsellerliste,-n bestseller list
der Besuch,-e visit
besuchen to visit
*der Besucher,- visitor
der Betrag,¨e amount 3
der Betrieb: viel Betrieb sein to be busy
das Bett,-en bed
die Bettwäsche bed linen
bevor before
bewegen to move 7
beweglich movable 7
die Bewegung,-en movement
beweisen (bewies, bewiesen) to prove 9
sich bewerben um (bewirbt, bewarb, beworben) to apply for
der Bewerber,- applicant
die Bewerbung,-en application 6
der Bewerbungsbrief,-e letter of application 6
das Bewerbungsgespräch,-e job interview 6
die Bewerbungsunterlage,-n application document 6
bewölkt cloudy, overcast
bewusst conscious 8
bezahlen to pay
die Beziehung,-en relationship 8
*die Bibel,-n Bible 7
die Bibliothek,-en library 7
*das Bier,-e beer 7
bieten (bot, geboten) to offer
das Bild,-er picture
*der Bildhauer,- sculptor
die Bildungssendung,-en educational TV program 7
billig cheap
die Biologie biology
*die Biologin,-nen biologist 6
die Birne,-n pear
bis until; Bis später! See you later!
bitte please; Bitte schön? May I help you?; Bitte sehr. Here you are.
bitten (bat, gebeten) to ask; bitten um to ask for 3
das Blatt,¨er sheet (of paper) 6

blau blue
*die Blaue Grotte Blue Grotto
bleiben (blieb, ist geblieben) to stay
bleifrei unleaded
der Bleistift,-e pencil
der Blinker,- turn signal 4
das Blitzgerät,-e flash attachment
die Blockflöte,-n recorder
blockieren to block 2
die Blume,-n flower
die Blumeninsel flower island
der Blumenkohl cauliflower 2
die Bluse,-n blouse
der Boden,¨ floor, ground 6
Böhmen Bohemia 5
die Bohne,-n bean
das Boot,-e boat
die Bordkarte,-n boarding pass
die Boutique,-n boutique
der Braten,- roast 2
die Bratkartoffeln (pl.) fried potatoes
die Bratwurst,¨e bratwurst
brauchen to need
braun brown
breit wide 2
die Bremse,-n brake 4
* brennen (brannte, gebrannt) to burn
das Brett,-er board 4
das Brettspiel,-e board game 4
die Brezel,-n pretzel
der Brief,-e letter
der Brieffreund,-e pen pal
der Briefkasten,¨ mailbox
die Briefmarke,-n stamp
der Briefumschlag,¨e envelope
die Brille,-n glasses
bringen (brachte, gebracht) to bring
Broccoli broccoli
die Brombeere,-n blackberry
die Broschüre,-n brochure
das Brot,-e bread
das Brötchen,- hard roll
die Brotzeit,-en snack break 5
die Brücke,-n bridge 2
der Bruder,¨ brother
der Brunnen,- fountain 2
das Buch,¨er book
der Buchdruck book printing 7

buchen to book 4
das Bücherregal,-e bookshelf
das Buchgeschäft,-e bookstore 5
die Buchhandlung,-en bookstore 7
die Buchpresse,-n printing press 7
der Buchstabe,-n letter (of the alphabet) 7
bügeln to iron
die Bühne,-n stage 6
die Bühnenshow,-s stage show 4
der Bund,¨e alliance 6
das Bundesland,¨er federal state (Germany)
die Bundesliga Federal League; Bundesliga top Federal League
der Bundespräsident president (of a country) 5
bunt colorful
die Burg,-en fortress, castle 5
*der Bürgermeister,- mayor
der Bürgersteig,-e sidewalk 2
das Büro,-s office
der Bus,-se bus
*die Busstation,-en bus station 4
die Butter butter

C

campen to camp; campen gehen to go camping
der Camper,- camper
der Campingplatz,¨e campground
die Campingreise,-n camping trip
die CD,-s CD
das Cello,-s cello
der Cent,-s cent
der Champignon,-s mushroom
die Chance,-n chance 4
charmant charming
*der Chat,-s chat 10
die Chat-Gruppe,-n chat group
der Chatraum,¨e chat room
chatten to chat
der Check-in check-in (counter) 9
die Chemie chemistry
* China China 7

der **Chip,-s** (potato) chip
der **Chirurg,-en** surgeon 8
*die **Clique,-n** clique 6
die **Cola,-s** cola
der **Comic,-s** comics
der **Computer,-** computer
die **Computerfirma,-en** computer company 6
das **Computergeschäft,-e** computer store
das **Computerspiel,-e** computer game
der **Cousin,-s** cousin (male)
die **Cousine,-n** cousin (female)
*das **Curry** curry spice 7
die **Currywurst,-̈e** curry sausage 7

D

da there; *da drüben* over there; since (inasmuch as)
das **Dach,-̈er** roof
dahinfahren (*fährt dahin, fuhr dahin, ist dahingefahren*) to go there 7
damals at that time, back then 6
Dame checkers (game) 4
die **Dame,-n** lady; *Dame* checkers (game) 4
damit so that, in order that
der **Dampf,-̈e** steam 1
Dänemark Denmark
* **dänisch** Danish 6
der **Dank** thanks; *Herzlichen Dank!* Thank you very much!
Danke! Thank you!; *Danke schön.* Thank you very much.
danken to thank 6
dann then
darstellen to portray, depict 9
das that, the
dass that
die **Daten** (pl.) data, facts
*die **Datenautobahn,-en** information superhighway 10
dauern to take, last
*die **DDR** (*Deutsche Demokratische Republik*) former East Germany 8

die **Debatte,-n** debate 10
debattieren to debate 10
die **Debütantin,-nen** debutante 5
*die **Decke,-n** ceiling
decken to cover; *den Tisch decken* to set the table
dein your (familiar singular)
*die **Demokratie,-n** democracy 9
*die **Demokratisierung** democratization 10
*die **Demonstration,-en** demonstration 5
* **demonstrieren** to demonstrate 5
denken (*dachte, gedacht*) to think
das **Denkmal,-̈er** monument 2
denn because, for; used for emphasis
der **the**
derselbe the same
deshalb therefore, that's why
* **desolat** desolate 2
*das **Detail,-s** detail 1
deutlich clear
deutsch German; *Er spricht deutsch.* He speaks German.
Deutsch German (subject)
der **Deutsche,-n** German (male)
*die **Deutsche Bahn** German Railroad 1
die **Deutsche Welle** well known for its radio and TV broadcasting around the world
die **Deutschklasse,-n** German class
Deutschland Germany
deutschsprachig German-speaking 3
der **Dezember** December
die **Diät** diet 8
der **Dichter,-** poet 5
die **Dichtung,-en** poetry, literature 5
dick thick, fat 8
die the
dienen to serve 1
der **Dienstag,-e** Tuesday
dieser this
diesmal this time 3
das **Ding,-e** thing

direkt direct(ly)
die **Disko,-s** disco
diskutieren to discuss
doch used for emphasis; *Komm doch mit!* Why don't you come along!
der **Doktor,-en** physician, doctor
*das **Dokument,-e** document 7
der **Dom,-e** cathedral; *der Kölner Dom* Cologne Cathedral 7
die **Donau** Danube River 5
der **Donnerstag,-e** Thursday
doof stupid, dumb 4
das **Dorf,-̈er** village 1
dort there
dorthin (to) there
die **Dose,-n** can
der **Drachen,-** kite 2
das **Drachenfest,-e** kite flying festival 2
dran sein to be one's turn; *Sie ist dran.* It's her turn.
draußen outside
drehen to turn 3
drei three
dreimal three times
dreißig thirty
dreizehn thirteen
drin (colloquial for *darin*) in there 8
drinnen inside
dritt- third
der **Drogenhandel** drug traffic 9
drucken to print
drücken to push, press 4
der **Drucker,-** printer
drum und dran: mit allem Drum und Dran with all the bells and whistles
du you (familiar singular); *Du, ich komme mit.* Hey, I'll come along.
dumm dumb, stupid 10
die **Düne,-n** dune 2
dunkel dark
dünn thin 8
durch through
durchfahren (*fährt durch, fuhr durch, ist durchgefahren*) to go/drive through
durchkommen (*kam durch, ist durchgekommen*) to get through

der **Durchschnitt** average; *im Durchschnitt* on the average 3

dürfen *(darf, durfte, gedurft)* may, to be permitted to

der **Durst** thirst; *Durst haben* to be thirsty

die **Dusche,-n** shower

sich **duschen** to shower, take a shower

der **Düsenflugzeugmotor,-en** jet engine motor 10

E

die **E-Mail,-s** e-mail; *eine E-Mail schicken* to send an e-mail

die **Ebene,-n** plain 9

echt real(ly)

die **Ecke,-n** corner

die **Ehefrau,-en** wife 3

ehemalig former

der **Ehemann,-̈er** husband 3

das **Ehepaar,-e** married couple 3

ehrlich honest

eigen own

eigentlich actually 1

ein(e) a, an

einander each other 6

die **Einbahnstraße,-n** one-way street 2

der **Einband,-̈e** book cover 6

der **Eindruck,-̈e** impression 6

eindrucksvoll impressive 1

einer one (person)

einfach one-way, simple 1

*die **Einfahrt,-en** entrance

einfallen *(fällt ein, fiel ein, ist eingefallen)* to occur 9

*der **Einfluss,-̈e** influence

der **Eingang,-̈e** entrance

eingebaut built-in 10

einheimisch local, indigenous 8

die **Einheit** unity; *Tag der Einheit* Day of Unity

einheitlich unified, standardized 9

einige a few

sich **einigen** to come to an agreement 2

einkaufen to shop; *einkaufen gehen* to go shopping

die **Einkaufsliste,-n** shopping list

die **Einkaufstasche,-n** shopping bag

der **Einkaufswagen,-** shopping cart

das **Einkaufszentrum,-tren** shopping center

einladen *(lädt ein, lud ein, eingeladen)* to invite

die **Einladung,-en** invitation

* **einloggen** to log in 10

einmal once

eins one

* **einsam** lonely

sich **einsetzen** to advocate, do one's utmost 10

einsteigen *(stieg ein, ist eingestiegen)* to get in, board

* **eintippen** to type in 10

*der **Einwanderer,-** immigrant

einwerfen *(wirft ein, warf ein, eingeworfen)*, to put in (mailbox), mail (letter, card)

*der **Einwohner,-** inhabitant

die **Einzelfahrkarte,-n** single ticket 7

einzeln individual, separate

einzig only 9

einzigartig unique 10

das **Eis** ice cream

das **Eiscafé,-s** ice cream parlor, café

der **Eisenbahnfan,-s** train fan 1

das **Eishockey** ice hockey

die **Eisschokolade** chocolate sundae

der **Eistee** iced tea

eitel vain

elegant elegant

der **Elektriker,-** electrician

*die **Elektrizität** electricity 4

das **Elektrogerät,-e** electric appliance

*der **Elektromotor,-en** electric motor 7

*das **Element,-e** element 3

elf eleven

der **Elfmeter,-** penalty kick

der **Ellenbogen,-** elbow 8

der **Ellenbogenschutz** elbow pads 8

* **elliptisch** elliptical 9

die **Eltern** (pl.) parents

empfangen *(empfängt, empfing, empfangen)* to receive 10

der **Empfänger,-** receiver, recipient

empfehlen *(empfiehlt, empfahl, empfohlen)* to recommend 8

das **Empfehlungsschreiben,-** letter of recommendation

das **Ende** end; *zu Ende sein* to be over

* **enden** to end 10

endlich finally

die **Endstation,-en** final destination

die **Energie** energy

eng tight

das **Engagement,-s** engagement, commitment 10

sich **engagieren** to engage, be active 10

England England

englisch English; *Er spricht englisch.* He speaks English.

das **Englisch** English (subject)

der **Enkel,-** grandson 3

die **Enkelin,-nen** granddaughter 3

das **Enkelkind,-er** grandchild 3

entdecken to discover

die **Entdeckung,-en** discovery 8

die **Ente,-n** duck

entfernt away

*die **Entfernung,-en** distance

entführen to abduct 3

enthaupten to behead 3

sich **entscheiden** *(entschied, entschieden)* to decide 6

die **Entscheidung,-en** decision; *eine Entscheidung treffen* to make a decision

entschuldigen to excuse; *Entschuldigen Sie!* Excuse me!

entspannen to relax

entstehen *(entstand, ist entstanden)* to develop 8

der **Entwerter,-** ticket validator 7

entwickeln to develop 7

die **Entwicklung,-en** development 10

das **Eozän** Eocene period 10
er he
das **Erbe** heritage, inheritance 10
die **Erbse,-n** pea
die **Erdbeere,-n** strawberry
das **Erdbeereis** strawberry ice cream
der **Erdbeershake,-s** strawberry shake
die **Erde** earth, ground 7
das **Erdgeschoss,-e** ground floor, first floor (in America)
die **Erdkunde** geography
die **Erdnussbutter** peanut butter
das **Ereignis,-se** event
erfahren (*erfährt, erfuhr, erfahren*) to find out 8; *erfahren sein* to be experienced
die **Erfahrung,-en** experience
der **Erfahrungshorizont** realm of experience 10
erfinden (*erfand, erfunden*) to invent 7
der **Erfinder,-** inventor 7
die **Erfindung,-en** invention 7
der **Erfindungsgeist** ingenuity 10
der **Erfolg,-e** success
erfolgreich successful 4
das **Ergebnis,-se** result 8
erhalten (*erhält, erhielt, erhalten*) to receive, preserve
sich **erholen** to relax, recover 3
die **Erholung** relaxation 2
* **erinnern an** to recall
sich **erkälten** to catch a cold
* **erkennen** (*erkannte, erkannt*) to recognize
erklären to explain 2
die **Erklärung,-en** explanation 9
sich **erlauben** to allow 7
erleben to experience 10
*das **Erlebnis,-se** experience
erledigen to finish
ermöglichen to make possible 10
sich **ernähren** to nourish, feed 8
die **Ernährung** nutrition 8
ernst serious; *ernst nehmen* to take seriously 10

die **Ernte,-n** harvest 1
* **erobern** to conquer
die **Eröffnung,-en** opening 5
erreichen to reach 10
das **Ersatzteil,-e** replacement part
erst- first; *erst einmal* first of all
erstaunt amazed
ertrinken (*ertrank, ist ertrunken*) to drown 1
der **Erwachsene,-n** adult
erwarten to expect
erweitern to expand 10
erzählen to tell; *erzählen von* to tell about
das **Erzbergwerk,-e** ore mine 10
der **Erzbischof,-̈e** archbishop 3
es it
essen (*isst, aß, gegessen*) to eat
das **Essen,-** meal, food
die **Essgewohnheit,-en** eating habit 2
das **Etikett,-en** sticker, label
etwas some, something, a little
die **EU (Europäische Union)** EU (European Union) 9
euer your (familiar plural)
die **Eule,-n** owl 9
der **Euro,-s** euro
Europa Europe
* **europäisch** European 3
*die **Europäische Union** European Union (EU) 1
der **Europarat** Council of Europe 9
der **Euroschein,-e** euro banknote 9
evangelisch Protestant 9
ewig forever
* **existieren** to exist 6
experimentieren to experiment
der **Experte,-n** expert
* **exportieren** to export 9
extra extra

F

die **Fabrik,-en** factory 9
das **Fach,-̈er** (school) subject
das **Fachwerkhaus,-̈er** half-timbered house 8
die **Fahne,-n** flag
die **Fahrbahn,-en** traffic lane 2

fahren (*fährt, fuhr, ist gefahren*) to drive, go, ride
der **Fahrer,-** driver
die **Fahrkarte,-n** ticket
der **Fahrplan,-̈e** schedule
das **Fahrrad,-̈er** bicycle
die **Fahrradpumpe,-n** bike pump 3
der **Fahrradweg,-e** bicycle path 2
die **Fahrschule,-n** driving school 4
der **Fahrstuhl,-̈e** elevator
die **Fahrt,-en** ride
das **Fahrzeug,-e** vehicle
der **Fall,-̈e** case; *auf jeden Fall* in any case
fallen (*fällt, fiel, ist gefallen*) to fall 4
die **Familie,-n** family
das **Familientreffen,-** family meeting, gathering
der **Fan,-s** fan
fangen (*fängt, fing, gefangen*) to catch 4
die **Fanta** brand name of soda (orange-flavored)
* **fantastisch** fantastic 7
die **Farbe,-n** color; *Welche Farbe hat...?* What color is...?
färben to color
der **Farbfernseher,-** color TV set 10
der **Faschingsdienstag** Tuesday before Lent 5
fast almost
* **fasziniert** fascinated 3
faul lazy 6
das **Fax,-e** fax
der **Februar** February
fehlen to be missing; *Was fehlt dir?* What's the matter with you?
der **Fehler,-** mistake 4
feiern to celebrate
der **Feiertag,-e** holiday
der **Feind,-e** enemy 10
das **Feld,-er** field 1
das **Fenster,-** window
die **Ferien** (pl.) vacation; *in den Ferien* on vacation; *in die Ferien fahren* to go on vacation; *Ferien machen* to take vacation
die **Ferienreise,-n** vacation trip
das **Fernrohr,-e** (primitive) telescope 9

fernsehen (*sieht fern, sah fern, ferngesehen*) to watch television; *im Fernsehen* on television

der **Fernseher,-** TV, television set

das **Fernsehprogramm,-e** television program

die **Fernsehserie,-n** TV series 7

fertig sein to be ready, finished

das **Fest,-e** festival

das **Festessen,-** feast

sich **festmachen** to secure, fasten

*der **Festwagen,-** float

fett fat, greasy 7

das **Fett** fat 7

das **Feuer** fire

das **Fieber** fever

*die **Figur,-en** figure, game piece 2

das **Filigran,-e** filigree 9

der **Film,-e** film, movie

* **finanzieren** to finance 9

finden to find; *Ich finde es langweilig.* I think it's boring.

der **Finger,-** finger

Finnland Finland

die **Firma,-en** firm, company

der **Fisch,-e** fish

die **Fischerbastei** name of castle in Budapest 5

das **Fischfilet** fish fillet

die **Fischsemmel,-n** fish sandwich

fit: fit sein to be fit 8

* **flach** flat

die **Flasche,-n** bottle

das **Fleisch** meat

der **Fleischer,-** butcher

fleißig industrious 10

fliegen (*flog, ist geflogen*) to fly

* **fließen** (*floss, ist geflossen*) to flow

die **Flöte,-n** flute

der **Flug,-̈e** flight

der **Flugbegleiter,-** flight attendant

der **Flügel,-** wing 9

der **Fluggast,-̈e** flight passenger

der **Flughafen,-̈** airport

der **Flugschein,-e** flight ticket

der **Flugsteig,-e** gate (airport)

das **Flugzeug,-e** airplane

der **Flur,-e** hallway 1

*der **Fluss,-̈e** river

die **Flut,-en** flood, tide 9

der **Föhn** foehn; warm, dry wind from the mountains 4

folgen to follow

*die **Folklore** folklore 4

fördern to further, promote

die **Forelle,-n** trout

das **Formular,-e** form 9

*das **Fort,-s** fort 9

sich **fortbewegen** to move from one place to another 10

der **Fortgeschrittene,-n** advanced (student)

der **Fortschritt,-e** advancement; progress 10

die **Fossiliengrube,-n** fossil pit 10

das **Foto,-s** photo

das **Fotoalbum,-alben** photo album

das **Fotogeschäft,-e** photo store

der **Fotograf,-en** photographer

fotografieren to take pictures

die **Fotozeitschrift,-en** photography magazine

foulen to foul

die **Frage,-n** question; *eine Frage stellen* to ask a question 3

der **Fragebogen,-** questionnaire 8

fragen to ask

*der **Franke,-n** Frank (Germanic tribe) 1

*der **Franken,-** franc (Swiss monetary unit)

Frankreich France

*der **Franzose,-n** Frenchman 2

französisch French; *Er spricht französisch.* He speaks French.

das **Französisch** French (subject)

die **Frau,-en** Mrs., woman

frei free, available

das **Freie: im Freien** outdoors

die **Freiheit** freedom 9

der **Freiraum,-̈e** free space

der **Freitag,-e** Friday

die **Freizeit** leisure time

fremd foreign; *Ich bin fremd hier.* I'm a stranger here; *fremde Leute* strangers

die **Fremdsprache,-n** foreign language

fressen (*frisst, fraß, gefressen*) to eat (for animals)

sich **freuen auf** to look forward to

der **Freund,-e** boyfriend

die **Freundin,-nen** girlfriend

die **Freundschaft,-en** friendship 10

der **Frieden** peace 9

der **Friedensnobelpreis** Nobel Peace Prize 9

der **Friedhof,-̈e** cemetery 2

friesisch Frisian 2

die **Frikadelle,-n** thick hamburger patty with spices 7

frisch fresh

der **Friseur,-e** hairstylist, barber

froh glad, happy

die **Fruchtbarkeit** fertility 9

früh early

der **Frühling,-e** spring

das **Frühstück** breakfast

frühstücken to have breakfast 1

der **Frühstückstisch** breakfast table

fühlen to feel; *sich wohl fühlen* to feel well

* **führen** to lead

der **Führer,-** leader 6

der **Führerschein,-e** driver's license

fünf five

fünfzehn fifteen

fünfzig fifty

funktionieren to function, work

für for; *für dich* for you

*der **Fürst,-en** prince

*das **Fürstentum** principality

der **Fuß,-̈e** foot; *zu Fuß gehen* to walk

der **Fußball,-̈e** soccer, soccer ball

die **Fußballmannschaft,-en** soccer team

der **Fußballplatz,-̈e** soccer field

die **Fußballweltmeisterschaft,-en** soccer world championship 7

German-English Vocabulary

der **Fußgänger,-** pedestrian 2
die **Fußgängerzone,-n**
    pedestrian zone 4
    füttern to feed

G

die **Gabel,-n** fork
    galoppieren to gallop
der **Gang,-̈e** aisle; gear 3
die **Gangschaltung** gear
    shift 4
die **Gans,-̈e** goose
    ganz quite; *ganz gut* quite
    well, pretty good; *noch*
    nicht ganz not quite yet;
    whole; *die ganze Woche*
    the whole week; *ganz*
    gleich no matter 10
    gar nicht not at all; *gar*
    nicht mehr no longer
die **Garage,-n** garage
*die **Gardine,-n** curtain,
    drapery
der **Garten,-̈** garden
das **Gaspedal,-e** gas pedal 4
der **Gast,-̈e** guest
die **Gastfamilie,-n** host
    family 10
das **Gebäude,-** building 3
    geben (*gibt, gab, gegeben*)
    to give; *es gibt* there is
    (are); *Was gibt's im*
    Fernsehen? What is
    there on TV?; *sich die*
    Hand geben to shake
    hands
das **Gebiet,-e** region 7
das **Gebirge,-** mountains 9
    geboren born 1
der **Geburtstag,-e** birthday
der **Gedankenaustausch**
    exchange of ideas 10
das **Gedicht,-e** poem
die **Geduld** patience 6
    gefährlich dangerous 3
    gefallen (*gefällt, gefiel,*
    gefallen) to like; *Wie*
    gefällt dir...? How do
    you like...?
    gefangen nehmen
    (*nimmt gefangen, nahm*
    gefangen, gefangen
    genommen) to capture 6
das **Gefühl,-e** feeling
    gegen about, around;
    against *so gegen sieben*
    around seven (o'clock);
die **Gegend,-en** area

die **Gegenreformation**
    Counter Reformation 9
    gegenüber across 2
    gehen (*ging, ist gegangen*)
    to go; *Wie geht's?, Wie*
    geht es Ihnen? How are
    you?; *Das geht nicht.*
    That's not possible;
    Gehen wir! Let's go!; *Es*
    geht mir schon besser. I'm
    feeling better already.;
    Wohin geht's denn?
    Where are you going?
    gehören to belong
die **Geige,-n** violin
    gelb yellow
das **Geld** money
die **Gelegenheit,-en**
    opportunity
der **Gelehrte,-n** scholar 8
*das **Gemälde,-** painting
das **Gemüse** vegetable(s)
die **Gemüsesuppe,-n**
    vegetable soup
    gemütlich comfortable
    genau exact(ly)
*der **General,-e** general 1
die **Generation,-en**
    generation
das **Genie,-s** genius
    genießen (*genoss,*
    genossen) to enjoy; *Lass*
    uns...genießen! Let's
    enjoy...!
    genug enough
    geöffnet open
*   **geographisch**
    geographical 4
*   **geozentrisch** geocentric 9
das **Gepäck** luggage, baggage
die **Gepäckausgabe** baggage
    claim 9
der **Gepäckdienst** lost and
    found baggage service 9
der **Gepäckträger,-** bike rack
    3
    gerade just
    geradeaus straight ahead
der **Gerichtshof,-̈e** court 9
    gern gladly, with
    pleasure; *gern spielen*
    like to play; *gern haben*
    to like; *Das hast du ja*
    sehr gern. You like it
    very well.
das **Geschäft,-e** store, shop;
    business 2
der **Geschäftsmann,-̈er**
    businessman 7

die **Geschäftsreise,-n**
    business trip 3
das **Geschenk,-e** present, gift
die **Geschichte** history
die **Geschichte,-n** story
das **Geschichtsbuch,-̈er**
    history book
    geschieden divorced 3
das **Geschirr** dishes
der **Geschirrspüler,-**
    dishwasher
der **Geschmack** taste
die **Geschwindigkeit,-en**
    speed 8
die **Geschwister** (pl.) siblings
    1
das **Gesetz,-e** law
das **Gesicht,-er** face 4
der **Gesichtsschutz** face
    guard 8
    gespannt sein to be
    curious
das **Gespräch,-e**
    conversation 3
    gestalten to design 9
    gestern yesterday
    gestresst sein to be
    stressed 6
    gesund healthy
die **Gesundheit** health 3
das **Getränk,-e** beverage
    getrennt: getrennte
    Kasse machen to pay
    separately
das **Gewicht,-e** weight
    gewinnen (*gewann,*
    gewonnen) to win
der **Gewinner,-** winner 4
das **Gewitter,-** thunderstorm
sich **gewöhnen an** to get used
    to 9
die **Gewohnheit,-en** habit
    gewöhnlich usually
das **Gewürz,-e** spice 2
der **Gipfel,-** summit, peak 9
die **Gitarre,-n** guitar
das **Glas,-̈er** glass
    glauben to believe; *Ich*
    glaube schon. I believe
    so.
    gleich immediately, right;
    gleich um die Ecke right
    around the corner;
    same 5
der **Gleichgesinnte,-n** like-
    minded person of the
    same convictions 10
das **Gleis,-e** track
das **Glück** luck; *Glück haben*
    to be lucky

glücklich happy; *Ein glückliches Neues Jahr!* Happy New Year!

der **Goldschmied,-e** goldsmith 7

das **Golf** golf

* **gotisch** Gothic 9

das **Grab,̈-er** grave 3

der **Grabstein,-e** gravestone 2

der **Grad,-e** degree

*der **Graf,-en** count

*die **Grammatik** grammar 3

gratulieren to congratulate

grau gray

*die **Gravitation** gravity 9

*die **Grenze,-n** border; *an der Grenze zu* at the border with

* **grenzen an** to border on

*der **Grenzübergang,̈-e** border crossing

*der **Grieche,-n** Greek 8

Griechenland Greece 6

* **Griechisch** Greek (language) 1

die **Grippe** flu 8

groß large, big

die **Größe,-n** size

die **Großeltern** (pl.) grandparents

das **Großmünster** Grand Cathedral 3

die **Großmutter,̈** grandmother

das **Großraumabteil,-e** large compartment with no dividers 1

die **Großstadt,̈-e** large city, metropolis

der **Großvater,̈** grandfather

die **Grube,-n** pit 10

grün green

der **Grund,̈-e** reason 2

gründen to found 6

der **Gründer,-** founder 9

der **Grüne,-n** environmentalist; *die Grünen* environmentalist party in Germany 10

die **Gruppe,-n** group 2

Grüß dich! Hi! Hello!

der **Gruß,̈-e** greeting; *herzliche Grüße* kindest regards

die **Gruselgeschichte,-n** spooky story 9

die **Gulaschsuppe,-n** goulash soup

günstig favorable

der **Gurkensalat** cucumber salad

gut good; *ganz gut* quite well

die **Güte** goodness; *Meine Güte!* My goodness! 3

das **Gymnasium,-sien** secondary school, college preparatory school

H

das **Haar,-e** hair

haben (*hat, hatte, gehabt*) to have

der **Hafen,̈** harbor 2

halb half; *um halb fünf* at 4:30

die **Halbzeit,-en** halftime

die **Hälfte,-n** half 10

Hallo! Hi! Hello!

der **Hals,̈-e** neck

die **Halsschmerzen** (pl.) sore throat

halten (*hält, hielt, gehalten*) to keep; *halten von* to think of 5

die **Haltestelle,-n** stop

der **Hamburger,-** hamburger

die **Hand,̈-e** hand; *sich die Hand geben* to shake hands

die **Handbremse,-n** hand brake 3

der **Handel** trade 6

das **Handelsrecht,-e** trading right 6

die **Handelsroute,-n** trade route 6

das **Handgelenk,-e** wrist 8

der **Handschuh,-e** glove

das **Handschuhfach,̈-er** glove compartment 4

die **Handtasche,-n** purse

das **Handy,-s** cell phone

sich **hangeln** to climb, move on a rope (hand over hand)

hängen (*hing, gehangen*) to hang 8

die **Hanse** Hanseatic League 6

die **Hanse-Kogge** ship type of the Hanseatic League 6

Hänsel und Gretel Hansel and Gretel 7

die **Harfe,-n** harp 9

hässlich ugly 5

*die **Hauptstadt,̈-e** capital (city)

das **Haus,̈-er** house; *zu Hause* at home; *nach Hause gehen* to go home

die **Hausaufgabe,-n** homework; *Hausaufgaben machen* to do homework

die **Hausnummer,-n** house number

das **Haustier,-e** domestic animal, pet

heben (*hob, gehoben*) to lift

das **Heft,-e** notebook

das **Heilige Land** Holy Land 3

heilklimatisch climate conducive to healing 8

das **Heilkraut,̈-er** therapeutic herb 8

die **Heilkunde** healing art 8

das **Heilmittel,-** remedy 8

die **Heimat** home, homeland 3

der **Heimatlosenfriedhof** cemetery for homeless, unknown people 2

die **Heimatstadt,̈-e** hometown 1

der **Heimcomputer,-** home computer 10

das **Heimweh** homesickness 10

heiraten to marry 3

heiß hot

heißen (*hieß, geheißen*) to be called; *Wie heißt du?* What's your name?

heiter clear (skies)

helfen (*hilft, half, geholfen*) to help

* **heliozentrisch** heliocentric 9

hell light

der **Helm,-e** helmet

die **Helmpflicht** mandatory helmet use 2

das **Hemd,-en** shirt

herausfinden (*fand heraus, herausgefunden*) to find out

herauskommen (*kam heraus, ist herausgekommen*) to come out

herausnehmen (*nimmt heraus, nahm heraus, herausgenommen*) to take out

die **Herbergsmutter,-̈** youth hostel director (female)

der **Herbergsvater,-̈** youth hostel director (male)

der **Herbst,-e** fall, autumn

der **Herd,-e** stove

hereinsehen (*sieht herein, sah herein, hereingesehen*) to look inside

herkommen (*kam her, ist hergekommen*) to come here; *Komm her!* Come here!

der **Herr,-en** Mr., gentleman, master; *der römische Herr* Roman master 1

herrschen to rule 1

der **Herrscher,-** ruler 1

herstellen to produce 8

herumfahren (*fährt herum, fuhr herum, ist herumgefahren*) to drive around

herumlaufen (*läuft herum, lief herum, ist herumgelaufen*) to run around

herumsitzen (*saß herum, herumgesessen*) to sit around

herumspringen (*sprang herum, ist herumge-sprungen*) to jump around 4

das **Herz,-en** heart 1

herzlich sincere, cordial; *Herzlichen Glückwunsch zum Geburtstag!* Happy birthday!

heute today

* **heutig** today's, contemporary 3

heutzutage nowadays

die **Hexe,-n** witch 2

hier here

hierher here

die **Hilfe** help 2

das **Hin und Her** back and forth 9

hin und zurück round-trip 1

hinauffahren (*fährt hinauf, fuhr hinauf, ist hinaufgefahren*) to ride uphill 3

hinausreichen to extend beyond 10

hinausreiten (*ritt hinaus, ist hinausgeritten*) to ride out

hineingehen (*ging hinein, ist hineingegangen*) to go inside

hinfahren (*fährt hin, fuhr hin, ist hingefahren*) to drive/travel there

hingehen (*ging hin, ist hingegangen*) to go there

hinkommen (*kam hin, ist hingekommen*) to get there 5

sich **hinsetzen** to sit down 4

hinten back; *ganz hinten* all the way in the back 6

hinter behind

hinterherspringen (*sprang hinterher, ist hinterhergesprungen*) to jump after 3

das **Hinterrad,-̈er** rear wheel 3

hinunterfahren (*fährt hinunter, fuhr hinunter, ist hinuntergefahren*) to ride downhill 3

hinuntergehen (*ging hinunter, ist hinuntergegangen*) to go down 5

* **hinunterlassen** (*lässt hinunter, ließ hinunter, hinuntergelassen*) to lower

der **Hit,-s** hit (song)

die **Hitze** heat 9

das **Hobby,-s** hobby

hoch high; *hoch und runter* up and down

*die **Hochzeit,-en** wedding

der **Hochzeitstag,-e** wedding anniversary

hoffen to hope

hoffentlich hopefully

die **Hoffnung,-en** hope 4

höflich polite 5

*der **Höhepunkt,-e** climax

holen to get, fetch

Holland Holland

* **holländisch** Dutch 7

das **Holz,-̈er** wood 2

der **Holzschnitzer,-** wood carver 8

hören to hear, listen to

der **Hörer,-** listener

*das **Horoskop,-e** horoscope 9

der **Horrorfilm,-e** horror film

die **Hose,-n** pants, slacks

das **Hotel,-s** hotel

der **Hradschin** name of castle in Prague 5

der **Hubschrauber,-** helicopter 9

das **Huhn,-̈er** chicken

Hühnersuppe,-n chicken soup

der **Humor** humor

der **Hund,-e** dog

das **Hundeleben** dog's life

hundert hundred

der **Hunger** hunger; *Hunger haben* to be hungry

die **Hupe,-n** horn 4

hupen to honk 2

der **Hut,-̈e** hat 4

I

ich I

das **Ideal,-e** ideal

die **Idee,-n** idea

*das **Idol,-e** idol 4

* **ignorieren** to ignore 9

ihr you (familiar plural); her, their, your

Ihr your (formal singular and plural)

der **Imbiss,-e** snack bar (stand)

der **Imbissstand,-̈e** snack stand

immer always; *immer wieder* again and again, over and over 7

* **in** in

* **Indien** India 3

* **indisch** Indian 3

der **Indische Ozean** Indian Ocean 1

* **individuell** individual 9

*die **Industrie,-n** industry 7

*das **Industrieland,-̈er** industrialized nation 2

* **industriell** industrial 7

die **Informatik** computer science, computer education (analysis management)

die **Informatikaufgabe,-n** computer science assignment

der **Informatiker,-** computer specialist

die **Information,-en** information

das **Informationsblatt,-̈er** information sheet 6

*das **Informationsmedium,-medien** information media 7

* **informativ** informative 3

* **informieren** to inform 4

der **Ingenieur,-e** engineer
*die **Initiative,-n** initiative 6
*der **Inka,-s** Inca 7
die **Innenstadt,¨e** center of the city, downtown
innerhalb within, inside 7
die **Insel,-n** island; *Insel Rügen* name of island in the *Ostsee* (Baltic Sea)
*sich **inspirieren lassen** to be inspired 8
*die **Integration,-en** integration 9
intensiv intensive
interessant interesting
*das **Interesse,-n** interest 6
sich **interessieren für** to be interested in
* **international** international 7
die **Internatsschule,-n** boarding school 10
das **Internet** Internet
das **Interview,-s** interview
* **interviewen** to interview 4
irgendwo somewhere
der **Irische Setter,-** Irish setter
* **Island** Iceland 2
* **isolieren** to isolate 10
Italien Italy
*der **Italiener,-** Italian 2
italienisch Italian; *Er spricht italienisch.* He speaks Italian.

J

ja yes
die **Jacke,-n** jacket
das **Jahr,-e** year; *vor drei Jahren* three years ago
die **Jahreszeit,-en** season
*das **Jahrhundert,-e** century
die **Jahrtausendwende** turn of the millennium 3
der **Januar** January
je ever 7
die **Jeans** (pl.) jeans
jeder every, each
jemand someone
jetzt now
der **Job,-s** job, employment
jobben to do odd jobs
*das **Jobinterview,-s** job interview 6
joggen to jog

der **Jongleur,-e** juggler 4
jonglieren to juggle 6
*der **Journalismus** journalism 10
jubeln to cheer
jüdisch Jewish 5
die **Jugend** youth
die **Jugendherberge,-n** youth hostel
der **Jugendliche,-n** teenager, young person
die **Jugendzeitschrift,-en** youth magazine
das **Jugendzentrum,-tren** youth center
* **Jugoslawien** Yugoslavia 7
der **Juli** July
der **Junge,-n** boy
die **Jungs** (pl.) boys (colloquial)
der **Juni** June
*der **Juniorenpass,¨e** junior rail pass 1
*der **Jupiter** Jupiter 9

K

der **Kaffee** coffee
der **Käfig,-e** cage
der **Kaiser,-** emperor 1
der **Kaiserliche Hofmathematiker** imperial court mathematician 9
das **Kaiserreich,-e** empire 1
*die **Kaiserstadt,¨e** imperial city 1
das **Kajak,-s** kayak
der **Kakao** hot chocolate, cocoa
*der **Kalender,-** calendar 10
kalt cold
die **Kalte Platte** cold-cut platter
die **Kamera,-s** camera
sich **kämmen** to comb one's hair
der **Kampf,¨e** fight, battle 2
kämpfen to fight 2
Kanada Canada 1
*der **Kanal,¨e** channel 2
der **Kandidat,-en** candidate 10
kandidieren to run (for office) 10
*der **Kanton,-e** canton 1
der **Kanute,-n** canoeist
das **Kapitel,-** chapter
kaputt broken; *kaputt machen* to break 6

*der **Karneval** carnival 7
die **Karotte,-n** carrot
die **Karte,-n** card, map, ticket
die **Kartoffel,-n** potato
die **Kartoffelspeise,-n** potato dish 7
*der **Karton,-s** carton 2
der **Käse** cheese
das **Käsebrot,-e** cheese sandwich
die **Kasse,-n** cash register, ticket counter
* **katholisch** Catholic 3
die **Katze,-n** cat
der **Kauf,¨e** purchase; *den Kauf anschreiben* to sell on credit 3
kaufen to buy
das **Kaufhaus,¨er** department store
die **Kaufleute** (pl.) merchants 6
kaum hardly, scarcely
kein(e) no
der **Keks,-e** cookie
der **Keller,-** basement
der **Kellner,-** waiter, food server
die **Kellnerin,-nen** waitress, food server
kennen *(kannte, gekannt)* to know (person, place); *kennen lernen* to get to know
die **Kerze,-n** candle; *eine Kerze anzünden* to light a candle
der **Ketschup** ketchup
die **Kette,-n** chain 3
die **Keule,-n** club 2
das **Keyboard,-s** keyboard
*der **Kick-Starter,-** kick start 2
der **Kicker,-** moped 2
das **Kilo,-s** kilo
*der **Kilometer,-** kilometer
das **Kind,-er** child
das **Kinn,-e** chin
das **Kino,-s** movie theater
der **Kiosk,-e** newsstand
die **Kirche,-n** church 2
der **Kirchenreformer,-** religious reformer 8
die **Kirsche,-n** cherry
die **Kiste,-n** box, trunk 4
klar clear; *na klar* of course
die **Klarinette,-n** clarinet

die **Klasse,-n** class; *Klasse!* Great! Terrific!

die **Klassenbeste,-n** top of the class 6

die **Klassenreise,-n** class trip

die **Klassensprecherin,-nen** class representative 6

das **Klassentreffen,-** class reunion 6

das **Klassenzimmer,-** classroom

der **Klassiker,-** classic

das **Klavier,-e** piano

kleben to stick, glue

das **Kleid,-er** dress

die **Kleidung** clothes, clothing

das **Kleidungsstück,-e** clothing item

klein little, small

klettern to climb

das **Klima,-s** climate 9

die **Klimaanlage,-n** air conditioning 10

die **Klingel,-n** bell 3

klingeln to ring (bell); *Es klingelt.* The bell is ringing.

klingen *(klang, geklungen)* to sound

die **Klippe,-n** cliff 2

das **Kloster,-̈** cloister, monastery 3

der **Klub,-s** club

klug smart, intelligent

der **Knabe,-n** boy 3

das **Kneipp-Heilbad,-̈er** spa using Sebastian Kneipp's treatments 8

*das **Knie,-** knee 8

der **Knieschutz** kneepads 8

der **Knochen,-** bone 8

der **Knödel,-** dumpling

der **Knoten,-** knot

der **Kobold,-e** gremlin, imp 2

der **Koch,-̈e** cook 2

kochen to cook

der **Kocher,-** cooker

der **Koffer,-** suitcase

der **Kofferkuli,-s** luggage cart

der **Kofferraum,-räume** trunk

der **Kohl** cabbage 7

die **Kohle,-n** coal 1

komisch funny, strange

kommen *(kam, ist gekommen)* to come

die **Kommunikation** communication

*die **Kommunikations-technologie,-n** communication technology 7

*der **Kommunismus** communism 5

die **Komödie,-n** comedy

der **Kompass,-e** compass

das **Kompliment,-e** compliment

kompliziert complicated 4

*der **Komponist,-en** composer 9

das **Kompott** stewed fruit

die **Kondition,-en** condition, shape

*die **Konferenz,-en** conference 8

*der **König,-e** king

* **königlich** royal

können *(kann, konnte, gekonnt)* can, to be able to

* **konstruktiv** constructive 6

*der **Kontakt,-e** contact 10

der **Kontinent,-e** continent 1

das **Konto,-ten** account; *ein Konto eröffnen* to open an account

sich **konzentrieren** to concentrate

das **Konzert,-e** concert

koordinieren to coordinate

der **Kopf,-̈e** head

köpfen to head (ball)

die **Kopfschmerzen** (pl.) headache

*die **Kopie,-n** copy 7

* **kopieren** to copy 5

*die **Kopiermaschine,-n** copy machine 7

die **Koppel,-n** paddock

*der **Korb,-̈e** basket

der **Koreakrieg** Korean War 8

der **Körperteil,-e** part of the body

die **Korrespondenz** correspondence

die **Kosmetik** cosmetics

kosten to cost

kostenlos free, without charge 3

die **Kraft** strength

das **Krafttraining** strength training; *Krafttraining machen* to do strength training

krank sick, ill

das **Krankenhaus,-̈er** hospital

der **Krankenpfleger,-** nurse (male)

die **Krankenschwester,-n** nurse (female)

die **Krankheit,-en** sickness

das **Kraut,-̈er** herb 8

die **Krawatte,-n** tie

kreativ creative

die **Kreditkarte,-n** credit card

die **Kreide** chalk

*das **Kreuz,-e** cross

die **Kreuzung,-en** intersection 2

der **Kreuzzug,-̈e** Crusade 3

*der **Krieg,-e** war

kriegen (colloquial) to get 4

der **Krimi,-s** detective story, thriller

* **kritisieren** to criticize 7

die **Krone,-n** crown 4

krönen to crown 1

*der **Krug,-̈e** jug

die **Küche,-n** kitchen

der **Kuchen,-** cake

der **Küchenschrank,-̈e** kitchen cupboard

der **Küchentisch,-e** kitchen table

die **Kuh,-̈e** cow

kühl cool

der **Kühlschrank,-̈e** refrigerator

der **Kuli,-s** (ballpoint) pen

*die **Kultur,-en** culture 1

kulturell cultural

die **Kulturerbestätte,-n** cultural heritage site 10

das **Kulturgut,-̈er** cultural heritage 9

die **Kulturleistung,-en** cultural accomplishment 10

sich **kümmern um** to look after, take care of

die **Kundenkarte,-n** customer ticket 7

die **Kundin,-nen** customer (female)

die **Kunst,-̈e** art

der **Künstler,-** artist 7

kupferfarben copper-colored 9

die **Kupplung,-en** clutch 4

der **Kurort,-e** resort, spa 2

der **Kurs,-e** course 8
kurz short
das **Kurzwellen-Radio,-s** short-wave radio 10
küssen to kiss 5
die **Küste,-n** coast 9

L

lächeln to smile
lachen to laugh 3
der **Ladentisch,-e** checkout counter
die **Lage,-n** location 4
die **Lampe,-n** lamp
das **Land,-̈er** country; *aufs Land fahren* to drive to the country
landen to land
das **Landesmuseum,- museen** museum for local artifacts 5
die **Landeswährung,-en** national currency 9
die **Landkarte,-n** map
die **Landschaft,-en** landscape, scenery 4
der **Landweg** across country, land route 1
lang(e) long time, long, **langsam** slow
sich **langweilen** to be bored
langweilig boring
der **Lärm** noise
Lasagne (pl.) lasagna (Italian pasta dish)
lassen (*lässt, ließ, gelassen*) to leave, let
der **Lastwagen,-** truck 4
das **Latein** Latin
* **lateinisch** Latin 1
laufen (*läuft, lief, ist gelaufen*) to run; *Ski laufen* to ski
die **Laune,-n** mood 3
die **Lawine,-n** avalanche 9
leben to live 1
das **Leben** life
lebendig lively
lebenslang lifelong 9
der **Lebenslauf,-̈e** resume 6
die **Lebensmittel** (pl.) groceries
das **Lebensmittelgeschäft,-e** grocery store
der **Lebkuchen,-** gingerbread
lecker delicious
der **Leckerbissen** treat
leer empty

leeren to empty
legen to put, place
die **Lehre,-n** apprenticeship
der **Lehrer,-** teacher (male)
die **Lehrerin,-nen** teacher (female)
die **Leibesübung,-en** physical exercise
leicht easy
Leid tun to be sorry; *Es tut mir Leid.* I'm sorry.
leider unfortunately
leihen (*lieh, geliehen*) to rent 5
sich **leisten** to afford 10
der **Leiter,-** manager
lenken to steer 8
das **Lenkrad,-̈er** steering wheel
lernen to learn
lesen (*liest, las, gelesen*) to read
letzt- last
der **Leuchtturm,-̈e** lighthouse 2
die **Leute** (pl.) people
das **Licht,-er** light 2
die **Liebe** love 1
lieben to love
lieber rather; *Ich möchte lieber...essen.* I would rather eat...
der **Liebesfilm,-e** love story
die **Liebesgeschichte,-n** love story 9
der **Liebesroman,-e** romance novel
das **Lieblingseis** favorite ice cream
das **Lieblingsfach,-̈er** favorite (school) subject
die **Lieblingsmannschaft,-en** favorite team
* **Liechtenstein** Liechtenstein
das **Lied,-er** song
* **liegen** (*lag, gelegen*) to be located, lie
die **Limo,-s** lemonade, soft drink
die **Limonade,-n** lemonade, soft drink
der **Lindwurm** name of a dragon 5
das **Lineal,-e** ruler
die **Linie,-n** line
links left; *auf der linken Seite* on the left side

*die **Linse,-n** lense 9
die **Lippe,-n** lip
*die **Literatur** literature 4
lokal local
die **Lokomotive,-n** locomotive 1
*der **Lombarde,-n** Lombard 1
los: Da ist viel los. There is a lot going on.; *Also los!* Let's go!; *Na, dann mal los!* Well then, let's go!
lösen to solve 4
losfahren (*fährt los, fuhr los, ist losgefahren*) to leave, take off 1
losgehen (*ging los, ist losgegangen*) to start; *Wann geht's denn los?* When will it start?
die **Lösung,-en** solution 7
loswerden (*wird los, wurde los, ist losgeworden*) to get rid of
die **Luft** air
die **Luftmatratze,-n** air mattress
die **Luftpost** airmail
die **Lüftung,-en** ventilation 4
der **Luftweg** by air 1
die **Lust** pleasure; *Hast du Lust...?* Would you like to...?
lustig funny, amusing 3
Luxemburg Luxembourg

M

machen to do, make; *Was machst du?* What are you doing?; *Macht schnell!* Hurry!; *Musik machen* to make music; *Das macht nichts.* That doesn't matter.; *den Führerschein machen* to take the driving test
die **Macht,-̈e** might, power, force 1
mächtig powerful 6
das **Mädchen,-** girl
der **Magen,-̈** stomach
mähen to mow
die **Mahlzeit,-en** meal
der **Mai** May
* **mal** times
das **Mal,-e** time(s); *ein paar Mal* a few times
malen to paint

der **Maler,-** painter
die **Malerei** painting 6
man one, you, they, people
managen to manage
manche some, a few
manchmal sometimes
der **Mann,"er** man
die **Mannschaft,-en** team
der **Mantel,"** coat
das **Märchen,-** fairy tale 7
der **Märchenkönig,-e** fairy-tale king 1
der **Markt,"e** market
die **Marmelade,-n** jam, marmalade
*die **Marmortreppe,-n** marble staircase
der **März** March
*die **Maschine,-n** machine 7
*die **Massenproduktion,-en** mass production 7
*das **Material,-ien** material 1
die **Mathematik (Mathe)** mathematics (math); *die Mathestunde/Matheklasse* math class
*die **Mathematikerin,-nen** mathematician 7
maulen to complain, grumble 1
die **Maus, Mäuse** mouse
*die **Mayonnaise** mayonnaise 7
der **Mechaniker,-** mechanic
* **mechanisch** mechanical 7
*die **Media, -dien** media 9
die **Medizin** medicine
das **Meer,-e** ocean; sea 2
das **Mehl** flour
mehr more; *es gibt keine Karten mehr* there are no more tickets available; *mehr als* more than
die **Mehrfahrtkarte,-n** multiple-trip ticket 7
mein my
meinen to mean, think; *Meinst du?* Do you think so?
die **Meinung,-en** opinion
meist- most; *die meisten* most of them;
meistens mostly
melden to register
der **Mensch,-en** person, human 1
das **Menschenrecht,-e** human right 9

menschlich human 10
merken to notice 8
das **Messer,-** knife
messingfarben brass-colored 9
*das **Metall,-e** metal 6
der **Meter,-** meter
*der **Meterlauf** meter run
*die **Methode,-n** method 7
der **Metzger,-** butcher
Mexiko Mexico 1
das **Mietshaus,"er** apartment building 3
das **Mikrofon,-e** microphone
der **Mikrowellenherd,-e** microwave oven
die **Milch** milk
das **Milchprodukt,-e** milk product 8
die **Milliarde,-n** billion 10
*die **Million,-en** million
mindestens at least
*das **Mineral,-ien** mineral 8
das **Mineralwasser** mineral water
minus minus
die **Minute,-n** minute
der **Mist** manure 5
mit with
der **Mitarbeiter,-** coworker, colleague 10
die **Mitbestimmung** codetermination 10
mitbringen *(brachte mit, mitgebracht)* to bring along
mitfahren *(fährt mit, fuhr mit, ist mitgefahren)* to ride along 3
der **Mitfahrer,-** ride sharer 4
die **Mitfahrgelegenheit,-en** ride share opportunity 4
die **Mitfahrzentrale,-n** ride share agency 4
das **Mitglied,-er** member
die **Mitgliedskarte,-n** membership card
das **Mitgliedsland,"er** member country 9
mitkommen *(kam mit, ist mitgekommen)* to come along; *Komm mit!* Come along!
mitmachen to participate
mitnehmen *(nimmt mit, nahm mit, mitgenommen)* to take along
der **Mittag,-e** noon; *heute Mittag* today at noon

das **Mittagessen** lunch
*die **Mitte** center, middle
das **Mittelalter** Middle Ages
das **Mittelmeer** Mediterranean Sea 6
der **Mittelpunkt,-e** center (of attention) 6
der **Mittwoch,-e** Wednesday
die **Möbel** (pl.) furniture 2
* **mobil** mobile 2
möchten would like to
*das **Modell,-e** model 1
der **Modellbau** model construction 6
modern modern
das **Mofa,-s** motorized bicycle
mögen *(mag, mochte, gemocht)* to like
möglich possible
die **Möglichkeit,-en** possibility
die **Möhre,-n** carrot
der **Moment,-e** moment; *Moment mal!* Just a moment!
der **Monat,-e** month
*die **Monatskarte,-n** monthly pass 1
der **Mönch,-e** monk 7
der **Mond** moon 9
der **Montag,-e** Monday
das **Moor,-e** swamp 9
das **Moorheilbad,"er** spa specializing in mud packs 8
das **Moped,-s** moped
morgen tomorrow
der **Morgen,-** morning; *heute Morgen* this morning
das **Motiv,-e** motif 9
*die **Motivation,-en** motivation 3
* **motivieren** to motivate 3
der **Motor,-en** motor, engine
das **Motorrad,"er** motorcycle
der **Motorradfreak,-s** motorcycle freak
der **Motorroller,-** motor scooter
*das **Motto,-s** motto 6
*das **Mountainbiking** mountain biking 3
müde tired 6
der **Müll** trash, garbage
der **Müllberg,-e** garbage dump 10
das **Multimedia** multimedia

der **Mund,-̈er** mouth
mündlich oral(ly)
der **Mundschutz** mouth
    guard 8
die **Münze,-n** coin
das **Museum, Museen**
    museum
die **Musik** music
musikalisch musical
der **Musiker,-** musician
*das **Musikfest,-e** music
    festival
das **Musikgeschäft,-e** music
    store
das **Musikinstrument,-e**
    musical instrument
der **Muskel,-n** muscle
müssen *(muss, musste,*
    gemusst) to have to,
    must
mutig brave, courageous
die **Mutter,-̈** mother
der **Muttertag** Mother's Day
die **Mutti,-s** mom

N

na well; *na gut, na ja* oh
    well; *na und* so what; *na*
    klar of course
nach after, to; *nach Hause*
    gehen to go home
der **Nachbar,-n** neighbor
die **Nachbarinsel,-n**
    neighboring island 2
das **Nachbarland,-̈er**
    neighboring country
die **Nachbarschaft,-en**
    neighborhood
nachdem after (having)
nachdenken *(dachte nach,*
    nachgedacht) to think
    about, reflect
die **Nachhilfestunde,-n**
    private lesson 8
der **Nachmittag,-e** afternoon;
    heute Nachmittag this
    afternoon
die **Nachricht,-en** news
nachsehen *(sieht nach, sah*
    nach, nachgesehen) to
    check
nächst- next
die **Nacht,-̈e** night 3
der **Nachtisch,-e** dessert
der **Nagel,-̈** nail 6
nah near, close
die **Nähe** nearness,
    proximity; *in der Nähe*
    nearby

der **Nährstoff,-e** nutrient 8
die **Nahrungsmittelgruppe,-n**
    food group 8
der **Name,-n** name
die **Nase,-n** nose
nass wet
* **national** national 9
*die **Nationalfahne,-n**
    national flag
die **Nationalhymne,-n**
    national anthem 7
der **Nationalsport** national
    sport
die **Natur** nature
der **Naturforscher,-** natural
    scientist 8
der **Naturfreund,-e** nature
    lover
natürlich natural(ly), of
    course
*das **Naturphänomen,-e**
    natural phenomenon 10
die **Naturwissenschaften**
    (pl.) natural sciences
*die **Navigation** navigation 6
neben next to
der **Neffe,-n** nephew 3
nehmen *(nimmt, nahm,*
    genommen) to take
nein no
nennen *(nannte, genannt)*
    to name, call
nervös nervous
nett nice
das **Netz,-e** net; abbreviation
    for *Internet*
neu new
die **Neugierde** curiosity
neugierig curious 9
das **Neujahr** New Year
neun nine
neunzehn nineteen
neunzig ninety
nicht not
die **Nichte,-n** niece 3
der **Nichtraucher-Wagen,-**
    nonsmoking car 1
nichts nothing
nie never
die **Niederlande** Netherlands
niedrig low 8
niemand nobody, no one
nobel noble, feudalistic 1
noch still, yet; *noch nicht*
    ganz not quite yet
Nordamerika North
    America 1
der **Norden** north; *im Norden*
    in the north
nördlich (von) north (of) 1

der **Nordosten** northeast 1
der **Nordpol** north pole 1
*die **Nordsee** North Sea
der **Nordwesten** northwest 1
normal normal
normalerweise normally 1
die **Note,-n** grade
das **Notebook,-s** laptop
die **Notiz,-en** note 9
der **November** November
die **Nudel,-n** noodle 8
null zero
die **Nummer,-n** number
das **Nummernschild,-er**
    license plate
nur only; *nicht*
    nur...sondern auch not
    only...but also
das **Nusseis** nut-flavored ice
    cream
nützen to be of use, be
    useful

O

ob if, whether
obdachlos homeless 10
der **Obdachlose,-n** homeless
    (person) 10
oben on top, upstairs;
    weit oben way up
die **Oberleitung,-en**
    overhead electric wire 7
der **Oberrhein** Upper Rhine 9
obgleich although
* **objektiv** objective 9
das **Obst** fruit(s)
die **Obstsorte,-n** kind of
    fruit(s)
obwohl although
oder or
öffentlich public 7
* **offiziell** official
öffnen to open 6
oft often
ohne without
das **Ohr,-en** ear
der **Ohrring,-e** earring
der **Öko-Arzt,-̈e** doctor
    working with natural
    methods 8
ökologisch ecological
der **Oktober** October
das **Öl** oil 3
die **Oma,-s** grandma
der **Onkel,-** uncle
der **Opa,-s** grandpa
*die **Oper,-n** opera; *Opern*
    aufführen to perform
    operas

der **Opernball,-̈e** ball at the Opera House in Vienna 5

der **Optiker,-** optometrist
optimistisch optimistic
orange orange

die **Orange,-n** orange

die **Ordnung** order; *in Ordnung sein* to be OK

* **organisieren** to organize 4

die **Orgel,-n** organ (musical instrument) 9

sich **orientieren** to orient oneself

der **Ort,-e** town, place

*der **Osten** east

*das **Osterei,-er** Easter egg
Ostern Easter; *Frohe Ostern!* Happy Easter!
Österreich Austria

* **österreichisch** Austrian 5
östlich (von) east (of) 1

die **Ostsee** Baltic Sea

der **Ostteil,-e** eastern part

der **Ozon** ozone 9

P

paar: ein paar a few

das **Paar,-e** pair
packen to pack

die **Packung,-en** package
paddeln to paddle

das **Paket,-e** package

*der **Palast,-̈e** palace 1

*die **Panik** panic 9

der **Papagei,-en** parrot

das **Papier** paper

der **Papst,-̈e** pope 3

*das **Paradies** paradise

der **Park,-s** park 2
parken to park

der **Parkplatz,-̈e** parking lot 8

die **Party,-s** party
passen to fit
passieren to happen

die **Passkontrolle,-n** passport control 9

der **Patient,-en** patient

die **Pause,-n** recess, break; *Große Pause* long recess

der **Pazifik** Pacific Ocean 1

das **Pedal,-e** pedal 3
peinlich embarrassing 5

die **Pension,-en** bed and breakfast

* **perfekt** perfect 10
persönlich personal

pessimistisch pessimistic

der **Pfeffer** pepper

der **Pfennig,-e** pfennig, penny 7

das **Pferd,-e** horse

die **Pferdekutsche,-n** horse-drawn carriage 10
Pfingsten Pentecost

der **Pfirsich,-e** peach

die **Pflanze,-n** plant 8
pflanzen to plant 1

die **Pflaume,-n** plum

das **Pfund,-e** pound

*die **Phase,-n** phase

die **Physik** physics

*die **Physikerin,-nen** physicist 6

das **Picknick,-e** picnic

der **Pilot,-en** pilot (male)

die **Pilotin,-nen** pilot (female)

*der **Pirat,-en** pirate 6

die **Pizza,-s** pizza

die **Pizzeria,-s** pizza restaurant

*der **Plan,-̈e** plan 3
planen to plan

*der **Planet,-en** planet 9

die **Planetenbahn,-en** planetary orbit 9
platt flat

die **Platte,-n** plate; *Kalte Platte* cold-cut platter

der **Plattenspieler,-** record player 7

der **Platz,-̈e** place, seat
plötzlich suddenly
plündern to loot 2
plus plus
Polen Poland
polieren to polish 2

die **Politik** politics

*der **Politiker,-** politician 1

* **politisch** political 5

die **Polizei** police

der **Polizist,-en** police officer

die **Polonaise,-n** polonaise (name of dance) 5

das **Polster,-** pad 8

die **Pommes frites** (pl.) french fries; *die Pommes* colloquial for "french fries"

die **Pommesbude,-n** mobile fast-food stand that sells french fries and bratwurst 7

*das **Porträt,-s** portrait 9

* **Portugal** Portugal 9

* **portugiesisch** Portuguese 9

* **positiv** positive 6

die **Post** mail, post office

das **Poster,-** poster

die **Postkarte,-n** postcard

die **Postleitzahl,-en** zip code

*das **Potential,-e** potential 10

die **Prägung,-en** coinage 9

das **Praktikum,-ka** practical training
praktisch practical

*der **Präsident,-en** president 5

die **Praxis,-xen** (medical) practice 6

der **Preis,-e** price
preiswert reasonable

* **Preußen** Prussia 9

*das **Prisma,-men** prism 9

* **privat** private 3

*das **Privatleben** private life 9
pro per; *pro Tag* per day

die **Probe,-n** rehearsal 5

das **Problem,-e** problem

* **produktiv** productive 8

* **produzieren** to produce 4

* **professionell** professional 4

der **Professor,-en** professor

*das **Programm,-e** program 6

*das **Projekt,-e** project 8

die **Prominenz** famous people 5

*der **Protektor,-en** protector 8

*die **Provinz,-en** province 1

die **Prüfung,-en** test, exam; *eine Prüfung bestehen* to pass a test

der **Pudding** pudding

der **Pulli,-s** sweater, pullover

der **Pullover,-** sweater, pullover

der **Punkt,-e** point
pünktlich punctual, on time

die **Puppe,-n** puppet, doll 8

sich **putzen** to clean oneself; *sich die Zähne putzen* to brush (clean) one's teeth

die **Pyrenäen** Pyrenees (mountain chain between France and Spain) 9

Q

die **Qualität,-en** quality

die **Quelle,-n** spring (hot water) 1

die **Quittung,-en** receipt
die **Quizsendung,-en** quiz show

R

das **Rad,-̈er** bike, wheel; *Rad fahren* to bike
der **Radiergummi,-s** eraser
* **radikal** radical 3
das **Radio,-s** radio
der **Radiosender,-** radio station 10
der **Radiowecker,-** clock radio
die **Radtour,-en** bike tour; *eine Radtour machen* to go on a bike tour
der **Rahmen,-** frame 3
der **Rasen,-** lawn; *den Rasen mähen* to mow the lawn
sich **rasieren** to shave oneself
der **Rat** advice; *um Rat fragen* to ask for advice
das **Rathaus,-̈er** city hall
* **Rätoromanisch** Rhaeto-Romanic 3
der **Raucher,-** smoker 4
raufgehen *(ging rauf, ist raufgegangen)* to go upstairs
*der **Raum, Räume** room, space 7
rauskommen *(kam raus, ist rausgekommen)* to start 4
real real
realistisch realistic(ally)
die **Recherche,-n** research 10
der **Rechner,-** calculator
die **Rechnung,-en** bill, check (restaurant)
recht sein to be okay with 4
das **Recht** right; law 6; *Recht haben* to be right
rechts right
der **Rechtsanwalt,-̈e** lawyer, attorney
das **Recycling** recycling
reden to talk 7
reduziert reduced
* **reformieren** to reform 3
das **Regal,-e** shelf
die **Regel,-n** rule
der **Regen** rain 9
der **Regenschauer,-** rain shower
der **Regenschirm,-e** umbrella

der **Regenschutz** rain gear 5
regieren to rule 3
die **Regierung,-en** government 6
*die **Region,-en** region 1
* **regional** regional 4
registrieren to register
regnen to rain
regulieren to regulate, control
rehabilitieren to rehabilitate
reich rich 4
das **Reich,-e** empire; *das Dritte Reich* Third Reich (1933–1945)
der **Reifen,-** tire
die **Reihe,-n** row
der **Reis** rice 8
die **Reise,-n** trip
das **Reisebüro,-s** travel agency
die **Reiseleiterin,-nen** tour guide 2
reisen to travel; *Reisen* traveling
der **Reisepass,-̈e** passport
der **Reisescheck,-s** traveler's check
reiten *(ritt, ist geritten)* to ride (horse)
der **Reiter,-** horseman 2
die **Religion,-en** religion
* **religiös** religious 3
*die **Renaissance** Renaissance 7
das **Rennen,-** race 3
* **renoviert** renovated 2
die **Reparatur,-en** repair
reparieren to repair
reservieren to reserve
*die **Reservierung,-en** reservation 1
*der **Respekt** respect 9
das **Restaurant,-s** restaurant
* **restaurieren** to restore 6
* **retten** to save
* **revolutionär** revolutionary 8
die **Rezeption** reception
der **Rhein** Rhine River
das **Rheinschiff,-e** Rhine ship
*die **Rhetorik** rhetoric 3
der **Rhythmus** rhythm
richtig right, correct
*das **Riesenrad,-̈er** Ferris wheel
der **Rinderbraten** roast beef

der **Ritter,-** knight 4
der **Rock,-̈e** skirt
die **Rockgruppe,-n** rock group
das **Rockkonzert,-e** rock concert
die **Rockmusik** rock music
die **Rolle,-n** role; *keine Rolle spielen* not to be a factor
rollen to roll
der **Roller,-** scooter
der **Rollstuhl,-̈e** wheelchair 8
die **Rolltreppe,-n** escalator
der **Roman,-e** novel
der **Römer,-** Roman 3
römisch Roman 1
rosa pink
rot red
Rotkäppchen Little Red Riding Hood 7
die **Routine** routine
rüberkommen *(kam rüber, ist rübergekommen)* to come over
der **Rücken,-** back 8
die **Rückenschmerzen** (pl.) backache
das **Rücklicht,-er** taillight 3
der **Rucksack,-̈e** backpack, knapsack
die **Rückseite,-n** back, reverse side
der **Rücksitz,-e** back seat
der **Ruderschlag,-̈e** oar stroke 3
rufen *(rief, gerufen)* to call
die **Ruhe** peace, quiet; *Immer mit der Ruhe!* Take it easy!
ruhig quiet, peaceful 2
* **ruinieren** to ruin 8
der **Rundfunk** radio
der **Rundfunksender,-** radio station
runtergehen *(ging runter, ist runtergegangen)* to go downstairs
runterkommen *(kam runter, ist runtergekommen)* to come downstairs

S

die **S-Bahn,-en** city train, suburban express train
die **Sache,-n** thing, item
die **Sachertorte,-n** famous Austrian cake 5

der **Salat,-e** salad; *gemischter Salat* tossed salad

das **Salz** salt

salzhaltig salty 8

die **Salzkartoffeln** (pl.) boiled potatoes

sammeln to collect

der **Samstag,-e** Saturday

der **Sänger,-** singer (male)

die **Sängerin,-nen** singer (female)

*der **Sängersaal** choir room

*der **Satellit,-en** satellite 9

der **Sattel,-̈** seat, saddle 3

der **Satz,-̈e** sentence

sauber machen to clean

säubern to clean

sauer sour

der **Sauerbraten** sauerbraten (marinated beef roast)

das **Sauerkraut** sauerkraut

das **Säugetier,-e** mammal 10

das **Saxophon,-e** saxophone

das **Schach** chess

schade: es ist schade that's a pity

schaden to hurt, damage 4

das **Schaf,-e** sheep

*der **Schäferlauf** shepherds' run

schaffen *(schuf, geschaffen)* to manage (it), make (it); to create 7, *Das haben wir geschafft.* We made it.

der **Schaffner,-** conductor 1

die **Schallplatte,-n** LP record 7

schalten to switch; *die Gänge schalten* to shift gears 4

der **Schalter,-** (ticket) counter

scharf spicy, hot 7

das **Schaufenster,-** shop window

die **Scheibe,-n** slice; *eine Scheibe Brot* a slice of bread

der **Scheibenwischer,-** windshield wiper 4

sich **scheiden lassen** to get a divorce 10

scheinen *(schien, geschienen)* to shine; to seem, appear

der **Scheinwerfer,-** headlight

schenken to give (a gift)

schick chic, smart (looking)

schicken to send

schieben *(schob, geschoben)* to push

der **Schienbeinschutz** shin guards 8

die **Schiene,-n** rail, track; *auf Schienen fahren* to run on tracks 7

schießen *(schoss, geschossen)* to shoot

die **Schießpulverwunde,-n** gunpowder wound 8

das **Schiff,-e** ship

der **Schiffbau** shipbuilding 6

die **Schifffahrt,-en** voyage 8

schlafen *(schläft, schlief, geschlafen)* to sleep

der **Schlafsack,-̈e** sleeping bag

das **Schlafzimmer,-** bedroom

die **Schlagsahne** whipped cream

die **Schlagzeile,-n** headline 5

das **Schlagzeug** drums, percussion

der **Schlagzeuger,-** drummer 4

der **Schlauberger,-** smartie

das **Schlauchboot,-e** inflatable boat

schlecht bad

schlimm bad

Schlittschuh laufen to ice skate

das **Schloss,-̈er** castle

der **Schluss,-̈e** end, conclusion 7

der **Schlüssel,-** key

der **Schmarotzer,-** parasite 10

schmecken to taste; *Schmeckt dir...?* Do you like (to eat)...?

der **Schmuck** jewelry

schmutzig dirty

der **Schnee** snow

Schneewittchen Snow White 7

schneiden *(schnitt, geschnitten)* to cut

schneien to snow

schnell fast

schnitzen to carve 8

das **Schokoeis** chocolate ice cream

die **Schokolade** chocolate

der **Schokoshake,-s** chocolate shake

schon already

schön beautiful

der **Schrank,-̈e** cupboard, closet

schreiben *(schrieb, geschrieben)* to write; *schreiben an* to write to

die **Schreibmaschine,-n** typewriter 7

der **Schreibtisch,-e** desk

die **Schreibwaren** (pl.) stationery

schreien *(schrie, geschrien)* to scream, yell

schriftlich written, in writing

der **Schriftsteller,-** writer 6

der **Schritt,-e** step 6

schüchtern shy 10

der **Schuh,-e** shoe

der **Schulausflug,-̈e** field trip 6

die **Schule,-n** school

der **Schüler,-** student (elementary through high school)

*das **Schülerforum** student forum 9

die **Schülerkarte,-n** ticket for school-age children 7

der **Schulfreund,-e** schoolmate

der **Schulhof,-̈e** school yard

der **Schulsprecher,-** student representative 10

die **Schulsprecherwahl,-en** election for student representative 10

der **Schultag,-e** school day

die **Schultasche,-n** schoolbag

die **Schulter,-n** shoulder

schummeln to cheat 4

die **Schüssel,-n** bowl

der **Schutz** protection 8

schützen to protect

die **Schutzmaske,-n** face protector (like hockey mask) 8

schwach weak 1

der **Schwager,-̈** brother-in-law 3

die **Schwägerin,-nen** sister-in-law 3

der **Schwamm,-̈e** sponge 6

*der **Schwan,-̈e** swan

schwarz black

der **Schwarzwald** Black Forest

die **Schwarzwälder Kirschtorte** Black Forest Cherry Torte

* **Schweden** Sweden 9

* **Schwedisch** Swedish (language) 9
das **Schwein,-e** pig
der **Schweinebraten** roast pork
die **Schweiz** Switzerland
schwenken to swing
schwer heavy; hard, difficult
das **Schwert,-er** sword 4
die **Schwester,-n** sister
schwierig difficult 7; *das Schwierigste* the most difficult (thing) 4
die **Schwierigkeit,-en** difficulty 8
schwimmen (*schwamm, ist geschwommen*) to swim
der **Schwimmer,-** swimmer
die **Schwimmweste,-n** life jacket
schwindlig dizzy; *Mir ist schwindlig.* I'm dizzy.
sechs six
der **Sechser,-** six (on a die) 4
sechzehn sixteen
sechzig sixty
der **See,-n** lake
seelisch psychological 8
der **Seemann,-er** sailor 2
der **Seeweg** seaway, by sea 1
das **Segelboot,-e** sailboat
segeln to sail
das **Segelschiff,-e** sailing ship 6
sehen (*sieht, sah, gesehen*) to see; *ein Fernseh-programm sehen* to watch a television program; *Sieh mal!* Just look!; *sich sehen* to see each other
die **Sehenswürdigkeit,-en** sight, place of interest
sehr very
die **Seide,-n** silk 5
das **Seil,-e** rope
sein his, its
sein (*ist, war, ist gewesen*) to be
seit since
seitdem since
die **Seite,-n** side
der **Sekretär,-e** secretary
selbst oneself
selbstsicher self-assured 10

selbstverständlich natural, obvious 7
selten rare 2
seltsam strange 5
das **Semester,-** semester
*der **Senat** senate 2
senden to send
der **Sender,-** TV or radio station 7
der **Senf** mustard
der **Seniorenpass,-e** senior citizen rail pass 1
der **September** September
die **Serie,-n** series 7
die **Serviette,-n** napkin
der **Sessel,-** armchair
sich **setzen** to sit down
das **Shirt,-s** shirt
sicher sure, certain, safe
die **Sicherheit** safety 3
der **Sicherheitsgurt,-e** seatbelt
sie she, they
Sie you (formal)
sieben seven
siebzehn seventeen
siebzig seventy
der **Sieg,-e** victory 2
das **Siegel,-** seal 9
*der **Sieger,-** winner
das **Signal,-e** signal
das **Silber** silver 8
singen (*sang, gesungen*) to sing
sinnlos senseless
die **Situation,-en** situation
der **Sitz,-e** seat 9
sitzen (*saß, gesessen*) to sit; *sitzen auf* to sit on
der **Sitzplatz,-e** seat
* **Skandinavien** Scandinavia 2
* **skandinavisch** Scandinavian 2
der **Ski,-er** ski; *Ski laufen* to ski
der **Slogan,-s** slogan 10
der **Smoking,-s** tuxedo 4
die **SMS** cell phone text message (**S**hort **M**essage **S**ervice)
so so; *so spät* so late; *so...wie* as...as
sobald as soon as
die **Socke,-n** sock
das **Sofa,-s** sofa
sogar even
der **Sohn,-e** son
solange as long as

der **Soldat,-en** soldier 2
sollen should, to be supposed to
der **Sommer,-** summer
die **Sommerferien** (pl.) summer vacation
der **Sommermonat,-e** summer month
das **Sonderangebot,-e** special (sale)
sondern but; *nicht nur...sondern auch* not only...but also; but (on the contrary)
der **Sonnabend,-e** Saturday
die **Sonne** sun
die **Sonnenbrille,-n** sunglasses 5
der **Sonnenfleck,-en** sunspot 9
der **Sonnenhut,-e** sun hat 5
die **Sonnenschutzcreme** suntan lotion 5
der **Sonntag,-e** Sunday
sonst besides, otherwise; *Sonst noch etwas?* Anything else?
die **Sorge,-n** worry
sich **sorgen** to worry 1; *sorgen für* to take care of 5; *sich sorgen um* to worry about 7
die **Soße,-n** sauce, gravy 2
* **sozial** social 9
das **Spaghetti Eis** strawberry sundae
Spanien Spain
*der **Spanier,-** Spaniard 2
spanisch Spanish; *Er spricht spanisch.* He speaks Spanish.
spannend exciting, thrilling
sparen to save
der **Spargel** asparagus
der **Spaß** fun; *Viel Spaß!* Have fun!; *Es macht Spaß.* It's fun.
spät late; *Bis später!* See you later!
die **Spätzle** spaetzle (kind of homemade pasta)
der **Spazierstock,-e** walking stick 5
die **Speise,-n** meal
die **Speisekarte,-n** menu
der **Speisewagen,-** dining car 1
das **Spezi,-s** cola-and-lemon soda

die **Spezialität,-en** specialty

der **Spiegel,-** mirror

*der **Spiegelsaal** hall of mirrors; *den Spiegelsaal entwerfen* to design the hall of mirrors

das **Spiel,-e** game
spielen to play

der **Spieler,-** player

das **Spielfeld,-er** playing field, court 8

das **Spielgeld** play money 4

die **Spielregel,-n** game rule 4

die **Spielwaren** (pl.) toys

die **Spielzeugeisenbahn,-en** model train 1

der **Spielzeugzug,-̈e** model train 1

der **Spinat** spinach

der **Sport** sport(s); *Sport treiben* to participate in sports

die **Sportabteilung,-en** sports department

die **Sportart,-en** kind of sport

sportlich athletic

die **Sportschau** sports show (news)

die **Sportsendung,-en** sports show

die **Sportstunde,-n** sports class

*die **Sprache,-n** language
sprechen (*spricht, sprach, gesprochen*) to speak, talk; *sprechen über* to talk about; *über sich selbst sprechen* to speak about oneself

sprengen to explode, disperse 10

springen (*sprang, ist gesprungen*) to jump 2

spritzen to splash

das **Spülbecken,-** kitchen sink

spülen to wash, rinse

*der **Staat,-en** state

stabil solid, sturdy

das **Stadion,-dien** stadium

die **Stadt,-̈e** city; *in die Stadt gehen* to go downtown

die **Stadthalle,-n** city hall

die **Stadtmitte** center of city, downtown

der **Stadtplan,-̈e** city map 5

der **Stahl** steel 7

der **Stall,-̈e** stable, barn

* **stammen aus** to come from

der **Stammbaum,-bäume** family tree 3

*der **Standard,-s** standard 9

*die **Stange,-n** pole

der **Star,-s** star (entertainment)
stark strong; *stark reduziert* greatly reduced

der **Start,-s** start 4

die **Startbahn,-en** runway 9
starten to start; *den Motor starten* to start the motor 4

die **Statistik,-en** statistics

die **Stätte,-n** place, site 10

stattfinden (*fand statt, stattgefunden*) to take place

der **Stau** traffic congestion, traffic jam

staubsaugen to vacuum

staunen to be astonished, surprised

der **Steckbrief,-e** personal data 1

stecken to put, stick; to be; *Wo steckst du denn?* Where are you?

stehen (*stand, gestanden*) to stand, be; *Da steht es.* There it is.; *Das steht dir gut.* It looks good on you.; *es steht...* the score is...; *frei stehen* to be open; *in Kontakt stehen* to be in contact; *Schlange stehen* to stand in line; *stehen bleiben* to remain standing, stop walking 2

steif stiff

steigen (*stieg, ist gestiegen*) to climb; *steigen auf* to climb to, rise to

steil steep

der **Stein,-e** checker, stone 4

die **Stelle,-n** job, position 6

stellen to put, place

das **Stellenangebot,-e** job offer 6

* **sterben** (*stirbt, starb, ist gestorben*) to die

die **Stereoanlage,-n** stereo system

die **Stereoplatte,-n** LP (long-playing record) 10

der **Stern,-e** star 6

die **Steuer,-n** tax 2

das **Steuerrad,-̈er** steering wheel

der **Stiefbruder,-̈** stepbrother

das **Stiefkind,-er** stepchild 3

die **Stiefmutter,-̈** stepmother 3

die **Stiefschwester,-n** stepsister 3

der **Stiefsohn,-̈e** stepson 3

die **Stieftochter,-̈** stepdaughter 3

der **Stiefvater,-̈** stepfather 3

der **Stier,-e** ox, bull 9

die **Stimme,-n** voice, vote 10
stimmen to be correct; *Das stimmt.* That's right.
stinken (*stank, gestunken*) to stink 5

das **Stipendium,-dien** scholarship 4

die **Stirn,-en** forehead

der **Stock, Stockwerke** floor, story
stolz proud 4

* **stoppen** to stop 8
stören to disturb

* **stoßen** (*stößt, stieß, gestoßen*) to push
straff machen to tighten, secure (a rope)

der **Strand,-̈e** beach, shore

die **Straßenbahn,-en** streetcar

der **Straßenkünstler,-** street artist 4

das **Straßenschild,-er** street sign 2

die **Strecke,-n** stretch

der **Streich,-e** prank 6

das **Streichholz,-̈er** match

der **Streifen,-** strip 7

die **Streifenkarte,-n** ticket with several strips 7

der **Streit,-e** argument 7

sich **streiten** (*stritt, gestritten*) to argue, quarrel 7
streng strict

*der **Stress** stress 8
stricken to knit

der **Strom** electricity, current 7

die **Strömung,-en** flow, current

der **Strumpf,-̈e** stocking

das **Studienprogramm,-e** study (abroad) program 10

* **studieren** to study (university) 10
das **Studio,-s** studio
das **Studium, -ien** (university) studies
der **Stuhl,-̈e** chair
die **Stunde,-n** hour
der **Stundenplan,-̈e** class schedule
die **Suche** search 6
* **suchen** to look for
*der **Süden** south
südlich (von) south (of) 1
der **Südosten** southeast 1
der **Südpol** south pole 1
der **Südwesten** southwest 1
der **Sumpf,-̈e** marsh, swamp 9
super super, great
der **Supermarkt,-̈e** supermarket
die **Suppe,-n** soup
der **Suppenlöffel,-** soupspoon, tablespoon
surfen to surf
das **Survivaltraining** survival training
süß sweet
*die **Süßigkeiten** (pl.) sweets
das **Sweatshirt,-s** sweatshirt
*das **Symbol,-e** symbol 9
*das **System,-e** system 1
die **Szene,-n** scene

T

das **T-Shirt,-s** T-shirt
die **Tablette,-n** tablet, pill
der **Tachometer,-** speedometer 4
die **Tafel,-n** (chalk) board
der **Tafellappen,-** rag (to wipe off chalkboard)
der **Tag,-e** day; *Tag!* Hello! *Guten Tag!* Hello!
die **Tageshöchsttemperatur,-en** highest daytime temperature
die **Tageskarte,-n** all-day ticket 7
der **Takt,-e** beat
das **Tal,-̈er** valley 9
das **Talent,-e** talent
die **Tante,-n** aunt
der **Tanz,-̈e** dance
tanzen to dance
der **Tanzkurs,-e** dance class 5
das **Tanzstudio,-s** dance studio
die **Tanzstunde,-n** dance lesson

tapfer brave, courageous
die **Tasche,-n** bag
das **Taschengeld** allowance 7
die **Tasse,-n** cup
die **Taste,-n** key, push button
die **Taufe,-n** baptism 1
tauschen to exchange
täuschen to deceive, mislead
tausend thousand
das **Taxi,-s** taxi
*das **Teamwork** team work 6
*die **Technik** technology 7
* **technisch** technical 10
die **Technologie,-n** technology
der **Tee** tea
der **Teelöffel,-** teaspoon
*der **Teil,-e** part, section; *zum größten Teil* for the most part
teilnehmen an (*nimmt teil, nahm teil, teilgenommen*) to participate in 4
die **Teilnehmerin,-nen** participant
das **Telefon,-e** telephone
*der **Telegraf,-en** telegraph 10
das **Teleobjektiv,-e** telephoto lens
*das **Teleskop,-e** telescope 9
der **Teller, -** plate
das **Tempo** tempo, speed
das **Tennis** tennis
der **Tennisschläger,-** tennis racquet
der **Termin,-e** appointment
*der **Terrorismus** terrorism 9
testen to test 2
teuer expensive
der **Text,-e** text
*die **Textilproduktion** textile production 7
das **Theater,-** theater 2
die **Theke,-n** counter
das **Thema, -men** topic
theoretisch theoretical; *theoretischer Unterricht* in-class driver's ed 4
*der **Thronsaal,-säle** throne room
die **Tiefkühlkost** frozen food 10
das **Tier,-e** animal
der **Tipp,-s** tip
* **tippen** to type 10
das **Tiramisu** Italian dessert
der **Tisch,-e** table
das **Tischtennis** table tennis

*der **Titel,-** title 1
die **Tochter,-̈** daughter
der **Tod** death 5
der **Todestag,-e** day of death 1
die **Toilette,-n** toilet
toll great, terrific
die **Tomate,-n** tomato
der **Tomatensalat** tomato salad
die **Tomatensuppe,-n** tomato soup
das **Tonband,-̈er** (recording) tape
*die **Tonne,-n** ton 6
das **Tonstudio,-s** sound (recording) studio
der **Tontechniker,-** sound engineer
das **Tor,-e** goal; gate
die **Torte,-n** layer cake
der **Torwart,-̈er** goalkeeper
tot dead 1
töten to kill 3
die **Tour,-en** tour, trip
*der **Tourist,-en** tourist
*die **Tradition,-en** tradition 2
tragen (*trägt, trug, getragen*) to wear; to carry
tragisch tragic
der **Trainer,-** coach
trainieren to train, practice
das **Training** training
* **transportieren** to transport 4
das **Transportmittel,-** means of transportation 2
träumen to dream
traurig sad
sich **treffen** (*trifft, traf, getroffen*) to meet; *Treffen wir uns!* Let's meet!
das **Treffen,-** meeting 9
treiben (*trieb, getrieben*) to do; *Sport treiben* to participate in sports
die **Treppe,-n** stairs, stairway
treten (*tritt, trat, getreten*) to pedal 2
trinken (*trank, getrunken*) to drink
das **Trittbrett,-er** footboard 2
trocken dry
die **Trompete,-n** trumpet
trotz in spite of
trotzdem nevertheless
Tschau! See you! Bye!

die **Tschechische Republik** Czech Republic

Tschüs! See you! Bye!

tun (*tut, tat, getan*) to do

die **Tür,-en** door

der **Türke,-n** Turk (male)

die **Türkei** Turkey

der **Turm,⸚e** tower 3

der **Turnklub,-s** gymnastics club

* **typisch** typical 2

U

die **U-Bahn,-en** subway

üben to practice

über about, over; above, across; *über etwas Auskunft geben* to give some information about something

überall everywhere, all over 2

übergeben (*übergibt, übergab, übergeben*) to hand over 1

das **Übergewicht** overweight 8

sich **überlegen** to think about

übermorgen day after tomorrow

übernachten to stay overnight

die **Übernachtung,-en** overnight stay, accommodation

übernehmen (*übernimmt, übernahm, übernommen*) to take over 4

überqueren to cross

überraschen to surprise 10

die **Überraschung,-en** surprise

die **Überschwemmung,-en** flood(ing) 9

übersetzen to translate

die **Übersetzerin,-nen** translator 9

überstehen (*überstand, überstanden*) to get over

sich **überzeugen** to make sure, convince

die **Übung,-en** exercise, practice; *Übung macht den Meister!* Practice makes perfect.

das **Ufer,-** shore

die **Uhr,-en** clock, watch; *Um wie viel Uhr?* At what time?; *Es ist zwei Uhr.* It's two o'clock.

um around, at; *um die Ecke* around the corner; *Um wie viel Uhr?* At what time?; in order to 5

sich **umdrehen** to turn around 3

umfallen (*fällt um, fiel um, ist umgefallen*) to fall down, tip over 8

umfassend comprehensive

die **Umgebung** surroundings, vicinity

umgehen mit (*ging um, ist umgegangen*) to deal with, handle

umringen to surround 3

sich **umschauen** to look around 5

umsteigen (*stieg um, ist umgestiegen*) to transfer

umtauschen to exchange 9

die **Umwelt** environment

der **Umweltschutz** environmental protection

*der **Umzug,⸚e** parade

die **Unabhängigkeit** independence

unbedingt absolutely, unquestionably 2

* **unbekannt** unknown 2

und and

der **Unfall,⸚e** accident

Ungarn Hungary 5

* **ungefähr** approximately

unglaublich unbelievable

die **Uni,-s** university ("U"), colloquial for *Universität*

unmöglich impossible

unpolitisch unpolitical

unser our

unten downstairs, below

unter under, below

unterdessen in the meantime

das **Untergewicht** underweight 8

sich **unterhalten** (*unterhält, unterhielt, unterhalten*) to talk, converse

die **Unterhaltung,-en** conversation; entertainment 10

die **Unterhaltungsmedien** entertainment media 10

der **Unterricht** instruction 1

unterrichten to instruct, teach 1

der **Unterschied,-e** difference

unterstreichen (*unterstrich, unterstrichen*) to underline

untersuchen to examine

die **Untertasse,-n** saucer

unterwegs on the way

unverheiratet unmarried, single 3

die **Urgroßmutter,⸚** great-grandmother 3

der **Urgroßvater,⸚** great-grandfather 3

der **Urlaub,-e** vacation; *Urlaub machen* to take vacation 4

die **USA** United States of America (also: *die Vereinigten Staaten von Amerika*)

V

v. Chr. (vor Christus) B.C. 9

der **Valentinstag** Valentine's Day

das **Vanilleeis** vanilla ice cream

der **Vater,⸚** father

der **Vati,-s** dad

die **Vegetarierin,-nen** vegetarian 8

verändern to change 2

verantwortlich für responsible for 9

verbessern to improve 10

verbieten (*verbot, verboten*) to forbid 7

verbinden (*verband, verbunden*) to connect 1

die **Verbindung,-en** connection 1

verbogen bent 3

sich **verbreiten** to spread 8

die **Verbreitung,-en** spreading, dissemination 9

verbringen (*verbrachte, verbracht*) to spend (time)

verdienen to earn

vereinbaren to arrange, agree (up)on 6

vereinigen to unite 1

*die **Vereinigten Staaten von Amerika** United States of America

die **Vergangenheit** past 9
vergessen (*vergisst, vergaß, vergessen*) to forget 1
vergleichen (*verglich, verglichen*) to compare 8
das **Vergnügen** pleasure; *Zuerst kommt die Arbeit und dann das Vergnügen.* Business before pleasure.
*die **Vergnügungsfahrt,-en** fun ride
verheiratet married 3
verhindern to prevent 9
verkaufen to sell
der **Verkäufer,-** salesperson (male)
die **Verkäuferin,-nen** salesperson (female)
die **Verkaufsleiterin,-nen** sales manager 1
der **Verkaufswagen,-** mobile stand 7
der **Verkehr** traffic
*das **Verkehrsbüro,-s** tourist office
das **Verkehrsmittel,-** means of transportation
die **Verkehrsregel,-n** traffic rule 3
verknallt sein to have a crush on 10
verlangen to demand 2
verlassen (*verlässt, verließ, verlassen*) to leave
sich **verletzen** to injure
die **Verletzung,-en** injury 8
verlieren (*verlor, verloren*) to lose; *verloren gehen* to get lost 9
der **Verlierer,-** loser 4
vermeiden (*vermied, vermieden*) to avoid 3
vermissen to miss 10
veröffentlichen to publish 9
verpassen to miss
verrostet rusted 3
verschieden different
verschmutzen to pollute 3
verschreiben (*verschrieb, verschrieben*) to prescribe
versprechen (*verspricht, versprach, versprochen*) to promise 6
sich **verständigen** to make oneself understood, communicate 9

verstehen (*verstand, verstanden*) to understand
*der **Versuch,-e** attempt
versuchen to try, attempt
der **Vertrag,-̈e** contract 2
vertrauen to trust 7
der **Verwandte,-n** relative 9
der **Verwundete,-n** wounded 8
verzollen to pay duty; *nichts zu verzollen* nothing to declare 9
das **Video,-s** video
die **Videothek** name of video rental store
viel much
viele many
vielleicht perhaps
vier four
das **Viertel,-** quarter
vierzehn fourteen
vierzig forty
die **Villa,-llen** villa 2
* **virtuell** virtual 10
das **Vitamin,-e** vitamin 8
vitaminarm poor/low in vitamins 8
vitaminreich rich in vitamins 8
der **Vogel,-̈** bird
die **Vokabel,-n** word, vocabulary
*das **Vokabular** vocabulary 10
das **Volk,-̈er** people 2
das **Volksfest,-e** public festival
voll full
der **Volleyball** volleyball
volljährig of (adult) age
von from
vor before, in front of
vorbeigehen (*ging vorbei, ist vorbeigegangen*) to go past
vorbeikommen (*kam vorbei, ist vorbeigekommen*) to come by 2
sich **vorbereiten auf** to prepare/get ready for
das **Vorbild,-er** model
das **Vorderrad,-̈er** front wheel 3
die **Vorderseite,-n** front side 9
der **Vordersitz,-e** front seat
vorhaben (*hat vor, hatte vor, vorgehabt*) to plan, intend (to do)

vorher before
vorlesen (*liest vor, las vor, vorgelesen*) to read aloud to others
vorn in front 2
der **Vorort,-e** suburb 7
vorschlagen (*schlägt vor, schlug vor, vorgeschlagen*) to suggest
vorsichtig careful
sich **vorstellen** to introduce oneself; to interview (for a job); present oneself; to imagine
der **Vorteil,-e** advantage 8
vorüber sein to be over

W
die **Waage,-n** scale
wachsen (*wächst, wuchs, ist gewachsen*) to grow
der **Waggon,-s** wagon, rail car 1
die **Wahl** choice; election 10; *Wer die Wahl hat, hat die Qual!* The more choices, the more problems!
wählen to select, choose 9; to elect, vote 10
der **Wahlkampf,-̈e** election campaign 10
das **Wahllokal,-e** polling station 10
das **Wahlplakat,-e** campaign poster 10
das **Wahlprogramm,-e** election platform 10
der **Wahlsieg,-e** election victory 10
die **Wahlurne,-n** ballot box 10
der **Wahlzettel,-** ballot 10
während during; while
wahrscheinlich probably 5
die **Währung,-en** currency
das **Wahrzeichen,-** landmark 5
der **Wald,-̈er** forest 2
das **Waldsterben** dying out of forests 9
*der **Walkman,-s** walkman 8
der **Walzer,-** waltz 5
die **Wand,-̈e** wall
die **Wanderkarte,-n** hiking map 5
wandern to hike
die **Wanderung,-en** hike 5

der **Wanderweg,-e** hiking path 5

wann when

das **Wappen,-** coat of arms 9

die **Ware,-n** goods

warm warm

*die **Warnung,-en** warning 2

die **Wartehalle,-n** waiting room 9

warten to wait; *warten auf* to wait for

warum why

was what; *Was für ein...?* What kind of a...?

das **Waschbecken,-** bathroom sink

die **Wäsche** clothes, laundry

sich **waschen** (*wäscht, wusch, gewaschen*) to wash oneself

die **Wasserflasche,-n** water bottle 5

das **Wasserspiel,-e** fountain 1

der **Wecker,-** alarm clock

weg sein to be gone

der **Weg,-e** way, path

wegen because of

wehtun (*tut weh, tat weh, wehgetan*) to hurt; *Tut es dir weh?* Does it hurt you?

Weihnachten Christmas; *Fröhliche Weihnachten!* Merry Christmas!

weil because

die **Weile** while

*die **Weinpresse,-n** wine press 7

die **Weintraube,-n** grapes, bunch of grapes

weiß white

weise wise; *ein weiser Mann* a wise man

die **Weise** manner, fashion; *auf diese Weise* in this manner

die **Weisheit** wisdom 9

weit far

weiterfahren (*fährt weiter, fuhr weiter, ist weitergefahren*) to continue driving 2

weiterhin further, continuing to

weiterleben to live on 2

weiterspielen to continue playing

weitreichend far-reaching 10

der **Weizen** wheat 1

welcher which

die **Welt,-en** world; *auf der ganzen Welt* in the whole world

die **Welterbeliste,-n** World Heritage list 10

die **Welterbestätte,-n** World Heritage site 10

der **Weltkrieg,-e** world war; *der Erste Weltkrieg* First World War (1914–1918)

weltlich worldly

der **Weltmeister,-** world champion 7

weltoffen open-minded 10

weltweit worldwide 10

wenig little

wenigstens at least 6

wenn when, if, whenever

der **Wenzelsplatz** name of square in Prague 5

wer who

die **Werbung,-en** advertising 10

werden will, shall; to become, be; *Er wird sechzehn.* He'll be sixteen.

werfen (*wirft, warf, geworfen*) to throw 4

das **Werk,-e** work 9

die **Werkbank,-̈e** workbench

die **Werkstatt,-̈en** workshop, (repair) shop

das **Werkzeug** tools

wert sein to be worth 3

der **Wert,-e** value; *der außergewöhnlich universelle Wert* exceptional universal value 10

wertvoll valuable 5

*der **Westen** west

westlich (von) west (of) 1

das **Wetter** weather

die **Wettervorhersage** weather forecast

der **Wettkampf,-̈e** competition

wichtig important

der **Widerstand** resistance 4

wie how, what; *Wie heißt du?, Wie heißen Sie?* What's your name?; *Wie geht's?, Wie geht es Ihnen?* How are you?; *wie viel* how much; *wie viele* how many; *so groß wie* as big as; *wie wär's* how about

wieder again

wiederentdecken to rediscover 8

die **Wiederentdeckung,-en** rediscovery 8

Wiedersehen! Bye! *Auf Wiedersehen!* Good-bye!

wiegen (*wog, gewogen*) to weigh

das **Wiener Schnitzel** breaded veal cutlet

die **Wiese,-n** meadow 4

*der **Wikinger,-** Viking 2

wild wild

die **Wildwasserbahn,-en** wild water ride

der **Wind,-e** wind

die **Windschutzscheibe,-n** windshield

der **Winter,-** winter

wir we

wirklich really

die **Wirtschaft** economy 7

wirtschaftlich economic

das **Wirtschafts- und Kulturzentrum** economic and cultural center 3

wissen (*weiß, wusste, gewusst*) to know

das **Wissen** knowledge 8

die **Wissenschaft,-en** science 1

der **Wissenschaftler,-** scientist 8

der **Witz,-e** joke

wo where

woanders somewhere else

die **Woche,-n** week

das **Wochenende,-n** weekend

woher where from

wohin where (to)

wohl: Das können Sie wohl sagen. You can say that again.

wohnen to live

der **Wohnraum,-räume** living quarter 2

die **Wohnung,-en** apartment

die **Wohnungstür,-en** apartment door

der **Wohnwagen,-** RV (recreational vehicle)

das **Wohnzimmer,-** living room

die **Wolke,-n** cloud 9

wollen to want to

die **Wolljacke,-n** cardigan

das **Wort,-̈er** word

das **Wörterbuch,-̈er** dictionary

wunderschön beautiful, wonderful 2

der **Wunsch,-̈e** wish 4

wünschen to wish; *sich wünschen* to want (for birthday)

der **Würfel,-** die 4

die **Wurst,-̈e** sausage

das **Wurstbrot,-e** sausage sandwich

das **Würstchen,-** hot dog

die **Wurstsorte,-n** kind of sausage

die **Wüste,-n** desert 9

Z

zählen to count 8

der **Zahn,-̈e** tooth

der **Zahnarzt,-̈e** dentist

die **Zahnschmerzen** (pl.) toothache

die **Zahnspange,-n** braces

der **Zebrastreifen,-** (pedestrian) crosswalk 2

die **Zeche,-n** coal mine 7

zehn ten

das **Zeichen,-** sign 2

zeichnen to draw, sketch 9

die **Zeichnung,-en** drawing, illustration

zeigen to show

die **Zeit,-en** time

das **Zeitalter,-** age, era 6

die **Zeitschrift,-en** magazine

die **Zeitung,-en** newspaper

der **Zeitungsstand,-̈e** newspaper stand

*die **Zeitzone,-n** time zone 9

das **Zelt,-e** tent

der **Zentimeter,-** centimeter 3

*das **Zentrum,-tren** center 1

der **Zeppelin,-e** blimp 10

* **zerstören** to destroy

der **Zeuge,-n** witness 3

die **Ziege,-n** goat

ziehen *(zog, gezogen)* to move; *in den Krieg ziehen* to go to war 6

das **Ziel,-e** goal, finish line, destination

das **Zimmer,-** room

das **Zitroneneis** lemon ice cream

der **Zoll** customs 9

zu at, to; too: *zu Hause* at home; *zum Kaufhaus gehen* to go to the department store

zubereiten to prepare (meal)

der **Zucker** sugar

zuerst first

zufrieden satisfied 3

der **Zug,-̈e** train

das **Zuhause** home 10

die **Zukunft** future

zuletzt finally, at last

zurückfahren *(fährt zurück, fuhr zurück, ist zurückgefahren)* to go (drive) back

zurückkommen *(kam zurück, ist zurückgekommen)* to come back

zusammen together

zusammenbauen to put together

zusammenkommen *(kam zusammen, ist zusammengekommen)* to get together

zusammennähen to sew together 6

zusammenrollen to roll up

zusammenstoßen *(stößt zusammen, stieß zusammen, ist zusammengestoßen)* to collide

der **Zuschauer,-** spectator

zusehen *(sieht zu, sah zu, zugesehen)* to watch

der **Zustand,-̈e** condition

zwanzig twenty

zwei two

zweifarbig two-colored 9

die **Zweiradwerkstatt,-̈en** two-wheel (bike) repair shop

die **Zwiebel,-n** onion

die **Zwillingsschwester,-n** twin sister

zwischen between

das **Zwischenmenschliche** interpersonal (matters) 10

zwölf twelve

A

a ein(e)

to **abduct** entführen 3

about gegen; *about two o'clock* gegen zwei Uhr; *to give some information about* über etwas Auskunft geben

above über

absolutely unbedingt 2

to **accept** annehmen (nimmt an, nahm an, angenommen) 4

accident der Unfall,¨e

accommodation die Übernachtung,-en

account das Konto,-ten; *to open an account* ein Konto eröffnen

across über; gegenüber 2

action die Aktion,-en 6

active aktiv 3

actually eigentlich 1

ad die Anzeige,-n 2

address die Adresse,-n

adult der Erwachsene,-n; *adult (of age)* volljährig

advancement der Fortschritt,-e

advantage der Vorteil,-e 8

adventure das Abenteuer,- 10

advertising die Werbung,-en 10

advice der Rat; *to ask for advice* um Rat fragen

to **advocate** sich einsetzen 10

to **afford** sich leisten 10

afraid: Don't be afraid! Keine Angst!

Africa Afrika 1

after nach

afternoon der Nachmittag,-e; *this afternoon* heute Nachmittag

again wieder; *again and again* immer wieder 7

against gegen

age das Alter

aggressive aggressiv 4

to **agree (up)on** vereinbaren 6

air die Luft; *by air* der Luftweg 1

air conditioning die Klimaanlage,-n 10

airmail die Luftpost

air mattress die Luftmatratze,-n

airplane das Flugzeug,-e

airport der Flughafen,¨

aisle der Gang,¨e

alarm clock der Wecker,-

alchemy die Alchemie 8

all alle; *That's all.* Das ist alles.

to **allow** sich erlauben 7

allowance das Taschengeld 7

almost fast

alone allein

Alps die Alpen

already schon

also auch

always immer

amazed erstaunt

America Amerika

amount der Betrag,¨e 3

to **amuse oneself** sich amüsieren 10

amusing lustig 3

an ein(e)

to **analyze** analysieren 8

ancient antik 8

and und

animal das Tier,-e; *domestic animal* das Haustier,-e

annals (pl.) die Annalen 3

to **annoy** ärgern 3

anonymous anonym 10

answer die Antwort,-en

to **answer** antworten; *to answer a question* eine Frage beantworten 6

anteater der Ameisenbär,-en 10

apartment die Wohnung,-en

apartment building das Mietshaus,¨er 3

apartment door die Wohnungstür,-en

apolitical unpolitisch

to **appear** scheinen (schien, geschienen); auftauchen

appetite der Appetit

apple der Apfel,¨

apple cake der Apfelkuchen,-

apple juice der Apfelsaft

applicant der Bewerber,-

application die Bewerbung,-en 6

application document die Bewerbungsunterlage,-n 6

to **apply** *(for a job)* sich bewerben (bewirbt, bewarb, beworben); *to apply for* sich bewerben um 6

appointment der Termin,-e

apprentice der Azubi,-s

apprenticeship die Lehre,-n

approximately ungefähr

April der April

Arabia Arabien 7

archbishop der Erzbischof,¨e 3

architect der Architekt,-en 5

architecture die Architektur,-en 9

archive das Archiv,-e

area die Gegend,-en

to **argue** sich streiten (stritt, gestritten) 7

argument der Streit,-e 7

arm der Arm,-e

armchair der Sessel,-

around um; *around the corner* um die Ecke; *around seven (o'clock)* so gegen sieben

to **arrange** vereinbaren 6

arrangement *(musical)* das Arrangement,-s 4

arrival die Ankunft,¨e

to **arrive** ankommen

art die Kunst,¨e

article der Artikel,-

artist der Künstler,- 7

as wie; *as...as* so...wie; *as soon as* sobald wie; *as of* ab 2

Asia Asien 1

to **ask** fragen; bitten (bat, gebeten); *to ask for something* bitten um 3

asparagus der Spargel

astonished: to be astonished staunen

astronomer der Astronom,-en 8

astronomical astronomisch 9

astronomy die Astronomie 9

at an, bei, um, zu; *At what time? Um wie viel Uhr?*; *at least* mindestens

athletic sportlich

Atlantic Ocean der Atlantik 1

attempt der Versuch,-e

to **attempt** versuchen

attention die Achtung 2

attorney der Rechtsanwalt,¨e

attraction die Attraktion,-en 3

audiocassette die Audiokassette,-n 10

August der August

aunt die Tante,-n

Australia Australien 1

Austria Österreich

Austrian österreichisch 5

automat der Automat,-en

automobile das Automobil,-e 10

automobile dealership die Autofirma,-men

autumn der Herbst,-e

available frei

avalanche die Lawine,-n 9

average der Durchschnitt; *on the average* im Durchschnitt 3

to **avoid** vermeiden (vermied, vermieden) 3

away entfernt

B

B.C. v. Chr. (vor Christus) 9

back der Rücken,- 8; *back (reverse side)* die Rückseite,-n

back hinten; *all the way in the back* ganz hinten 6; *back and forth* das Hin und Her 9

backache die Rückenschmerzen (pl.)

backpack der Rucksack,¨e

back seat der Rücksitz,-e

bad schlecht

bag die Tasche,-n

baggage das Gepäck

baggage claim die Gepäckausgabe 9

to **bake** backen (bäckt, backte, gebacken)

baker der Bäcker,-

bakery die Bäckerei,-en

Balkan Peninsula der Balkan 8

ball der Ball,¨e

ballot der Wahlzettel,- 10

ballot box die Wahlurne,-n 10

Baltic Sea die Ostsee

banana die Banane,-n

band die Band,-s

band leader der Bandleader,- 4

bank die Bank,-en

baptism die Taufe,-n 1

barn der Stall,¨e

basement der Keller,-

basis die Basis 9

basket der Korb,¨e

basketball der Basketball,¨e

bath das Bad,¨er; *to take a bath* ein Bad nehmen 4

to **bathe** baden 1

bathroom das Badezimmer,-

bathroom sink das Waschbecken,-

bathtub die Badewanne,-n

battery die Batterie,-n

battle der Kampf,¨e 2

Bavaria Bayern

to **be** sein (ist, war, ist gewesen); *to be able to* können (kann, konnte, gekonnt); *to be correct* stimmen; *to be curious* gespannt sein; *to be finished* fertig sein; *to be fit* fit sein 8; *to be gone* weg sein; *to be interested in* sich interessieren für; *to be located* liegen (lag, ist gelegen); *to be missing* fehlen; *to be OK* in Ordnung sein; *to be open (in a game)* frei stehen; *to be over* zu Ende sein; *to be permitted to* dürfen (darf, durfte, gedurft); *to be ready* fertig sein; *to be sorry* Leid tun; *to be useful* nützen; *He'll be sixteen.* Er wird sechzehn.; *to be one's turn* dran sein 4

beach *(shore)* der Strand,¨e

bean die Bohne,-n

beat der Takt,-e

beautiful schön; wunderschön 2

because denn, wegen

bed das Bett,-en

bed and breakfast die Pension,-en

bed linen die Bettwäsche

bedroom das Schlafzimmer,-

beef roast der Rinderbraten

beer das Bier,-e 7

before vor, bevor, vorher

to **begin** beginnen (begann, begonnen); anfangen (fängt an, fing an, angefangen)

beginner der Anfänger,-

beginning der Anfang,¨e

to **behave** sich benehmen (benimmt, benahm, benommen) 3

behavior das Benehmen

to **behead** enthaupten 3

beige beige

Belgium Belgien

to **believe** glauben; *I believe so.* Ich glaube schon.

bell die Klingel,-n 3

to **belong** gehören

below unten, unter

bench die Bank,¨e

bent verbogen 3

beret das Barett,-e 9

besides sonst, außerdem, außer

best-preserved besterhalten 10

best-seller list die Bestsellerliste,-n

better besser

between zwischen

beverage das Getränk,-e

Bible die Bibel,-n 7

bicycle das Fahrrad,¨er

bicycle path der Fahrradweg,-e 2

big groß

to **bike** Rad fahren

bike das Rad,¨er;

bike pump die Fahrradpumpe,-n 3

bike rack der Gepäckträger 3

bike tour die Radtour,-en; *to go on a bike tour* eine Radtour machen

bill die Rechnung,-en

billion die Milliarde,-n 10

biologist die Biologin,-nen 6

biology die Biologie

bird der Vogel,¨

birthday der Geburtstag,-e; *Happy birthday!* Herzlichen Glückwunsch zum Geburtstag!

black schwarz

blackberry die Brombeere,-n

Black Forest der Schwarzwald; *Black Forest Cherry Torte* die Schwarzwälder Kirschtorte

blimp der Zeppelin,-e *10*

to **block** blockieren *2*

blouse die Bluse,-n

blue blau

board *(chalkboard)* die Tafel,-n

to **board** einsteigen (stieg ein, ist eingestiegen)

board das Brett,-er *4*

board game das Brettspiel,-e *4*

boarding pass die Bordkarte,-n

boat das Boot,-e

body der Körper,-; *part of the body* der Körperteil,-e

Bohemia Böhmen *5*

bone der Knochen,- *8*

book das Buch,-er

to **book** buchen *4*

book cover der Einband,-e *6*

book printing der Buchdruck *7*

bookshelf das Bücherregal,-e

bookstore das Buchgeschäft,-e *5; die Buchhandlung,-en 7*

boot der Stiefel,-; *hiking boot* der Bergstiefel,- *5*

border die Grenze,-n; *at the border with* an der Grenze zu

border crossing der Grenzübergang,-e

to **border on** grenzen an

bored: to be bored sich langweilen

boring langweilig

born geboren *1*

both beide

bottle die Flasche,-n

boutique die Boutique,-n

bowl die Schüssel,-n

box die Kiste,-n *4*

boy der Junge,-n; der Knabe,-n *3; boys (colloquial)* die Jungs

boyfriend der Freund,-e

braces die Zahnspange,-n

bragger der Angeber,- *6*

brake die Bremse,-n *4*

bratwurst die Bratwurst,-e

brave mutig, tapfer

bread das Brot,-e

breaded veal cutlet das Wiener Schnitzel

break die Pause,-n

to **break** kaputt machen *6*

to **break down** abbrechen (bricht ab, brach ab, abgebrochen)

breakfast das Frühstück; *to have breakfast* frühstücken *1*

breakfast table der Frühstückstisch

bridge die Brücke,-n *2*

briefcase die Aktentasche,-n

to **bring** bringen (brachte, gebracht); *to bring along* mitbringen

broccoli Broccoli

brochure die Broschüre,-n

broken kaputt

brother der Bruder,-

brother-in-law der Schwager,- *3*

brown braun

to **brush one's teeth** sich die Zähne putzen

to **buckle up** sich anschnallen

to **build** bauen

building das Gebäude,- *3*

built-in eingebaut *10*

bull der Stier,-e *9*

to **burn** brennen (brannte, gebrannt)

bus der Bus,-se

bus station die Busstation,-en *4*

business das Geschäft,-e *2*

businessman der Geschäftsmann,-er *7*

business trip die Geschäftsreise,-n *3*

but aber, sondern; *not only...but also* nicht nur...sondern auch; *but (on the contrary)* sondern

butcher der Fleischer,-; der Metzger,-

butter die Butter

to **buy** kaufen; *to buy on credit* (den Kauf) anschreiben lassen (schrieb an, angeschrieben) *3*

Bye! Tschau!, Tschüs!, Wiedersehen!; *Good-bye!* Auf Wiedersehen!

C

cabbage der Kohl *7*

café das Eiscafé,-s,

cage der Käfig,-e

cake der Kuchen,-

cake mix die Backmischung,-en *10*

calculator der Rechner,-

calendar der Kalender,- *10*

to **call** rufen (rief, gerufen); *to call (name)* nennen (nannte, genannt); *(on the phone)* anrufen

to **calm down** beruhigen *3*

camera die Kamera,-s

to **camp** campen

campaign poster das Wahlplakat,-e *10*

camper der Camper,-

campground der Campingplatz,-e

camping trip die Campingreise,-n

can die Dose,-n

can können (kann, konnte, gekonnt)

Canada Kanada *1*

candidate der Kandidat,-en *10*

candle die Kerze,-n; *to light a candle* eine Kerze anzünden

canoeist der Kanute,-n

canton der Kanton,-e *1*

capital *(city)* die Hauptstadt,-e

to **capture** gefangen nehmen (nimmt gefangen, nahm gefangen, gefangen genommen) *6*

car das Auto,-s

car driver der Autofahrer,- *2*

card die Karte,-n

cardigan die Wolljacke,-n

careful vorsichtig

carnival der Karnival *7*

carriage: horse-drawn carriage die Pferdekutsche,-n *10*

carrot die Karotte,-n; die Möhre,-n

to **carry** tragen (trägt, trug, getragen)

carton der Karton,-s *2*

to **carve** schnitzen *8*

case der Fall,-e; *in any case* auf jeden Fall

cash bar

cash register die Kasse,-n

castle das Schloss,-er; die Burg,-en *5*

cat die Katze,-n

to **catch** fangen (fängt, fing, gefangen) *4; to catch a cold* sich erkälten

cathedral der Dom,-e; *Cologne Cathedral* der Kölner Dom 7
Catholic katholisch 3
cauliflower der Blumenkohl 2
CD die CD,-s
ceiling die Decke,-n
to **celebrate** feiern
cello das Cello,-s
cell phone das Handy,-s
cemetery der Friedhof,ˍe 2
cent der Cent,-s
center die Mitte; *center of city* die Stadtmitte; die Innenstadt,ˍe; das Zentrum,-tren 1; *center (of attention)* der Mittelpunkt,-e 6
centimeter der Zentimeter,- 3
century das Jahrhundert,-e
certain(ly) bestimmt; sicher
chain die Kette,-n 3
chair der Stuhl,ˍe
chalk die Kreide
chance die Chance,-n 4
to **change** sich ändern; verändern 2; auswechseln 3
channel der Kanal,ˍe 2
chapter das Kapitel,-
to **charge** anschreiben lassen (schrieb an, angeschrieben) 3
charming charmant
chat der Chat,-s 10
to **chat** chatten
chat group die Chat-Gruppe,-n
chat room der Chatraum,ˍe
cheap billig
to **cheat** schummeln 4
check *(restaurant)* die Rechnung,-en
to **check** nachsehen (sieht nach, sah nach, nachgesehen); *to check out books* Bücher ausleihen (lieh aus, ausgeliehen) 7
checker der Stein,-e 4
check-in *(counter)* der Check-in 9
checkers *(game)* Dame 4
checkout counter der Ladentisch,-e
to **cheer** jubeln
cheese der Käse

cheese sandwich das Käsebrot,-e
chemistry die Chemie
cherry die Kirsche,-n
chess das Schach
chicken das Huhn,ˍer
chicken soup die Hühnersuppe,-n
child das Kind,-er
chin das Kinn,-e
China China 7
chip *(potato)* der Chip,-s
chocolate die Schokolade; *chocolate sundae* die Eisschokolade; *chocolate ice cream* das Schokoeis; *chocolate shake* der Schokoshake,-s
choice die Wahl, die Auswahl; *The more choices, the more problems.* Wer die Wahl hat, hat die Qual.
choir room der Sängersaal
to **choose** sich aussuchen; wählen 9
Christmas Weihnachten; *Merry Christmas!* Fröhliche Weihnachten!
church die Kirche,-n 2
city die Stadt,ˍe;
city hall das Rathaus,ˍer; die Stadthalle,-n
city map der Stadtplan,ˍe 5
city train *(suburban express train)* die S-Bahn,-en
clarinet die Klarinette,-n
class die Klasse,-n; *class schedule* der Stundenplan,ˍe
classical antik 8
class representative die Klassensprecherin,-nen 6
class reunion das Klassentreffen,- 6
classroom das Klassenzimmer,-
class trip die Klassenreise,-n
to **clean** sauber machen, säubern; *to clean oneself* sich putzen; *to clean out (barn)* ausmisten; *to clean up (room)* aufräumen
clear klar, deutlich; *clear (skies)* heiter; *to clear (table)* abräumen
to **click on** anklicken
cliff die Klippe,-n 2
climate das Klima,-s 9

climax der Höhepunkt,-e
to **climb** steigen (stieg, ist gestiegen); klettern; *to climb to* steigen auf
clique die Clique,-n 6
clock die Uhr,-en
clock radio der Radiowecker,-
cloister das Kloster,ˍ 3
closet der Schrank,ˍe
clothes die Kleidung, die Wäsche
clothing die Kleidung
clothing item das Kleidungsstück,-e
cloud die Wolke,-n 9
cloudy bewölkt
club *(organization)* der Klub,-s; *club (tool)* die Keule,-n 2
clutch die Kupplung,-en 4
coach der Trainer,-
coal die Kohle,-n 1
coal mine die Zeche,-n 7
coast die Küste,-n 9
coat der Mantel,ˍ
coat of arms das Wappen,- 9
cocoa der Kakao
codetermination die Mitbestimmung 10
coffee der Kaffee
coin die Münze,-n
coinage die Prägung,-en 9
cola die Cola,-s
cold kalt
cold-cut platter die Kalte Platte
colleague der Mitarbeiter,- 10
to **collect** sammeln
to **collide** zusammenstoßen (stößt zusammen, stieß zusammen, ist zusammengestoßen) 8
color die Farbe,-n
to **color** färben
colorful bunt
color TV set der Farbfernseher,- 10
to **comb one's hair** sich kämmen
to **come** kommen (kam, ist gekommen); *to come along* mitkommen; *to come back* zurückkommen; *to come by* vorbeikommen 2; *to come downstairs* runterkommen; *to come*

from stammen aus; *to come here* herkommen; *to come out* herauskommen; *to come over* rüberkommen; *to come to an agreement* sich einigen 2; *Come along!* Komm mit!; *Come here!* Komm her!

comedy die Komödie,-n

comfortable bequem, gemütlich

comics der Comic,-s

commitment das Engagement,-s 10

to **communicate** sich verständigen 9

communication die Kommunikation

communication technology die Kommunikationstechnologie,-n 7

communism der Kommunismus 5

company die Firma,-en

to **compare** vergleichen (verglich, verglichen) 8

compartment das Abteil,-e 1

compass der Kompass,-e

competition der Wettkampf,-̈e

to **complain about** sich beklagen über; *to complain* maulen 1

complicated kompliziert 4

compliment das Kompliment,-e

composer der Komponist,-en 9

composition der Aufsatz,-̈e

comprehensive umfassend

computer der Computer,-; *home computer* der Heimcomputer,- 10

computer company die Computerfirma,-en 6

computer education *(analysis management)* die Informatik

computer game das Computerspiel,-e

computer science die Informatik; *computer science assignment* die Informatikaufgabe,-n

computer specialist der Informatiker,-

computer store das Computergeschäft,-e

to **concentrate** sich konzentrieren

concept der Begriff,-e 9

concern das Anliegen,- 10

to **concern** angehen (ging an, ist angegangen)

concert das Konzert,-e

conclusion der Schluss,-̈e 7

condition *(shape)* die Kondition,-en; die Bedingung,-en; der Zustand,-̈e

conductor der Schaffner,- 1

conference die Konferenz,-en 8

to **congratulate** gratulieren

to **connect** verbinden (verband, verbunden) 1

connection die Verbindung,-en 1

to **conquer** erobern 9

conscious bewusst 8

to **consider** berücksichtigen 8

to **consist of** bestehen aus (bestand, bestanden) 5

constructive konstruktiv 6

contact der Kontakt,-e 10; *to be in contact* in Kontakt stehen

continent der Kontinent,-e 1

to **continue driving** weiterfahren (fährt weiter, fuhr weiter, ist weitergefahren) 2

continuing to weiterhin

contract der Vertrag,-̈e 2

to **control** regulieren

conversation die Unterhaltung,-en; das Gespräch,-e 3

to **converse** sich unterhalten (unterhält, unterhielt, unterhalten)

to **convince** sich überzeugen

cook der Koch,-̈e 2

to **cook** kochen

cooker der Kocher,-

cookie der Keks,-e

cool kühl

to **coordinate** koordinieren

copy die Kopie,-n 7

to **copy** kopieren 5

copy machine die Kopiermaschine,-n 7

cordial herzlich

corner die Ecke,-n

correct richtig

correspondence die Korrespondenz

cosmetics die Kosmetik

to **cost** kosten

Council of Europe der Europarat 9

counseling center die Anlaufstelle,-n 10

to **count** zählen 8

counter *(ticket)* der Schalter,-; die Theke,-n

country das Land,-̈er

courageous mutig

course der Kurs,-e 8

court *(game)* das Spielfeld,-er 8; *court (legal)* der Gerichtshof,-̈e 9

cousin *(male)* der Cousin,-s; *(female)* die Cousine,-n

to **cover** decken

cow die Kuh,-̈e

coworker der Mitarbeiter,- 10

to **create** schaffen (schuf, geschaffen) 7

creative kreativ

credit card die Kreditkarte,-n

creek der Bach,-̈e

to **criticize** kritisieren 7

cross das Kreuz,-e

to **cross** überqueren

crosswalk *(pedestrian)* der Zebrastreifen,- 2

crown die Krone,-n 4

to **crown** krönen 1

Crusade der Kreuzzug,-̈e 3

cucumber salad der Gurkensalat

cultural kulturell

cultural accomplishment die Kulturleistung,-en 10

cultural heritage das Kulturgut,-̈er 9

cultural heritage site die Kulturerbestätte,-n 10

culture die Kultur,-en 1

cup die Tasse,-n

cupboard der Schrank,-̈e

curious gespannt; neugierig 9

currency die Währung,-en

current aktuell

current *(water)* die Strömung,-en; *current (electricity)* der Strom 7

curry sausage die Currywurst,-̈e 7

curry spice das Curry 7

curtain die Gardine,-n

customer (*female*) die Kundin,-nen; (*male*) der Kunde,-n
customer ticket die Kundenkarte,-n 7
customs der Zoll 9
to **cut** schneiden (schnitt, geschnitten)
Czech Republic die Tschechische Republik

D

dad der Vati,-s
to **damage** schaden 4
dance der Tanz,-̈e; *dance class* der Tanzkurs,-e 5; *dance lesson* die Tanzstunde,-n; *dance studio* das Tanzstudio,-s
to **dance** tanzen
dangerous gefährlich 3
Danish dänisch 6
Danube River die Donau 5
dark dunkel
dashboard das Armaturenbrett,-er 4
data die Daten
daughter die Tochter,-̈
day der Tag,-e; *day after tomorrow* übermorgen; *day of death* der Todestag,-e 1; *day of departure* der Abreisetag,-e 1
dead tot 1
to **deal with** umgehen mit (ging um, ist umgegangen)
death der Tod 5
debate die Debatte,-n 10
to **debate** debattieren 10
debutante die Debütantin,-nen 5
to **deceive** täuschen
December der Dezember
to **decide** sich entscheiden (entschied, entschieden) 6
decision die Entscheidung,-en; *to make a decision* eine Entscheidung treffen
to **declare** verzollen; *nothing to declare* nichts zu verzollen 9
definitely bestimmt
degree der Grad,-e
delegate der Abgeordnete,-n 9
delicious lecker

to **demand** verlangen 2
democracy die Demokratie,-n 9
democratization die Demokratisierung 10
to **demonstrate** demonstrieren 5
demonstration die Demonstration,-en 5
Denmark Dänemark
dentist der Zahnarzt,-̈e
to **depart** abfahren
department die Abteilung,-en
department store das Kaufhaus,-̈er
departure die Abfahrt,-en; (*flight*) der Abflug,-̈e; *day of departure* der Abreisetag,-e 1
dependable verlässlich 10
to **depict** darstellen 9
described beschrieben
desert die Wüste,-n 9
to **design** entwerfen (entwirft, entwarf, entworfen); gestalten 9
desk der Schreibtisch,-e
desolate desolat 2
dessert der Nachtisch,-e
destination Ziel,-e
to **destroy** zerstören
detail das Detail,-s 1
detective story der Krimi,-s
to **determine** bestimmen
to **develop** entwickeln 7; entstehen (entstand, ist entstanden) 8
development die Entwicklung,-en 10
dictionary das Wörterbuch,-̈er
die der Würfel,- 4
to **die** sterben (stirbt, starb, ist gestorben)
diet die Diät 8
difference der Unterschied,-e
different verschieden
difficult schwer; schwierig 7
difficulty die Schwierigkeit,-en 8
dining car der Speisewagen,- 1
dinner das Abendessen
direct(ly) direkt
direction die Anweisung,-en 4

dirty schmutzig
disco die Disko,-s
to **discover** entdecken
discovery die Entdeckung,-en 8
to **discuss** diskutieren
dishes das Geschirr
dishwasher der Geschirrspüler,-
dissemination die Verbreitung,-en 9
to **disturb** stören
divorced geschieden 3
dizzy schwindlig; *I'm dizzy.* Mir ist schwindlig.
to **do** machen; tun (tut, tat, getan); *What are you doing?* Was machst du?; *to do (crafts)* basteln; *to do well* gut abschneiden (*schnitt ab, abgeschnitten*) 10
doctor der Arzt,-̈e; der Doktor,-en
document das Dokument,-e 7
dog der Hund,-e
doll die Puppe,-n 8
door die Tür,-en
downstairs unten
downtown die Stadtmitte
drapery die Gardine,-n
to **draw** zeichnen 9
drawing die Zeichnung,-en
to **dream** träumen
dress das Kleid,-er
to **drink** trinken (trank, getrunken)
to **drive** fahren (fährt, fuhr, ist gefahren); *to drive around* herumfahren; *to drive back* zurückfahren; *to drive there* hinfahren
driver der Fahrer,-
driver's license der Führerschein,-e; *to take the driving test* den Führerschein machen
drums das Schlagzeug
driving school die Fahrschule,-n 4
to **drown** ertrinken (ertrank, ist ertrunken) 1
drug traffic der Drogenhandel 9
drummer der Schlagzeuger,- 4
dry trocken
duck die Ente,-n

dumb doof 4; dumm 10
dumpling der Knödel,-
dune die Düne,-n 2
during während
Dutch holländisch 7

E

each jeder; *each other* einander 6
ear das Ohr,-en
early früh
to **earn** verdienen
earring der Ohrring,-e
earth die Erde 7
east der Osten; *eastern part* der Ostteil,-e
east (of) östlich (von) 1
Easter Ostern; *Happy Easter!* Frohe Ostern!
Easter egg das Osterei,-er
easy leicht
to **eat** essen (isst, aß, gegessen); *to eat (for animals)* fressen (frisst, fraß, gefressen)
eating habit die Essgewohnheit,-en 2
ecological ökologisch
economic wirtschaftlich
economy die Wirtschaft 7
educational TV program die Bildungssendung,-en 7
eight acht
eighteen achtzehn
eighty achtzig
elbow der Ellenbogen,- 8
elbow pads der Ellenbogenschutz 8
to **elect** wählen 9
election die Wahl,-en 10; *election for student representative* die Schulsprecherwahl,-en 10
election campaign der Wahlkampf,-e 10
election platform das Wahlprogramm,-e 10
election victory der Wahlsieg,-e 10
electric appliance das Elektrogerät,-e
electrician der Elektriker,-
electricity die Elektrizität 4
electric motor der Elektromotor,-en 7
elegant elegant
element das Element,-e 3

elevator der Fahrstuhl,-e
eleven elf
elliptical elliptisch 9
e-mail die E-Mail,-s; *to send an e-mail* eine E-Mail schicken
embarrassing peinlich 5
emperor der Kaiser,- 1
empire das Reich,-e; das Kaiserreich,-e 1
employee *(female)* die Angestellte,-n; *(male)* der Angestellte,-n
employment office das Arbeitsamt,-er
empty leer
to **empty** leeren
end das Ende; der Schluss,-e 7
to **end** enden 10
endurance training das Ausdauertraining
enemy der Feind,-e 10
energy die Energie
to **engage** sich engagieren 10
engagement das Engagement,-s 10
engine der Motor,-en
engineer der Ingenieur,-e
England England
English *(subject)* das Englisch; *He speaks English.* Er spricht englisch.
to **enjoy** genießen (genoss, genossen); *Let's enjoy...!* Lass uns...genießen!
enough genug
entertainment die Unterhaltung,-en 10
entertainment media die Unterhaltungsmedien 10
enthusiastic about begeistert von 9
entrance der Eingang,-e; die Einfahrt,-en
envelope der Briefumschlag,-e
environment die Umwelt
environmental protection der Umweltschutz
equator der Äquator 1
equipment die Ausrüstung,-en
era das Zeitalter,- 6
eraser der Radiergummi,-s
to **erect** aufbauen 8
escalator die Rolltreppe,-n
especially besonders

essay der Aufsatz,-e
euro der Euro,-s
euro banknote der Euroschein,-e 9
Europe Europa
European europäisch 3; *European Union (EU)* die EU (Europäische Union) 1
even sogar
evening der Abend,-e; *this evening* heute Abend; *in the evening* am Abend
event das Ereignis,-se
ever je 7
every jeder
everything alles
everywhere überall 2
exact(ly) genau
exam(ination) die Prüfung,-en
to **examine** untersuchen
example das Beispiel,-e; *as for example* wie zum Beispiel
except außer
exchange der Austausch 10
exchange student die Austauschschülerin,-nen 6
to **exchange** austauschen; umtauschen 9
exciting aufregend, spannend
excursion *(trip)* der Ausflug,-e
Excuse me! Entschuldigen Sie!
exercise die Übung,-en; *physical exercise* die Leibesübung,-en
to **exist** existieren 6
to **expand** erweitern 10
to **expect** erwarten
expensive teuer
experience das Erlebnis,-se; die Erfahrung,-en
to **experience** erleben 10
experienced erfahren
to **experiment** experimentieren
expert der Experte,-n
to **explain** erklären 2
explanation die Erklärung,-en 9
to **explode** sprengen 10
to **export** exportieren 9
to **extend beyond** hinausreichen 10
extra extra
eye das Auge,-n

F

face das Gesicht,-er 4
face guard der Gesichtsschutz 8
face protector die Schutzmaske,-n 8
factory die Fabrik,-en 9
fairy tale das Märchen,- 7
fairy-tale king der Märchenkönig,-e 1
fall der Herbst,-e
to fall fallen (fällt, fiel, ist gefallen) 4; to fall down umfallen 8
family die Familie,-n
family meeting das Familientreffen,-
family tree der Stammbaum,-bäume 3
famous berühmt 5
fan der Fan,-s
fantastic fantastisch 7
far weit
farm der Bauernhof,-e
farmer der Bauer,-n 1
fascinated fasziniert 3
fashion die Weise
fast schnell
to fasten sich festmachen
fat fett; das Fett 7
father der Vater,-
favorable günstig
favorite subject das Lieblingsfach,-er; favorite team die Lieblingsmann-schaft,-en
fax das Fax,-e
fear die Angst
feast das Festessen,-
February der Februar
to feed füttern; sich ernähren 8
to feel fühlen; to feel well sich wohl fühlen
feeling das Gefühl,-e
Ferris wheel das Riesenrad,-er
fertility die Fruchtbarkeit 9
festival das Fest,-e; public festival das Volksfest,-e
to fetch holen
fever das Fieber
few: a few ein paar; manche; einige
field das Feld,-er 1; der Bereich,-e 9
field trip der Schulausflug,-e 6
fifteen fünfzehn

fifty fünfzig
fight der Kampf,-e 2
to fight kämpfen 2
figure die Figur,-en 2
filigree das Filigran,-e 9
to fill out ausfüllen 8
film der Film,-e
final destination die Endstation,-en
finally endlich, zuletzt
to finance finanzieren 9
to find finden (fand, gefunden); to find out herausfinden (fand heraus, herausgefunden); erfahren (erfährt, erfuhr, erfahren) 8
finger der Finger,-
to finish erledigen
finish line Ziel,-e
Finland Finnland
fire das Feuer
firm die Firma,-en
first zuerst, erst-; first of all erst einmal
fish der Fisch,-e
fish fillet das Fischfilet
fish sandwich die Fischsemmel,-n
to fit passen
five fünf
flag die Fahne,-n
flash attachment das Blitzgerät,-e
flat flach; (tire) platt
flight der Flug,-e
flight attendant der Flugbegleiter,-
flight passenger der Fluggast,-e
flight ticket der Flugschein,-e
float der Festwagen,-
flood die Flut,-en 9; flood(ing) die Überschwemmung,-en 9
floor der Stock, Stockwerke; der Boden,- 6
flour das Mehl
flow die Strömung,-en
to flow fließen (floss, ist geflossen)
flower die Blume,-n
flu die Grippe 8
flute die Flöte,-n
to fly fliegen (flog, ist geflogen)
folklore die Folklore 4
to follow folgen

food group die Nahrungsmittelgruppe,-n 8
food server (female) die Kellnerin,-nen; (male) der Kellner,-
footboard das Trittbrett,-er 2
for für; for you für dich
to forbid verbieten (verbot, verboten) 7
force die Macht,-e 1
forever ewig
forehead die Stirn,-en
foreign fremd; ausländisch 6; foreign countries das Ausland; foreign language die Fremdsprache,-n; foreign (radio) station der Auslandssender,-
foreigner der Ausländer,-
forest der Wald,-er 2
to forget vergessen (vergisst, vergaß, vergessen) 1
fork die Gabel,-n
form das Formular,-e 9
former ehemalig
fort das Fort,-s 9
fortress die Burg,-en 5
forty vierzig
fossil pit die Fossiliengrube,-n 10
to foul foulen
to found gründen 6
founder der Begründer,- 8; der Gründer,- 9
fountain das Wasser-spiel,-e 1; der Brunnen,- 2
four vier
fourteen vierzehn
frame der Rahmen,- 3
franc (Swiss monetary unit) der Franken,-
France Frankreich
Frank (Germanic tribe) der Franke,-n 1
free frei; free (without charge) kostenlos 3; free space der Freiraum,-e
freedom die Freiheit 9
freeway die Autobahn,-en
french fries die Pommes frites (pl.)
French (subject) das Französisch; He speaks French. Er spricht französisch.
Frenchman der Franzose,-n 2

fresh frisch
Friday der Freitag,-e
friendship die Freundschaft,-en 10
Frisian friesisch 2
from aus, von
front: in front of vor; *in front* vorn 2
front seat der Vordersitz,-e
front side die Vorderseite,-n 9
front wheel das Vorderrad,ˮer 3
frozen food die Tiefkühlkost 10
fruit(s) das Obst
full voll
fun der Spaß; *Have fun!* Viel Spaß!; *It's fun.* Es macht Spaß.; *fun ride* die Vergnügungsfahrt,-en
to **function** funktionieren
funeral die Beerdigung,-en 1
funny komisch; lustig 3
furniture die Möbel (pl.) 2
further weiterhin
to **further** fördern
future die Zukunft

G

to **gallop** galoppieren
game das Spiel,-e
game piece die Figur,-en 2
game rule die Spielregel,-n 4
garage die Garage,-n
garbage der Müll
garbage dump der Müllberg,-e 10
garden der Garten,ˮ
gas gauge die Benzinuhr,-en 4
gas pedal das Gaspedal,-e 4
gasoline das Benzin
gate das Tor,-e; *(airport)* der Flugsteig,-e
gear der Gang,ˮe 3
gear shift die Gangschaltung 4
general der General,-e 1
generation die Generation,-en
genius das Genie,-s
gentleman der Herr,-en
geographical geographisch 4
geography die Erdkunde

German deutsch; *German (subject)* Deutsch; *He speaks German.* Er spricht deutsch.; *German (person)* der Deutsche,-n
German class die Deutschklasse,-n
German-speaking deutschsprachig 3
Germany Deutschland
to **get** holen; bekommen (bekam, bekommen); *to get (colloquial)* kriegen 4; *to get along* auskommen (kam aus, ist ausgekommen); *to get dressed* sich anziehen (zog an, angezogen); *to get in* einsteigen (stieg ein, ist eingestiegen); *to get lost* verloren gehen 9; *to get off* aussteigen (stieg aus, ist ausgestiegen); *to get over* überstehen (überstand, überstanden); *to get ready for* sich vorbereiten auf; *to get rid of* loswerden (wird los, wurde los, ist losgeworden); *to get there* hinkommen (kam hin, ist hingekommen) 5; *to get through* durchkommen (kam durch, ist durchgekommen); *to get together* (zusammenkommen, (kam zusammen, ist zusammengekommen); *to get to know* kennen lernen; *to get up* aufstehen (stand auf, ist aufgestanden); *to get used to* sich gewöhnen an 9
gift das Geschenk,-e
gingerbread der Lebkuchen,-
girl das Mädchen,-
girlfriend die Freundin,-nen
to **give** geben (gibt, gab, gegeben); *to give (a gift)* schenken; *to give up* abgeben (gibt ab, gab ab, abgegeben) 3; aufgeben 10
glad froh; *gladly* gern
glass das Glas,ˮer
glasses die Brille,-n
glove der Handschuh,-e
glove compartment das Handschuhfach,ˮer 4
to **glue** kleben

to **go** gehen (ging, ist gegangen); *to go (by vehicle)* fahren (fährt, fuhr, ist gefahren); *to go camping* campen gehen; *to go down* hinuntergehen 5; *to go downstairs* runtergehen; *to go inside* hineingehen; *to go out* ausgehen; *to go past* vorbeigehen; *to go there* dahinfahren 7; hingehen; *to go upstairs* raufgehen; *Let's go!* Gehen wir!
goal das Tor,-e; das Ziel,-e
goalkeeper der Torwart,ˮer
goat die Ziege,-n
goldsmith der Goldschmied,-e 7
golf das Golf
good gut
goodness die Güte; *My goodness!* Meine Güte! 3
goods die Ware,-n
goose die Gans,ˮe
Gothic gotisch 9
goulash soup die Gulaschsuppe,-n
government die Regierung,-en 6
grade die Note,-n
grammar die Grammatik 3
grandchild das Enkelkind,-er 3
granddaughter die Enkelin,-nen 3
grandfather der Großvater,ˮ
grandma die Oma,-s
grandmother die Großmutter,ˮ
grandpa der Opa,- s
grandparents die Großeltern
grandson der Enkel,- 3
grapes *(bunch of grapes)* die Weintraube,-n
grave das Grab,ˮer 3
gravestone der Grabstein,-e 2
gravity die Gravitation 9
gravy die Soße,-n 2
gray grau
great toll, super; *Great!* Klasse!
great-grandfather der Urgroßvater,ˮ 3
great-grandmother die Urgroßmutter,ˮ 3
Greece Griechenland 6

Greek der Grieche,-n 8
Greek (language) Griechisch 1
green grün
to **greet** begrüßen
greeting der Gruß,-̈e
gremlin der Kobold,-e 8
groceries die Lebensmittel (pl.)
grocery store das Lebensmittelgeschäft,-e
ground der Boden,-̈ 6; die Erde 7
ground floor das Erdgeschoss,-e; first floor (in America)
group die Gruppe,-n 2
to **grow** wachsen (wächst, wuchs, ist gewachsen)
to **grumble** maulen 1
guest der Gast,-̈e
guitar die Gitarre,-n
gunpowder wound die Schießpulverwunde,-n 8
gymnastics club der Turnklub,-s

H

habit die Gewohnheit,-en
hair das Haar,-e
hairstylist (barber) der Friseur,-e
half halb; die Hälfte,-n 10
halftime die Halbzeit,-en
hallway der Flur,-e 1
hamburger der Hamburger,-
hand die Hand,-̈e; to shake hands sich die Hand geben
hand brake die Handbremse,-n 3
handicapped person der Behinderte,-n 6
to **handle** umgehen mit (ging um, ist umgegangen)
to **hand over** übergeben (übergibt, übergab, übergeben) 1
to **hang** hängen (hing, gehangen) 8
Hanseatic League die Hanse 6
to **happen** passieren
happy froh, glücklich; Happy New Year! Ein glückliches Neues Jahr!
harbor der Hafen,-̈ 2
hard schwer
hardly kaum

harp die Harfe,-n 9
harvest die Ernte,-n 1
hat der Hut,-̈e 4
to **have** haben (hat, hatte, gehabt); to have to müssen (muss, musste, gemusst); to have on anhaben (hat an, hatte an, angehabt)
he er
head der Kopf,-̈e
to **head (ball)** köpfen
headache die Kopfschmerzen (pl.)
headlight der Scheinwerfer,-
headline die Schlagzeile,-n 5
healing art die Heilkunde 8
health die Gesundheit 3
healthy gesund
to **hear** hören
heart das Herz,-en 1
heat die Hitze 9
heavy schwer
helicopter der Hubschrauber,- 9
Hello! Hallo!, Grüß dich!, Guten Tag!
helmet der Helm,-e
help die Hilfe 2
to **help** helfen (hilft, half, geholfen); May I help you? Bitte schön?; to help oneself sich bedienen
her ihr
herb das Kraut,-̈er 8; therapeutic herb das Heilkraut,-̈er 8
here hier, hierher
heritage das Erbe 10
Hi! Hallo!, Grüß dich!
high hoch
hike die Wanderung,-en 5
to **hike** wandern
hiking map die Wanderkarte,-n 5
hiking path der Wanderweg,-e 5
his sein
history die Geschichte
history book das Geschichtsbuch,-̈er
hit (song) der Hit,-s
hobby das Hobby,-s
holiday der Feiertag,-e
Holland Holland
Holy Land das Heilige Land 3
home: at home zu Hause; to go home nach Hause gehen; home computer der Heimcomputer,- 10

homeland die Heimat 10
homeless obdachlos 10; homeless (person) der Obdachlose,-n 10
homesickness das Heimweh 10
hometown die Heimatstadt,-̈e 1
homework die Hausaufgabe,-n; to do homework Hausaufgaben machen
honest ehrlich
to **honk** hupen 2
hope die Hoffnung,-en 4
to **hope** hoffen
hopefully hoffentlich
horn die Hupe,-n 4
horoscope das Horoskop,-e 9
horror film der Horrorfilm,-e
horse das Pferd,-e
horseman der Reiter,- 2
hospital das Krankenhaus,-̈er
host family die Gastfamilie,-n 10
hot heiß; spicy scharf 7
hot chocolate der Kakao
hot dog das Würstchen,-
hotel das Hotel,-s
hour die Stunde,-n
house das Haus,-̈er
house number die Hausnummer,-n
how wie; How are you? Wie geht's?; how about wie wär's; how many wie viele; how much wie viel
human der Mensch,-en 1; menschlich 10
human right das Menschenrecht,-e 9
humor der Humor
hunch die Ahnung 10
hundred hundert
Hungary Ungarn 5
hunger der Hunger; to be hungry Hunger haben
to **hurry** schnell machen; sich beeilen
to **hurt** wehtun; schaden 4; Does it hurt you? Tut es dir weh?
husband der Ehemann,-̈er 3

I

I ich

ice cream das Eis; *favorite ice cream* das Lieblingseis; *ice cream parlor* das Eiscafé,-s

ice hockey das Eishockey

Iceland Island 2

to **ice skate** Schlittschuh laufen

idea die Idee,-n; die Ahnung; *I haven't the faintest idea.* Keine Ahnung. 10

ideal das Ideal,-e

idol das Idol,-e 4

if ob

to **ignore** ignorieren 9

ill krank

to **illuminate** beleuchten 7

illustration die Zeichnung,-en

to **imagine** sich vorstellen

immediately gleich

immigrant der Einwanderer,-

imp der Kobold,-e 8

important wichtig

impossible unmöglich

impression der Eindruck,¨-e 6

impressive eindrucksvoll 1

to **improve** verbessern 10

in in; *in the north* im Norden; *in order (to)* um

Inca der Inka,-s 7

independence die Unabhängigkeit

India Indien 3

Indian indisch 3; *Indian Ocean* der Indische Ozean 1

to **indicate** angeben (gibt an, gab an, angegeben)

indigenous einheimisch 8

individual einzeln; individuell 9

industrial industriell 7

industrious fleißig 10

industry die Industrie,-n 7

inflatable boat das Schlauchboot,-e

influence der Einfluss,¨-e

to **influence** beeinflussen 2

to **inform** informieren 4

information die Auskunft,¨-e; die Information,-en

information media das Informationsmedium,-medien 7

information sheet das Informationsblatt,¨-er 6

information superhighway die Datenautobahn,-en 10

informative informativ 3

ingenuity der Erfindungsgeist 10

inhabitant der Einwohner,-

inheritance das Erbe 10

initiative die Initiative,-n 6

to **injure** sich verletzen

injury die Verletzung,-en 8

inside drinnen; innerhalb 7

instead of anstatt

to **instruct** unterrichten 1

instruction die Anweisung,-en; der Unterricht 1

integration die Integration,-en 9

intelligent klug

to **intend** vorhaben (hat vor, hatte vor, vorgehabt)

intensive intensiv

interest das Interesse,-n 6

interesting interessant

international international 7

Internet das Internet

interpersonal (matters) das Zwischenmenschliche 10

intersection die Kreuzung,-en 2

interview das Interview,-s

to **interview** *(for a job)* sich vorstellen; interviewen 4

to **introduce oneself** sich vorstellen

to **invent** erfinden (erfand, erfunden) 7

invention die Erfindung,-en 7

inventor der Erfinder,- 7

invitation die Einladung,-en

to **invite** einladen (lädt ein, lud ein, eingeladen)

Irish setter der Irische Setter,-

to **iron** bügeln

island die Insel,-n

to **isolate** isolieren 10

it es

Italian der Italiener,- 2; italienisch; *He speaks Italian.* Er spricht italienisch.

Italy Italien

item die Sache,-n

its sein

J

jacket die Jacke,-n

jam die Marmelade

January der Januar

jeans die Jeans (pl.)

jet engine motor der Düsenflugzeugmotor,-en 10

jewelry der Schmuck

Jewish jüdisch 5

job der Job,-s; die Stelle,-n 6; *to do odd jobs* jobben

job interview das Bewerbungsgespräch,-e; das Jobinterview,-s 6

job offer das Stellenangebot,-e 6

to **jog** joggen

joke der Witz,-e

journalism der Journalismus 10

jug der Krug,¨-e

to **juggle** jonglieren 6

juggler der Jongleur,-e 4

July der Juli

to **jump** springen (sprang, ist gesprungen) 2; *to jump after* hinterherspringen 3; *to jump around* herumspringen 4

June der Juni

junior rail pass der Juniorenpass,¨-e 1

Jupiter der Jupiter 9

just gerade

K

kayak das Kajak,-s

to **keep** halten (hält, hielt, gehalten); behalten (behält, behielt, behalten) 6

ketchup der Ketschup

key der Schlüssel,-; *(piano)* die Taste,-n

keyboard das Keyboard,-s

kick start der Kick-Starter,- 2

to **kill** töten 3

kilo das Kilo,-s

kilometer der Kilometer,-

kind die Art,-en 5; *kind of fruit(s)* die Obstsorte,-n; *kind of sausage* die Wurstsorte,-n

king der König,-e
to **kiss** küssen 5
kitchen die Küche,-n
kitchen cupboard der Küchenschrank,ːe
kitchen sink das Spülbecken,-
kitchen table der Küchentisch,-e
kite der Drachen,- 2
knapsack der Rucksack,ːe
knee das Knie,- 8
kneepads der Knieschutz 8
knife das Messer,-
knight der Ritter,- 4
to **knit** stricken
knot der Knoten,-
to **know** (person, place) kennen (kannte, gekannt); to know (fact) wissen (weiß, wusste, gewusst); to know one's way around sich auskennen (kannte aus, ausgekannt)
knowledge das Wissen 8
Korean War der Koreakrieg 8

L

label das Etikett,-en
lady die Dame,-n
lake der See,-n
lamp die Lampe,-n
to **land** landen
landmark das Wahrzeichen,- 5
land route der Landweg 1
landscape die Land-schaft,-en 4
language die Sprache,-n
laptop das Notebook,-s
large groß
lasagna (Italian pasta dish) Lasagne
last letzt-
to **last** dauern
late spät; See you later! Bis später!
Latin das Latein; lateinisch 1
to **laugh** lachen 3
laundry die Wäsche
law das Gesetz,-e; das Recht,-e 6
lawn der Rasen,-
lawyer der Rechtsanwalt,ːe
layer cake die Torte,-n
lazy faul 6

to **lead** führen
leader der Führer,- 6
league die Liga
to **learn** lernen
least: at least wenigstens 6
to **leave** lassen (lässt, ließ, gelassen); verlassen (verlässt, verließ, verlassen); abfahren (fährt ab, fuhr ab, ist abgefahren); losfahren 1
left links; on the left side auf der linken Seite
leg das Bein,-e
leisure time die Freizeit
lemonade die Limo,-s; die Limonade,-n
lemon ice cream das Zitroneneis
lense die Linse,-n 9
lesson: private lesson die Nachhilfestunde,-n 8
to **let** lassen (lässt, ließ, gelassen)
letter der Brief,-e; letter (of the alphabet} der Buchstabe,-n 7
letter of application der Bewerbungsbrief,-e 6
letter of recommendation das Empfehlungs-schreiben,-
library die Bibliothek,-en 7
license plate das Nummernschild,-er
lie liegen (lag, gelegen)
Liechtenstein Liechtenstein
life das Leben; everyday life der Alltag 10
life jacket die Schwimmweste,-n
lifelong lebenslang 9
to **lift** heben (hob, gehoben)
light hell
light das Licht,-er 2
lighthouse der Leuchtturm,ːe 2
to **light up** beleuchten 7
to **like** mögen; to like gefallen (gefällt, gefiel, gefallen); gern haben; How do you like...? Wie gefällt dir...?
like-minded der Gleichgesinnte,-n 10
line die Linie,-n
lip die Lippe,-n
to **listen to** hören; anhören 7
listener der Hörer,-

literature die Literatur 4; die Dichtung,-en 5
little klein, wenig; a little etwas; Little Red Riding Hood Rotkäppchen 7
to **live** wohnen; leben 1; to live on weiterleben 2
lively lebendig
living quarter der Wohnraum,-räume 2
living room das Wohnzimmer,-
to **loan** ausleihen (lieh aus, ausgeliehen) 7
local lokal; einheimisch 8
location die Lage,-n 4
locomotive die Lokomotive,-n 1
to **log in** einloggen 10
to **log out** ausloggen 10
lonely einsam
long lang(e); long time lange
to **look** aussehen (sieht aus, sah aus, ausgesehen); to look after sich kümmern um; to look around sich umschauen 5; to look at sich ansehen; to look for suchen; to look forward to sich freuen auf; to look inside hereinsehen
to **loot** plündern 2
to **lose** verlieren (verlor, verloren)
loser der Verlierer,- 4
love die Liebe 1
to **love** lieben
love story die Liebesgeschichte,-n 9
low niedrig 8
to **lower** hinunterlassen (lässt hinunter, ließ hinunter, hinuntergelassen)
LP record die Schall-platte,-n 7; die Stereoplatte,-n 10
luck das Glück
lucky: to be lucky Glück haben
luggage das Gepäck
luggage cart der Kofferkuli,-s
lunch das Mittagessen
Luxembourg Luxemburg

M

machine die Maschine,-n 7
magazine die Zeitschrift,-en

mail die Post
to **mail (letter, card)** einwerfen *(wirft ein, warf ein, eingeworfen)*
mailbox der Briefkasten,¨
to **maintain** behaupten 6
to **make** machen; *to make a difference* ausmachen; *to make music* Musik machen; *to make possible* ermöglichen 10; *to make sure* sich überzeugen; *We made it.* Das haben wir geschafft.
mammal das Säugetier,-e 10
man der Mann,¨er
to **manage (it)** schaffen, managen
manager der Leiter,-
manner die Weise; *in this manner* auf die Weise
manure der Mist 5
many viele
map die Landkarte,-n
March der März
market der Markt,¨e
marmalade die Marmelade,-n
married verheiratet 3; *married couple* das Ehepaar,-e 3
to **marry** heiraten 3
marsh der Sumpf,¨e 9
mass production die Massenproduktion,-en 7
master der Herr,-en; *Roman master* der römische Herr 1
match das Streichholz,¨er
material das Material,-ien 1
mathematician die Mathematikerin,-nen 7
mathematics (math) die Mathematik (Mathe); *math class* die Mathestunde/Matheklasse
may dürfen (darf, durfte, gedurft)
May der Mai
mayonnaise die Mayonnaise 7
mayor der Bürgermeister,-
meadow die Wiese,-n 4
meal das Essen,-; die Mahlzeit,-en; die Speise,-n
to **mean** meinen, bedeuten; *it means a lot to me* es bedeutet mir viel

meaning die Bedeutung,-en 10
means of transportation das Verkehrsmittel,-; das Transportmittel,- 2
meantime: in the meantime unterdessen
meat das Fleisch
mechanic der Mechaniker,-
mechanical mechanisch 7
media die Media, -dien 9
medicine die Medizin
Mediterranean Sea das Mittelmeer 6
to **meet** treffen (trifft, traf, getroffen); *Let's meet!* Treffen wir uns!
meeting das Treffen,- 9
member das Mitglied,-er
member country das Mitgliedsland,¨er 9
membership card die Mitgliedskarte,-n
menu die Speisekarte,-n
merchants die Kaufleute (pl.) 6
metal das Metall,-e 6
meter der Meter,-
method die Methode,-n 7
metropolis die Großstadt,¨e
Mexico Mexiko 1
microphone das Mikrofon,-e
microwave oven der Mikrowellenherd,-e
middle die Mitte
Middle Ages das Mittelalter
might die Macht,¨e 1
milk die Milch
milk product das Milchprodukt,-e 8
million die Million,-en
mineral das Mineral,-ien 8
mineral water das Mineralwasser
mining der Bergbau 10
minus minus
minute die Minute,-n
mirror der Spiegel,-
to **mislead** täuschen
to **miss** verpassen; vermissen 10
mistake der Fehler,- 4
mobile mobil 2
mobile stand der Verkaufswagen,- 7
model das Vorbild,-er; das Modell,-e 1

model construction der Modellbau 6
model train die Spielzeugeisenbahn,-en 1; der Spielzeugzug,¨e 1
modern modern
modest bescheiden 3
mom die Mutti,-s
moment der Moment,-e; *Just a moment!* Moment mal!
monastery das Kloster,¨ 3
Monday der Montag,-e
money das Geld
monk der Mönch,-e 7
month der Monat,-e
monthly pass die Monatskarte,-n 1
monument das Denkmal,¨er 2
mood die Laune,-n 3
moon der Mond,-e 9
moped das Moped,-s; der Kicker,- 2
more mehr; *more than* mehr als; *there are no more tickets available* es gibt keine Karten mehr
morning der Morgen,-; *this morning* heute Morgen
most meist-; *most of them* die meisten; *mostly* meistens
mother die Mutter,¨
Mother's Day der Muttertag
motif das Motiv,-e 9
to **motivate** motivieren 3
motivation die Motivation,-en 3
motor der Motor,-en
motorcycle das Motorrad,¨er
motorcycle freak der Motorradfreak,-s
motor scooter der Motorroller,-
motto das Motto,-s 6
mountain der Berg,-e; *mountains (pl.)* das Gebirge,- 9
mountain biking das Mountainbiking 3
mouse die Maus, Mäuse
mouth der Mund,¨er
mouth guard der Mundschutz 8
movable beweglich 7
to **move** bewegen 7

movement die Bewegung,-en
movie der Film,-e
movie theater das Kino,-s
to mow mähen
Mr. der Herr,-en
Mrs. die Frau,-en
much viel
multimedia das Multimedia
muscle der Muskel,-n
museum das Museum, Museen
mushroom der Champignon,-s
music die Musik; *music festival* das Musikfest,-e; *music store* das Musikgeschäft,-e
musical musikalisch; *musical instrument* das Musikinstrument,-e
musician der Musiker,-
must müssen (muss, musste, gemusst)
mustard der Senf
my mein

N

nail der Nagel,⸚ 6
name der Name,-n; *What's your name?* Wie heißt du?, Wie heißen Sie?
to name nennen (nannte, genannt)
napkin die Serviette,-n
national national 9
national anthem die Nationalhymne,-n 7
national flag die Nationalfahne,-n
national sport der Nationalsport
natural(ly) natürlich; selbstverständlich 7
natural sciences die Naturwissenschaften (pl.)
natural scientist der Naturforscher,- 8
nature die Natur
nature lover der Naturfreund,-e
navigation die Navigation 6
near bei, nah
nearby in der Nähe
nearness die Nähe
neck der Hals,⸚e
to need brauchen
neighbor der Nachbar,-n

neighborhood die Nachbarschaft,-en
neighboring country das Nachbarland,⸚er
neighboring island die Nachbarinsel,-n 2
nephew der Neffe,-n 3
nervous nervös
Netherlands die Niederlande
never nie
nevertheless trotzdem
new neu
news die Nachricht,-en
newspaper die Zeitung,-en
newspaper stand der Zeitungsstand,⸚e
newsstand der Kiosk,-e
New Year das Neujahr
next nächst; *next to* neben
nice nett
niece die Nichte,-n 3
night die Nacht,⸚e 3
nine neun
nineteen neunzehn
ninety neunzig
no nein, kein(e)
Nobel Peace Prize der Friedensnobelpreis 9
noble nobel 1
nobody niemand
noise der Lärm
nonsmoking car der Nichtraucher-Wagen,- 1
noodle die Nudel,-n 8
noon der Mittag,-e; *today at noon* heute Mittag
no one niemand
normal normal; *normally* normalerweise 1
north der Norden; *in the north* im Norden; *north (of)* nördlich (von) 1
North America Nordamerika 1
northeast der Nordosten 1
north pole der Nordpol 1
North Sea die Nordsee
northwest der Nordwesten 1
nose die Nase,-n
not nicht
note die Notiz,-en 9
notebook das Heft,-e
nothing nichts
to notice bemerken; merken 8
to nourish sich ernähren 8
novel der Roman,-e
November der November
now jetzt

nowadays heutzutage
number die Nummer,-n
nurse *(female)* die Krankenschwester,-n; *(male)* der Krankenpfleger,-
nut-flavored ice cream das Nusseis
nutrient der Nährstoff,-e 8
nutrition die Ernährung 8

O

oar stroke der Ruderschlag,⸚e 3
objective objektiv 9
obvious selbstverständlich 7
occasion der Anlass,⸚e
occupation der Beruf,-e
to occur einfallen (fällt ein, fiel ein, ist eingefallen) 9
ocean das Meer,-e
October der Oktober
of von; *of course* natürlich
offer das Angebot,-e
to offer anbieten (bot an, angeboten); bieten (bot, geboten)
office das Büro,-s
official offiziell; *official currency* die offizielle Währung
often oft
oil das Öl 3
old alt
old-fashioned altmodisch 10
old town die Altstadt,⸚e
on an, auf; *on the other hand* andererseits; *on the way* unterwegs; *on top* oben
once einmal; *once in a while* ab und zu
one eins, man
oneself selbst
one-way street die Einbahnstraße,-n 2
onion die Zwiebel,-n
only nur; einzig 9; *not only...but also* nicht nur...sondern auch
open geöffnet
to open aufmachen; öffnen 6
opening die Eröffnung,-en 5
open-minded weltoffen 10
opera die Oper,-n; *to perform operas* Opern aufführen

ophthalmologist der Augenarzt,-̈e

opinion die Meinung,-en

opportunity die Gelegenheit,-en

optimistic optimistisch

optometrist der Optiker,-

or oder

oral(ly) mündlich

orange orange

orange die Apfelsine,-n

order die Ordnung

to **order** bestellen

ore mine das Erzbergwerk,-e *10*

organ (*musical instrument*) die Orgel,-n *9*

to **organize** organisieren *4*

to **orient oneself** sich orientieren

others andere

otherwise sonst

our unser

outdoors im Freien

outside draußen, außerhalb

over über

overcast bewölkt

overhead electric wire die Oberleitung,-en *7*

overnight stay die Übernachtung,-en

overweight das Übergewicht *8*

owl die Eule,-n *9*

own eigen

owner der Besitzer,-

ozone der Ozon *9*

P

Pacific Ocean der Pazifik *1*

to **pack** packen

package das Paket,-e; die Packung,-en

pad das Polster,- *8*

to **paddle** paddeln

paddock die Koppel,-n

to **paint** malen

painter der Maler,-

painting das Gemälde,-; die Malerei *6*

pair das Paar,-e

palace der Palast,-̈e *1*

panic die Panik *9*

pants die Hose,-n

paper das Papier

parade der Umzug,-̈e

paradise das Paradies

parasite der Schmarotzer,-10

parents die Eltern

park der Park,-s *2*

to **park** parken

parking lot der Parkplatz,-̈e *8*

parrot der Papagei,-en

part der Teil,-e; *for the most part* zum größten Teil

participant die Teilnehmerin,-nen

to **participate** mitmachen; *to participate in* teilnehmen an (nimmt teil, nahm teil, teilgenommen) *4; to participate in sports* Sport treiben

party die Party,-s

to **pass a test** eine Prüfung bestehen (bestand, bestanden)

passport der Reisepass,-̈e

passport control die Passkontrolle,-n *9*

past die Vergangenheit *9*

path der Weg,-e

patience die Geduld *6*

patient der Patient,-en

to **pay** bezahlen; *to pay attention* aufpassen; *to pay duty* verzollen; *to pay separately* getrennte Kasse machen

pea die Erbse,-n

peace die Ruhe; der Frieden *9*

peaceful ruhig *2*

peach der Pfirsich,-e

peak der Gipfel,- *9*

peanut butter die Erdnussbutter

pear die Birne,-n

pedal das Pedal,-e *3*

to **pedal** treten (tritt, trat, getreten) *2*

pedestrian der Fußgänger,- *2*

pedestrian zone die Fußgängerzone,-n *4*

pen (*ballpoint*) der Kuli,-s

penalty kick der Elfmeter,-

pencil der Bleistift,-e

penny der Pfennig,-e *7*

pen pal der Brieffreund,-e

Pentecost Pfingsten

people die Leute (pl.); das Volk,-̈er *2*

pepper der Pfeffer

percussion das Schlagzeug

perfect perfekt *10*

to **perform** aufführen

performance die Aufführung,-en

perhaps vielleicht

person der Mensch,-en *1*

personal persönlich; *personal data* der Steckbrief,-e *1*

pessimistic pessimistisch

pet das Haustier,-e

pfennig der Pfennig,-e *7*

pharmacist der Apotheker,-

phase die Phase,-n *3*

photo das Foto,-s; *photo album* das Fotoalbum,-alben

photographer der Fotograf,-en

photography magazine die Fotozeitschrift,-en

photo store das Fotogeschäft,-e

physician der Arzt,-̈e; der Doktor,-en

physicist die Physi-kerin,-nen *6*

physics die Physik

piano das Klavier,-e

to **pick up** abholen

picnic das Picknick,-e

picture das Bild,-er

picture postcard die Ansichtskarte,-n

pig das Schwein,-e

pilot (*female*) die Pilotin,-nen; (*male*) der Pilot,-en

pink rosa

pirate der Pirat,-en *6*

pit die Grube,-n *10*

pity: that's a pity es ist schade

pizza die Pizza,-s

pizza restaurant die Pizzeria,-s

place der Platz,-̈e; die Stätte,-n *10*

to **place** legen, stellen

plain die Ebene,-n *9*

plan der Plan,-̈e *3*

to **plan** vorhaben (hat vor, hatte vor, vorgehabt); planen

planet der Planet,-en *9*

planetary orbit die Planetenbahn,-en *9*

plant die Pflanze,-n *8*

to **plant** pflanzen *1*

plate die Platte,-n; der Teller,-

platform der Bahnsteig,-e *1*

to **play** spielen; *to continue playing* weiterspielen

player der Spieler,-

playing field das Spielfeld,-er *8*

play money das Spielgeld *4*

pleasant angenehm

please bitte

pleasure das Vergnügen; *Business before pleasure. Zuerst kommt die Arbeit und dann das Vergnügen.*

plum die Pflaume,-n

plus plus

poem das Gedicht,-e

poet der Dichter,- *5*

poetry die Dichtung,-en *5*

point der Punkt,-e

Poland Polen

pole die Stange,-n

police die Polizei

police officer der Polizist,-en

to **polish** polieren *2*

polite höflich *5*

political politisch *5*

politician der Politiker,- *1*

politics die Politik

polling station das Wahllokal,-e *10*

to **pollute** verschmutzen *3*

polonaise (name of dance) die Polonaise,-n *5*

poor arm *6*

pope der Papst,-̈e *3*

popular beliebt

portrait das Porträt,-s *9*

to **portray** darstellen *9*

Portugal Portugal *9*

Portuguese portugiesisch *9*

position die Stelle,-n *6*

positive positiv *6*

possibility die Möglichkeit,-en

possible möglich

postcard die Postkarte,-n

poster das Poster,-

post office die Post

potato die Kartoffel,-n; *boiled potatoes* die Salzkartoffeln; *fried potatoes* die Bratkartoffeln; *potato dish* die Kartoffelspeise,-n *7*

potential das Potential,-e *10*

pound das Pfund,-e

power die Macht,-̈e *1*

powerful mächtig *6*

practical praktisch; *practical training* das Praktikum,-ka

practice die Übung,-en; *practice: (medical) practice* die Praxis,-xen *6*; *Practice makes perfect!* Übung macht den Meister!

to **practice** üben, trainieren

prank der Streich,-e *6*

to **prepare** *(meal)* zubereiten; *to prepare for* sich vorbereiten auf

to **prescribe** verschreiben (verschrieb, verschrieben)

present das Geschenk,-e

to **preserve** erhalten (erhält, erhielt, erhalten)

president der Präsident,-en *5*

to **press** drücken *4*

pretzel die Brezel,-n

to **prevent** verhindern *9*

price der Preis,-e

prince der Fürst,-en

principality das Fürstentum

to **print** drucken

printer der Drucker,-

printing press die Buchpresse,-n *7*

prism das Prisma,-men *9*

private privat *3*; *private life* das Privatleben *9*

probably wahrscheinlich *5*

problem das Problem,-e

to **produce** produzieren *4*; herstellen *8*

productive produktiv *8*

professional professionell *4*

professor der Professor,-en

program das Programm,-e *6*

progress der Fortschritt,-e *10*

project das Projekt,-e *8*

to **promise** versprechen (verspricht, versprach, versprochen) *6*

to **promote** fördern

to **protect** schützen

protection der Schutz *8*

protector der Protektor,-en *8*

Protestant evangelisch *9*

proud stolz *4*

to **prove** beweisen (bewies, bewiesen) *9*

province die Provinz,-en *1*

proximity Nähe

Prussia Preußen *9*

psychological seelisch *8*

public öffentlich *7*

to **publish** veröffentlichen *9*

pudding der Pudding

pullover der Pullover,-; der Pulli,-s

punctual pünktlich

puppet die Puppe,-n *8*

purchase der Kauf,-̈e *3*

purse die Handtasche,-n

to **push** schieben (schob, geschoben); stoßen (stößt, stieß, gestoßen); drücken *4*; *push button* Taste,-n

to **put** legen, stellen; *to put in (mailbox)* einwerfen (wirft ein, warf ein, eingeworfen); *to put on* auflegen, aufsetzen; *to put together* zusammenbauen

Q

quality die Qualität,-en

to **quarrel** sich streiten (stritt, gestritten) *7*

quarter das Viertel,-

question die Frage,-n; *to ask a question* eine Frage stellen *3*

questionnaire der Fragebogen,- *8*

quiet ruhig *2*

to **quit** aufhören

quite ganz; *quite well* ganz gut; *not quite yet* noch nicht ganz

quiz show die Quizsendung,-en

R

race das Rennen,- *3*

radical radikal *3*

radio das Radio,-s; der Rundfunk; *clock radio* der Radiowecker,-

radio station der Rundfunksender,-; der Sender,- *7*; der Radiosender,- *10*

rag *(to wipe off chalkboard)* der Tafellappen,-

rail die Schiene,-n *7*

rail car der Waggon,-s *1*

railroad die Bahn,-en *1*

rain der Regen *9*

to **rain** regnen

rain gear der Regenschutz *5*

rain shower der Regenschauer,-

rare selten *2*

rather lieber; *I would rather eat...* Ich möchte lieber...essen.

to **reach** erreichen *10*

to **read** lesen (liest, las, gelesen); *to read aloud (to others)* vorlesen

ready fertig, bereit *2*

real real; *really* wirklich

realistic(ally) realistisch

rear wheel das Hinterrad,--er *3*

reason der Grund,--e *2*

reasonable preiswert

to **rebuild** aufbauen *8*

to **recall** erinnern an

receipt die Quittung,-en

to **receive** bekommen (bekam, bekommen); erhalten (erhält, erhielt, erhalten)

to **receive** empfangen (empfängt, empfing, empfangen) *10*

receiver der Empfänger,-

reception die Rezeption

recess die Pause,-n

recipient der Empfänger,-

to **recognize** erkennen (erkannte, erkannt)

to **recommend** empfehlen (empfiehlt, empfahl, empfohlen) *8*

record: LP record die Schallplatte,-n *7*

to **record** aufnehmen (nimmt auf, nahm auf, aufgenommen)

recorder die Blockflöte,-n

recording die Aufnahme,-n

record player der Plattenspieler,- *7*

to **recover** sich erholen *3*

recycling das Recycling

red rot

to **rediscover** wiederentdecken *8*

rediscovery die Wiederentdeckung,-en *8*

reduced reduziert

to **reflect** nachdenken (dachte nach, nachgedacht)

to **reform** reformieren *3*

refrigerator der Kühlschrank,--e

region die Region,-en *1*; das Gebiet,-e *7*

regional regional *4*

to **register** registrieren, melden

registration die Anmeldung,-en *4*

to **regret** bedauern *10*

to **regulate** regulieren

to **rehabilitate** rehabilitieren

rehearsal die Probe,-n *5*

relationship die Beziehung,-en *8*

relative der Verwandte,-n *9*

to **relax** entspannen; sich erholen *3*

relaxation die Erholung *2*

religion die Religion,-en

religious religiös *3*

to **relinquish** abgeben (gibt ab, gab ab, abgegeben) *3*

to **remain standing** stehen bleiben (blieb stehen, ist stehen geblieben) *2*

remedy das Heilmittel,- *8*

Renaissance die Renaissance *7*

renovated renoviert *2*

to **rent** leihen (lieh, geliehen) *5*

repair die Reparatur,-en

to **repair** reparieren

repair shop die Werkstatt,--e

replacement part das Ersatzteil,-e

research die Recherche,-n *10*

reservation die Reservierung,-en *1*

to **reserve** reservieren

resistance der Widerstand *4*

resort der Kurort,-e *2*

respect der Respekt *9*

respiratory tract der Atemweg,-e *8*

responsible for verantwortlich für *9*

to **restore** restaurieren *6*

result das Ergebnis,-se *8*

resume der Lebenslauf,--e *6*

revolutionary revolutionär *8*

Rhaeto-Romanic Rätoromanisch *3*

rhetoric die Rhetorik *3*

Rhine ship das Rheinschiff,-e

rhythm der Rhythmus

rice der Reis *8*

rich reich *4*

ride die Fahrt,-en

to **ride** fahren (fährt, fuhr, ist gefahren); *to ride (a horse)* reiten (ritt, ist geritten); *to ride along* mitfahren *3*; *to ride downhill* hinunterfahren *3*; *to ride out* hinausreiten; *to ride uphill* hinauffahren *3*

ride share agency die Mitfahrzentrale,-n *4*

ride share opportunity die Mitfahrgelegenheit,-en *4*

ride sharer der Mitfahrer,- *4*

right richtig; das Recht,-e *6*; *right around the corner* gleich um die Ecke; *to be right* Recht haben; rechts *(direction)*; *That's right.* Das stimmt.

to **ring** *(bell)* klingeln; *The bell is ringing.* Es klingelt.

to **rinse** spülen

river der Fluss,--e

roast der Braten,- *2*

roast pork der Schweinebraten

rock concert das Rockkonzert,-e

rock group die Rockgruppe,-n

rock music die Rockmusik

role die Rolle,-n

roll das Brötchen,-

to **roll** rollen; *to roll up* zusammenrollen

roller coaster die Achterbahn,-en

Roman römisch *1*; der Römer,- *3*

romance novel der Liebesroman,-e

roof das Dach,--er

room das Zimmer,-; der Raum, Räume

rope das Seil,-e

round-trip hin und zurück *1*

routine die Routine

row die Reihe,-n

royal königlich

to **ruin** ruinieren *8*

rule die Regel,-n

to **rule** herrschen *1*; regieren *3*

ruler *(measure)* das Lineal,-e; *(head of country)* der Herrscher,- *1*

to **run** laufen (läuft, lief, ist gelaufen); *to run around* herumlaufen; *to run (for office)* kandidieren *10*
runway die Startbahn,-en *9*
rusted verrostet *3*
RV (recreational vehicle) der Wohnwagen,-

S

sad traurig
saddle der Sattel,- *3*
safe sicher
safety die Sicherheit *3*
to **sail** segeln
sailboat das Segelboot,-e
sailing ship das Segelschiff,-e *6*
sailor der Seemann,-er *2*
salad der Salat,-e; *tossed salad* gemischter Salat
sale: special (sale) das Sonderangebot,-e
salesman der Verkäufer,-
sales manager die Verkaufsleiterin,-nen *1*
saleswoman die Verkäuferin,-nen
salt das Salz
salty salzhaltig *8*
same gleich *5*
sandwich das belegte Brot *2*
satellite der Satellit,-en *9*
satisfied zufrieden *3*
Saturday der Samstag,-e; der Sonnabend,-e
sauce die Soße,-n *2*
saucer die Untertasse,-n
sauerbraten (*marinated beef roast*) der Sauerbraten
sauerkraut das Sauerkraut
sausage die Wurst,-e; *sausage sandwich* das Wurstbrot,-e
to **save** (*money*) sparen; *to save* (*person*) retten
saxophone das Saxophon,-e
to **say** sagen
scale die Waage,-n
Scandinavia Skandinavien *2*
Scandinavian skandinavisch *2*
scarcely kaum
scene die Szene,-n
scenery die Landschaft,-en *4*

schedule der Fahrplan,-e
schick chic
scholar der Gelehrte,-n *8*
scholarship das Stipendium,-dien *4*
school die Schule,-n; *secondary school* das Gymnasium,-sien; *boarding school* die Internatsschule,-n *10*
schoolbag die Schultasche,-n
school day der Schultag,-e
schoolmate der Schulfreund,-e
school yard der Schulhof,-e
science die Wissenschaft,-en *1*
scientist der Wissenschaftler,- *8*
scooter der Roller,-
to **scream** schreien (schrie, geschrien)
sculptor der Bildhauer,-
sea das Meer,-e *2*
seal das Siegel,- *9*
search die Suche *6*
season die Jahreszeit,-en
seat Platz,-e; der Sitzplatz,-e; der Sitz,-e *9*
seatbelt der Sicherheitsgurt,-e
seaway der Seeweg *1*
secretary der Sekretär,-e
section Teil,-e
to **secure** sich festmachen; *to secure (to a rope)* straff machen
to **see** sehen (sieht, sah, gesehen); *See you!* Tschau!, Tschüs!
to **seem** scheinen (schien, geschienen)
to **select** sich aussuchen; wählen *9*
selection die Auswahl; *a selection in* eine Auswahl an
self-assured selbstsicher *10*
to **sell** verkaufen
semester das Semester,-
senate der Senat *2*
to **send** schicken, senden
sender der Absender,-
senseless sinnlos
sentence der Satz,-e
separate einzeln
September der September
series die Serie,-n *7*

serious ernst; *to take seriously* ernst nehmen *10*
seriousness der Ernst
to **serve** bedienen; dienen *1*
to **set the table** den Tisch decken
seven sieben
seventeen siebzehn
seventy siebzig
to **sew together** zusammennähen *6*
shall werden
to **shave oneself** sich rasieren
she sie
sheep das Schaf,-e
sheet (*of paper*) das Blatt,-er *6*
shelf das Regal,-e
to **shift gears** schalten; die Gänge schalten *4*
shin guards der Schienbeinschutz *8*
to **shine** scheinen (schien, geschienen)
ship das Schiff,-e
shipbuilding der Schiffbau *6*
shirt das Hemd,-en; das Shirt,-s
shoe der Schuh,-e
to **shoot** schießen schoss, geschossen)
shop das Geschäft,-e
to **shop** einkaufen; *to go shopping* einkaufen gehen
shop window das Schaufenster,-
shopping bag die Einkaufstasche,-n
shopping cart der Einkaufswagen,-
shopping center das Einkaufszentrum,-tren
shopping list die Einkaufsliste,-n
shore das Ufer,-
short kurz
short-wave radio das Kurzwellen-Radio,-s *10*
should sollen
shoulder die Schulter,-n
to **show** zeigen; *to show up* auftauchen
shower die Dusche,-n
to **shower** sich duschen
show-off der Angeber,- *6*
shy schüchtern *10*
siblings die Geschwister (pl.) *1*

sick krank
sickness die Krankheit,-en *8*
side die Seite,-n
side dish die Beilage,-n
sidewalk der Bürgersteig,-e *2*
sight die Sehenswürdigkeit,-en
sign das Zeichen,- *2*
signal das Signal,-e
significance die Bedeutung,-en *10*
silk die Seide,-n *5*
silver das Silber *8*
similar ähnlich
simple einfach *1*
since seit
sincere herzlich
to **sing** singen
singer *(female)* die Sängerin,-nen; *(male)* der Sänger,-
single unverheiratet, alleinstehend *3*
sister die Schwester,-n; *twin sister* die Zwillingsschwester,-n
sister-in-law die Schwägerin,-nen *3*
to **sit** sitzen (saß, gesessen); *to sit around* herumsitzen; *to sit down* sich setzen, sich hinsetzen *4; to sit on* sitzen auf
site die Stätte,-n *10*
situation die Situation,-en
six sechs *(on a die)* der Sechser,- *4*
sixteen sechzehn
sixty sechzig
size die Größe,-n
to **sketch** zeichnen *9*
ski der Ski,-er; *to ski* Ski laufen
skirt der Rock,-̈e
slacks die Hose,-n
to **sleep** schlafen (schläft, schlief, geschlafen)
sleeping bag der Schlafsack,-̈e
slice die Scheibe,-n; *a slice of bread* eine Scheibe Brot
slogan der Slogan,-s *10*
slow langsam
small klein
smart klug; *smart (looking)* schick
smartie der Schlauberger,-

to **smile** lächeln
smoker der Raucher,- *4*
snack bar der Imbiss,-e; der Imbissstand,-̈e
snow der Schnee; *Snow White* Schneewittchen *7*
to **snow** schneien
so also; *So, what is your present?* Also, was ist dein Geschenk?
soccer der Fußball
soccer ball der Fußball,-̈e
soccer field der Fußballplatz,-̈e
soccer team die Fußballmannschaft,-en
soccer world championship die Fußballweltmeister-schaft,-en *7*
social sozial *9*
sock die Socke,-n
sofa das Sofa,-s
soldier der Soldat,-en *2*
solid stabil
solution die Lösung,-en *7*
to **solve** lösen *4*
some etwas, manche
someone jemand
something etwas; *something else* etwas anderes
sometimes manchmal
somewhere irgendwo; *somewhere else* woanders
son der Sohn,-̈e
song das Lied,-er
soon bald
sore throat die Halsschmerzen (pl.)
to **sound** klingen (klang, geklungen)
sound engineer der Tontechniker,-
sound (recording) studio das Tonstudio,-s
soup die Suppe,-n
soupspoon der Suppenlöffel,-
sour sauer
south der Süden; *south (of)* südlich (von) *1*
southeast der Südosten *1*
south pole der Südpol *1*
southwest der Südwesten *1*
souvenir das Andenken,- *5*
spa der Kurort,-e *2; das* Bad,-̈er *4*

space der Raum, Räume *7*
spaetzle *(kind of homemade pasta)* die Spätzle
Spain Spanien
Spaniard der Spanier,- *2*
Spanish spanisch; *He speaks Spanish.* Er spricht spanisch.
to **speak** sprechen (spricht, sprach, gesprochen); *to speak about oneself* über sich selbst sprechen
special besonders; *something special* etwas Besonderes
special offer das Sonderangebot,-e
specialty die Spezialität,-en
spectator der Zuschauer,-
speed das Tempo; die Geschwindigkeit,-en *8*
speedometer der Tachometer,- *4*
to **spend** *(money)* ausgeben (gibt aus, gab aus, ausgegeben); *to spend (time)* verbringen (verbrachte, verbracht)
spice das Gewürz,-e *2*
spicy scharf *7*
spinach der Spinat
to **splash** spritzen
sponge der Schwamm,-̈e *6*
sport(s) der Sport; *to participate in sports* Sport treiben; *sports show (news)* die Sportschau
sports class die Sportstunde,-n
sports department die Sportabteilung,-en
sports show die Sportsendung,-en
to **spread** sich verbreiten *8*
spreading die Verbreitung,-en *9*
spring der Frühling,-e; *(water)* die Quelle,-n *1*
stable der Stall,-̈e
stadium das Stadion,-dien
stage die Bühne,-n *6*
stage show die Bühnenshow,-s *4*
stairs *(stairway)* die Treppe,-n
stamp die Briefmarke,-n
to **stand** stehen (stand, gestanden); *to stand in line* Schlange stehen

standard der Standard,-s 9
standardized einheitlich 9
star (entertainment) der Star,-s; (sky) der Stern,-e 6
start (beginning) der Anfang,-̈e; der Start,-s 4
to **start** anfangen; to start losgehen; to start (game) rauskommen (kam raus, ist rausgekommen) 4; to start the motor den Motor starten 4; When will it start? Wann geht's denn los?
state der Staat,-en
stationery die Schreibwaren (pl.)
statistics die Statistik,-en
stay der Aufenthalt,-e
to **stay** bleiben (blieb, ist geblieben); to stay overnight übernachten
steam der Dampf,-̈e 1
steel der Stahl 7
steep steil
to **steer** lenken 8
steering wheel das Steuerrad,-̈er; das Lenkrad,-̈er
step der Schritt,-e 6
stepbrother der Stiefbruder,-̈
stepchild das Stiefkind,-er 3
stepdaughter die Stieftochter,-̈ 3
stepfather der Stiefvater,-̈ 3
stepmother die Stiefmutter,-̈ 3
stepsister die Stiefschwester,-n 3
stepson der Stiefsohn,-̈e 3
stereo system die Stereoanlage,-n
stewed fruit das Kompott
to **stick** stecken, kleben
sticker das Etikett,-en
stiff steif
still noch
to **stink** stinken (stank, gestunken) 5
stocking der Strumpf,-̈e
stomach der Bauch, Bäuche; der Magen,-̈
stomachache die Bauchschmerzen (pl.)
stone der Stein,-e 4
stop die Haltestelle,-n

to **stop** aufhören; anhalten (hält an, hielt an, angehalten); stoppen 8
store das Geschäft,-e
story (building) der Stock, Stockwerke; story die Geschichte,-n; detective story der Krimi,-s; spooky story die Gruselgeschichte,-n 9
stove der Herd,-e
straight ahead geradeaus
strange komisch, fremd; seltsam 5
strangers fremde Leute
strawberry die Erdbeere,-n
strawberry ice cream das Erdbeereis
strawberry shake der Erdbeershake,-s
strawberry sundae das Spaghetti Eis
street die Straße,-n; one-way street die Einbahnstraße,-n 2
street artist der Straßenkünstler,- 4
streetcar die Straßenbahn,-en
street sign das Straßenschild,-er 2
strength die Kraft; strength training das Krafttraining; to do strength training Krafttraining machen
stress der Stress 8
stressed gestresst 6
stretch die Strecke,-n
strict streng
strong stark
student (elementary through high school) der Schüler,-; (advanced) der Fortgeschrittene,-n
student forum das Schülerforum 9
student representative der Schulsprecher,- 10
studies (university) das Studium, -ien
studio das Studio,-s
to **study** (university) studieren 10
study (abroad) program das Studienprogramm,-e 10
stupid doof 4; dumm 10
sturdy stabil
subject (school) das Fach,-̈er

suburb der Vorort,-e 7
subway die U-Bahn,-en
success der Erfolg,-e
successful erfolgreich 4
suddenly plötzlich
sugar der Zucker
to **suggest** vorschlagen (schlägt vor, schlug vor, vorgeschlagen)
suit der Anzug,-̈e
suitcase der Koffer,-
summer der Sommer,-
summer month der Sommermonat,-e
summer vacation die Sommerferien
summit der Gipfel,- 9
sun die Sonne
sun hat der Sonnenhut,-̈e 5
Sunday der Sonntag,-e
sunglasses die Sonnenbrille,-n 5
sunspot der Sonnenfleck,-en 9
suntan lotion die Sonnenschutzcreme 5
super super
supermarket der Supermarkt,-̈e
supper das Abendessen
supposed: to be supposed to sollen (soll, sollte, gesollt)
sure sicher
to **surf** surfen
surgeon der Chirurg,-en 8
surprise die Überraschung,-en
to **surprise** überraschen 10; to be surprised staunen
to **surround** umringen 3
surroundings die Umgebung
survival training das Survivaltraining
swamp das Moor,-e; der Sumpf,-̈e 9
swan der Schwan,-̈e
sweater der Pullover,-; der Pulli,-s
sweatshirt das Sweatshirt,-s
Sweden Schweden 9
Swedish (language) Schwedisch 9
sweet süß
sweets die Süßigkeiten
to **swim** schwimmen (schwamm, ist geschwommen)

426

swimmer der Schwimmer,-
to **swing** schwenken
Switzerland die Schweiz
sword das Schwert,-er *4*
symbol das Symbol,-e *9*
system das System,-e *1*

T

T-shirt das T-Shirt,-s
table der Tisch,-e
tablespoon der
    Suppenlöffel,-
tablet die Tablette,-n
table tennis das
    Tischtennis
taillight das Rücklicht,-er *3*
to **take** nehmen (nimmt,
    nahm, genommen); *to take
    along* mitnehmen; *to take a
    shower* sich duschen; *to
    take care of* sich kümmern
    um; sorgen für *5*; *to take off
    (plane)* abfliegen (flog ab,
    ist abgeflogen); *to take off
    (vehicle)* losfahren (fährt
    los, fuhr los, ist losge-
    fahren) *1*; *to take out*
    herausnehmen; *to take over*
    übernehmen (übernimmt,
    übernahm, übernommen) *4*;
    to take pictures
    fotografieren; *to take
    place* stattfinden (fand
    statt, stattgefunden); *to
    take the driving test* den
    Führerschein machen; *to
    take time* dauern; *to take
    vacation* Ferien machen
talent das Talent,-e
to **talk** sprechen (spricht,
    sprach, gesprochen); sich
    unterhalten (unterhält,
    unterhielt, unterhalten);
    reden *7*; *to talk about*
    sprechen über
tape *(recording)* das
    Tonband,-̈er
to **taste** schmecken
taste der Geschmack
tax die Steuer,-n *2*
taxi das Taxi,-s
tea der Tee; *iced tea* der
    Eistee
to **teach** unterrichten *1*;
    beibringen (brachte bei,
    beigebracht); *taught me as
    a child* hat mir als Kind
    beigebracht

teacher *(female)* die
    Lehrerin,-nen; *(male)* der
    Lehrer,-
team die Mannschaft,-en
team work das Teamwork *6*
teaspoon der Teelöffel,-
technical technisch *10*
technology die
    Technologie,-n; die
    Technik *7*
teenager der Jugendliche,-n,
telegraph der Telegraf,-en
    10
telephone das Telefon,-e;
    cell phone das Handy,-s
telephoto lens das
    Teleobjektiv,-e
telescope das Teleskop,-e *9*;
    (primitive) das Fernrohr,-e
    9
television (set) der
    Fernseher,-; *on television*
    im Fernsehen; *television
    program* das
    Fernsehprogramm,-e
to **tell** sagen, erzählen; *to tell
    about* erzählen von
tempo das Tempo
ten zehn
tennis das Tennis
tennis racquet der
    Tennisschläger,-
tent das Zelt,-e
terrific toll, klasse
terrorism der Terrorismus *9*
test die Prüfung,-en; *to
    pass a test* eine Prüfung
    bestehen
to **test** ausprobieren; testen *2*
text der Text,-e
textile production die
    Textilproduktion *7*
than als; *There is more room
    than before. Da ist mehr
    Platz als vorher.*
to **thank** sich bedanken;
    danken *6*; *Thank you!*
    Danke!; *Thank you very
    much. Danke schön.;
    Herzlichen Dank!*
thanks der Dank
that das; dass
the der, die, das
theater das Theater,- *2*
their ihr
then dann
theoretical theoretisch *4*
there da, dort; *over there* da
    drüben; *there (to)* dorthin

therefore deshalb
they sie, man
thick dick *8*
thin dünn *8*
thing die Sache,-n; das
    Ding,-e
to **think** denken (dachte,
    gedacht); *to think about*
    sich überlegen;
    nachdenken (dachte nach,
    nachgedacht); *to think of*
    halten von (hält, hielt,
    gehalten) *5*; *Do you think
    so?* Meinst du?
Third Reich (1933–1945)
    das Dritte Reich
thirst der Durst; *to be
    thirsty* Durst haben
thirteen dreizehn
thirty dreißig
this dieser
thousand tausend
three drei; *three times*
    dreimal
thriller Krimi,-s
through durch
to **throw** werfen (wirft, warf,
    geworfen) *4*
thunderstorm das
    Gewitter,-
Thursday der Donnerstag,-e
ticket Karte,-n; die
    Fahrkarte,-n; *single ticket*
    die Einzelfahrkarte,-n *7*;
    ticket counter Kasse,-n;
    ticket validator der
    Entwerter,- *7*
tide die Flut,-en *9*
tie die Krawatte,-n
tight eng
to **tighten** straff machen; *to
    tighten one's harness* sich
    anschnallen
time die Zeit,-en; *At what
    time? Um wie viel Uhr?;
    this time* diesmal *3*; *at that
    time* damals *6*; *time zone*
    die Zeitzone,-n *9*
times mal; *a few times* ein
    paar Mal
tip der Tipp,-s
tire der Reifen,-
tired müde *6*
title der Titel,- *1*
to an, zu
today heute
together zusammen
toilet die Toilette,-n

to **tolerate** aushalten (hält aus, hielt aus, ausgehalten) *10*
tomato die Tomate,-n
tomato salad der Tomatensalat
tomato soup die Tomatensuppe,-n
tomorrow morgen
ton die Tonne,-n *6*
too auch, zu
tools das Werkzeug
tooth der Zahn,¨e
toothache die Zahnschmerzen (pl.)
topic das Thema, -men
to **touch** berühren
tour die Tour,-en
tour guide die Reiseleiterin,-nen *2*
tourist der Tourist,-en
tourist office das Verkehrsbüro,-s
tower der Turm,¨e *3*
town der Ort,-e
toys die Spielwaren
track das Gleis,-e; die Schiene,-n *7; to run on tracks* auf Schienen fahren *7*
trade der Handel *6*
trade route die Handelsroute,-n *6*
tradition die Tradition,-en *2*
traffic der Verkehr
traffic congestion (*traffic jam*) der Stau
traffic lane die Fahrbahn,-en *2*
traffic light die Ampel,-n *2*
traffic rule die Verkehrsregel,-n *3*
tragic tragisch
train der Zug,¨e; die Bahn,-en *1*
to **train** trainieren
train fan der Eisenbahnfan,-s *1*
train station der Bahnhof,¨e
training das Training; die Ausbildung
training place der Ausbildungsplatz,¨e
to **transfer** umsteigen (stieg um, ist umgestiegen)
to **translate** übersetzen
translator die Übersetzerin,-nen *9*

to **transport** transportieren *4*
trash der Müll
to **travel** reisen; *traveling* Reisen
travel agency das Reisebüro,-s
traveler's check der Reisescheck,-s
to **treat** behandeln *7*
treats (*pl.*) Leckerbissen
tree der Baum,¨e
trip die Reise,-n
trout die Forelle,-n
truck der Lastwagen,- *4*
trumpet die Trompete,-n
trunk (car) der Kofferraum,¨e; (*wooden box*) die Kiste,-n *4*
to **trust** vertrauen *7*
to **try** versuchen; *to try out* ausprobieren
Tuesday der Dienstag,-e
Turk (*male*) der Türke,-n
Turkey die Türkei
to **turn** drehen *3; to turn around* sich umdrehen *3; to turn off* abstellen *4; to turn out* ausfallen (fällt aus, fiel aus, ausgefallen); *to turn to* abbiegen (bog ab, ist abgebogen)
turn signal der Blinker,- *4*
tuxedo der Smoking,-s *4*
TV der Fernseher,-; *TV series* die Fernsehserie,-n *7*
twelve zwölf
twenty zwanzig
twin sister die Zwillingsschwester,-n
two zwei; *two-wheel* (*bike*) *repair shop* die Zweiradwerkstatt,¨en
to **type** tippen *10; to type in* eintippen *10*
typewriter die Schreibmaschine,-n *7*
typical typisch *2*

U

ugly hässlich *5*
umbrella der Regenschirm,-e
unbelievable unglaublich
uncle der Onkel,-
under unter
to **underline** unterstreichen (unterstrich, unterstrichen)

to **understand** verstehen (verstand, verstanden)
underweight das Untergewicht *8*
unemployment die Arbeitslosigkeit
unfortunately leider
unified einheitlich *9*
unique einzigartig *10*
to **unite** vereinigen *1*
United States of America die Vereinigten Staaten von Amerika; die USA
unity die Einheit; *Day of Unity* Tag der Einheit
university die Universität,-en
unknown unbekannt *2*
unleaded bleifrei
unmarried unverheiratet, alleinstehend *3*
unsuspecting arglos *3*
until bis
to **use** benutzen
usually gewöhnlich

V

vacation die Ferien (pl.); der Urlaub,-e; *on vacation* in den Ferien; *to go on vacation* in die Ferien fahren; *to take vacation* Urlaub machen *4*
vacation trip die Ferienreise,-n
to **vacuum** staubsaugen
vain eitel
Valentine's Day der Valentinstag
valley das Tal,¨er *9*
valuable wertvoll *5*
value der Wert,-e *10*
vanilla ice cream das Vanilleeis
vegetable(s) das Gemüse
vegetable soup die Gemüsesuppe,-n
vegetarian die Vegetarierin,-nen *8*
vehicle das Fahrzeug,-e
ventilation die Lüftung,-en *4*
very sehr
vicinity die Umgebung
victory der Sieg,-e *2*
video das Video,-s;
video rental store die Videothek

to **view** besichtigen
Viking der Wikinger,- 2
villa die Villa,-llen 2
village das Dorf,̈-er 1
violin die Geige,-n
virtual virtuell 10
visit der Besuch,-e
to **visit** besuchen, besichtigen
visitor der Besucher,-
vitamin das Vitamin,-e;
poor/low in vitamins
vitaminarm; *rich in*
vitamins vitaminreich 8
vocabulary Vokabel,-n; das
Vokabular 10
vocational school die
Berufsschule,-n
voice die Stimme,-n 10
volleyball der Volleyball
vote die Stimme,-n 10
to **vote** wählen 10
voyage die Schifffahrt,-en 8

W

wagon der Waggon,-s 1
to **wait** warten; *to wait for*
warten auf; *to wait on*
bedienen
waiter der Kellner,-
waiting room die
Wartehalle,-n 9
waitress die Kellnerin,-nen
to **wake up** aufwachen
to **walk** zu Fuß gehen
walking stick der
Spazierstock,̈-e 5
walkman der Walkman,-s 8
wall die Wand,̈-e
waltz der Walzer,- 5
to **want to** wollen; *to want (for*
birthday) sich wünschen
war der Krieg,-e; *to go to*
war in den Krieg ziehen 6
ware die Ware,-n 4
warm warm
warning die Warnung,-en
2
to **wash** spülen; *to wash*
oneself sich waschen
(wäscht, wusch,
gewaschen); *washed*
ashore angeschwemmt 2
watch Uhr,-en
to **watch out** aufpassen,
zusehen (sieht zu, sah zu,
zugesehen); *to watch*
television fernsehen

water bottle die
Wasserflasche,-n 5
way der Weg,-e
we wir
weak schwach 1
to **wear** tragen (trägt, trug,
getragen); anhaben (hat
an, hatte an, angehabt)
weather das Wetter
weather forecast die
Wettervorhersage
wedding die Hochzeit,-en
wedding anniversary der
Hochzeitstag,-e
Wednesday der Mittwoch,-e
week die Woche,-n
weekend das
Wochenende,-n
to **weigh** wiegen (wog,
gewogen)
weight das Gewicht,-e
well-known bekannt
west der Westen; *west (of)*
westlich (von) 1
wet nass
what was; *What kind of a...?*
Was für ein...?; *What's*
your name? Wie heißt du?,
Wie heißen Sie?
wheat der Weizen 1
wheel das Rad,̈-er
wheelchair der Rollstuhl,̈-e
8
when wann, als
where wo; *where from*
woher; *where to* wohin
whether ob
which welcher
while während
whipped cream die
Schlagsahne
white weiß
who wer
whole ganz
why warum
wide breit 2
wife die Ehefrau,-en 3
wild wild
wild water ride die
Wildwasserbahn,-en
will werden
to **win** gewinnen (gewann,
gewonnen)
wind der Wind,-e
window das Fenster,-
windshield die
Windschutzscheibe,-n
windshield wiper der
Scheibenwischer,- 4

winepress die
Weinpresse,-n 7
wing der Flügel,- 9
winner der Sieger,-; der
Gewinner,- 4
winter der Winter,-
wisdom die Weisheit 9
wise weise; *a wise man* ein
weiser Mann
wish der Wunsch,̈-e 4
to **wish** wünschen
witch die Hexe,-n 7
with mit, bei
within innerhalb 7
without ohne
witness der Zeuge,-n 3
woman die Frau,-en
wonderful wunderschön 2
wood das Holz,̈-er 2
wood carver der
Holzschnitzer,- 8
word das Wort,̈-er
work die Arbeit,-en; das
Werk,-e 9
to **work** arbeiten, funktionieren *(gadget)*
workbench die
Werkbank,̈-e
workplace die
Arbeitsstelle,-n 6
workshop die Werkstatt,̈-en
world die Welt,-en; *in the*
whole world auf der
ganzen Welt
world war der Weltkrieg,-e;
First World War
(1914–1918) der Erste
Weltkrieg
world champion der
Weltmeister,- 7
World Heritage list die
Welterbeliste,-n 10
World Heritage site die
Welterbestätte,-n 10
worldly weltlich
worldwide weltweit 10
worried besorgt 3
worry die Sorge,-n
to **worry** sich sorgen 1; *to*
worry about sich sorgen
um 7
worse schlimmer
worth: to be worth wert
sein 3
would like to möchten
wounded der Verwundete,-n
8
wrist das Handgelenk,-e 8

to **write** schreiben (schrieb, geschrieben); *to write down* aufschreiben; *to write to* schreiben an; *in writing* schriftlich
writer der Schriftsteller,- 6

Y

year das Jahr,-e; *three years ago* vor drei Jahren
to **yell** schreien (schrie, geschrien)
yellow gelb
yes ja

yesterday gestern
yet noch; *not quite yet* noch nicht ganz
you *(familiar singular)* du; *(familiar plural)* ihr; *(formal)* Sie; man
your *(familiar singular)* dein; *(familiar plural)* euer; *(formal singular and plural)* Ihr
youth die Jugend
youth center das Jugendzentrum,-tren

youth hostel die Jugendherberge,-n
youth hostel director *(female)* die Herbergsmutter,-; *(male)* der Herbergsvater,-
youth magazine die Jugendzeitschrift,-en
Yugoslavia Jugoslawien 7

Z

zero null
zip code die Postleitzahl,-en

Index

The following German instructors provided valuable comments for the new edition of *Deutsch Aktuell*.

Sandra Achenbach, Webb School of Knoxville, Knoxville, Tennessee; *Dirk Ahlers*, Marquette Senior High School, Marquette, Michigan; *Anna L. Alexander*, Edmond Memorial High School, Edmond, Oklahoma; *Connie Allison*, MacArthur High School, Lawton, Oklahoma; *Constance L. Anderson*, Red Bank High School, Chattanooga, Tennessee; *Laura Anderson*, Yuma High School, Yuma, Arizona; *Thomas F. Andris*, Marietta Senior High School, Marietta, Georgia; *Virginia Apel*, Northside College Prep, Chicago, Illinois; *Susan Armitage*, Prairie High School, Cedar Rapids, Iowa; *Jennifer Baker*, North Brunswick Township High School, North Brunswick, New Jersey; *Lynn A. Baldus*, St. Ansgar High School, St. Ansgar, Iowa; *Sandra Banks*, Galesburg High School, Galesburg, Illinois; *Gregg Barnett*, Oak Grove High School, San Jose, California; *David Beal*, Lee's Summit North High School, Lee's Summit, Missouri; *James J. Becker*, Dickinson High School, Dickinson, North Dakota; *Michele Bents*, Millard North High School, Omaha, Nebraska; *Tammy L. Berlin*, Waggener Traditional High School, Louisville, Kentucky; *Michael W. Beshiri*, Heritage High School, Conyers, Georgia; *Jayne E. Bingham*, Woodland High School, Catersville, Georgia; *Tery Binkerd*, Viewmont High School, Bountiful, Utah; *Judy Birkel*, Heritage Christian School, Indianapolis, Indiana; *Krista Boerman*, Western High School, Auburn, Michigan; *Paul Boling*, Patton Junior High School, Ft. Leavenworth, Kansas; *Seth H. Boyle*, Elk Grove High School, Elk Grove, California; *Barbara Boys*, Methacton High School, Norristown, Pennsylvania; *Susan Scott Brafford*, Prince George High School, Prince George, Virginia; *Rick Brairton*, Chatham High School, Chatham, New Jersey; *Ursula Brannon*, Jarman Jr. High & Carl Albert High School, Midwest City, Oklahoma; *Carol Bruinsma*, Brookings High School, Brookings, South Dakota; *Carol H. Buller*, Midland High School, Midland, Michigan; *Sandra Burkhard*, Highland High School, Gilbert, Arizona; *Delores T. Buth*, Blaine High School, Blaine, Minnesota; *Friederike Butler*, Paradise Valley High School, Phoenix, Arizona; *Jacqueline A. Cady*, Bridgewater-Raritan Regional High School, Bridgewater, New Jersey; *Judith M. Cale*, Bennett High School, Bennett, Colorado; *Patrick Carr*, Blanchet High School, Seattle, Washington; *Carah Casler*, Reynoldsburg High School, Reynoldsburg, Ohio; *Ron Cates*, Ooltewah High School, Ooltewah, Tennessee; *Vance Chadaz*, Ogden High School, Ogden, Utah; *Stephanie Christensen*, Flathead High School, Kalispell, Montana; *Diane Christiansen*, Brisco Middle School, Beverly, Massachusetts; *Maria Monica Colceriu*, South High School, Pueblo, Colorado; *Brian Colucci*, Burgettstown Junior/Senior High School, Burgettstown, Pennsylvania; *Nancy Cowchok*, Wilmington Christian School, Hockessin, Delaware; *Jutta Crowder*, St. Paul Academy and Summit School, St. Paul, Minnesota; *Marilyn Davidheiser*, Franklin Co. High School, Winchester, Tennessee; *Cathy DeEsch*, Bangor Area Middle School, Bangor, Pennsylvania; *Frau Delacroix*, Massaponax High School, Fredericksburg, Virginia; *Corinne de Mattos*, Shaw High School, Columbus, Georgia; *Susan W. DeNyse*, Fairfield Senior High School, Fairfield, Ohio; *Daniel Desmond*, Centennial High School, Ellicott City, Maryland; *D. Dietrich-Lemon*, Carlson High School, Rockwood, Michigan; *Brigitte Dobbins*, Hampton High School, Hampton, Virginia; *Mariea Dobbs*, Central High School, Harrison, Tennessee; *Diane L. Dunk*, Eisenhower High School, New Berlin, Wisconsin; *Eugene Endicott*, Central Middle School, Ogden, Utah; *Paul Engberson*, West Jefferson High School, Terreton, Idaho; *Connie Evenson*, Pelican Rapids High School, Pelican Rapids, Minnesota; *Renee Fait*, Lakeland Union High School, Minocqua, Wisconsin; *Kathy Falatovich*, York Suburban High School, York, Pennsylvania; *Mary B. Farquhar*, Lowell High School, San Francisco, California; *Jay Feist*, Archbishop Alter High School, Kettering, Ohio; *Margaret M. Fellerath*, York Suburban Middle School, York, Pennsylvania; *Bro. Charles Filbert, F.S.C.*, Calvert Hall College High School, Baltimore, Maryland; *Fredrick Fischer*, Marquette Catholic High School, Alton, Illinois; *Marjorie A. Fischer*, Rocky Point High School, Rocky Point, New York; *Thomas Fischer*, Overbrook Regional Senior High School, Pine Hill, New Jersey; *Jan Fisher*, Harlem High School, Machesney Park, Illinois; *Lou Flanagan*, Crosby-Ironton Junior/Senior High School, Crosby, Minnesota; *Tessie A. Flynn*, East Detroit High School, Eastpointe, Michigan; *Antje Fortier*,

Shelton High School, Shelton, Washington; *John Foster*, Duchesne High School, Duchesne, Utah; *Regine Fougeres*, Chenley High School, Pittsburgh, Pennsylvania; *Janet Fox*, Revere Middle School, Bath, Ohio; *S. Michelle France*, Lewis-Palmer High School, Monument, Colorado; *Jason Frank*, Waterford Kettering High School, Waterford, Michigan; *Joan H. Franklin*, North Catholic High School, Pittsburgh, Pennsylvania; *Wendy L. Freeman*, Hillcrest High School, Idaho Falls, Idaho; *Paula G. Freshwater*, Solon Middle School, Solon, Ohio; *Donah Gehlert*, Stow-Monroe Falls High School, Stow, Ohio; *Linda Gevaert*, Martin Luther High School, Greendale, Wisconsin; *Michealle Gibson*, Sauk Centre High School, Sauk Centre, Minnesota; *Christine Gildner*, University High School, Orlando, Florida; *James V. Goddard*, Howard A. Doolin Middle School, Miami, Florida; *John D. Goetz*, Mayer Lutheran High School, Mayer, Minnesota; *Joe Golding*, Pennsauken High School, Pennsauken, New Jersey; *Sally Goodhart*, Gloucester High School, Gloucester, Virginia; *Candie Graham*, Canton High School, Canton, Illinois; *Sandra Gullo*, Tri-City Christian Academy, Somersworth, New Hampshire; *Aaron Gwin*, Hazelwood East High School, St. Louis, Missouri; *John F. Györy*, G.A.R. Memorial Junior/Senior High School, Wilkes-Barre, Pennsylvania; *Amy Hallberg*, Chaska High School, Chaska, Minnesota; *Gerald E. Halliday*, Clearfield High School, Clearfield, Utah; *Byron Halling*, Escondido Charter High School, Escondido, California; *Laura Halvorson*, Willmar Senior High School, Willmar, Minnesota; *Mary P. Hansen*, St. Agnes High School, St. Paul, Minnesota; *Rena W. Harris*, Lutheran High School, Springfield, Illinois; *Jennifer L. Harrison*, Roy School District 74, Roy, Michigan; *Peri V. Hartzell*, Field Kindley High School, Coffeyville, Kansas; *Janet Harvis*, Harrison High School, Farmington Hills, Michigan; *Barbara Hassell*, Lord Botetourt High School, Daleville, Virginia; *Nellie Hastings*, Alan B. Shepard High School, Palos Heights, Illinois; *Rebecca Hauptmann*, Clifford Smart Middle School, Commerce, Michigan; *Chrystal Heimberger-Hallam*, Chaparral High School, Las Vegas, Nevada; *Thomas Hengstenberg*, Owensville High School, Owensville, Missouri; *Hege Herfindahl*, BBE High School, Belgrade, Minnesota; *Arthur P. Herrmann*, White Station High School, Memphis, Tennessee; *Helga Hilson*, Edmonds-Woodway High School, Edmonds, Washington; *Stephen C. Hintz*, Shoreland Lutheran High School, Somers, Wisconsin; *Shirley S. Hipsher*, Trenton High School, Trenton, Michigan; *Nicholas R. Hoffmann*, Walnut High School, Walnut, Iowa; *Arthur D. Holder*, Judge Memorial Catholic High School, Salt Lake City, Utah; *T. Marshall Hopkins*, Central Mountain High School, Mill Hall, Pennsylvania; *Jolene Huddleston*, Kaysville Junior High School, Kaysville, Utah; *Tracy Hughes*, Atlee High School, Mechanicsville, Virginia; *Amy L. Hull*, Jones Academic Magnet High School, Chicago, Illinois; *Daniel Hunter*, Jersey Shore Area High School, Jersey Shore, Pennsylvania; *Nicole B. Ingram*, Preble-Shawnee High School, Camden, Ohio; *Patricia S. Iversen*, Lee's Summit High School - Div. I, Lee's Summit, Missouri; *Camille Jensen*, Preston High School, Preston, Idaho; *Joan Jensen*, Chatham Middle School, Chatham, New Jersey; *Jane Jerauld*, Montrose Area Jr./Sr. High School, Montrose, Pennsylvania; *Walter J. Johnson*, Northeast Catholic High School, Philadelphia, Pennsylvania; *Richard B. Jones*, Ritenour High School, St. Louis, Missouri; *Rohnda Jones*, Lane Technical High School, Chicago, Illinois; *W. Clark Jones*, Vernal Junior High School, Vernal, Utah; *William Jones*, Howland High School, Warren, Ohio; *Sarah Juntune*, Okemos High School, Okemos, Michigan; *Linda Kaelin*, Lourdes High School, Oshkosh, Wisconsin; *Mary S. Katzenmayer*, Jacobs High School, Algonquin, Illinois; *Guido Kauls*, Minnehaha Academy, Minneapolis, Minnesota; *Kara Keller*, Perryville Senior High School, Perryville, Missouri; *Steve R. Kennedy*, Lenawee Christian School, Adrian, Michigan; *Wilfred Kittner*, United Faith Christian Academy, Charlotte, North Carolina; *Steven Knecht*, Layton High School, Layton, Utah; *Hans Koenig*, The Blake School, Hopkins, Minnesota; *Michael J. Korom*, Ninth Grade Center, Downingtown, Pennsylvania; *Barbara Kyle*, Rock Spring High School, Rock Spring, Wyoming; *Cynthia Lavalle-Lake*, Kearsley High School, Flint, Michigan; *Michael E. Leach*, Pandora-Sellor High School, Pandora, Ohio; *John Lenders*, Dearborn High School, Dearborn, Michigan; *Warren R. Love*, Gilbert High School, Gilbert, Arizona; *W. R. Lutz*, Seneca High School, Louisville, Kentucky; *Christopher Lynch*, St. John's Preparatory School, Danvers, Massachusetts; *Michael Marple*, Butler Traditional High School, Louisville, Kentucky; *Bert C. Marley*, Marsh Valley High School, Arimo, Idaho; *Amy Mason*, Lake Fenton High School, Fenton, Michigan;

Ingrid May, Harding High School, Marion, Ohio; *Kaye Lynn Mazurek*, Walled Lake Central High School, Walled Lake, Michigan; *Anne B. McCahill*, Chancellor High School, Fredericksburg, Virginia; *E. McCarthy-Allen*, Champaign Central High School, Champaign, Illinois; *Linda R. McCrae*, Muhlenberg High School, Laureldale, Pennsylvania; *Bernie A. McKichan*, Sheboygan Falls High School, Sheboygan Falls, Wisconsin; *Mike McKinney*, Roxana High School, Roxana, Illinois; *Karlyn McPike*, Hicksville High School, Hicksville, Ohio; *Zig Meyer*, Blue Hill Community Schools, Blue Hill, Nebraska; *Zaiga Mion*, Hardanway High School, Columbus, Georgia; *Lisa Morrill*, Mansfield Middle School, Storrs Mansfield, Connecticut; *Peter Mudrinich*, Hudson High School, Hudson, Wisconsin; *Ursula Mudrinich*, River Falls High School, River Falls, Wisconsin; *Eleanor Munze*, Jefferson Twp. High School, Oak Ridge, New Jersey; *Kathleen S. Nardozzi*, Penn Hills High School, Pittsburgh, Pennsylvania; *Jean K. Neitzel*, NELHS, York, Nebraska; *JoAnn Nelson*, Jacksonville High School, Jacksonville, Illinois; *Jane Nicholson*, Logan High School, Logan, Utah; *Susanne Niebuhr*, North Pole High School, North Pole, Arkansas; *Nancy Oakes*, Mt. Zion High School, Mt. Zion, Illinois; *Adeline O'Brien*, Nazareth High School, Nazareth, Pennsylvania; *Rita M. Olson*, South Milwaukee High School, South Milwaukee, Wisconsin; *Barbara S. Oncay*, Dover High School, Dover, Delaware; *Damon Osipik*, Susan B. Anthony Middle School, Manhattan, Kansas; *Sr. Mary Perpetua, SCC*, Central Catholic High School, Reading, Pennsylvania; *Linda K. Perri*, Shakopee Junior High School, Shakopee, Minnesota; *Judith Pete*, Andrean High School, Merrillville, Indiana; *Siegmund Pfeifer*, Litchfield Senior High School, Litchfield, Minnesota; *Judith Potter*, John Carroll School, Bel Air, Maryland; *Lois Purrington*, Renville County West High School, Renville, Minnesota; *Christa Rains*, Peoria Heights High School, Peoria Heights, Illinois; *Jens Rehoer*, Orion High School, Orion, Illinois; *Edith A. W. Rentz*, Freeport High School, Freeport, Maine; *Julia S. Riggs*, Mesquite High School, Gilbert, Arizona; *Jerry L. Roach*, Baraga Area Schools, Baraga, Michigan; *Esther Rodabaugh*, Beaverton High School, Beaverton, Michigan; *Patti L. Roepke*, Chaska Middle School West, Chaska, Minnesota; *Linda Roller*, Bolivar High School, Bolivar, Missouri; *Brigitte Rose*, U.S. Grant High School, Van Nuys, California; *Cynthia H. Rovai*, Middletown High School, Middletown, Ohio; *Ralph Rowley*, Weber High School, Ogden, Utah; *Catherine Rubeski*, Framingham High School, Framingham, Massachusetts; *Jay T. Ruch*, Notre Dame High School, Easton, Pennsylvania; *Betsy Saurdiff*, Goodridge School, Goodridge, Minnesota; *Monica E. Schaffer*, Arcola Intermediate School, Norristown, Pennsylvania; *Cynthia K. Schauer*, Downingtown High School, Downingtown, Pennsylvania; *Ann S. Schemm*, South Park High School, Library, Pennsylvania; *Wesley A. Schmandt*, Kettle Moraine Lutheran, Jackson, Wisconsin; *Kurt Schneider*, Oconomowoc High School, Oconomowoc, Wisconsin; *Peter Schroeck*, Watchung Hills Regional High School, Warren, New Jersey; *Tom Schwartz*, Huron Valley Lutheran High School, Westland, Michigan; *Tim Seeger*, Millard South High School, Omaha, Nebraska; *Mary Selberg*, Brookings High School, Brookings, South Dakota; *Yana Shinkarer*, St. Cecilia Academy, Nashville, Tennessee; *Kathy Shuster-Jory*, Bangor Area High School, Bangor, Pennsylvania; *John R. Siegel*, Lithia Springs High School, Lithia Springs, Georgia; *Sandra Siess*, SFBRHS, Washington, Missouri; *Sara Simpson*, Fyffe High School, Fyffe, Alabama; *Mellissa D. Sims*, Jackson High School, Jacksonville, Alabama; *Marsha Sirman*, Seaford Senior High School, Seaford, Delaware; *Vija S. Skudra*, Masconomet Reg. High School, Topsfield, Massachusetts; *Richard M. Slattery*, Hillcrest High School, Tuscaloosa, Alabama; *Helen Small*, Poquoson High School, Poquoson, Virginia; *Brian G. Smith*, H. H. Dow High School, Midland, Michigan; *Trevor J. Smith*, Sunset Junior High School, Sunset, Utah; *Pia Snyder*, Gladstone High School, Gladstone, Oregon; *Amy Sobeck*, Prince Edward High School, Farmville, Virginia; *Gisela Sommer*, Edwardsville High School, Edwardsville, Illinois; *Rebecca Stanton*, Santa Margarita Catholic High School, Rancho Santa Margarita, California; *Ruth E. Stark*, Chisago Lakes High School, Lindstrom, Minnesota; *Brenda Stewart*, Millard North High School, Omaha, Nebraska; *Susan Stober*, Grandview High School, Aurora, Colorado; *Elaine Swartz*, Peabody Veterans Memorial High School, Peabody, Massachusetts; *Christina Thomas*, Perry High School, Pittsburgh, Pennsylvania; *Rich Thomas*, Watertown High School, Watertown, South Dakota; *William Thomas*, Limestone High School, Bartonville, Illinois; *Frank C. Thomsen*, Holmes Junior High School, Davis, California; *Rebecca A. Todd*, Lebanon High School, Lebanon,

Missouri; *Michael Tollefson*, West High School, Madison, Wisconsin; *Tatjana Trout*, Sheldon High School, Sacramento, California; *Ronald Tullius*, Robert G. Cole High School, San Antonio, Texas; *Teresa Underhill*, Lone Oak High School, Paducah, Kentucky; *Geraldine Van Doren*, Spotsylvania High School, Spotsylvania, Virginia; *Annelies Venus*, East Ridge Middle School, Ridgefield, Connecticut; *Madalyn Vieselmeyer*, Axtell High School, Axtell, Kansas; *Marianne Vornhagen*, Glen Oak High School, Canton, Ohio; *Amy C. Wagner*, Carlisle High School-Swartz Building, Carlisle, Pennsylvania; *Tonya Wagoner*, Harverson County High School, Cynthiana, Kentucky; *Janet Ward*, The Walker School, Marietta, Georgia; *Jon Ward*, Rigby High School, Rigby, Idaho; *Kimberly A. Warner*, Tipton High School, Tipton, Indiana; *Tom Watson*, Baltimore Lutheran School, Towson, Maryland; *Monty Weathers*, Dondero High School, Royal Oak, Michigan; *Jeanne Weiner*, Russell Middle School, Omaha, Nebraska; *Heide Westergard*, Shaker High School, Latham, New York; *Oksana Wheeler*, Triton High School, Dodge Center, Minnesota; *Delos P. Wiberg*, Box Elder High School, Brigham City, Utah; *Diane Widmer*, North Forsyth High School, Cumming, Georgia; *Louise Wieland*, Rockland District High School, Union, Maine; *Birgitta Wiklund*, Pearland High School, Pearland, Texas; *Joan M. Wilson*, Sainte Genevieve High School, Sainte Genevieve, Missouri; *John Wilson*, Southeast Whitfield High School, Dalton, Georgia; *Ruth Wimp*, Alton High School, Alton, Illinois; *Diane Wippler*, Proctor High School, Proctor, Minnesota; *Kathy Witto*, Lutheran High School, Indianapolis, Indiana; *Lynne Woodward*, Langley High School, Pittsburgh, Pennsylvania; *Kristen M. Worm*, Fairbury High School, Fairbury, Nebraska; *Ava Wyatt*, Dalton High School, Dalton, Georgia; *E. Yancey*, Woodrow Wilson High School, Los Angeles, California; *Anne Yokers*, New Berlin West High School, New Berlin, Wisconsin; *Jennifer Zimmerman*, Morris Hills High School, Rockaway, New Jersey

Amt für Tourismus und Weimar-Werbung: 337 (bottom right)

Austrian National Tourist Office: vi (bottom left), 71 (bottom right), 108 (top), 109 (center), 119 (bottom right), 142 (bottom left), 143 (center and bottom right), 148 (bottom), 151, 156 (top left), 158 (center right), 162 (bottom left), 163 (bottom right), 167, 173 (both), 325, 327 (bottom left)

Barton, Paul/The Stock Market: 273

Bayerischer Touristenverband e.V.: 12

Bundesbildstelle Berlin: 27, 194 (both)

Corbis Stck Photography: 3 (both)

Czech Center: 157 (bottom right), 314

Deutsche Bahn: iv (bottom left), 18 (bottom left), 20 (both), 31

Fox, Shari: 4, 6 (bottom left)

Fremdenverkehrsamt Grimma: 164 (bottom)

Fremdenverkehrsamt Nürnberg: 1 (bottom left)

German Information Center: 32 (top), 33 (bottom left), 36 (bottom right), 37 (center right), 153, 277, 300, 316 (bottom right), 322 (bottom right), 323, 327 (center, 349

Harzer Verkehrsverband: 255 (bottom left and right), 266 (top right), 267 (top right)

Hruska, John: 38 (bottom left), 147 (center right), 148 (center right), 261 (center right), 355 (center left and bottom right), 356 (bottom left)

Hungarian National Tourist Office: 142 (top), 156 (bottom right), 158 (center left)

Inter Nationes: ix (bottom left), xvii (top), 1 (top), 17, 23 (both), 24, 33 (center), 38 (center left), 39 (top right and center), 42, 47 (top right), 92 (both), 102, 130 (top and bottom left), 162 (top right), 168 (bottom right), 176, 183 (bottom left), 187, 192 (center right), 193 (top and center right), 199, 200, 201 (bottom), 205 (both), 206, 214 (bottom left), 230 (all), 231 (all), 241, 241 (both, 266 (top left), 267 (bottom right),279, 289 (center), 299 (center left) 302 (both), 312, 313 (both, 327 (bottom right), 333 (both), 336 (top left, right and center right), 337 (center right), 350 (all)

Kassel Service GmbH: 182 (top), 358

Keller, Michael/The Stock Market: 272

Klagenfurt Tourismus: 143 (bottom left), 162 (center left), 163 (top and center right), 288 (top)

Klein, Dieter: vi (bottom right), viii (bottom left), ix (bottom right), 35 (all), 43 (both), 53 (all), 71 (bottom left), 74 (all), 75 (both), 111 (both), 112, 122 (all), 125 (both), 141, 145 (all), 146 (both), 160 (all), 161, 175, 185 (all), 196 (all) 197 (all), 221 (all) 236 (both), 237 (both), 258 (all), 293 (all), 294, 295 (all), 329 (all), 330, 342 (all), 343

Kraft, Wolfgang: vii (bottom left), 36 (bottom left), 46 (center right and bottom left), 47 (center left), 49, 52, 54 (bottom left), 63, 69, 87 (top left), 89, 91 (top right), 99 (top right), 120 (both), 124 (bottom left), 182 (bottom left), 225 (center right and bottom), 239 (bottom left), 292 (numbers 1,3,4), 309 (top right), 339, 352

Kurverwaltung Bodemais: 218 (top)

Kurverwaltung Ruhpolding: 324 (bottom right)

Kurverwaltung St. Blasien: 183 (bottom right)

Leo de Wys Inc.: 255 (center), 275

Lufthansa: viii (bottom right), 307, 308 (both), 310, 319 (both)

Music + Show: 140 (bottom right)

Pleßmann, Gregor: 283

Schultze, Frank: 37 (bottom)

Simson, David: vii (center right), 7, 8, 44 (both), 47 (top left), 57, 58 (all), 68 (bottom right), 87 (top right), 95, 96, 101 (both), 106 (all), 113, 114, 123, 126, 128 (both), 147 (bottom left), 149 (bottom), 155, 156 (center right), 157 (top right), 165 (top right), 190, 193 (bottom right), 198, 201 (top right), 203 (bottom), 207, 211, 217, 219 (center), 223, 224 (both), 225 (top right), 226 (both), 229 (top right), 234 (all), 252 (both), 253, 257, 260, 262, 270, 274, 288 (bottom left), 292 (number 2), 297, 298, 299 (center right), 301, 309 (bottom right), 311 (both), 316 (center), 324 (bottom left), 335, 336 (bottom right), 338, 345, 346, 355 (bottom left), 356 (top left)

Specht Jarvis Associates: iv (bottom right), v (bottom right), xvii (bottom left), 6 (center left), 9, 10, 11 (top and center right), 18 (bottom right), 25 (all), 26, 32 (bottom left), 33 (bottom right), 38 (top left), 46 (bottom right), 48 (bottom), 54 (bottom right), 55 (all), 62 (all), 64 (both), 68 (bottom left), 70 (bottom left), 77 (both), 78, 79, 86, 88, 108 (bottom left), 115 (all), 116 (both), 117, 119 (top right and bottom left), 124 (bottom right), 130 (center left), 131 (top right), 134 (both), 135, 136, 140 (bottom left), 168 (bottom left), 172, 189 (center right),

192 (top right), 210, 211, 218 (bottom left), 254 (bottom left), 261 (bottom right), 267 (center right), 280, 303 (both), 331 (bottom right), 334, 336 (center left), 356 (top and center right)

Specht, Otto: 39 (top left), 97

Stadt Duderstadt: 1 (bottom right)

Sternberg, Will: 331 (center right)

Sturmhoefel, Horst: 56, 59 (both), 131 (bottom left and right), 132 (both)

Switzerland Tourism: v (bottom left), 70 (top), 71 (center), 82 (both), 83 (both), 84, 85, 100 (both), 109 (bottom left and right), 152, 189 (bottom), 203 (center right), 208 (both), 254 (top), 304, 305, 320, 321 (all), 332 (top right), 326 (top)

Staädtisches Verkehrsamt Lichtenfels: 183 (center)

Tourismusverband Mecklenburg-Vorpommern e.V.: 61, 291 (all)

Tourismusverband München-Oberbayern e.V.: 227

Verkehrsamt Aachen: 93 (bottom right)

Verkehrs- und Kulturamt Rotenburg an der Fulda: 289 (bottom left)

Verkehrsverband Prien e.V.: 11 (bottom right)

Verkehrs- und Reisebüro Gemeinde Oberammergau OHG: 45, 289 (bottom right)

Zürich Tourismus: 99 (bottom left)

Other Credits

Aschehoug Dansk Forlag: "Emil und die Detektive" by Erich Kästner (pp. 27–30); "Winterkartoffeln" from "Gänsebraten und andere Geschichten" by Jo Hanns Rösler, (pp. 66–68); "Lenchens Geheimnis" by Michael Ende, (pp. 102–105); "Der Stift" from "Man kann ruhiger darüber sprechen" by Heinrich Spoerl, (pp. 137–139); "Flucht ins fremde Paradies" by Angelika Mechtel, (pp. 249 –251). Copyright © Aschehoug Dansk Forlag, Copenhagen, Denmark.

Biermann, Wolf: Copyright © Wolf Biermann, Hamburg (pp. 358–360).

Deutsche Bahn: realia – pp. 16, 17

Fremdenverkehrsverband Nordsee - Niedersachsen - Bremen e.V.: realia – pp. 55 & 64

Kommerzbank, Zentraler Stab, Kommunikation: "Ein Bericht der Föderation der Natur- und Nationalparks Europas" from "Umwelt und Sport." Permission by Kommerzbank, Frankfurt (pp. 320–323).

Michael Neugebauer Verlag: From the book "Christian Morgenstern: Kindergedichte & Galgenlieder" by Christian Morgenstern, selected and illustrated by Lisbeth Zwerger. Copyright © 1992 by Michael Neugebauer Verlag AG, Gossau, Zürich, Switzerland. All rights reserved. Used by permission of North-South Books, Inc., New York (pp. 176–180).